Christine Jones.
Nadolig 1981.

CLASURON YR ACADEMI

Golygydd Cyffredinol y Gyfres: P.J. Donovan
(trwy gymorth Cyngor Celfyddydau Cymru)

II

Meistri a'u Crefft

MEISTRI A'U CREFFT

Ysgrifau Llenyddol
gan
Saunders Lewis

Golygwyd
gan
Gwynn ap Gwilym

CAERDYDD
GWASG PRIFYSGOL CYMRU
AR RAN YR ACADEMI GYMREIG
1981

Manylion Catalogio Cyhoeddi (CIP) Y Llyfrgell Brydeinig

Lewis, Saunders
  Meistri a'u crefft. – (Clasuron yr Academi; 2)
  1. Llenyddiaeth Gymraeg – Hanes a beirniadaeth
  I. Teitl
  891.6'6'09   PB2206

ISBN 0-7083-0791-4

Cyfieithwyd y Manylion Catalogio Cyhoeddi gan y Cyhoeddwyr

Dymuna Gwasg Prifysgol Cymru a'r Academi Gymreig
gydnabod cymorth ariannol Cyngor Celfyddydau Cymru tuag
at gostau cyhoeddi'r gyfres hon.

Cysodwyd gan Afal, Caerdydd
Argraffwyd gan Argraffwyr South Western Cyf., Caerffili

CYNNWYS

RHAGAIR

Braint fawr i mi yw cael y cyfle hwn i ddiolch i'r canlynol am eu cymorth wrth baratoi'r gyfrol hon ar gyfer y wasg: yn gyntaf oll i Mr Saunders Lewis ei hunan am fod mor amyneddgar ynghylch pob ymholiad ac am gynnig dwy ysgrif newydd ac ysblennydd; i'r Athro R. Geraint Gruffydd am gyfarwyddyd gwerthfawr iawn; ac i bawb arall a fu ynglŷn â'r gyfrol gyffrous a phwysig hon.

PATRICK J. DONOVAN
Golygydd y Gyfres.

RHAGYMADRODD

Aeth chwe blynedd heibio er cyhoeddi *Meistri'r Canrifoedd,* casgliad o ysgrifau Mr Saunders Lewis ar hanes llenyddiaeth Gymraeg wedi'u dethol a'u golygu gan yr Athro Geraint Gruffydd. Er gwyched y gyfrol honno, ac er pwysiced ei chyfraniad i ysgolheictod, bu'n rhaid gadael allan ohoni, oherwydd natur arbenigol ei thema, nifer helaeth iawn o erthyglau mwy cyffredinol a gyfrannodd Mr Lewis i'n cylchgronau a'n papurau newydd o dro i dro. Bellach dyma gyfle i gyhoeddi rhai o'r rheini yn gyfrol gydymaith i *Meistri'r Canrifoedd.* Y mae yn y gyfrol hon erthyglau ar awduron Cymraeg diweddarach na'r rhai a drafodir yng nghasgliad yr Athro Gruffydd, a hefyd erthyglau yn ymwneud â llenyddiaeth yn gyffredinol ac â chelfyddyd y llenor.

Gan fod nifer o ysgolheigion pwysig eisoes wedi ysgrifennu'n helaeth ar weithiau beirniadol Mr Lewis, hyfdra ar fy rhan i fyddai ceisio ychwanegu dim at eu sylwadau. Nodaf yn unig rai o'r nodweddion y dysgwyd fy nghenhedlaeth i i chwilio amdanynt yn ei waith ac a ganfyddir yn amlwg yng nghorff y casgliad hwn.

Yn gyntaf, y gred ddi-sigl mewn aristocratiaeth a fu'n sylfaen gyson i weithiau Mr Lewis o'r cychwyn cyntaf. Hanfod y gred hon yw na ellir cynhyrchu celfyddyd fawr ond mewn cymdeithas o bobl y mae eu synhwyrau yn ddigon main a'u haddysg yn ddigon eang i'w llwyr werthfawrogi, ac yng Nghymru am ganrifoedd lawer, yn y dosbarth pendefigaidd yn unig y ceid cymdeithas o'r fath. Wedi brad yr uchelwyr yn oes y Tuduriaid, etifeddwyd eu chwaeth lenyddol hwy gan glerigwyr yr Eglwys sefydledig yn arbennig, a chan ambell aelod o'r feritocratiaeth newydd, ac yna daeth i fod yn un o freiniau tywysogion Anghydffurfiaeth. Yn y ganrif hon, meithrinodd Prifysgol Cymru gymdeithas ddethol, werthfawrogol a fu'n symbyliad i'r dadeni cyfoes yn ein llenyddiaeth. Bu hefyd ar hyd y canrifoedd wedi dadfeiliad y gyfundrefn farddol ddosbarth o brydyddion mwy gwerinol y gellir dweud na thorrwyd yn llwyr y cysylltiad rhyngddynt a hen feirdd yr uchelwyr. Dyma hanfod y weledigaeth a grisielir gan Mr Lewis mewn erthyglau megis 'Cyflwr ein Llenyddiaeth', lle maentumir mai

> Llenyddiaeth ysgolheigaidd fu llenyddiaeth Gymraeg erioed. Ni allai fod yn amgen. Oblegid cymdeithas fonheddig, aristocratig fu'r werin Gymraeg erioed, ac ni all cenedl fonheddig hepgor llenyddiaeth ysgolheigaidd.

Ei ymwybod â hynafiaeth etifeddiaeth y llenor o Gymro yw'r ail nodwedd amlwg yng ngweithiau beirniadol Mr Lewis. Iddo ef, y mae elfennau o'r hen draddodiad barddol, pendefigaidd y rhoes ef yr enw "traddodiad Taliesin" arno, yn dal yn fyw ac mewn erthygl enwog ar waith Robert Williams Parry nas cynhwysir yn y gyfrol hon, ystyria fod rhai o gerddi Williams Parry ei hun yn profi hynny. "Y bardd gwlad, cymwynasgar ei gerdd, yw gwir olynydd

Taliesin a'r penceirddiaid," meddai eto yn yr ysgrif 'Dyfodol Llenyddiaeth'. Y ddadl yw bod i lenyddiaeth Gymraeg undod unigryw a bair iddi yn ei threigl glymu'r cenedlaethau. Hi yw'r llinyn arian a'n ceidw yn un â'r tadau.

Er hynny, nid llenyddiaeth ar ei phen ei hun mohoni, ac ni ellir ei deall yn iawn heb gydnabod ei bod yn rhan hanfodol o draddodiad llenyddol Cristionogol Ewrob ac iddi sugno maeth o brif fudiadau llenyddol y cyfandir hwnnw ar hyd y canrifoedd. Am iddi fethu â dirnad y gwirionedd hwn y beirniadodd Mr Lewis Orsedd y Beirdd yn ei erthygl 'Llenorion a Lleygwyr', a'i argyhoeddiad ef ei hun o'i blaid, ynghyd â'i wybodaeth eang o lenyddiaeth Ewrob mewn gwahanol gyfnodau, a barodd ei fod mor chwannog i gymharu awduron Cymraeg â llenorion clasurol Groeg a Rhufain ac ag awduron diweddarach Ffrainc a'r Eidal a'r Almaen.

Trydedd nodwedd arbennig yr ysgrifau hyn yw parch dwfn Mr Lewis i'w alwedigaeth fel beirniad ac ysgolhaig. Meddai wrth ymdrin â gweithiau Griffith John Williams: "Dyd bywyd a chynnyrch yr ysgolhaig gymaint gogoniant ar wareiddiad ag a ddyd cyfanwaith bardd neu gampweithiau'r pensaer," ac y mae'r un pwyslais yn amlwg yn ei erthygl ar Thomas Hudson Williams. Myn mai'r un yn ei hanfod yw swyddogaeth y beirniad â swyddogaeth yr artist creadigol. Dyma sut y mynega'i argyhoeddiad yn yr ysgrif 'Dyfodol Llenyddiaeth': "Tasg beirniadaeth lenyddol ydyw darganfod a datguddio a dehongli ... Y mae hynny hefyd yn waith creadigol". Felly, y mae'r beirniad fel y bardd yn creu llenyddiaeth. Y mae'r boddhad dwfn a geir o ddarllen rhai o ysgrifau beirniadol Mr Lewis yn brawf teg o'r llwyddiant a fu ar ei ymdrechion ef i droi beirniadaeth yn llenyddiaeth gain.

Nodwedd arall yw llwyr onestrwydd ei farn. Nid arfer weniaith ac ni fyn i ffrygydau personol ymyrryd dim â'i alwedigaeth. Y mae ei barch i swyddogaeth y beirniad yn mynnu na thraetha ddim ond y gwir noeth. Ar y naill law, y mae'n hael ei glod i ambell awdur na welodd lygad yn llygad ag ef bob amser, ac ar y llaw arall, nid yw'n osgoi dweud y drefn wrth gyfeillion agos os teimla fod cyfiawnhad dros hynny.

Dylid darllen y gyfrol hon ochr yn ochr â'r erthyglau gan Mr Lewis a gyhoeddwyd yn *Presenting Saunders Lewis*, dan olygyddiaeth yr Athro Alun Jones a'r Dr Gwyn Thomas, a *Meistri'r Canrifoedd*, a'r llyfrau a'r monograffau a restrir ar ddechrau'r gyfrol honno. Fe gaiff y darllenydd wedyn fod ganddo wrth law gasgliad hwylus o weithiau beirniadol pwysicaf yr awdur eithriadol hwn.

Dydd Calan 1979   Gwynn ap Gwilym

Celfyddyd Miss Kate Roberts

Yng Nghymru heddiw, o myn neb ei gyfri'n llenor pwysig, rhaid iddo gyhoeddi naill ai barddoniaeth neu ynteu ysgrifau beirniadol tra phroffesoraidd, tebyg i'r ysgrif hon yr wyf i'n dechrau arni'n awr. Prin y ceir neb i drin hyn yn oed y ddrama fel llenyddiaeth wiw, ac am y stori fer, ychydig linellau tadol mewn papur newydd yw'r cwbl o ystyriaeth a gaiff honno.

Ac eto, bob rhyw dri mis neu chwe mis, fe gyhoedda Miss Kate Roberts stori fer, ac i mi y mae'r straeon hynny yn rhan o lenyddiaeth Gymraeg.

Ni wn i am neb sy'n tyfu mor dawel, mor gydnerth, mor sicr, â Miss Roberts. Dengys datblygiad cyson ei chrefft allu beirniadol sy'n hynod. Mae pob stori a gyhoedda yn ceryddu'r stori flaenorol, yn ailgychwyn ei phrentisiaeth, yn diosg yr hen, ac yn gafael ar gelfyddyd gadarnach ac ar adnoddau newydd. Pan gasglo hi ei straeon yn llyfr, mi obeithiaf y dyd hi ar ddiwedd pob un ddyddiad ei sgrifennu. Hynny'n unig a amlyga'n iawn y ddisgyblaeth lem, yr ymchwil a'r ymfeirniadu, a fu rhwng pob stori a gyfansoddodd.

Mae'n debyg gennyf fod ei gwaith yn haws i Miss Roberts pan ddechreuodd nag ydyw'n awr. Bodlonai'r adeg honno ar greu cymeriad niwlog fel 'Yr Athronydd', ac er mwyn cloi stori'n daclus ac effeithio'n barod ar dynerwch y darllenydd, dibynnai ar hen noddfa y straeon Cymraeg, sef marwolaeth. (Sylwch gymaint o *Straeon y Chwarel* Mr Hughes Williams sy'n gorffen felly.) Hyd yn oed ar ddiwedd 'Newid Byd' (*Efrydydd*, Ionawr 1923), stori drwyadl ragorol, ni allodd hi ymwrthod â'r apêl esmwyth hon: "Aeth adref, taflodd ei esgidiau hoelion mawr i'r gegin bach. Ni wisgodd hwynt drachefn — nac unrhyw esgidiau eraill chwaith." Heddiw ni sgrifennai Miss Roberts y pum gair olaf yna. Mae'r stori yn gyfan hebddynt. Enghraifft o'r un gwendid (hynny yw, dibynnu am effaith ar rywbeth y tu allan i hanfod y stori) oedd arfer cyfeiriadau Beiblaidd yn null annioddefol awdur *Clawdd Terfyn*, eithr rhoes Miss Roberts hynny heibio'n fuan. Ond nid hwyrach mai gwall cyffelyb, neu'r un gwendid yn neidio i'r eithaf arall, a gyfrif am frawddeg olaf 'Pryfocio': "Ond yr oedd y Diawl ei hun yn ei hwyneb ar ei ffordd adref." Weithian, mi fentraf gredu, fe ddirmygai Miss Roberts y gorymdrech sy'n y frawddeg. Ceisiai bellach orffen ei stori yn dawel, oblegid camp celfyddyd yw ymatal.

Hyd y cofiaf, 'Yr Athronydd' oedd y stori gyntaf gan Miss Roberts a dynnodd sylw. Ni allaf yn awr roi fy llaw ar fy nghopi ohoni, ond yr argraff sy'n aros ar fy meddwl yw na ddangosai honno mo ddawn arbennig yr awdur o gwbl. Stori dylwyth teg oedd 'Yr Athronydd', heb fawr profiad na sylwi ynddi. Yr oedd ynddi ffansi heb ddychymyg. Yr oedd yn farddonllyd ac felly yn boblogaidd. Ond dychymyg, ac nid ffansi, yw cnewyllyn athrylith Miss Roberts. Cilio oddi wrth fywyd, ymryddhau o ormes ffaith, dyna arfer ffansi. Erys dychymyg uwchben y ffaith a'i deall a chanfod dyfnder ei hystyr. A hynny yw harddwch stori 'Y Llythyr' (*Llenor*, Haf 1923). Ni wn i am stori arall yn Gymraeg sy mor syml, mor elfennol, mor anfarddonllyd, ac mor llawn barddoniaeth. Ynddi fe welir gweithred foel, torri llun ar lythyr, yn trawsnewid yn nhawddlestr dychymyg, a throi'n arwydd o unigedd a hiraeth enaid. Ac fe wneir hynny nid trwy weu rhamant o gylch y cymeriad a ddisgrifir, ond yn hytrach drwy ei wasgu'n dynnach i'w amgylchedd, a'i myfyrdod hithau, â'r amynedd sy'n rhan o'i hathrylith, yn treiddio i ystyr y cwbl, ac yn ei ddarlunio mor gynnil ac â'r fath barch (parch sy'n ddigon gwir i ymwrthod â phob sentiment ac â phob moesoli), nes bod y stori yn y diwedd yn egluro rhywbeth tragywydd yn natur dyn.

Ymwrthod â phob sentiment, meddwn. Yn naturiol, fe gâr athrylith ei chreadigaethau, ond fe'u câr yn gelfydd. Adwaen i fam a chanddi eneth fach, a dywedodd cyfaill wrthi y byddai'n anodd iddi beidio â sbwylio'r plentyn. Na, atebai'r fam, 'rwy'n ei charu'n ormod i'w sbwylio. Fe gâr Miss Roberts hithau ei chymeriadau yn ormod i'w sbwylio. Hawdd a fuasai sbwylio Catrin Owen yn 'Pryfocio', a cheisio dyfnhau pathos ei bywyd. Ond fe'i carodd yr artist hi fel y mynnai ei gogan: "Mae cael y fraint o fod yr unig ferthyr mewn ardal yn galondid i ddosbarth neilltuol o bobl. Felly Catrin Owen." Nid peth bychan yw i awdur sgrifennu fel yna am gymeriad sy'n hoff ganddo. Caru â'r ymennydd, ac nid â'r galon yn unig. Ac yn arddull Miss Roberts fe welir cynneddf gyffelyb, a charthu ei hiaith o bob crach dlysni, a bwrw allan y sgrifennu llac. Rhoddaf un enghraifft. Mae'n disgrifio distawrwydd yn y wlad, "Y distawrwydd hwnnw a deimlir pan fo" — Dyna gyfle i'r crach lenor: "Pan fo'r gwynt yn peidio yn y coed, pan fo'r aderyn olaf yn cuddio'i ben dan ei aden, etc. etc.". Ond hyn sy gan Miss Roberts: "Pan fo'r ysgol wedi ail agor ar ôl gwyliau'r haf." Brawddeg a ddengys grefft a sgrifennu byw.

A sgrifennu byw yw dawn neilltuol Miss Roberts. Iddi hi y mae'r stori fer yn gaeth megis cywydd. Hynny yw, rhaid i'r brawddegau eu cyfiawnhau eu hunain, a bod hefyd yn rhan o'r cyfanrwydd. Nid rhyfedd iddi gyfansoddi'n araf. Ac fe ddylid ei darllen yr un modd. Cymer tudalen o'i gwaith fwy o amser i mi ei fwynhau na thudalen gan neb awdur arall mewn Cymraeg heddiw. Rhaid profi blas arbennig pob brawddeg. Mae'r paragraff fel afal addfed yn grwn yn ei groen. Gellir dangos dwy elfen yn y llawnder hwn. Yn gyntaf, pendantrwydd a newydd-deb ei darluniau a'i chymariaethau. Ni cheir ganddi ddim ffigur sathredig, ond ymgais effro, ddiflino i sicrhau'n briodol derfynau'r disgrifiad. Celfyddyd y pastel a phob cyffyrddiad yn gostus ac yn effeithiol. O graffu ar ei disgrifio, delir ni gan yr elfen od, annisgwyl sydd ynddo: "Fe gnodd bopeth drud onid oeddynt yn rhidyll fel bocs pupur . . .; Yr oedd Nel a'i gŵr cyn debyced i'w gilydd â phâr o gŵn tegan." Pa nofelydd arall sy'n elwa mor dlws ar gegin a pharlwr?

A'r swyn arall sy'n ei harddull yw ei geirfa fyw. Y mae ei Chymraeg ar unwaith yn glasurol ac yn fodern. Hynny yw, fe ŵyr hi deithi'r iaith yn llwyr, a cheir ganddi felly gystrawen hen yn ffrâm i eirfa heddiw, ac ni ellid cyfuno'n well. Erioed fe soniodd beirniadaeth am werth y gair prin mewn llên. Deallodd Miss Roberts hynny, ac fe roes yn ei phros y geiriau cyffredin, agos at bawb, a glywir yn Rhosgadfan yn feunyddiol, ond na feddyliodd neb arall am eu rhoi mewn sgrifennu. Cymerth hithau'r geiriau hyn, enwau dillad a chelfi a bwydydd a phetheuach tŷ a ffarm, ac ar linyn ei chystrawen draddodiadol fe'u gwelir hwy bellach yn ddisglair megis paderau o'r dwyrain. Ac y mae'r dull yma o drin iaith yn gyson â nodweddion ysbryd yr awdur. Y dieithr sydd wrth ei hymyl yw deunydd straeon Miss Roberts, y pethau od mewn pobl gyffredin. Mae ganddi bâr o lygaid cyflymach na neb arall yng Nghymru.

Y Faner, 3 Gorffennaf 1924

Y *Briodas:* Dehongliad

Cyflwynedig i Garadog Pritchard.

Gellid gwella ar ddull beirniadu llenyddol yr Eisteddfod Genedlaethol. Dylid peidio â'r arfer o ddraddodi'r beirniadaethau ar yr awdl a'r bryddest ym mhabell yr Eisteddfod. Ni ddylai fod yno mwyach ond seremonïau'r cadeirio a'r coroni, fel na byddai raid i neb oddieithr aelodau teilwng yr Orsedd fod ar y llwyfan. Gwnâi hynny'r seremonïau yn fyrrach ac yn fwy effeithiol. Wedyn, yn y babell lên, dylid penodi dwy awr fore Mercher a bore Gwener i drin yr awdlau a'r pryddestau, a hynny yng nghwmni caredigion llên, nid yng ngŵydd torf ddiamynedd y babell fawr. Gwastraffus hefyd yw'r dull presennol o gael tri beirniad i drin yr holl gyfansoddiadau. Byddai'n fuddiol rhannu'r gwaith: cael un neu ddwy feirniadaeth gyffredinol ar yr holl gystadleuaeth, yna un feirniadaeth arbennig a chyflawn ar y gân fuddugol er mwyn penderfynu ei gwerth diamod hi, ei gwerth hi ar wahân i'r gystadleuaeth. Gwyddys am awdlau a phryddestau a enillodd goron neu gadair heb eu bod o werth parhaol. Ceir hefyd ambell gerdd fuddugol sy'n gyfraniad i drysor llenyddiaeth. Er mwyn y rheini, ac er lledu'r ffordd i'w deall, y byddai'r feirniadaeth arbennig, y dehongliad yn y babell lên, yn fantais.

Un o'r caneuon hynny yw Pryddest[1] y Goron yn Eisteddfod Caergybi. Bu hon yn ffodus yn ei beirniaid, ond ni chawsant hwythau ofod i fynegi mwy na'u ffydd yn y gân a'u sicrwydd o'i braint hi yn y gystadleuaeth. Yn anad pryddestau lawer, fe elwai hon ar feirniadaeth fanwl, canys sylwodd ei beirniaid swyddogol, a beirniaid answyddogol ar eu hôl, ei bod hi'n anodd ac yn gofyn astudio. Ni bydd 'Y Briodas' fyth yn bryddest boblogaidd, ond fe ddychwel ati'n aml bawb a hoffo gryfder meddwl a chywreinrwydd crefft. Diau bod cynllun y gerdd yn rhan o'r anhawster a brofo'i darllenwyr. Ebr yr awdur: "Gan nad oeddwn i ond mudan syn yn gwylio'r chwarae rhyfedd hwn, gadewais ar y chwaraewyr i adrodd y stori." Y drwg yw nad oes neb o'r chwaraewyr yn adrodd y stori'n llawn. Ar ffurf drama y mae'r gerdd, drama arw gynnil, er bod ynddi dair act, a deng mlynedd rhwng un act a'r nesaf. Mi dybiaf fod y bardd ei hun mor gwbl gyfarwydd â phwnc ei ddrama, ei fod wedi myfyrio mor llwyr arni, fel na roes ef ddigon o bwys ar anwybodaeth y darllenydd. Byddai'n help pe peidiasai â bod yn "fudan syn", ac ymyrryd — megis côr mewn dramâu hen-ffasiwn — i egluro rhediad y chwarae. Cawn weld

---

[1] Maddeuer i mi am wrthod gair pedantig rhaglen Caergybi, sef *Prydest*, sy mor hen nes bod yn rhy newydd.

mewn munud paham nas gwnaeth.

Gorchwyl dehongliad gan hynny yw egluro'r stori, neu'n hytrach y brif stori, canys y mae mwy nag un stori yn y bryddest, a rhan o ergyd y gân, elfen bwysig yn yr eironi a berthyn iddi, yw bod stori'r Mynydd a stori'r Afon yn wahanol i stori'r Wraig. O ddarllen yn ofalus ymsonau'r Wraig a'r Ysbryd, nid yw'n anodd rhoi'r brif stori at ei gilydd. Hanes ydyw am wraig y lladdwyd ei gŵr yn y chwarel, a hithau gan ei farw yn tyngu llw o ffyddlondeb diwyro iddo:

> O Dduw, bydd heno'n seliwr a thyst llw mwya' mywyd,
> I garu 'ngŵr â serch dibleser gweddwdod trist.

Dyna wreiddyn yr holl enbydrwydd. Y mae'r gair *dibleser* yn yr ail linell yn arwydd o'r drwg sydd i ddyfod. Fe dderbyn natur a bywyd farwolaeth y chwarelwr fel ffaith na ellir mo'i gwadu ac na raid ymchwerwi o'i herwydd. I'r Afon ar ei thaith y mae'n rhan o yrfa byw, i'r Mynydd y mae'n orfoledd dial, i'r Ywen — ywen a dyfodd o hedyn a syrthiodd oddi ar Ywen Llanddeiniolen — y mae'n amaeth rhyfedd a rhiniol. Hyd yn oed i'r marw ei hun nid oes achos dicter, a thaera ef mai'r dull i garu'r marw yn weddus yw ei ailddarganfod yn y byw:

> A bore heddiw, wrth ddeffroi
> Ei bererinion ef,
> Archodd yr unben gennyf gân
> Am fro ddi-waew y Bywyd Glân,
> A chlywsant hwy oen bach yn rhoi
> Tyner, soniarus fref.
>
> Ond O! pan wypont faint yr hoen
> Sydd yn fy nghanig iach,
> Ni bydd eu beddau'n feddau mwy,
> Na'u meirw yn feirwon iddynt hwy . . .

Ond ni all y wraig, na thrwy reddf na thrwy athroniaeth, dreiddio i'r unoliaeth hon. Rhannwyd ei phersonoliaeth hi gan foesoldeb afiach. Daw gwanwyn a haf gyda'u swyn a'u symbyliad, gan ddeffroi i lawenydd bob creadur byw, a chan gynhyrfu ei nwydau hithau. Geilw bywyd arni, geilw serch iach, naturiol arni. Nid oes raid iddi ond byw a derbyn y mwyniant a'i gwthia'i hun arni:

> Dododd ei chwpan wrth fy min ac yfais
> O'r medd, a gwn im ei fwynhau;
> Cynigiodd imi, minnau a'i deisyfais,
> Am f'uffern bur ei gwynfyd brau.

5

Sisialodd im am ddwyfraich ddur a fynnai
Beunydd wrth naddu'r llechi noeth
Roi clywed imi'r angerdd a'u dirdynnai,
Ac imi'n nodded fynwes boeth.

Ond ni fyn hi hynny. Rhoes arni ei hun hualau ffyddlondeb gau, anfuddiol. Treisia ei natur er mwyn y llw a dyngodd gynt. Dewis gofleidio carreg fedd yn lle cariad byw dan gysgod yr ywen:

Yng nghangau llaes yr ywen
Disgwyliais hi fin nos,
Ond carreg oer a gafodd fêl
A rhin ei deufin rhos.

Am ugain mlynedd fe bery'r frwydr hon yn ei mynwes, y frwydr rhwng galwad bywyd ac ymroddiad i farwolaeth. Gelwir hi'n "gynnen gas rhwng ysbryd pur a chnawd." Nid hynny yw. Cynnen ydyw rhwng ewyllys ac atalnwyd, rhwng dewisiad annaturiol a dyheadau gwrthodedig. Enghraifft arall o'r drwg a ddeillia o geisio lladd greddfau. A chan mai angau a'i arwyddion, carreg fedd a nos, yw gwrthrychau dewis y wraig, ni rydd y bardd derfyn i'w hing ond yng nghofleidiad marwolaeth. Ymdeifl i'r afon.

Dyna stori'r bryddest. O'i hystyried felly, gellid disgwyl mai mewn nofel neu stori fer y byddai'n gymhwysaf trin deunydd sydd mor eneidegol. Yn wir, nid yw'r deunydd yn wahanol iawn i fater un o straeon byrion Miss Kate Roberts, sef 'Y Wraig Weddw'. Efallai hefyd mai un rheswm am anhawster y bryddest yw bod y stori sydd ynddi yn gyfle i ymdriniaeth nofelydd, ond ymwrthod o'r bardd â'r cyfle, a throsglwyddo'r stori o faes eneideg i faes metaffyseg.

Y mae o leiaf ddau fath o awdur. I un, dynion a'u meddwl a'u triciau a'u hymwneud bob un â'i gilydd sy'n ddiddorol. Gwêl yr awdur hwn fywyd dyn megis gofod byr, golau rhwng dau dywyllwch du: y tragwyddoldeb o'i flaen a'r tragwyddoldeb ar ei ôl. Ni ŵyr ef ddim am y ddau hyn, ni fyn ef ychwaith na'i hudo gan ofer obeithion na'i gywilyddio gan rith dychrynfâu. Caiff ei orfoledd o wylio'r ysbaid byr golau, ac wyneba'r tywyllwch o'i gwmpas â gwroldeb chwerw a mud. Y mae'r awdur hwn yn aml yn artist tan gamp. O ddewis trin yn unig y tymor byr pendant, fe ddysg roi trefn eglur a chynnil ar ddeunydd sydd yntau mor frau. Yn aml hefyd y mae'n gwmnïwr fel Gwydion fab Dôn, a rhydd o'i orau mewn ymddiddan a gwledd yn gystal ag mewn englyn neu soned. Onid prin yw'r goleuni rhagorol, a chyflym pêr oriau einioes? Nas gwastraffer hwynt ar geisio treiddio'r nos o'n cwmpas, canys yn ebrwydd iawn fe droir ein gwydr ninnau a'i ben i lawr. Cofiaf noson ddifyr mewn gwesty yn Llangollen pan droes y siarad rywsut at grefydd. Meddai Miss Kate Roberts:

"Rhown lonydd heno i ddiwinyddiaeth." Yr oeddwn yn dra llawen o'i gweld hi mor gyson â naws ei straeon ei hun.

Y mae math arall o awdur. Bydd hwn hefyd weithiau yn ymddiddanwr disglair a serchus, oblegid yn unig ar dro felly y caiff ef *ddianc* oddi wrth y peth sy'n ei oddiweddyd. Ni fedr ef fel y llall gau y tu allan i ystafell glyd diddanwch dynol y nos a'i hamgylcha. Arno ef y mae'r tywyllwch yn wasgfa daer, yn galw arno, yn cau arno, fel nad yw goleuni bywyd dynol namyn cannwyll yn mygu yn ei law. Ni all ef anwybyddu'r tywyllwch, canys y mae'n llawn lleisiau a lluniau sydd iddo ef mor agos â'i frodyr. Ni all ef ond eu derbyn hwynt yn rhan o'i fywyd a bodloni ar yr unigrwydd enbyd sy'n dynged iddo. Os bydd ef ffodus, odid na thry'r nos yn wawr a rhoi iddo ei gweledigaeth. Ond i lawer fe naceir y sicrwydd hwnnw, a rhaid iddynt deithio'n betrus yn y niwl heb gysur gobaith na chysur anobaith. Cofiaf am noson arall yn Llangollen pan oedd y cwmni fwynaf, a throes Caradog Pritchard ataf a dweud: "On'd ydi hi'n braf yma, a'r peth mawr yw bod yr holl lawenydd yma yn sylfaenedig ar dristwch." Yr oedd ef newydd ddyfod o'i goroni yng Nghaergybi.

Ac oblegid hynny — a ddeëllwch chi, ddarllenydd? — er mai ymdrech eneidegol yw cnewyllyn deunydd ei gerdd ef, nid y cymeriadau a ddisgwyliem o'r stori a geir ganddo, nid personau megis y wraig a'i hail gariad a'i chymdogion a'i phlant, ond yn hytrach Mynydd ac Afon ac Ywen ac Ysbryd, lluniau a lleisiau y nos sy'n gwasgu ar ei feddwl. Yr hyn a'i diddora ef yw, nid y dull y tyf y ddrama i'w phwynt ym mywyd y wraig, nid y comedi neu'r trasiedi dynol, ond ystyr ac amcan y cwbl a'i ran yn y comedi neu'r trasiedi dwyfol: "Nid oeddwn i ond mudan syn yn gwylio'r chwarae rhyfedd hwn."

Yn gwylio'r chwarae heb ei ddeall. Ac am hynny y mae'r gerdd ar ffurf drama, a'r cymeriadau bob un yn rhoi ei esboniad, ei ddamcaniaeth ei hun, ar yr helynt. I'r Afon nid yw gyrfa bywyd ond siawns a phasiant ac yna angof tragywydd y môr. Ceir ambell stelc, ambell orig o ddireidi, ambell ecstasi enbydus:

> Mae'n noson fawr i fyny'r Nant,
> Gwrando'i bytheuaid croch,

a rhaid cymryd y cwbl yn ei dro hyd onid

> Egyr breichiau'r Aber im
> Ymhell o'r storm a'i sŵn.

I'r Mynydd, nid yw bywyd dyn ond gwrthryfel ffôl a chroes yn erbyn rhawd natur a mater a thynged. Beth yw ymdrechion dynion i orchfygu nerthoedd natur, i ddofi'r ddaear a'i chadernid a'u troi'n wasanaethgar iddynt, eu hymosod rhyfygus ar gyfoeth mynydd a môr, beth yw hyn oll ond pechod balchder – *hubris* y Groegiaid – a hwnnw'n dwyn ei ganlyniad sicr mewn tranc a gwallgofrwydd a phoen:

> Rhowch heibio dorchi eich crysau,
> Ddyneddon llesg y gwaith;
> Er gwanu â'ch dur f'ystlysau,
> Ni'm sernwch chwithau chwaith;
> Ond pan fo'ch arfau gloyw yn rhwd,
> Cewch dalu am y graith.

Ceir esboniad arall, esboniad cysurlon, tosturiol, glastwraidd yr Ysbryd. Iddo ef dallineb a gwendid dynion yw achos eu gwae, a chan na allant ennill eu hedd yn y byd hwn, rhaid i drugaredd Duw eu harwain i olau a deall yn y byd a ddaw:

> O, rho im gennad, Unben,
> I'w dwyn o'i charchar gwael
> A rhoi dy gusan burlan di
> Yn dyner ar ei hael.

A gaf i awgrymu mai dymuniad y bardd yw hyn yn awr ei wendid? O'r tair damcaniaeth, hon yw'r lleiaf boddhaol. Ni fynnwn sgrifennu'n giaidd ar fater a fu'n destun myfyrdod i laweroedd, ond mi gyfaddefaf fod tragwyddoldeb *heb uffern ynddo* yn ymddangos i mi yn beth annheilwng ac yn gynnyrch gwendid breuddwydiol a sentimentalwch dynion. Wedi'r cwbl, damcaniaeth yn unig yw tragwyddoldeb a byd arall: na sbwyliwn fawredd y syniad drwy ei lenwi'n unig â meddalwch ein meddyliau. Beth bynnag am hynny, y ddwy delyneg olaf, a'r delyneg olaf oll yn arbennig, yw pwynt methiant y bryddest hon. Bu'n ormod temtasiwn i'r bardd orffen ei gerdd ar nodyn uchaf ei lais, mewn bloedd o orfoledd sentimental am seiad y seraffim, heb amgyffred mai gorfoledd am ddihangfa ydyw, nid am oruchafiaeth, a bod y terfyn hwn yn creu mwy o ddrysni ac amau nag un terfyn arall. Byddai'r bryddest yn gryfach, yn fynegiant cywirach o ysbryd y bardd, ac yn well cyfansoddiad pes terfynid gyda llinellau chwerw y Mynydd:

> Wylwch, y ffyliaid, chwerthwch.

Beth arall a ellir ei wneud o fywyd?

Y Llenor, Gaeaf 1927

8

Thomas Hudson-Williams a Chyfieithu

Eleni mi gefais galennig eithriadol, sef rhodd o gopi teipiedig o gyfieithiad yr Athro Hudson-Williams o 'Gerdd Rolant', a droswyd ganddo ef yn gyflawn o'r hen Ffrangeg i'r Gymraeg. Y mae'n agos i ddwy flynedd er pan sgrifennais i ar rai o gyfieithiadau'r athro o'r Rwseg. Daliaf ar y cyfle presennol i dalu fy hatling o ddiolch a chlod iddo am ei gyfraniad godidog i lenyddiaeth Gymraeg. Yr oeddwn i'n dadlau dros ddiwylliant Goetheaidd yn fy ysgrif diwethaf. Ystyriwn dro yrfa Thomas Hudson-Williams.

Fe'i ganwyd yng Nghaernarfon yn 1873 ar y pedwerydd dydd o Chwefror. Felly fe fydd yn ddeunaw a thrigain mlwydd oed ddydd Sul nesaf. Derbynied ef yr ychydig nodiadau hyn yn gyfarchiad pen blwydd, ac yn llongyfarchiad. Wedi cyfnod yn Ysgol y Bwrdd fe aeth i'r 'Friars' ym Mangor, ac oddi yno i Goleg y Gogledd ym Mangor. Bu'n efrydydd yno, cyn graddio ac ar ôl graddio, o 1889 hyd 1895. Aeth wedyn am sesiwn blwyddyn i'r Almaen ac i Brifysgol Greifswald lle'r astudiodd ef yr ieithoedd Celtaidd dan yr Athro Zimmer. Dychwelodd i Goleg Bangor i fod yn ddarlithydd yn y Ffrangeg a'r Ellmyneg am ddwy flynedd, 1896-8. Aeth wedyn i Lerpwl am dymor, ond dychwelyd eto i Fangor i fod yn ddarlithydd ar Roeg a Lladin yn 1900. Yn 1904 penodwyd ef i gadair Athro Groeg y Coleg. Daliodd y gadair honno hyd at ei ymneillltuad yn 1940. I'r un genhedlaeth â John Morris-Jones a J. E. Lloyd y perthyn Dr Hudson-Williams. Y mae ganddo rinweddau hynod y to hwnnw o ysgolheigion Cymreig, sef ymroi i ysgolheictod trwyadl ac i newyddiaduraeth Gymraeg uwchraddol drwy gydol yr yrfa. Y mae perygl i hynny ddarfod. Mi hoffwn i apelio at yr holl olygyddion Cymraeg, ar bapurau wythnosol neu gylchgronau misol, i geisio cadw'r traddodiad da. Mae'r peth yn ddolen gyswllt rhwng Cymru a gwledydd y cyfandir — y mwyafrif ohonynt a hyd yn oed y mwyaf — lle y ceir ysgolheigion ac athrawon y prifysgolion yn sgrifennu i bapurau beunyddiol ac i'r wasg wythnosol yn rheolaidd neu'n fynych ar broblemau'r dydd, ar bynciau cymdeithasol pwysig, ar lên a chelfyddyd a hanes a gwyddorau o lawer math.

Cyfrannodd Dr Hudson-Williams i'r cylchgronau dysgedig, yn Ewrop ac yn yr Amerig, i'r cylchgronau sy'n arbenigo yn yr astudiaethau clasurol ac i'r *Keltische Zeitschrift*, do, ond hefyd i'r *Traethodydd* a'r *Drysorfa* a'r *Goleuad*, i'r *Dysgedydd* a'r *Eurgrawn* a *Seren Gomer* ac i'r *Ymofynnydd*, i'r holl bapurau wythnosol anenwadol, i'r holl chwarterolion neu ysbeidiolion Cymraeg megis *Yr Efrydydd* a'r *Fflam* a'r hen *Genhinen*. Sgrifennodd ar lên a hanes Cymru, ar lên a hanes Gwlad Roeg, ar lenyddiaeth Rhufain a Ffrainc a'r Almaen a'r Eidal. *'Homo sum et nihil humanum a me alienum puto'* meddai Terens gynt; a thrwy gydol ei yrfa fel athro ym Mhrifysgol Cymru fe gadwodd Dr Hudson-Williams y delfryd Goetheaidd hwn yn faner uwchben ei gadair Roegaidd.

Yr oedd ef wedi meistroli Eidaleg a Sbaeneg cyn 1907, ac felly yr oedd llenyddiaethau Ewrop orllewinol oll yn gyfrol agored iddo trwy gydol ei yrfa fel athro. Ond yn 1931 fe ddysgodd y Rwseg hefyd, ac wedi iddo ymneilltuo o'i gadair ymroes o ddifrif i fod yn lladmerydd Cymraeg llenyddiaeth Rwsia. Dyma, ond odid, ei gyfraniad arbenicaf ef. Ystyrier y pethau a gyhoeddwyd, *Storïau o'r Rwseg; Storïau Cwta*, sef casgliad o straeon Tolstoi yn bennaf; *Cerddi o'r Rwseg* gan gynnwys telynegion gan Pwshcin; *Anfarwol Werin* Grossmann; *Merch y Capten* Pwshcin; *Ar y Weirglodd*. Y mae hynny'n rhestr sylweddol, ond y mae gan y Dr Hudson-Williams fwy lawer na hynny wedi ei gyfieithu ac yn aros cyfle i'w gyhoeddi. *Boris Godwnoff* gan Pwshcin, *Y Tadau a'r Plant* gan Twrgenieff, *Eneidiau Meirwon* Gogol, a rhyw bedair ar ddeg o ddramâu Rwseg. Astudiwyd a darllenwyd nifer o'r dramâu hyn yn nosbarth drama Cynan, a bu hynny'n foddion i ennyn diddordeb ynddynt. Mae'n deg dweud, pe cyhoeddid ynghyd holl drosiadau Dr Hudson-Williams o'r Rwseg a chynnwys hefyd ei ysgrifau beirniadol ar brif nofelwyr Rwsia, y byddai gennym yn y Gymraeg gwrs cynhwysfawr ar holl lenyddiaeth Rwsia. Fe all hynny fod yn ffaith bwysig yn y dyfodol, canys yn sicr, beth bynnag a fo dyfodol politicaidd Rwsia a dyfodol politicaidd Ewrop oll, fe fydd cyfraniad Rwsia i lenyddiaeth Ewrop yn un o'r prif elfennau yng ngwareiddiad y dyfodol. Dyna gymwynas fawr Dr Hudson-Williams ym mlynyddoedd ei henaint ir. Y mae'n gofgolofn a saif er ei ogoniant.

Yn 1924 y trosodd Dr Hudson-Williams 'Gerdd Rolant' gyntaf, a chyhoeddwyd y trosiad yn *Yr Herald Cymraeg*. Yr un adeg sgrifennodd ef ysgrif addysgiadol ar y gerdd i'r *Genhinen*. Gweithiodd ar y cyfan o newydd yn 1949 a rhoes ysgrif y *Genhinen*, wedi ei haddasu i'r pwrpas, yn rhagair i'w gyfieithiad o'r epig. Y llyfr hwn, y methwyd cael cyhoeddwr iddo hyd yn hyn, a anfonwyd i minnau'n galennig dro bach yn ôl. Efallai i'r darllenydd weld llythyr yn y papurau fis Tachwedd oddi wrth Dr Hudson-Williams yn cynnig benthyg copïau teipiedig o'i gyfieithiadau ef i neb pwy bynnag a anfono ato ac a dalo'r stampiau cludo. Dyna fel y byddai ysgolheigion yng Nghymru ac yn Ewrop oll yn "cyhoeddi" eu gweithiau yn yr oesoedd cyn y wasg argraffu. Ni synnwn i fawr pe dychwelai'r dull yng Nghymru, canys y mae prynu llyfrau yn grefft sy'n diflannu yn ein gwlad. Pwyllgorau addysg a llyfrgelloedd sir yw'r unig gwsmeriaid i gyhoeddwyr bellach, heblaw ambell froc môr o hen ŵr; nid yw nac athrawon na phlant ysgol yn gwario'u harian ar lyfrau. Dywedaf hyn wrth efrydwyr llenyddiaeth Gymraeg: gellwch gael benthyg am dymor gopïau o waith cyfieithu Dr Hudson-Williams, a bydd eu benthyg yn eich dwyn i gysylltiad personol ag un o ysgolheigion ac un o ddyneiddwyr disglair ein hoes. Mi obeithiaf, gyda llaw, y sicrheir copïau teipiedig o'i holl weithiau ef i'r Llyfrgell Genedlaethol. Fe all dydd ddyfod, nas gwêl Dr Hudson-Williams ei hun, y bydd galw am argraffu a chyhoeddi'r cwbl. Y mae ef yn un o gewri'n llenyddiaeth gyfoes ni, yn agor ffenestri amgen na ffenestri'r Saesneg i lenorion Cymraeg.

Bydd darllenwyr yr *Ystorya de Carolo Magno* yn gwybod eisoes am 'Gerdd Rolant'. Nid af i drafod y gerdd o gwbl yn awr na dyfynnu o ragymadrodd yr Athro sy'n rhoi braslun o stori'r epig. Gwyddys yn gyffredin ei bod hi'n un o gampweithiau'r Oesoedd Canol. Mi garwn ddyfynnu o'r cyfieithiad hwn ddarn neu ddau i ddangos dawn y cyfieithydd. Dyma ddisgrifiad o farch Twrpin a fydd yn ddiddorol i ddarllenwyr y cywyddau gofyn Cymraeg:

> 'Roedd hwn yn farch golygus, heini, sionc,
> Â thraed gosgeiddig, coesau union, llyfn,
> A chluniau byr a phedrain lydan fawr;
> Hir oedd ei asau, uchel oedd ei gefn,
> A gwen ei gynffon, melyn iawn ei fwng,
> Ei glust yn fach a'i ben yn goch i gyd;
> Âi heibio i'r ewig ar ei gwrs yn hawdd.

Yn wir fe geir nifer o ddisgrifiadau a sôn am arferion a fydd yn ddiddorol i efrydwyr y Mabinogi a'r rhamantau Cymraeg a'r hengerdd, ac fe ŵyr Dr Hudson-Williams ei hen Gymraeg yn ddigon llithrig i ddefnyddio'r hen dermau pan ddelo'i gyfle i awgrymu tebygrwydd. Mi ddyfynnaf un pennill eto i ddangos mor egnïol y troswyd y darnau sydd amlycaf yn arddull traddodiadol yr epig glasurol:

> Ys dewr o ŵr oedd Grandoin, farchog gwych,
> Ac ar ei hynt fe ganfu Rolant iarll.
> Nis gwelsai gynt, adnabu ef yn hawdd
> Wrth ei wynepryd balch a'i luniaidd gorff
> Ac wrth ei drem a'i ymarweddiad hael.
> Daw arswyd arno, ni all guddio'i fraw,
> Myn droi ar ffo, ond ni thâl hynny ddim.
> Â chwbl o'i nerth fe'i tery Rolant fawr
> A hollti'r helm o'i phig hyd at ei thrwyn
> A thrychu'r ffroen a'r ên a'r dannedd gwyn,
> Modrwyau'r llurig ddur i lawr drwy'r corff
> A'r arian gwyn ar ochrau'r cyfrwy aur
> A threiddio'n ddwfn i berfedd cefn y march
> Nes lladd y ddau heb feddyginiaeth mwy.

Pan gofiaf i mai'r ysgolhaig yn yr hen Ffrangeg a droes hwn i'r Gymraeg yw'r un un ag a roes inni ffars Rwseg Tsiechoff, *Yr Arth*, heb sôn am ei astudiaethau diweddaraf — dechreuodd gyfieithu o Dwrceg yn 1943 ac o Bwyleg yn 1946 — ni allaf lai na synnu ac edmygu. Anodd gennyf gredu ei fod yn dathlu ei ddeunawfed pen blwydd wedi'r trigain ddydd Sul nesaf. Y gwron cadarn a chanddo symlrwydd ei hoff hen Roegiaid: *'Ad multos annos'*. Deallaf fod y Clwb Llyfrau Cymreig i gyhoeddi ei *Atgofion am Gaernarfon* yn fuan.

Tasg fawr ac anodd yw cyfieithu, ac os cyfieithir o glasuron Rwseg a Groeg a Ffrangeg fel y gwnaeth ac y gwna Dr Hudson-Williams, mae'r gymwynas i ddarllenwyr ac i ysgrifenwyr Cymraeg yn dywysogaidd. Ond nid popeth sy'n abl i'w gyfieithu. Gellir cyfieithu cerdd epig a throsglwyddo llawer o'i hysblander. Ond y mae telynegion filoedd na ellir fyth mo'u trosi i iaith arall yn y byd amgen na'r iaith y ganwyd hwynt iddi. Darllenais yr wythnos hon yn y papurau i Mr Clifford Evans ddweud ym Mangor, mewn ysgol ddrama, mai'r prawf ar ddrama fawr yw y gellir ei chyfieithu — a'r awgrym felly a ddilynai oedd mai trosi drama Gymraeg i'r Saesneg yw'r prawf ar ei gwerth.

Yn awr mi wn o brofiad y geill adroddiad talfyredig papur newydd fod yn gamarweiniol. Hwyrach nad hynny'n union a ddywedodd Mr Evans. Er hynny, rhag i neb Cymro gael ei arwain ar gyfeiliorn drwy weld hynny mewn print, ar air gŵr o brofiad a llawer o wybodaeth, rhaid imi gael dweud nad gwir o gwbl mo'r dywediad. Y mae dramâu'n bod, a'r rheini'n ddramâu mawrion, y gellir eu cyfieithu, neu y llwyddodd rhyw athrylith i'w cyfieithu i iaith arall. Y mae llawn cynifer o ddramâu mawrion, campweithiau dramatig o'r rheng flaenaf oll, nas cyfieithwyd yn llwyddiannus i unrhyw iaith arall ac nad yw'n debyg y gellir fyth eu cyfieithu. Lope de Vega, Calderon, Corneille, Racine, Marivaux — a oes rhywun wedi cyfieithu un ohonynt yn llwyddiannus? I ba iaith? Y mae Marivaux yn broblem anos na'r lleill a enwais, canys comedïau rhyddiaith hollol syml a sgrifennodd ef. Tybed na ellid — hawdd barnu'n frysiog — eu trosi i'r iaith a fynnid? Ond Marivaux yw un o'r meistri rhyfeddaf ar arddull rhyddiaith comedi; ni ellir cyfieithu — trosglwyddo — ei arddull, a dyna graidd clasuroldeb ei ddramâu. Y mae problem arddull rhyddiaith mewn comedi yn un sy'n rhoi cur pen aml i mi, a phroblem mesur i ddrama fydryddol yn ddrysach fyth. Y mae'r Dr Hudson-Williams wedi trosi dramâu Tsiechoff o'r Rwseg. Mi garwn yn fawr pe gellid ei berswadio i ddweud ei farn ar arddull Tsiechoff. Mi glywais ddweud gan efrydwyr ar lenyddiaeth Rwseg mai methiant y cyfieithwyr Saesneg i gyfleu dim o naws dialog Tsiechoff sy'n cyfrif i raddau am fod ei ddramâu ef ar y llwyfannau Seisnig mor chwerthinllyd wahanol i'r hyn a geir yn y theatrau yn Rwsia. Beth bynnag am hynny, erys un ffaith yn ddiogel: nid cyfieithu yw'r maen prawf ar gamp drama; nid y Saeson a fedr roi barn ar ddramâu Cymraeg. Bu'r mwyaf diwylliedig o'r Saeson, eu hathrawon pennaf, yn llwyr analluog i amgyffred sut y medrai'r Ffrancwyr osod Racine yn gyfuwch â Shakespeare, hyd at ddydd Lytton Strachey. Bu'r dallineb hwnnw — ac fe erys — yn ddirgelwch y tu hwnt i'm deall i. Y mae llenyddiaeth pob cenedl hen yn gyfrinach fawr. Eithriad yw'r estron yr agorer y gyfrinach iddo. Cymwynas arbennig y cyfieithwyr da yw helpu pobloedd gwareiddiad i amgyffred cymhlethdod eu gwareiddiad, a gweld fod gan bob llenyddiaeth drysorau ysbrydol y bydd y ddynoliaeth yn colli eu dylanwad i fesur onid erys pobl y bydd iaith y llên honno yn dreftadaeth iddynt. Y mae pob llenyddiaeth yn gyfrinach y mae'r allwedd iddi dan garreg drws teulu a phentref a bro a gwlad. Dod i mewn i'r teulu yw medru codi'r allwedd ac agor y drws. Hyn o gyfarchiad annheilwng i'r Athro Thomas Hudson-Williams ar ei ben blwydd pendefigaidd.

Y Faner, 3 Ionawr 1951

T. H. Parry-Williams

Ar ôl y rhyfel byd cyntaf y dechreuais i ymhel â llenyddiaeth Gymraeg. Y mae hynny dros ddeng mlynedd ar hugain yn ôl. Yn awr mi ofynnaf gwestiwn i mi fy hunan: pwy yn y cyfnod hwn o ddeng mlynedd ar hugain yw'r llenor pwysicaf ei ddylanwad ar lenyddiaeth? Nid pwy yw'r bardd mwyaf na hyd yn oed pwy yw'r llenor pwysicaf ei ddylanwad yn gyffredinol. Ond pwy yw'r llenor pwysicaf ei ddylanwad ar feirdd a llenorion eraill a fu'n cyhoeddi eu gwaith yn yr un cyfnod? Mi gredaf i mai'r ateb cywir yw — y Dr T. H. Parry-Williams.

Nid gwerthfawrogiad cytbwys o'i waith ef yw f'amcan i 'rŵan. Ond ceisio awgrymu i'r gwrandawr cyffredin natur y dylanwad a gafodd Parry-Williams ar eraill sy'n llenydda neu'n barddoni. Fe'n magwyd ni oll sy dros ein hanner cant oed yn y traddodiad rhamantaidd. Ein syniad ni am farddoniaeth oedd yr hyn a geid yn *Telyn y Dydd* Annie Ffoulkes neu yn y detholiad o feirdd modern a geid yn y *Flodeugerdd Gymraeg* gan W. J. Gruffydd yn 1931. 'Fedrai neb ohonom ddianc rhagddo. 'Fedrai Parry-Williams ddim chwaith. Mae ganddo delyneg fach yn llyfr Annie Ffoulkes, a dyma hi yn y fersiwn a geir yno, dan y teitl 'Dagrau':

Wylais neithiwr ar obennydd
Na bu dagrau arno erioed;
Wylais ddafnau'n angerddoldeb
Bywyd llanc a'i feddal oed.

Ond nid wylwn am fy mhechod, —
Nid oedd hwnnw'n fy nhristáu;
Ac nid wylwn f'edifeirwch, —
Ni wn erioed edifarhau.

Duw a ŵyr beth oedd fy nagrau,
Ef ei hun oedd biau'r lli;
Wylwn am fod rhaid i'r Duwdod
Wrth fy nagrau i.

Wel, dyna un o'r pum mil efelychiad o 'Cŵyn y Gwynt' John Morris-Jones. Ac os gofynnwch chi sut ar wyneb y ddaear y gallai neb yn ei bwyll ddweud:

14

Wylwn am fod rhaid i'r Duwdod
Wrth fy nagrau i,

dyma i chi esboniad Parry-Williams ei hunan ar y peth, yn ei gyfrol *Olion*:

Gellir ymgodi'n foethus i gyflwr ecstatig dyrchafedig, lle'r ymddengys
yr hyn sy'n amhosibl yn fwy posibl na'r hyn sy'n debygol, lle y daw
breuddwydion yn wir, lle y mae ieithwedd farddonol yr unig un naturiol,
hynny yw, lle nad yw gosodiad fel "ynom mae y sêr" yn swnio'n ddigrif,
heb sôn am chwerthinllyd.

Dyna fo inni: traddodiad ecstasi oedd y traddodiad rhamantaidd ac arddull
yr ecstatig. Yn awr, a gawn ni wrando ar gân a gyhoeddodd Parry-Williams yn
y flwyddyn 1924. 'Celwydd' yw ei theitl hi:

Daeth Haf bach Mihangel trwy weddill yr ŷd,
Yn llond ei groen ac yn gelwydd i gyd.

Adwaen ei driciau bob yr un, —
Ei ddynwaredwr wyf i fy hun.

Twyllwr wyf innau. Pwy sydd nad yw,
Wrth hel ei damaid a rhygnu byw?

Ac anferth o gelwydd yw'r bywyd sydd
Mewn ofn a chadwynau nos a dydd.

Weithiau — mewn breuddwyd — daw fflach o'r gwir
Ond wedyn anwiredd a thwyllo hir.

Anturiwn weithiau ddynwared Duw,
Ond snecian yr ydym wrth geisio byw . . .

Pan gyhoeddwyd hwnna yr oedd hyn yn chwyldro. Gadawyd y "perl
gynteddoedd" ac y mae adar Rhiannon wedi tewi. Nid pathos sentimental
'Thomas Morgan yr Ironmonger' sydd yma chwaith. Ond y gwir diflas am
gyffredinedd bywyd dynion. Mae ymffrost telyneg 'Dagrau' wedi darfod. Ac
nid rhyw anturiaeth feiddgar, nid chwilio am ffynonellau newydd ac
annisgwyl i eirfa barddoniaeth sy'n cyfrif am y geiriau tafodiaith a'r ymad-
roddion llafar bro sydd yn y gerdd. Nage, y rheini sy'n lleoli'r gân, yn tystio
nad proffwyd unig yw'r bardd mwyach yn byw o ecstasi i ecstasi, ond dyn
normal yn siarad tafodiaith ei ardal, ac yn troi barddoniaeth yn foddion i
gysidro'i fywyd ac i gysidro bywyd. A sylwn ar y mesur. Rhigwm yw enw

15

Parry-Williams ar y cwpled hwn sy'n gynnyrch pwysicaf ei waith fel bardd. Fe ymwadodd o fwriad â llawer iawn wrth ei ddewis, ymwadu â rhuthmau penillion rhwysgfawr neu baragraffau lluosog, ymwadu â miwsig ymchwyddog, ymwadu â hwyl, ymwadu â pherorasiwn y soned. Bid siŵr, nid y math newydd hwn o ganu sy'n rheoli yn y gyfrol *Cerddi* a gyhoeddodd ef yn 1931. Fe geir sonedau yno; a'r sonedau'n unig, wrth gwrs, a aeth i mewn i'r *Flodeugerdd Gymraeg* yr un flwyddyn. Yn wir, y mae Parry-Williams wedi cadw'r soned yn ddihangfa hanner rhamantaidd hyd yn awr. Ond trown at *Olion* 1935, sy'n cynnwys canu'r awdur yn ystod hanner cynta'r tridegau, ac fe welwn mai'r rhigymau a'u harddull sy bennaf mwyach. Dowch inni wrando ar y cyntaf ohonynt i gael naws y casgliad, er bod yn iawn cyfaddef hefyd y gellid dadlau mai soned yw'r gerdd hon. Beth bynnag am hynny, mae'r arddull yn nodweddiadol. 'I'm Hynafiaid' yw'r teitl:

> Diau mai prin oedd eich grasusau chwi
> Na throsglwyddasoch odid ddim i mi.
>
> Ni chefais gennych lawnder manna a medd,
> Dim ond gweddillion megis gwedi gwledd.
>
> Ni chefais dwymyn un diddanwch pur,
> Dim ond gogleisiad bob yn ail â chur.
>
> Ni chefais lif pen-llanw nwyd ar dro,
> Dim ond rhyw don fach bitw ar y gro.
>
> Ni chefais win cyforiog unrhyw ddawn
> Dim ond rhyw jóch o gwpan hanner llawn.
>
> Ni chefais sadrwydd barn yn waddol drud,
> Dim ond ymennydd sydd yn rhemp i gyd.
>
> Ond diolch byth, er lleied a roed im,
> Nid ydwyf yn dyheu am odid ddim.

Rhaid cydnabod fod elfen o sentimentaleiddiwch yn y gân yna, ac i mi y mae rhywbeth braidd yn ddychrynllyd yn y llinell olaf. Ond y mae hi'n enghraifft o'r farddoniaeth anecstatig feirniadol a dadansoddol sy'n medru defnyddio iaith lenyddol ac ymadroddion llafar blith draphlith. A'r hyn a wnaeth Parry-Williams fel hyn â stwff barddoniaeth ac â geirfa barddoniaeth yw'r chwyldro a ddug i fod farddoniaeth Gymraeg ail chwarter yr ugeinfed ganrif. 'Fuasai sonedau mawr Williams Parry yn 1937—38 ddim yn bosibl oni bai am Parry-Williams. Neu, agorwn *Ysgubau'r Awen* Gwenallt a buan iawn y

16

gwelwn ddyled ei eirfa a'i odlau yntau i'r rhyddid eang a roesai Parry-Williams inni. Yr oedd y chwyldro hwn wedi digwydd yn Gymraeg cyn dechrau o feirdd ifainc y tridegau efelychu beirdd Saesneg y *vers libre*. Yn hanes barddoniaeth Gymraeg y mae i Parry-Williams le mor arbennig fel arloeswr ag y sydd i'w gyfoeswr Eliot yn hanes barddoniaeth Saesneg. Tybed a ddywed ef wrthym rywdro pa feirdd Ffrangeg ac Ellmyneg y bu ef yn myfyrio drostynt cyn 1912?

Yr wyf yn troi 'rŵan at ddylanwad rhyddiaith Parry-Williams. Gŵyr pawb amdano fel awdur ysgrifau oddi ar ymddangos 'K.C.16' yn rhifyn cyntaf y *Llenor*, ac y mae gan y Dr Thomas Parry bennod yn ei lyfr, *Llenyddiaeth Gymraeg 1900—1945*, ar olynwyr da Parry-Williams yn y math hwn o sgrifennu. Erbyn hyn hefyd y mae ysgrif yn null ei *Ysgrifau* yn gystadleuaeth anhapus reolaidd yn yr Eisteddfod Genedlaethol.

Ond y mae'r awdur ei hunan yn dianc rhag ei ddilynwyr a rhag ei ddynwaredwyr. Cofiwn ac ystyriwn fod ganddo gefndir o brofiad anghyffredin i lenor Cymraeg. Teithiodd o'i Ryd-ddu lawer mwy na'r rhelyw ohonom. Ychydig o sôn sy ganddo am ei fyw yn Ffrainc a'r Almaen ond y mae ganddo lawer ar fydr a phros am Ddeau a Gogledd yr Amerig, am lannau Perŵ a mynyddoedd yr Andes a'r Grand Canyon a Cholorado a'r Great Salt Lake a'r Coed Mawr. At hynny fe gafodd hyfforddiant a disgyblaeth wyddonol am gyfnod. Cadwodd ei ddiddordeb mewn gwyddoniaeth a gadawodd hynny ei olion yn eglur ar ei ryddiaith a'i gerddi. Gellir gweld y peth yn ei ddisgrifiad o operasiwn yr *Appendicitis* yn *O'r Pedwar Gwynt* a'r disgrifiad anatomig o'r pryf genwair yn *Ysgrifau*. Mae'n siŵr gennyf fod Mr O. E. Roberts, Lerpwl, wedi myfyrio uwchben yr ysgrifau hynny.

Nid ar y darnau hynny y gwahoddaf i chwi i wrando'r tro hwn. Diddorol sylwi ar y modd y bu i'w ddisgyblaeth wyddonol ddysgu iddo graffu ar bethau a dadansoddi profiadau yn fanwyaidd gywrain. Mae ganddo ysgrif ar 'Dywod', 1927 ac yn honno ddisgrifiad o'r awrwydr neu'r peth-berwi-wyau. 'Wn i ddim sut y mae dadansoddi a diffinio'r swyn a fu imi yn y paragraff hwn: ystwythder a hyblygrwydd a manylrwydd y brawddegau, a'r cywreinrwydd y try'r disgrifio gwrthrychol yn fyfyrdod drwyddo, tan na throso'r peth-berwi-wyau yn sumbol megis o fywyd ei hunan ac ymgysylltu felly â llinell olaf soned 'Dychwelyd'. Ond bernwch chwi:

Rhyw dywod coch, mân sydd yn y peiriant bach delicet hwn, ac y mae meinder cynnil y llif bach tywod trwy'r gwddf cyfyng o un gronnell wydr i'r llall yn ogleisiol o atyniadol. Ymddengys y llif gronynnau fel un darn llinyn solet, llonydd hollol. Yr unig symud neu newid a ganfyddir ydyw gostyngiad y domen uchaf a chodiad y domen isaf, y naill yn gostwng gyda phant yn ei chanol a'r llall yn codi'n grugyn pigfain. Yn sydyn weithiau daw chwalfa ar y domen fach isaf, fel afalans, a chwymp yn yr uchaf, ond ailgyfyd y pigyn drachefn. Ac y mae'r llif mor llonydd, a'r cwbl yn digwydd mor anhraethol ddistaw a disymud, — ac nid oes nemor ddim sy'n ddistawach na llonyddach na rhywbeth a fo'n chwyrnsymud yn union-syth a di-stŵr. Wedi cwympo o'r tywod i'r gwaelod i gyd (ac ymddengys yn beth anhygoel ei fod wedi stopio mynd trwodd), y mae distawrwydd neu lonyddwch mwy fyth, wedi'r gorffen symud, ac yn sicr nid oes dim oll sy'n llonyddach na distawach na rhywbeth a fu'n cyflym symud yn ddistaw, ac yn sydyn wedi peidio â symud.

Mae'r sgrifennu manwl-ddadansoddol yma'n nodweddiadol, a dyna ran fawr o gyfraniad Parry-Williams i foderneiddiad pros Cymraeg. Canys techneg sy'n perthyn i nofel seicolegol yr ugeinfed ganrif yw hon. Ac er mwyn dangos hynny a gaf i gennad gennych i ddyfynnu paragraff o nofel lle y cymerodd y nofelydd yr union ddarn yna am y peth-berwi-wyau a glywsoch chi'n awr yn batrwm i'w ddarn ei hunan? O'r nofel *Monica* y dyfynnaf ddisgrifiad o'r wraig yn gwrando ar gar modur y doctor yn mynd oddi wrth ei thŷ:

Gwrandawodd Monica arno'n mynd i lawr y grisiau, yn cau drws y tŷ, yn troedio ar raean y llwybr, yn cau llidiart yr ardd a drws ei fodur; clywodd y peiriant yn cychwyn a'r car yn symud i lawr yr heol, y corn yn canu ar y gornel a churiad y peiriant yn cyflymu a phellhau a mynd yn aneglur ac yna'n ymgolli yn y ffin ansicr honno rhwng murmur a distawrwydd, lle nid yw'r distawrwydd yn sylwedd newydd eithr yn estyniad diderfyn o'r murmur ei·hun. Ar ambell orig angerddol mewn bywyd y mae'r glust ddynol mor denau fel y clyw hi ryw un sŵn arbennig sy'n bwysig ganddi yn hir wedi iddo droi'n ddistawrwydd, ac wedyn fe glyw ddistawrwydd y sŵn hwnnw yn elfen neilltuol, anghymysg yn y distawrwydd cyffredinol yr ymgyll ef ynddo, a bydd yn hir cyn yr elo'r ddau ddistawrwydd yn un tawelwch crwn.

Dyna i chi *pastiche* prentis ar arddull awdur 'Tywod' ac mi fedrwn i ddangos dau neu dri pharagraff arall yn y nofel honno sy'n ymarferiadau yn null a thechneg ddisgrifio Parry-Williams. Ond gwell ymatal gyda hynny bach o gydnabod hen ddyled. Mae'n lwcus fod adolygwyr Cymraeg mor ddiniwed.

Mi hoffwn i ddangos cysylltiad rhyddiaith Parry-Williams â rhai o brif dueddiadau rhyddiaith yr ugeinfed ganrif yn Ewrop. Y mae tair thema yn ei ysgrifau y gellir galw sylw atynt.

Yn gyntaf, thema'r profiad rhamantaidd sydd weithiau'n brofiad abnormal, megis, er enghraifft, hwnnw a ddisgrifir yn y 'Gri'.

Mae gan Parry-Williams ddiddordeb y seicolegydd a diddordeb y bardd yn y profiadau hyn, ac y maen nhw'n destun i nifer go helaeth o'i ysgrifau ar ei blentyndod yn Rhyd-ddu. Mi gredaf i mai'r llith ar 'Ddrws-y-Coed' yn *Synfyfyrion* yw'r dwysaf a'r dyfnaf o'r holl ddisgrifiadau hyn. Bydd yr ysgrif honno'n peri i mi gofio am ddarnau tebyg gan Wordsworth yn sôn am ei fachgendod yntau yn y 'Prelude'. Ond fy mwriad i'n awr yw dewis darnau sy'n dangos rhyddiaith Gymraeg yn ennill tir newydd. Gan hynny mi ddewisaf y paragraff ar yr Ias yn *Ysgrifau*. Diau y cofiwch chi'r disgrifiad o'r dref ddiffaith, Mollendo, ar forlan Perŵ llc y dywedodd cyd-deithiwr wrth y bardd, 'meddyliwch am gael eich claddu yn y fan acw'?

Pa ryfedd, felly, i mi ddechrau ymsynio y noswaith honno ynghylch pellter a'r anobaith digynhorthwy sydd ynglŷn ag ef, wedi gweld a theimlo'r anialwch dilesni a diobaith hwn? . . . Yn sydyn daeth yr ias, megis gwasgu swrth cynnes gan grafanc flewog, tebyg iawn i oroglais. Creai'r ias gymysgedd o ofn ac anobaith, hurtrwydd a difaterwch, a phopeth negyddol felly, a'r rheiny'n troi'n ddisymwyth yn bethau croes i hynny, — rhyw bendraphendod meddwol; ac ynghanol y cwbl yr oedd sylweddoliad pellter a'r elfen o ddigynorthwywch terfynol, anobeithiol sydd ynglŷn â'r ymdeimlad byw ohono, yn dyfod am eiliad. A dyma sy'n rhyfedd, a chwerthinllyd braidd, ond yn gyflawn wir er hynny, — yr ymennydd fel petai'n ymgrebachu neu'n ymgynghreiddio nes ei deimlo fel pysen fach yn ysgwyd mewn penglog wag ond hynny.

Mae'r darn yna'n rhy astrus gyfoethog ei eirfa a'i ffigurau i'w ddeall na'i werthfawrogi ar un gwrandawiad. Mae o'n cyfuno ymdeimlad a dadansoddiad o'r teimlad, synhwyro a haniaethu, y grafanc a welodd Teirnon yn y Mabinogi a'r madrondod a brofodd y Salmydd mewn gwin, gyda gorchest o ymenyddwaith mewn pros sy'n peri fod Cymraeg y darn yn sefyll gyda rhai o gampau rhyddiaith ddisgrifiol Aldous Huxley yn ei nofelau Saesneg gorau bymtheg mlynedd yn ôl. Oddi wrth Huxley trown at Kafka. Ail thema fawr yng nghyfrolau Parry-Williams yw thema euogrwydd a'i ofn. Fe'i ceir yn hanner cellweirus pan êl ef i brynu caneri neu wrth sôn am ei fys clec. Fe'i ceir yn fynych yn ei gerddi. Yn ei gyfrol gyntaf, *Ysgrifau* 1928, braidd nad dyma brif thema'r llyfr.

Yn yr ysgrif ar Gydwybod eir ati i ddadansoddi'r peth a cheir darn o nofel yn null Kafka ei hunan:

Yn sydyn tybiais fod un o fysg y dyrfa ar y cei a'i lygaid yn union sicr arnaf. Amhosibl. Oedd, yn wir i chwi, yr oedd ei lygaid arnaf i yn ddigamsyniol. Nis adwaenwn ef, a gwyddwn na'm disgwylid gan neb, ac euthum yn anesmwyth braidd. Ceisiais ei anghofio a'm perswadio fy hun i gredu fy mod i'n nerfus am ddim, ac i ddangos fy newrder i mi fy hun edrychais tuag ato drachefn. Syllai yntau'n syth ond hanner llechwraidd (fel heliwr wedi gyrru'r pryf i'r gornel ac yn ysmalio bod yn ddifater ac anwyliadwrus). Euog neu beidio, cofiais yn annifyr fy mryd am yr ystraeon cynhyrfus a ddarllenaswn am ddisgwyl troseddwyr a drwgweithredwyr oddi ar longau mawr a phob cyfryw sefyllfâu a drahoffir gan ystoriwyr gwefreiddiol, ac âi fy nghefn yn oerach a'm pen yn boethach bob munud. Hyd yn oed petai'n fy restio ar gam (ac i mi nid oedd ond y wedd honno ar yr amgylchiadau yn bosibl), byddai'n beth annymunol, a dywedyd y lleiaf. Cefais chwarter awr annifyrraf f'einioes yn y fan honno, gellwch fentro.

Yr euogrwydd yma, un o nodweddion llenyddiaeth ein cyfnod ni, a yrrodd ddeallusion llancaidd Rhydychen yn haid i'r Blaid Gomwnyddol yn y tridegau, neu i geisio'i dagu, megis Orwell, drwy ymbroletareiddio. Ond y mae'n ddyfnach yn Parry-Williams hefyd. Y mae atgof ac awgrym o alegori fawr Adda a'r alltudiaeth o Eden yn ei sylwadau ef ar y profiad.

Ond rhaid imi droi at drydedd thema bwysig yn ysgrifau fy awdur. Mi gymera' i deitl i hon oddi wrth y nofelydd Ffrangeg, Marcel Proust, sy'n sôn am yr hyn a alwaf i yn "ysbeidioldebau'r galon". Fe geir enghraifft enwog iawn o'r profiad hwn ar ddechrau ei nofel enfawr ef. Daw Proust adref un prynhawn o aeaf ac, am ei bod hi'n oer, y mae ei fam yn cynnig gwneud te iddo. Gyda'r te ar yr hanbwrdd y mae teisenni bychain a elwir yn deisenni Madlen. Y mae yntau'n trochi mymryn o'r deisen yn y te a'i brofi. Ac yna fe â ias drwy ei holl gorff. Am dro 'fedr ef ddim deall yr ias ryfedd ond fe ŵyr fod rhywbeth yn codi ynddo o'r gorffennol, o'i blentyndod pell, ac yn ei lenwi, cyn iddo'i adnabod, â pherlewyg o atgof a hen anwyldebau, ac yn sydyn fe ddaw'r peth yn glir i'w gof, — dyna'r blas, blas te a theisen Fadlen, a gâi ef yn blentyn yn y wlad yn Normandi gyda'i fodryb ar foreau Sul ers talwm, ac y mae'r blas yma'n gychwyn i'w holl ddisgrifiad ef o'r gymdeithas y ganed ef iddi a'r holl fywyd yn Normandi gynt.

Yn awr, fe wêl pawb ohonoch chithau sy'n gwrando ac y sy'n gynefin â gwaith Parry-Williams fod y profiad Proustaidd hwn yn un o'r profiadau mwyaf nodweddiadol o'i holl waith ef. Y mae'r peth yn rhan o fold neu rigol ei ymwybod ef. Ailddarganfod profiadau'r Rhyd-ddu yw ei hanes ef o hyd ac o hyd yn Chicago, yng Nghaliffornia, Mecsico. *Synfyfyrion* yw'r mwyaf Proustaidd o gyfrolau'r awdur, ac fel enghraifft o'i ddull yn y cywair hwn mi gymeraf yr ysgrif 'Grisial'. Dyma fy nyfyniad olaf i o'i waith ac y mae hi'n ysgrif mor bwysig i flasu rhin y bardd a'r llenor hwn ag ydyw ysgrif 'Drws-y-Coed'. Yn rhan gyntaf yr ysgrif fe ddisgrifia'r cwmni o blant ac un hen ŵr a arferai yn amser ei fachgendod ef gasglu grisial a gwerthu'r darnau i ddringwyr haf yr Wyddfa gerllaw stesion y lein bach yn Rhyd-ddu. Ac yn awr gwrandewch ar fyfyrdod yr awdur sydd megis darn o'r nofel gan Proust *Ar Drywydd yr Hen Amser Gynt*, ond mai Eryri sydd yma, nid Normandi, a'r Rhyd-ddu yn lle Combrai:

Yr oeddwn wedi anghofio popeth am y grisial gynt, ac yn wir heb erioed dybied bod dim rhin na grym o unrhyw fath ynddo, na'i fod ychwaith yn arwyddlun o ddim i mi, — fel y byddir yn aml gyda phethau bach cynefin nes iddynt ddyfod yn ôl yn sydyn o anghofrwydd y blynyddoedd yn anterth eu harwyddocâd. Er inni lwyr anghofio hen bethau bach felly, eto y maent hwy o'r golwg yn hel ac yn crynhoi ystyr a grymuster gyda threigl y blynyddoedd, ac yn ymdaith gyda ni heb inni wybod dim. Wedi dyfod unwaith i gyffyrddiad byw â hwynt, ni ellir byth eu hesgymuno wedyn. Y maent gyda ni o hyd er inni fod heb ymwybod dim â hwynt am ddarn o oes. Hwyrach na ddaw rhai ohonynt byth i'r golwg nac i'r wyneb eilwaith, ond y mae'n sicr eu bod yno bob amser, fel pethau'n perthyn i rannau ohonom nad ydynt byth yn cael siawns na chyfle i ymddangos hyd yn oed yn nirgelwch ein cymundeb â ni ein hunain; ond arhosant gyda ni yn rhywle yn simbolau cyfrin o rywbeth sy'n rhan ohonom, yn arwyddluniau digamsyniol o rywbeth sy'n gyfran o gyfanswm y bod sy'n eiddo inni.

Soniais am betrol a pheiriant — pethau sy'n newydd ar yr hen lôn bost, ond trwy gyfrwng y rhain y daeth y grisial yn ôl i mi a thaflu ei adlewyrch ar draws y blynyddoedd. Tybiais unwaith neu ddwy mai llygad llygoden mewn twll yn y wal gerrig ydoedd y llygedyn o oleuni am eiliad a welswn ar ochr chwith y ffordd yn yr hen fro wrth yrru'r cerbyd liw nos. Yn y fan honno y mae tro crwn yn y wal, yn arwain i dwnnel defaid ac felly yn wynebu golau'r cerbyd. Ni wnaeth gweld y golau bach y tro cyntaf ond argraff ennyd arnaf, na'r ail ychwaith fawr fwy; ond y trydydd tro mi sylweddolais fod y fflach eiliad hon yn dyfod o damaid o risial mewn twll yn un o gerrig y wal. Ffordd ryfedd gan risial o ddyfod yn ôl a'm dal, — ond fe ddaeth; nid yn ddigywilydd ac wynep-galed, ond yn swil a llednais. Yn y golau bach diniwed hwn mi rychwentais y blynyddoedd, a mwyach bydd un llwybr arall o oleuni yn croesi'r "tir pell" sy'n ymehangu ac yn ymestyn yn wastadol yn ein bywydau wrth inni deithio ymlaen.

Yr wyf wedi ceisio dangos fod pros Parry-Williams yn offeryn llenyddol addas i feddwl ac ymwybod yr ugeinfed ganrif. Ceisiais ddangos ei berthynas ef hefyd i nofelwyr a llenorion cyfoes ag ef sy'n ddylanwadol yn nhwf llenyddiaeth heddiw yn Ewrop. Ond er terfyn y rhyfel diwethaf rhaid imi addef mai ychydig o ôl astudio dwfn a deallus a threiddgar ar feddwl ac ar dechneg ei ryddiaith ef a welaf i gan ysgrifenwyr Cymraeg. Yn wir, ychydig o astudio a myfyrio yn ein llenyddiaeth Gymraeg ni a geir o gwbl. Fe ddefnyddir ein llenyddiaeth ni fel moddion defnyddiol i gadw'r iaith yn fyw ac fe eir at lenyddiaeth Saesneg am gynnwys meddwl ac agwedd ar fywyd. Un o'r ychydig weithiau sy'n dangos dylanwad ysgrifau Parry-Williams yn greadigol, ac nid yn ddynwaredol fel yr ysgrifwyr, yw'r gyfrol o straeon byrion, *Y Goeden Eirin*, gan John Gwilym Jones.

Llafar V:i:17 Ionawr 1955

Ysgrifau, 1928

Da y cofiaf y croeso syn a gafodd 'KC 16' pan ddaeth rhifyn cyntaf y *Llenor* o'r wasg. Yna pan gasglwyd hon a'i dilynwyr ynghyd i ffurfio'r llyfr bychan, *Ysgrifau,* yn 1928, fe gydnabuwyd yr 'ysgrif' yn ffurf lenyddol a oedd wedi ennill ei phlwyf fel yr awdl neu'r soned, ac fe aeth wedyn, wrth gwrs, yn rhan o gystadlaethau rheolaidd yr Eisteddfod. Buasai'r *essay* yn rhan bwysig o'r *belles-lettres* Saesneg yn chwarter olaf y ganrif gynt ac ymlaen hyd at y Rhyfel Mawr, o ddyddiau Andrew Lang ac Alice Meynell ac E. V. Lucas hyd at Robert Lind a Belloc a Chesterton ac eraill lawer. Ond T. H. Parry-Williams a sefydlodd y ffurf yn y Gymraeg a chydag *Olion* a *Synfyfyrion* hyd at y *Myfyrdodau* yn 1957 fe wnaeth ef yr ysgrif yn gyfrwng i ddweud mwy amdano'i hunan, yn fynegiant mwy personol a dwysach, nag ydoedd ei farddoniaeth.

Cyfnod brenhiniaeth John Morris-Jones oedd eu hoes. Yr oedd pawb a sgrifennai i'r *Llenor* yn arddel ei safonau ef. Yr oedd rhyfeloedd Morris-Jones ar ben ac fe gyhoeddwyd *Orgraff yr Iaith Gymraeg* yr un flwyddyn ag *Ysgrifau. Ysgrifau,* yn wir, yw clasur rhyddiaith cyntaf y Gymraeg lanwaith newydd. Aethai deng mlynedd ar hugain heibio er pan gyhoeddodd Morris-Jones ei argraffiad o'r *Bardd Cwsc* gyda'i Ragymadrodd. Tudalennau xxxiii-1 o'r Rhagymadrodd hwnnw yw'r maniffesto a roes batrwm i safoni'r iaith, sef geirfa a chystrawennau'r *Bardd Cwsc.* Meistrolodd Parry-Williams y geiriau a geid yno a chwanegu'r wybodaeth helaethach a gasglwyd o gam i gam wedyn, llawer trwy'r dyfyniadau yn y *Welsh Grammar,* 1913. Ystyriwn yn enghraifft y darn hwn o Ragymadrodd 1898: "Y mae ei arddull yn lân oddiwrth y priod-ddulliau Seisnig a'r ymadroddion llac, eiddil sy weithian, ysywaeth, mor gyffredin. Ni ddywed efe 'oeddynt wedi gweled' neu 'oedd wedi mynd' am 'aethai'; ac nid yw'n tra-mynychu'n ddiachos eiriau gwan fel *cael,* — ni ddywed 'wedi cael eu claddu' am 'wedi eu claddu' . . . y dull cryf cryno sydd gan Elis Wyn." Y dull cryno, ni ellid gwell disgrifiad o arddull *Ysgrifau* 1928. Y mae gorberffaith y ferf yno yn ei ogoniant, megis yn ail baragraff 'Ceiliog Pen-y-Pàs', neu ystyrier y dull cryno a'r dull anghryno wedi eu huno'n fwriadol ysmala wrth ddisgrifio Robin y Gyrrwr ar bin: "Aethai ei ddyddiau gwanu heibio, yr oedd ei bicell wedi breuo; diflanasai tymor ei afiaith hedegog, yr oedd ei esgyll wedi llesgáu." Dywed y Rhagymadrodd wedyn: "Fel y gellir yn Lladin arfer y modd anherfynol yn lle'r modd mynegol wrth adrodd hanes, felly y gellir arfer berfenw yn lle berf yn Gymraeg, ond nis gwneir yn awr am nas gwneir yn Saesneg." Y mae paragraff 'Oedfa'r Pnawn' yn yr *Ysgrifau* yn cyfuno'r dull hwn yn hapus â'r gorberffaith cychwynnol sydyn:

> Syriaswn drempyn ar y lôn bost y Sul hwnnw a gweld y rhif cant saith deg a phump — sef, o adio'r rhifau, dri ar ddeg — ar fotor car. Beth na ddigwyddai wedyn? Mynd i'r oedfa ddau ac i'm congl gynefin.

Dro arall fe geir y dull anghryno — er mwyn awgrymu pellter amser — a'i ddilyn gan frawddeg mor gryno â dim sy gan Tacitus:

> Yr oedd fy nain wedi gweld ysbryd a thylwyth teg, ac wedi clywed canu yn yr awyr. Nis gwelais ac nis clywais i.

Gellir amau'r gorberffaith unwaith neu ddwy. Ni welaf i ei angen yn "Atolwg, fel y gofynasai Peilat gynt" (t. 7), ac y mae'r tair s yn "nosasai'n sydyn" a'r ddwy yn "edrychai ar y caeau a groesasai" (t. 27), yn sathru ar ei gilydd yn ansoniarus, er bod gan Ellis Wynne ddigon o enghreifftiau cyffelyb, megis "canys cynnesasai fy nghalon wrth y lle."

Ni thrafodir arfer Ellis Wynne o fodd dibynnol y ferf yn Rhagymadrodd 1898, ond fe graffodd Parry-Williams arno, ac y mae'n rhan mor amlwg o arddull *Ysgrifau* ag ydyw o arddull y *Bardd Cwsc*. Fe'i ceir, bid siŵr, ar ôl *pan* a *thra*, ond hefyd yn fardd-cysgaidd wrth sôn am bolion teligraff: "Ni feddant hwy ar harddwch byw derw ac ynn a fo'n tyfu, na chydbwysedd poenus canghennau pîn a ffynidwydd a fo ar eu traed," neu eto wrth sôn am ffordd ym Meirionnydd: "Rhaid i'r sawl a dramwyo ar hyd-ddi symud yn ochelgar pa sut bynnag y bo'n trafaelu." Go brin fod neb dan ei hanner cant yn sgrifennu fel yna heddiw. Yr wyf i'n cofio'r amser yr oedd pob efrydydd ifanc llengar ym Mharis yn cario copi o *Les Nourritures Terrestres* André Gide yn ei boced, ac un o'r rhesymau am hynny, nid yr unig un, oedd arddull clasurol a henaidd Gide. Ni chlywais i am efrydwyr Cymraeg yn cario *Ysgrifau* yn eu pocedi yn y tridegau, ond gofalodd arholwyr y Bwrdd Canol am lenwi'r bwlch.

Os yw cystrawennau'r gyfrol yn henaidd a phrydferth, y mae'r eirfa yn ddi-os fodern ac er hynny'n gyfoethog. Ni cheisir atgyfodi hen eiriau na chysyllteiriau diflanedig, a chan fod darllenwyr yn sylwi fwy ar eirfa nag ar gystrawen, nid yw clasuroldeb llym y llyfr yn tramgwyddo na hurtio neb. Y mae ynddo drafod pethau go newydd i'r Gymraeg ar y pryd, a hynny mewn iaith haniaethol ac astrus. Astudier y paragraff cyfan a geir ar d. 30: y mae'n rhy hir i'w godi'n llawn yma, ond bu gweithio caled arno a dwyn y grafanc a fu'n ymafael â'r ebol yn stori Pwyll i gyfleu profiad ar y ffin rhwng corff a meddwl, heblaw fod 'gwasgu swrth cynnes gan grafanc flewog' yn peri cofio

23

hefyd am ddwylo blewog. Campwaith arall o bros disgrifio yw'r portread o'r pryf genwair ar dudalen 15, ac o'r tywod yn y peth-berwi-wyau, t. 44. Y mae manylrwydd y dweud yn y disgrifiadau hyn yn gynnyrch disgyblaeth wyddonol. Nid am un flwyddyn yn unig, 'Y Flwyddyn Honno', y bu Parry-Williams yn astudio pedwar o bynciau gwyddonol; pwnc gwyddonol yw ieitheg hefyd. Y mae cywirdeb disgybledig y tu cefn i fanyldeb y llu disgrifiadau yn *Ysgrifau*.

Rhyddiaith seicolegydd yw hi. Dywed ei gyfeillion oll fod yr awdur yn arbennig swil a diymhongar. Dywed yr Athro Idris Foster yn *Barn*, rhifyn Mai, i Ifor Williams gyhoeddi "fod y mwyafrif ohonom wedi ein geni gyda nifer pendant o haenau o groen, ond bod gan yr Athro Parry-Williams un haenen yn llai na'r gweddill ohonom ni." Fe ychwanega'r Athro, "Yr oedd y dybiaeth yn hollol gywir fel y canfûm flynyddoedd yn ddiweddarach," ond nid eglura ef ystyr "hollol gywir." Ai diagnosis doctor ydoedd? Os felly, dyna egluro brawddegau fel, "Ni ellir gwrido ar fotor beic. Ni wn eto baham," a hefyd: "Meudwy pridd y ddaear ydyw'r pryf genwair, ac ni ellir peidio ag eiddigeddu wrtho." Tybed a fu Parry-Williams drwy gwrs seicolegol yn Freiburg? O leiaf y mae darllen *Ysgrifau* yn ofalus yn arwain i sicrwydd fod eu hawdur yn gwybod ei Freud a'i Jung gystal â'i Horas a'i Gatwlws, a bod damcaniaethau Jung wedi mynd yn rhan o'i ddull ef o ddeall ei blentyndod. Yn ddiweddarach, yn 1957, troes yn fwy dihitio am guddio'i wybodaeth helaeth, ac yn y *Myfyrdodau* mae'n sôn am y "seicoboys" ac yntau'n un ohonynt, ac yn defnyddio'u termau megis "mecanismau amddiffyniad" ac "aruchelu'r nwydau." Trown ninnau'n ôl at *Ysgrifau* a'r bennod a deitlir 'Cydwybod':

> Cynneddf anniddan ydyw honno sy'n galluogi i ddyn weld trwy ei gyd-ddyn, canfod triciau ei feddwl ac ystyr ystumiau ei ymarweddiad, a gwybod beth sydd y tu ôl i'w ben o hyd, ac yntau'n meddwl ei fod yn diniwed dwyllo ac yn ymguddio trwy'r adeg. Y mae'r gynneddf hon gan ambell un oherwydd ei fod, ysywaeth, yn ei adnabod ei hun ac wedi mentro ceisio dadansoddi tipyn ar y greddfau a'r tueddiadau a'r nwydau sydd wedi eu cordeddu i wead ei fod a'i fyw ef ei hun. Hen beth digon cas ydyw, ond pur gyfleus a diddorol weithiau . . .

Dweud amdano'i hun ac am ei gwrs 'dadansoddi' y mae ef. Mae'n cyfaddef hynny yn 'Gair o Brofiad' yn y gyfrol *O'r Pedwar Gwynt*:

> Hen ŵr craff ystorigar, ond uchel ei gloch, oedd yn traethu'r llith homilïol hon wrthyf . . .

Yr hen ŵr craff yw Parry-Williams yn 1914 yn cyfarch awdur 'Cydwybod' ac yu dweud wrtho:

byddaf i, fel tithau, yn gweld y tu ôl i benglogau pobl pan fyddant yn traethu, ac yn gwybod yn sicr pa beth yw'r gwir gynnwys sydd yno a pha beth yw'r cymhellion . . .

Seicolegydd, un o'r genhedlaeth gyntaf o ddisgyblion Freud a Jung yw awdur *Ysgrifau*. Wele ei destunau, pryf genwair, ceiliog wedi colli'r dydd, troseddwr o lanc wedi ei ddal, dyn gwallgo wedi dianc, gweithiwr ar y ffordd, — mae'r rhestr fel dyddiadur seiciatrydd. Ond yn amlach na dim ei brofiadau anhapus ef ei hun, hiraeth, ofn, ias euogrwydd. Ysgafn gellweirus a digrif yw'r straeon a'r cyffesiadau personol mor fynych â pheidio; ond gyda'r bodau hynny, yn bryfed neu'n ddynion, y mae byw yn ddychryn iddynt y mae ei gydymdeimlad a'i ddiddordeb ef. Un ohonynt hwy yw yntau, a rhan o'r mecanismau amddiffyn yw'r tro digrif i'r straeon a'r chwerthin am ei ben ei hun yn y cyffesion.

Pennod y 'Trên Bach' yn y gyfrol *Lloffion* sy'n rhoi inni ddisgrifiad cryno Parry-Williams o ardal Rhyd-ddu, ac er moeled y disgrifio mynnodd ddweud fod yno nefoedd. Wedyn yn *O'r Pedwar Gwynt* fe ddywed:

Am yr un mlynedd ar ddeg cyntaf o'm hoes yn unig y bûm yn trigiannu'n sefydlog yno . . . Ardal i ymweld â hi fu hi byth wedyn . . . Byddai mynd yn ôl yno ar y gwyliau, wedi bod yn hiraethu'n anhraethadwy am fisoedd bwy gilydd, yn gynnwrf mor aruthrol ag i wneud pawb a phopeth oedd yn cael bod ac aros yno — a hyd yn oed fel y gwynt fynd trwodd — yn wrthrychau eiddigedd annaturiol i blentyn . . .

Trown oddi wrth hyn at bennod 'Dieithrwch' yn *Ysgrifau* a dyma'r seicolegydd yn ei briod faes yn dadansoddi'r teimladau dyfnaf a mwyaf eu dylanwad ar ei holl fywyd ef, a daw pennod olaf y llyfr bychan hwn, 'Gweld y Gwynt', yn atodiad dwys-gynhyrfus i brofi hynny. Yn y bennod bwysig, 'Boddi Cath', y mae yntau'n tynnu gwers gyffredinol allan o'i brofiad a'i fyfyrdod:

Ambell dro yn unig mewn bywyd y byddwn yn byw, ac wedi byw rhyw hanner dwsin o bethau yr ydym yn barod i fynd. Un waith y gwneir y pethau mawr, ond ein bod yn ad-fyw ac yn rhag-fyw amryw ohonynt. Y mae ambell un yn gynnar ar fywyd wedi gorffen popeth ond marw, a disgwyl hwnnw y mae bellach . . .

Ef ei hun yw'r "ambell un," ac ad-fyw yw mater *Ysgrifau* a deunydd llawer iawn o'r casgliadau diweddarach.

Y mae hynny'n codi mater crefydd. Fe fu llawer o drafod ar agnostigiaeth ac anffyddiaeth Parry-Williams. Clodforid ef gan rai a'i lym-farnu gan eraill am iddo ganu cerddi amheuaeth a gwrthod dogmâu a chysur a dychryn

Cristnogaeth. Disgrifiodd ef ei hun ei safiad yn drawiadol debyg i safiad ei gefnder:

Yn estron brith na all hyd ben ei daith
Ymhonni'n Bagan nac yn Gristion chwaith.

Ac y mae'n wiw sylwi fod y braslun cyntaf o'r soned enwog, 'Dychwelyd', i'w gael mewn pros yn yr ysgrif ar y 'Gwybedyn Marw' yn 1924: "Llithrodd cwrs fy myfyrdod i'r pellterau glas a thu hwnt lle y mae'r distawrwydd mawr." Ond ystyriwn: un mlynedd ar ddeg cyntaf ei fywyd fu cyfnod holl argraffiadau dwys a pharhaol y bardd hwn. Ad-fyw oedd popeth wedyn. Y capel a'r seiat a'r cyfarfod gweddi a'r oedfa Sul a'r pregethu a'r ddyletswydd deuluaidd feunyddiol a gweddïau ei daid a myfyrdodau ei dad yn y seiat a gwersi'r ysgol Sul, dyna sy'n llenwi a llunio'r blynyddoedd cynnar hynny, a'r gweddïwyr yma gyda'u "tafodieithoedd gweddïau Cymraeg" yw rhan fawr o'r anwyldeb mwyaf a wybu. Ni chofiaf iddo mewn unrhyw ysgrif o'r dechrau i'r diwedd ddweud gair o wawd na gair angharedig am bregeth na gweddi na phrofiad seiat. Yr oedd y cwbl yn rhan o'i nefoedd ef. Unwaith, ar daith hir mewn trên o Chicago i Los Angeles (*Lloffion*, 55) stopiodd y trên yn Kansas City a disgynnodd yntau ar blatfform y stesion. Yna daeth i'w gof "fod gennyf gysylltiad â'r lle er yn fachgen," a dyma inni hanes yr ysgol Sul a John John yn athro arno a'i Feibl ar y sêt, a'r crwt deg oed yn chwilio'r llyfr a chael ynddo enw a chyfeiriad yr athro yn Kansas City, ac wele ysgol Sul Rhyd-ddu yn llenwi'r platfform yn Kansas City "gan anghofio'r cwbl am y Mericia." Sôn am ad-fyw!

Nid yw hynny oll yn gwneud Cristion o'r awdur. Ond fe ddengys o leiaf mai un wedi ei foldio am byth gan Gristnogaeth a duwioldeb Calfinaidd Cymreig yw awdur *Ysgrifau*, ac, o ran hynny, mai felly yr arhosodd ef hyd y diwedd; ond *Ysgrifau* 1928 yw fy nhestun i. Ymwybod â phechod, ag euogrwydd, dyna farc yr *anima naturaliter Christiana*. Ac euogrwydd yw prif destun *Ysgrifau*, euogrwydd cyffredinol holl etifeddion y pechod gwreiddiol, euogrwydd dyn. Fe boenai Parry-Williams yn hogyn deg oed oherwydd ofni iddo bechu yn erbyn yr Ysbryd Glân (*Myfyrdodau*, 54). Gyda'r llefnyn a droseddai'r gyfraith ger stesion y lein bach fe deimlodd "ofid a chywilydd na wyddwn yn iawn am ba beth." Ac eto:

Yr hyn sy'n rhyfedd ydyw bod dyn weithiau, yn teimlo euogrwydd pan fo, ar adegau prin, yn digwydd bod yn lled glir hyd yn oed â'r rhagrith bob-dydd cyfarwydd hwn, ac yn gwrido, fel petai'n euog, yn ei ddieuogrwydd.

Sylwer ar y cymal enbyd bwysig "ar adegau prin." Teitl y bennod hon yw 'Cydwybod', ac euogrwydd dirprwyol, etifeddol dyn, euogrwydd y publican, yw ei thema, a rhoir hanes tri chyfarfod nodweddiadol chwerw-ddigri a gofyn, "Onid oes dyfnder didrugaredd i drueni dyn?" ac yna:

Ond y mae'r faeden yn fyw gartref hefyd ... Nis beiech hi petai'n ymddanheddu ar dorri ohonoch bethau trymion y gyfraith yn unig, ond dyry bigiad bach poenus trwy'ch croen tenau pan ddalioch frithyll neu pan fwynhaoch ymladdfa rhwng deugi. Torrwch ben ysgallen a gwêl fai arnoch; ysgubwch we'r pryf copyn, a dyna chwi'n euog drachefn ...

Yn awr, i ba draddodiad yn ein rhyddiaith Gymraeg y mae darnau fel hyn yn perthyn? Dyma, mi dybiaf i, awdur sy weithiau'n sgrifennu'n debyg:

Os cymerwn afal neu ddau o'r berllan gartref a fyddai gwedi syrthio oddi ar y coed, nis beiddiwn dynnu un, taflwn hwynt i'r berllan drachefn yn ôl ... neu os byddai i mi daro rhedynen â ffon a fyddai yn fy llaw wrth fyned ... cawn fy argyhoeddi gan fy nghydwybod fy mod yn gwneud peth afreidiol ... Fel hyn y bu'r gelyn dros amser ynghyd ag amryw ffyrdd eraill o'r cyffelyb yn fy mhoeni gorff ac enaid, nes byddwn yn blino ar fy mywyd heb galon ynof i weithio allan fy ngalwedigaeth, yn dihoeni ar fy nhraed, ac yn flinder i mi gerdded y ddaear ...

Dyna Ioan Thomas yn *Rhad Ras*. Llais Piwritaniaeth y ddeunawfed ganrif sydd yma, ac y mae'r traddodiad hwnnw i'w glywed a'i ganfod yn bendant yn *Ysgrifau* 1928. Os ystyriwn ni'r pedwar bardd-lenor a oedd yn Mhrifysgol Cymru y flwyddyn honno, Gwynn Jones, W. J. Gruffydd, Williams Parry a Parry-Williams, yr un sy ddyfnaf dan ddylanwad Piwritaniaeth Cymru o lawer iawn, yr un lleiaf sentimental a'r mwyaf Cristion ei wead ohonynt yw'r ieuengaf, awdur *Ysgrifau*.

Y Traethodydd, Hydref 1975

D. J. Williams

Yr ha' nesa', yn ôl ei dystiolaeth ef ei hunan, bydd D. J. Williams, Abergwaun, yn cyrraedd y deg a thrigain oed. Fe ddylid dathlu'r digwyddiad a'i gyfarch yntau'n llon. Crintach ddigon yw gwobrau bywyd y llenor o Gymro. Wel, dyma gyfle i roi i D.J. hanner awr o werthfawrogiad. Yn fy marn i, y mae gwaith gorau'r llenor hwn yn gyfraniad i lenyddiaeth Gymraeg a dyf fwyfwy yn ei bwysigrwydd gyda threigl y ganrif, ac fe welir ei fod ef yn ffigur mor arbennig yn hanes rhyddiaith ein cyfnod ni ag ydyw'r Dr Williams Parry yn hanes ein barddoniaeth.

Rhag i neb edliw imi mai cyfeillgarwch sy'n cyfri am fy marn neu dybio fy mod i'n llyncu'r cwbl o waith D.J. yn ddihalen, mi ddywedaf un peth llym ar ei ben ar y cychwyn yma. Mi alla' i ailddarllen ei holl straeon byrion ef er mwyn yr aml ddarn o ddisgrifio campus, er mwyn yr eirfa gyfoethog a'r mynych baragraffu pert. Ond eto, o'r tair cyfrol o *Storïau'r Tir*, nid oes chwe stori ynddynt sy'n grefftwaith boddhaol. Y mae gormod o foesoli naïf yn ei straeon dychan ef; y mae gormod o "Ti wyddost beth ddywed fy nghalon" yn ei straeon dagreuol ef; ac y mae naws gwlanen ddigon i fygu f'anadl i yn ei syniadau ef am grefydd ac am dduwioldeb.

Be' felly sy'n aros? Mae'n aros fel y "mynyddau mawr" D.J. y portrewr cymdeithasol, awdur *Hen Wynebau* a *Hen Dŷ Ffarm* a'r straeon byrion rai sy'n atodiad iddynt, y gŵr sy wedi sgrifennu, nid ei gofiant ei hunan, ond cofiant teulu, bro, cymdogaeth, cymdeithas, cenedl, — y llenor a gafodd, drwy ei dras a'i dreftadaeth ef ei hunan, weledigaeth ddyfnach ar Gymru na neb arall sy wedi sgrifennu yn ein canrif ni.

Dowch imi geisio egluro hyn. Pum can mlynedd yn ôl, yn y bymthegfed ganrif, yr oedd un o feirdd da Cymru'n byw yn union ardal D.J., sef Lewis Glyn Cothi, ac fe ganodd gywyddau ac awdlau yn y fro honno ac ym mhob rhan arall o Gymru gyfannedd. Fe ganodd glod i rai o hynafiaid D.J. ei hunan yn Rhydodyn ac y mae'r awdlau a'r cywyddau hynny a cherddi Blaen Tren oll ar gadw. Pa fath gymdeithas a ddarluniodd Lewis Glyn Cothi yn ei gerddi? Pa fath ddynion? Pa fath genedl? 'Does gen' i mo'r amser i geisio disgrifiad llawn. Mi ddywedaf ychydig yn fyr. Uchelwyr oeddyn' nhw, yn byw ar y tir, yn adnabod ceffylau a da duon fel Moses Griffith; yn groesawgar i bawb yn eu tai, wrth eu bodd yn llenwi'r aelwyd â ffrindiau a llwytho'r bwrdd â bwyd a diod;

yn gwybod achau ei gilydd o hil gerdd; yn eu helfen yn rhyfela neu'n hela, mewn mabolgampau neu'n heboca; yn hoffi pob crefft a gwaith llaw, offer ffarm neu waith saer neu waith edau a nodwydd gwraig; yn addoli Duw yn llawen ac esgeulus ac yn taflu gweddi dros ysgwydd at fabsant y plwy; yn fras odiaeth eu chwerthin a'u sgwrs gyda merched; wrth eu bodd y gaea' yn gwrando ar hen hanes, ar ganu cywydd ac awdl neu faled neu garol neu ar adrodd chwedlau rhyfeddol am arwyr neu am saint. Hynny yw, cymdeithas o uchelwyr a'i diwylliant yn aristocrataidd, achau, ceffylau, ymddiddan, campau gwŷr y mynyddoedd, cerdd dafod a cherdd dant. *Cenedl* o uchelwyr, sylwch, cenedl aristocrataidd; nid aristocratiaid yn ddosbarth bychan ar wahân i weddill y genedl. Yn y ganrif wedyn, pan ddylifai'r Cymry i Lundain yn oes y frenhines Elizabeth, fe ddywed Humphrey Llwyd ac eraill wrthym na fedrai'r Saeson ddim deall sut yr oedd *pob* Cymro'n honni ei fod yn ŵr bonheddig a chanddo'i bais arfau. I'r Sais yr oedd hynny'n destun chwerthin ac yn ymhonni bocsachus.

Un o fuddugoliaethau ysbrydol pwysicaf y Saeson ar y Cymry yw eu bod hwy wedi llwyddo i'n hargyhoeddi ni mai eu safbwynt hwy a'u hanes hwy sy'n iawn i ninnau, mai peth yn perthyn i ddosbarth bychan Seisnig yw pendefigaeth, ac nad cenedl o uchelwyr mo'r Cymry, eithr 'gwerin' yn ystyr boliticaidd a bas y gair hwnnw, sef dosbarth isel heb urddas gorffennol na threftadaeth na hanes na thras na balchter teulu na diwylliant breiniol. Yn wir, dyna'r darlun cyffredin o Gymru a geir gan nofelwyr a chofianwyr ers canrif, gwerin dlawd, ddiaddysg, ddifantais, a'i chrefydd Biwritanaidd drist a'i chapeli llwm a'i bywyd cyfyng. Aeth llawer i gredu mai dyna'r cwbl o'r gwir am Gymru — darlun Llyfrau Gleision mil-wyth-pedwar-saith. Gwrandewch arno am funud yn ei Saesneg gwreiddiol, oblegid, er ei hallted, y mae'n gefn i lawer iawn o lenyddiaeth Gymraeg a Saesneg am bobl Cymru:

Whether in the country, or among the furnaces, the Welsh element is never found at the top of the social scale . . . In the country, the farmers are very small holders, in intelligence and capital nowise distinguished from labourers. In the works, the Welsh workman never finds his way into the office. He may become an overseer or sub-contractor, but this does not take him out of the labouring class. Equally in his new as in his old home, his language keeps him under the hatches. It is a language of old-fashioned agriculture, of theology, and of simple rustic life, while all the world about him is English. He is left to live in an under-world of his own, and the march of society goes completely over his head . . .

Dyna fo; ac ar y cyfan 'dyw'r nofel Gymraeg o Ddaniel Owen hyd at Kate Roberts, na'r cofianwyr Cymraeg o Ap Fychan hyd at W. J. Gruffydd, ddim yn profi'r darlun yn gwbl annheg. Ond yn y flwyddyn mil-wyth-cant-tri-deg-

29

wyth, union gyfnod y *Llyfrau Gleision* hyn, fe symudodd tad-cu D.J. o Lywele, hen gartre'r teulu, a phrynodd ffarm Penrhiw am ragor na mil o bunnoedd, swm mawr y pryd hynny. Yn awr, y mae darlun D.J. o'i dad-cu yn un o gampweithiau ei oriel ef; mae'n ddarlun y bydd rhaid i bob hanesydd Cymreig ei ystyried a'i bwyso, oblegid y mae'n newid yn sylweddol y pictiwr traddodiadol o'r bedwaredd ganrif ar bymtheg yng Nghymru, ac yn dangos fod y gymdeithas Gymreig yn fwy cymhleth dipyn nag y deallodd rhai haneswyr. Ac os gofynnwch chi, beth a ddaeth o'r hen uchelwyr pendefigaidd y canodd Lewis Glyn Cothi iddynt gynt, fy ateb i yw eu bod hwy eto ar gael ac fe gewch glywed llais a thystiolaeth un ohonyn' nhw y funud yma:

Fy nhadcu, Jaci Penrhiw, tad fy nhad, neu John Williams, a rhoi iddo ei enw llawn a phriod, ydoedd yr olaf o hen deulu Llywele i adael yr hen le hwnnw y bu iddo unwaith ryw gymaint o hanes. Ac yn ôl y traddodiad yn y teulu ef oedd "yr unfed ach ar bymtheg a aned ac a faged yn Llywele". Fe adawodd fy nhadcu y lle Ŵyl Fihangel mil-wyth-gant-tri-deg-wyth. Felly, a bwrw fod sail i'r traddodiad hwn, dyna bum can mlynedd o gysylltiad di-dor â'r un llecyn, gan nad yw Penrhiw y symudodd fy nhadcu iddo, wedi rhyw ddwy flynedd yng Nghlun March gerllaw, ond tua dwy filltir i'r dwyrain union o Lywele ... A'm gwreiddiau mor ddwfn yn y rhan hon o'r wlad, nid rhyfedd fod fy serch innau, ie, a'm balchter digon gonest hefyd, mi gredaf, yn ddwfn ynddi hithau. Yn diriogaethol, cyfyngu'n gyson y mae treftadaeth y teulu wedi ei wneud ers canrifoedd, nes bron diflannu'n llwyr erbyn fy nyddiau i. Ond nid yw hynny wedi fy mlino, unwaith, y gronyn lleiaf, gan y teimlaf i mi, rywfodd, gael cadw rhywbeth sy'n fy ngolwg i yn ddrutach na thir nac eiddo, — sef yr ymwybod â hen werthoedd ein tadau, ynghydag elfen o gyfrifoldeb personol am eu parhad. Rhyw naws o hen ddinasyddiaeth Gymreig nas lladdwyd gan hir ormes a thrais yr oesau yw peth fel hyn, gallwn dybied, — rhywbeth sy'n fy llwyr anaddasu i fod yn ddinesydd teyrngar i unrhyw awdurdod arall.

(*Hen Dŷ Ffarm*, t. 50-1).

Dyna i chi lais a naws yr hen uchelwyr Cymreig ar eu gorau. Efallai fod yn eich plith chi sy'n gwrando rai sy'n ddigon cynefin â meddwl a chynllun meddwl cywyddau'r bymthegfed ganrif. 'Wyddoch chi mai go hawdd fyddai troi'r paragraff yna a glywsom ni 'rŵan yn gywydd digon tebyg i un o gywyddau Dafydd Nanmor? "Ymwybod â hen werthoedd ein tadau ynghydag elfen o gyfrifoldeb personol am eu parhad", dyna i chi athroniaeth boliticaidd barddoniaeth yr uchelwyr. Y mae pum canrif o draddodiad teuluaidd yn canu yn rhyddiaith D. J. Williams.

Portread o gymdeithas o uchelwyr Cymreig ym mlynyddoedd olaf y ganrif ddiwethaf yw *Hen Wynebau* a *Hen Dŷ Ffarm*. *Hen Dŷ Ffarm* wrth gwrs yw'r campwaith o'r ddau, a hynny oblegid ei fod yn un cyfandod a'i gynllun a'i bensaernïaeth yn gadarn o ddramatig o'r dechrau i'r diwedd. 'Af i ddim ar ôl hynny 'rŵan. Yr hyn y dymunwn i ei wneud yw sylwi ar dair elfen sy'n draddodiadol yn niwylliant y gymdeithas yn Llansawel a Chaeo, oblegid yr hyn sy'n drawiadol yn y gymdeithas a ddisgrifir gan D.J. yw dyfnder ei diwylliant hi, diwylliant sy'n ei chysylltu hi mor eglur â chymdeithas hen uchelwyr yr ardal gynt. A'r tair elfen draddodiadol yn y diwylliant hwn y carwn i ddal arnyn' nhw yw crefydd, achau, ceffylau.

Y mae gan Emrys ap Iwan bregeth enwog yn ei *Homilïau* ar 'Grefydd yn etifeddiaeth deuluol'. Mi ddywedais fod Lewis Glyn Cothi wedi canu i hynafiaid D.J. yn y bymthegfed ganrif. Ond felly hefyd Williams Pantycelyn a Morgan Rhys yn y ddeunawfed ganrif. Y mae Llywele yn rhan o hanes Methodistiaeth. Gwrandewch ar a ddywed yr awdwr am gadw dyletswydd ar aelwyd Penrhiw:

Fe'i cynhelid bob bore, yn ddifwlch hyd y gallaf gofio, cyn codi oddi ar frecwast. 'Roedd yno gegin lawn, rhyw naw neu ddeg, rhyngom ni'r ddau blentyn, yn bresennol bob amser, ac yn nyddiau'r cynhaeaf byddai'r nifer, yn wastad, dipyn yn ychwaneg, a'r rhan fwyaf ohonynt yn medru canu ... Wedi i bawb fwyta'i damaid olaf distawai'r gleber ohoni ei hun, a symudai 'nhad o'r ford fach at gornel y ford fawr, gerllaw'r ffenestr. Cenid emyn cyfarwydd i ddechrau, ac yna darllenid rhan o'r Ysgrythur a mynd i weddi ... Rhwng fy nhadcu a 'nhad ar ei ôl cadwyd y ddyletswydd deuluaidd ar aelwyd Penrhiw ac aelwyd Abernant, wedi hynny, yn ddi-dor am dros drigain mlynedd. Ymhellach, a chyda phob gwyleidd-dra ysbryd y mynnwn ei grybwyll yma, y mae'n bosib fod y traddodiad hwn, pe gellid ei ddilyn, yn mynd yn ôl i hen aelwyd Llywele, ac wedi dod i lawr o dad i fab er dydd tröedigaeth Wiliam Siôn, tadcu fy nhadcu, a dechreuad Methodistiaeth yn y cylch, bron can mlynedd cyn hynny.

A dyna'r pam, pan aeth D.J. ar wyliau pêr-atgofus unwaith i Wormwood Scrubs, y gwelwyd ar y garden tu allan i'w gell ef, lle y cofnodid tymor penyd ac enwad crefyddol pob un o'r pererinion, enw a oedd mor rhyfedd yn y lle hwnnw â'r ddiasbad a fu'n achos tröedigaeth Llywele Mawr, sef 'Welsh Calvinistic Methodist'.

Y mae llenyddiaeth mewn nofel a chofiant, yn Gymraeg ac yn Saesneg, wedi darlunio crefydd ymneilltuol Cymru mewn lliwiau duon a llwyd a thrist, a thrwy hynny wedi gwneud cam ag Ymneilltuaeth a cham â'r bobl hefyd. Nid oes dim yn fwy trawiadol yn *Hen Dŷ Ffarm* na'r darlun a geir yno o Biwritaniaeth lawen a hoyw. Mi gymeraf ddwy enghraifft a dau bictiwr, un o flaenor Methodist ac un o weinidog gyda'r Bedyddwyr, i ddangos i chi dduwioldeb yn ei liw priodol. Tadcu D.J., Jaci Penrhiw, a geir yn y cyntaf:

'Roedd Jaci'n dychwelyd drwy ddyffryn Cothi o dre Caerfyrddin ryw noson yn y gaeaf a chart dau geffyl ganddo. 'Roedd wedi cael glasiad neu ddau ar y ffordd. Pan ddaeth i bentre Abergorlech lle y bu'n grwt yn yr ysgol, gwelodd olau yn y capel yno a chlywed canu. "Hwde, boe, cymer ofal o'r ceffyle 'ma", meddai wrth ryw lanc gerllaw; ac i fyny ag ef at y capel y tu uchaf i'r ffordd. Eisteddodd ger y drws. Cwrdd gweddi oedd yno; a chyn hir craffodd un o'r blaenoriaid fod Jaci wedi troi i mewn atynt, a'i alw ymlaen i gymryd rhan. Sylw un a oedd yn bresennol ar yr achlysur ydoedd — na chlywodd weddi daerach a mwy eneiniol yn ei fywyd. Yna aeth Jaci a'i bâr ceffylau ymlaen ar ei ffordd dros bant a thyle yn llawen i Benrhiw . . .

Dyna i chi enghraifft o'r hyn a eilw'r plismyn Seisnig a'r seiat Gymraeg "Bod dan y dylanwad". Ac yn awr cymerwn y darlun o'r gweinidog Baptist:

Yn ddiweddarach y deuthum i wybod mai mab y Llwyn 'r Hebog yma ydoedd y Parch. H. I. James a fu'n weinidog am lawer o flynyddoedd wedi hynny gyda'r Bedyddwyr yn hen eglwys Aberduar, Llanybydder — un o'r dynion glewaf am godi ceffyl a ddringodd erioed i gerbyd. Ni welais i, naddo, hyd y dydd heddiw, yr efengyl yn hedfan daear mor hoyw ac urddasol ag yn y *gig* honno, a'r cobyn coch a faged dan ei law ofalus ef ei hun, yn yr harnais, yn codi'i bedwar carn cuwch â'i drwyn a'u bwrw'n osgeiddig i'r gwynt. 'Roedd y dyn, y march a'r cerbyd yn un corff byw, adeiniog. Gwledd i lygad a chalon ydoedd syllu arnynt hyd oni ddiflannent yn y pellter . . .

Pa ryfedd fod Piwritaniaeth fel yna wedi medru mynwesu hefyd Feto'r *Hope*:

Yr hen Feto'r "Hope"
Yn byw fel y dryw,
Dou ŵr yn farw
A dou ŵr yn fyw.

Ail elfen draddodiadol Gymreig yn niwylliant y gymdeithas hon yw'r diddordeb yn achau'r teuluoedd. Fe wyddoch wrth gwrs fod y diddordeb hwn yn nodweddiadol o'r holl fywyd gwledig Cymreig. Fe wyddoch hefyd ei fod yn mynd yn ôl yn ddi-dor hyd at gywyddwyr y bedwaredd ganrif ar ddeg a hyd at Gyfreithiau Hywel Dda ac ymhellach yn ôl na hynny. Y mae'n rhan hanfodol o'r diwylliant Cymraeg. Yr ydych i gyd, chi sy'n gwrando, yn berchnogion ar hen Feiblau teulu ac achau'r teulu, enw a dyddiad geni tad a mam a phlant ar ddalen flaen y llyfr, a hynny'n aml yn llawysgrifen anghelfydd a phetrus ffarmwr neu dyddynnwr, rhyw dadcu neu daid o'r ganrif ddiwethaf. A gaf i bwyso arnoch i gadw'r llyfrau hynny yn ofalus a balch. Y mae'r Beiblau hynny yn eich cysylltu chi â Lewis Dwn a Gruffudd Hiraethog a chyfreithwyr y Tŷ Gwyn ar Daf yn y ddegfed ganrif. Rholion a thystion eich pendefigaeth chi ydyn nhw. Mi glywais i rai'n cwyno fod rhan gyntaf ail bennod *Hen Dŷ Ffarm*, lle yr olrheinia D.J. gysylltiad ei deulu ef yn Llywele â hen deulu Rhydodyn y canodd Lewis Glyn Cothi iddo, yn sych ac anniddorol. Ond y rhan honno yw'r allwedd i'r llyfr oll. Y mae'r rhan honno mor anhepgor i lyfr D.J. ag ydyw'r rhan gyffelyb yn *Left Hand, Right Hand*, sef cyfrol gyntaf hunangofiant Syr Osbert Sitwell yn Saesneg. Heb y rhan honno 'fedrwch chi ddim chwaith dreiddio i holl ddwyster ystyr stori fer 'Y Cwpwrdd Tridarn'. A sylwch fel y mae'r diddordeb hwn mewn achau yn dyneiddio daear gwlad gyfan, gan gysylltu pob man a llan a ffarm â pherthnasau a chydnabod, a throi taith dros ddarn o wlad yn daith hefyd drwy genedlaethau'r cart achau. Felly, er enghraifft, y teithiai John Jenkins y porthmon:

Dyn yn byw ynghanol cymdeithas gynnes, glos ei gwead, ydoedd John Jenkins, a'r cynhesrwydd hwnnw yn ddigon i'w gadw ef yn glyd a hapus ar hyd ei oes. Wrth adrodd hanes ffair neu farchnad 'doedd hi ddim yn ddigon ganddo sôn am y Person a'r Person a gyfarfu yno, a'r siarad a fu rhyngddynt. 'Roedd yn rhaid manylu ymhellach amdano ar unwaith, drwy ei gysylltu â rhyw deulu neu dylwyth gwybyddus i bawb o'r cwmni. Ac i wneud ei garden fynegai yn llawn, eid, yn aml, gam neu ddau ar ôl perthnasau ei wraig, a'u cael hwythau i mewn; a byddai'r nodiadau ymyl y ddalen yn fynych yn fwy diddorol na dim. Ni wn i am yr un gwerinwr syml a wnaeth gyfandir mor gyfoethog o ddiddorol o'i sir ei hun â'r hen borthmon diddig hwn ... 'Roedd ganddo sylw a chof craffus am bopeth ond am fanion dibwys busnes. Cofiai hen hanesion a glywsai am ddigwyddiadau'r ardal ymhell cyn ei eni ef. O wrando arno wrthi am noswaith gyfan, fel y gwneuthum i laweroedd o droeon, fe geid y saga ryfeddaf o gymeriadau a bywyd gwerin Sir Gaerfyrddin a'i chyffiniau yn ystod y ganrif ddiwethaf bron ar ei hyd ...

Ac wrth wrando ar y darn yna, onid ydy'ch cof chi'n mynd yn syth at ddisgrifiad Gruffydd Robert Milan o fwynderau'r hen fywyd yng Nghymru gynt:

Mae arnaf hiraeth am lawer o bethau a gaid ynghymru i fwrw'r amser heibio yn ddifyr ac yn llawen wrth ochel y tes hirddydd haf. Canys yno, er poethed fai'r dymyr, ef a gaid esmwythdra a diddanwch i bob bath ar ddyn ... Os mynnych chwithau glywed arfer y wlad yn amser ein teidiau ni, chwi a gaech henafgwyr briglwydion a ddangosai iwch ar dafod laferydd bob gweithred hynod a gwiwglod a wneithid drwy dir Cymru er ys talm o amser ...

Y mae Gruffydd Robert a D. J. Williams yn dweud yn union yr un peth a bron iawn yn yr un geiriau. 'Ydych chi'n gweld 'rŵan fel y mae *Hen Dŷ Ffarm* yn plymio i draddodiad llenyddol Cymru?

A cheffylau. 'Does dim llenyddiaeth yn Ewrop yn gyfoethocach ei chlod i'r ebol a'r march na barddoniaeth Gymraeg yr Oesoedd Canol. Ganrifoedd cyn bod carden march na llyfr pedigri brid y mae'r bardd Cymraeg Guto'r Glyn yn olrhain achau march ac yn ei gyfarch yn "ucha' march ei achau ym Mon". Ond trown at ardal D.J. ei hunan. Mae gan Lewis Glyn Cothi gywydd i ofyn am farch a allai fod yn batrwm heddiw i lyfr brid y cob Cymreig, a chofiwch nad oes llyfr *stud* i'r poni Cymreig cyn dechrau'r ganrif hon. Wel, y mae'r holl nodweddion pwysig a roir yn y llyfr i'r poni Cymreig i'w cael gan Lewis Glyn Cothi:

> Ac na bo efo ry wyllt
> Na rhy arw na rhy orwyllt . . .
> Yn ufudd yn ei afwyn,
> Yn araf danaf i'm dwyn; (ystyr *araf* yw *diogel*)
> Yn barchus dan ei berchen,
> Yn bert, yn fychan ei ben;
> Yn grair uwch pedair pedol,
> Yn grwn fel hengarw ar ôl,
> Yn winau ac yn uniawn,
> Yn nag tew, yn gwta iawn . . .

Ond ar ôl y cywyddwyr y *connoisseur* nesaf mewn ceffylau yn ein llenyddiaeth ni yw D. J. Williams. Mae'r peth prin hwnnw, *awdurdod,* i'w glywed yn sicr yn arddull D.J. pan fo'n disgrifio ceffyl. Darllenwch, er enghraifft, y disgrifiad o Blac yn y bennod gyntaf o *Hen Dŷ Ffarm*, sy'n drawiadol debyg i ddarlun Lewis Glyn Cothi. Ond sylwch, — cynneddf yw hon sy'n perthyn i'r holl gymdeithas a bortreir gan D.J. Cymdeithas o uchelwyr yw hi, etifeddion Rhydodyn a Blaen Tren, ac y mae'r medr i drin ceffylau a magu ceffylau a rasio ceffylau yn perthyn iddynt erioed. Yn fy marn i y stori fwyaf aristocratig yn *Hen Dŷ Ffarm* yw honno am Deio Gwarcoed, tadcu D.J. ar ochr ei fam, a'i fab John Gwarcoed:

> 'Roedd Nwncwl John Gwarcoed, er ei fenter ym mhoethder y ras, yn yrrwr gofalus. Gwyddai i'r dim yr eithaf y gallai fynd, heb fynd dros ben hynny. Ond un tro daeth trasiedi i'w ran. 'Chlywais i ddim sut y digwyddodd hi. Ond syrthiodd y gaseg flaen arno, caseg ragorol, hefyd, mae'n debyg, a phris mawr ar geffylau ar y pryd. Yn y dryswch gwyllt aeth cart rhywun dros ei choes, a'i thorri fel garetsyn. 'Roedd hyn dipyn y tu isaf i Landeilo, bymtheg milltir o gartref. Dadfachodd rhywun ei

geffyl blaen a gyrru adref i hôl fy nhadcu i weld y gaseg cyn ei difetha. Ac yn ôl stori'r wlad, o leiaf, y peth cyntaf a ddywedodd Deio wrth John ei fab, druan, wedi cyrraedd y fan, ydoedd: "A gariaist ti'r ras, Jac bach?"

Yn y sgwrs yma 'dydw' i ddim wedi ceisio rhoi dadansoddiad cyflawn o natur foesol y gymdeithas a ddarlunia D. J. Williams. Fe ddylid gwneud hynny hefyd. Dewis rhai elfennau yn niwylliant y gymdeithas a wneuthum i, elfennau nodweddiadol o draddodiad aristocrataidd. 'Fyddai hynny chwaith ddim yn gyflawn o gwbl heb sylwi ar un canlyniad pwysig, sef tuedd gynhenid cymdeithas o'r fath i gynhyrchu a magu artistiaid. Enghreifftiau yw Dafydd 'r Efailfach yn *Hen Wynebau* a Nwncwl Jams yn *Hen Dŷ Ffarm*. Am yr olaf y cwbl a ddyweda' i 'rŵan yw mai'r darlun o'r ewythr hwn yw campwaith digrifwch D.J., ac mai'r unig gamp y gellir ei gosod wrth ymyl y darluniad o Nwncwl Jams yw darluniad Osbert Sitwell o'i dad ei hun yn ei hunangofiant yntau. Y mae'r ddau ddarlun ymysg creadigaethau comig mawr yr ugeinfed ganrif. Ac fe fyddai'n dda inni gofio fod creadigaethau digri mawrion yn brinnach mewn llenyddiaeth na chreadigaethau mawrion trasiedi.

Ac artist a fagwyd ac a luniwyd gan y gymdeithas hon yw D.J. ei hunan. Mi gefais i'r fraint o sgwrsio gydag ef unwaith o flaen y microffôn yma ynghylch crefft ei storïau byrion. Dyma a ddywedodd ef ei hunan y tro hwnnw am ei ddyled i'r bobl y codwyd ef yn eu plith:

Yn yr ardal gartref y cefais i fy iaith . . . 'Doedd hi ddim yn ardal maes o'r cyffredin mewn talentau naturiol. Ond yr oedd ynddi nifer o bersonau gwreiddiol eu ffordd, ac yn gallu adrodd stori a graen arni. Y pencampwr am sylwadaeth fanwl ac am daro ar yr union air i wneud y cyfan yn fyw o'ch blaen, wrth gwrs, ydoedd Dafydd 'r Efail Fach. Am stori hir, yn null yr hen faledwyr, a thipyn o raen llenyddol arni, y gorau yn yr ardal, yn ôl barn Dafydd y Gof a wrandawodd ar fwy o storïau na neb, ydoedd Nwncwl Josi, brawd hynaf fy nhad. Am adrodd storïau hela — am gŵn, adar, cadnoid, sgwarnogod, cwningod — Ifan Pantglas a Dan Esgair Lyfyn ei frawd amdani. 'Roedd fy nhad yn hoff o hela, a dôi Ifan Pantlgas yno fin nos yn y gaea, weithiau, a dechrau sôn am wylio hwyaid gwylltion a'i fysedd wedi rhynnu fel na allai danio'r dryll, a haid o hwyaid wedi disgyn o fewn ergyd iddo; a llawer o bethau cyffelyb; fe fyddai 'nghlustiau a'm llygaid wedi'u cyfareddu ganddo am noswaith gyfan. . . . Gwrandawn ar storïau pawb a chraffu ar bob tro ymadrodd a gair wedi ei ddefnyddio'n bert . . .

Dyna i chi ddarn o hunangofiant artist o lenor, a'i arddull wedi ei ffurfio gan y gymdeithas a'i magodd a chan ei diwylliant hi. 'Wn i ddim a oes y fath gymdeithas i'w chael o gwbl mwyach yng Nghymru. Anodd gennyf gredu hynny. Cuddiad cryfder arddull D. J. Williams yw ei fod ef wedi dysgu rhagor

35

drwy wrando'n ifanc fel yna na thrwy lenyddiaeth llyfr. Anllythrennog oedd Dafydd 'r Efail Fach, a'i un iaith heb ei llygru gan farbariaeth dwyieith-ogrwydd, ac fe erys ôl ei wersi'n ddigamsyniol ar frawddegu a thro ymadrodd a threigladau hynod ddiddorol ei ddisgybl a'i gofiannydd. Dywedodd D.J. amdano: "Puck wedi gorfod gwisgo brethyn cartre Bottom ydoedd Dafydd"; dyna ddisgrifiad hefyd o hud a lledrith priddaidd arddull D.J. ei hunan. Ffling olaf achau Llywele oedd rhoi i Gymru artist nad oes modd deall ei swyn heb ddeall hanes cymdeithasol Cymru a holl gyfoeth chwe chanrif o'i thraddodiad llenyddol.

Llafar V:ii: 1955

Arddull D. J. Williams

I mi heddiw, ac ar ôl darllen y cwbl oll unwaith eto, *Hen Wynebau* a *Hen Dŷ Ffarm* yw dau gampwaith D. J. Williams, y ddau lyfr sy'n ei ddangos ef ei hunan yn grwn a chyda hynny sy'n gyfanwaith ac yn dystiolaeth a fydd byw. Un o feistri mawr y pros sy'n tynnu ei nerth o ddaear ac o ddynoliaeth ardal ei blentyndod yw ef, o gymdeithas a bonedd nad yw'n bod mwyach ond yn ei lyfrau ef. Yn ei ddarnau gorau y mae tafodiaith y bedwaredd ganrif ar bymtheg yn Llansewyl naill ai'n ymwthio'n wridog i'r wyneb a chymryd meddiant o'i bin a'i bapur, neu ynteu'n ymchwyddo'n agos i'r don a brigo hwnt ac yma gan roi rhin a lliw a blas i'r iaith lenyddol. Y mae D. J. Williams yn gwneud mewn rhyddiaith yr hyn a wnaeth Williams Pantycelyn yn ei emynau, sef cyfuno'r iaith lenyddol â thafodiaith, gwau'r ddwy ynghyd yn un brethyn cyfoethog yn ôl patrwm a thraddodiad llên Sir Gaerfyrddin.

Y mae gennym ei dystiolaeth ef ei hun am athrawon ei arddull. Dyma o *Hen Dŷ Ffarm* ddisgrifio un ohonynt:

> Dyn yn byw ynghanol cymdeithas gynnes, glos ei gwead, ydoedd John Jenkins, a'r cynhesrwydd hwnnw yn ddigon i'w gadw ef yn glyd a hapus ar hyd ei oes. Wrth adrodd hanes ffair neu farchnad 'doedd hi ddim yn ddigon ganddo sôn am y Person a'r Person a gyfarfu yno, a'r siarad a fu rhyngddynt. 'Roedd yn rhaid manylu ymhellach amdano ar unwaith, drwy ei gysylltu â rhyw deulu neu dylwyth gwybyddus i bawb o'r cwmni. Ac i wneud ei garden fynegai yn llawn, eid, yn aml, gam neu ddau ar ôl perthnasau ei wraig, a'u cael hwythau i mewn; a byddai'r nodiadau ymyl y ddalen yn fynych yn fwy diddorol na dim. Ni wn i am yr un gwerinwr syml a wnaeth gyfandir mor gyfoethog o ddiddorol o'i sir ei hun â'r hen borthmon diddig hwn. Ganed John Jenkins yn nhri degau diweddar y ganrif o'r blaen. 'Roedd ganddo sylw a chof craffus am bopeth ond am fanion dibwys busnes. Cofiai hen hanesion a glywsai am ddigwyddiadau'r ardal ymhell cyn ei eni ef. O wrando arno wrthi am noswaith gyfan, fel y gwneuthum i laweroedd o droeon, fe geid y saga ryfeddaf o gymeriadau a bywyd gwerin Sir Gaerfyrddin a'i chyffiniau yn ystod y ganrif ddiwethaf bron ar ei hyd . . .

Y mae pob cymal o'r paragraff yna yn berthnasol i ffurf a chyfansoddiad *Hen*

Dŷ Ffarm ac *Yn Chwech ar Hugain Oed.* Yn wir dyna un o'r ddau neu dri rheswm pam y mae'r cyfieithiad Saesneg o'r gyfrol gyntaf yn fethiant; y mae'r cyfeiriadau yn gwbl ddiystyr oddieithr i Gymry Cymraeg. Ond craffer eto ar y frawddeg olaf: "O wrando arno wrthi am noswaith gyfan fel y gwneuthum i laweroedd o droeon" . . . Y mae'r addefiad neu'r ffrost yn egluro'n derfynol ddull D.J. o lunio a chyfansoddi penodau mawrion saga *Hen Dŷ Ffarm,* ac yn datguddio'r ffynhonnell.

Trown at bennod gyntaf *Hen Wynebau.* Ar un olwg, dewis od. Llyfr ar yr hen ardal a'i chymeriadau sydd yma. Y drefn resymegol fyddai cychwyn gyda'r bennod ar y Tri Llwyth a'i pharagraff pwysig agoriadol. Ond na, mynnodd D.J. roi'r bennod ar Ddafydd 'r Efail-fach gyntaf, — a pham?

Fy marn i am Dafydd yw — na lefarodd neb fel y dyn hwn, tu allan i ddramâu Synge.

Ie, pennod yn trafod iaith ac arddull yw'r bennod gyntaf hon. Y mae hi'n glasur byr a chryno, yn deyrnged i'r ail o feistri bore oes D.J., meistr a luniodd ei frawddegau ef megis y moldiodd John Jenkins gyfansoddiad ei benodau a'i baragraffau. Teyrnged y llenor llythrennog i'w batrwm, y llenor anllythrennog; allwedd i'w holl waith, canys *Hen Wynebau* oedd ei lyfr cyntaf ef. Gwrandawn arno gan hynny:

Ni sylwodd neb erioed yn graffach a manylach ar fywyd rhwng glannau Teifi a Thywi na Dafydd 'r Efailfach. Rhoed iddo'n ychwaneg ddych-ymyg bardd a chydwybod y gwir artist wrth drin geiriau. Gwelai'r peth a ddisgrifiai mor fyw o'i flaen nes bod ei holl eirfa werinaidd yn dawnsio i'w wasanaeth . . .

Wedyn rhoir inni enghreifftiau o ddawn Dafydd i afael yn y gair sydyn ei wefr a fyddai'n goleuo megis mellten ddisgrifiad neu hanes.

Byddai'n hawdd dyfynnu darnau o ddisgrifiadau D. J. Williams ei hunan o gymeriadau sy'n ei ddangos ef yn ddisgybl craffus i Ddafydd 'r Efailfach. Ai'r meistr ai'r disgybl piau hwn:

Dyn bach, byrgoes, sgwâr, ydoedd Danni'r Crydd, a rhyw un rhan o dair ohono'n farf . . .

neu hwn:

Rhyw hen *fwrthwl* bach o geffyl tua'r pedair llaw ar ddeg a hanner . . .

neu eto'r chwarae ar air a geir yn y disgrifiad yma o John Thomas:

38

Yr oedd ei weld yn dod i mewn i gae o wair neu o lafur, a'i bladur ar ei gefn, yn rhoi calon newydd ym mhob **lladdwr** blin. Daethai **angau'r** gwaith i'r maes a gwên ar ei wyneb . . .

Myfi, nid D.J., piau'r printio du er mwyn pwys y gair mwys. Y mae pethau tebyg i'w cael o hyd ac o hyd, fflach o ddisgrifio y gellid tybio fod D.J. wrth ei roi ar bapur yn troi am foment i edrych a oedd yr hen Ddafydd yn gwenu wrth edrych dros ei ysgwydd.

Y rhai hyn fu athrawon ei arddull. Ond ei reddf ef ei hun, ei ddawn ef, a'u dewisodd hwynt, a gweld eu hathrylith a'u hiawnbrisio. O blith llenorion, ysgrifenwyr hŷn na hwy eu hunain y bydd cywion llên gan amlaf yn dewis athrawon neu batrymau. Cymdeithas nad oedd yn ymhél lawer â llyfrau a fagodd y llenor hwn a rhoi iddo eirfa ei fam a dulliau mynegi ei chyfoedion hi. A hynny'n hapus cyn i'r dafodiaith bydru.

Ni ddysgodd ef yn wir gymaint â hynny gan lenyddiaeth er mai llenyddiaeth fu ei orhoffedd ef ar hyd ei yrfa hyd heddiw. Ni ddysgodd ef, fwy na Theophilus Evans, sgrifennu Cymraeg llenyddol cywir. Bodlonodd ar amryw briod-ddulliau sy'n perthyn i Gymraeg llyfrau'r ganrif y ganed ef. Ond po nesaf y closia ef at iaith lafar ei fro yn y ganrif honno, cadarnaf yw ei gystrawen a chyfoethocaf ei eirfa. Ni all ond paragraff go faith ddangos hyn yn deg; dewisaf ddarn nad oes ynddo ddialog, darn o bros hanes:

Am ryw gyfnod yn amser fy nhadcu buwyd yn cario coed o Benrhiw i waith oel Brechfa, — pellter o ryw naw i ddeg milltir. Gwaith slafus ddigon oedd hwn o'r cychwyn: cwympo'r coed gan ddechrau ar fannau serth ac anodd rhag iddynt niweidio coed eraill wrth ddisgyn; eu llusgo i fan mwy hydrin lle y gellid eu llwytho ar gamboeau; eu clymu â chadwynau a rhaffau fel nad allent whimlyd wrth gael eu hysgwyd a'u hysgytio ar y ddwy filltir arw dros dir yr Esgair ac i lawr hyd riw serth, dolciog Dafy Jâms, nes dod ma's i'r ffordd fowr ar ben hewl Clun March, ger hen dŷ Meicel, tŷ'r gât y pryd hwnnw. Yna ymlaen at dop pentre Llansewyl a throi'n gwta am Abergorlech gyda chapel Siloh, ar ein pennau i'r dde, — man yn gofyn am geffyl siafft da os byddai cynffon y llwyth yn hir, gan y dôi'r ergyd ar gefn y strodur yn greulon pe digwyddai i flaenau'r coed daro'n sydyn yn erbyn y ddaear. Mae'r slafdod a'r straen a welais i'n grwt bach ar geffylau glew gan ddynion glew wrth drafod coed trymion mewn mannau diffaith wedi aros yn fy ngwaed i, hyd heddiw. 'Roedd Blac a Dic a Bess, hen boni Nwncwl Jâms, bob amser yn ei chanol hi, ac mor sownd â'r farn ar eu carnau, boed lethr gwyllt neu fawnog sigledig. Os mawnog, cerddent ei hwyneb yn gynnil-fonheddig fel cathod, rhag i'w pedolau dorri'r croen ac iddynt ddechrau suddo. Deallai 'nhad ei ysgrubliaid yn well nag y deallai ei blant yn fynych. Lle y byddai perygl yno yr oedd ef ar ei orau. Ni welais ddamwain yn digwydd, o gwbl, na chlywed rheg ganddo unwaith, er gwyllted ei natur. Rhagluniaeth yn unig a'm gwahanodd i gyntaf oddi wrth hen gynefin fy nhadau. Yno yr own i yn fy elfen, a phob nerfyn ynof yn teimlo ac yn anadlu'r cyfan.

"Pob nerfyn ynof yn teimlo ac yn anadlu'r cyfan" — dyna'r unig ddisgrifiad o firagl bywyd y paragraff uchod, o sicrwydd ei gystrawen, o fanylrwydd y cofio a'r ail-fyw, o ddofn farddoniaeth yr eirfa a'r ffigurau. Ac y mae darnau tebyg yn ddegau drwy *Hen Dŷ Ffarm*, yn dalpiau mawr o benodau, nes bod y Gymraeg yn rhygyngu drwy'r gyfrol fel march porthiannus y Cribyn Flyer.

A'r straeon byrion sy'n dal eu gafael ynom yw'r rheini sy'n atodiad i *Hen Dŷ Ffarm* a *Hen Wynebau*. Mi dybiaf i mai un felly yw 'Blwyddyn Lwyddiannus' yn *Storïau'r Tir Glas*. Y mae'r dialog a'r disgrifio mor ddi-feth ag ydyw stori 'Pegi'r Lofft' yn *Hen Dŷ Ffarm*. Yn wir i chi, yr unig droeon y mae Dafydd 'r Efailfach yn troi ei gefn ar ei ddisgybl annwyl, D. J. Williams, yw pan fo hwnnw yn groes i holl draddodiad yr hen ardal yn ymroi i bregethu.

D. J. Williams, Abergwaun: Cyfrol Deyrnged, gol. J. Gwyn Griffiths
(Gomer, 1965)

D. J. Williams

Fe dyfodd *cultus* o gwmpas D.J. yn y blynyddoedd diweddar hyn ac ar ôl marw ei briod. Fe gâi yntau bleser yn hynny ac yn nhynnu ei lun, a mynd i bobman, i ysgolion haf a chynadleddau Plaid Cymru, i'r Eisteddfod, i lysoedd ynadon i gefnogi gwŷr ifainc Cymdeithas yr Iaith Gymraeg, ac i lys barn Abertawe i ddangos nad dirmygus ganddo y Free Wales Army. Ond trwy'r cwbl fe gâi seiat a chyfarfod gweddi ei gapel yn Abergwaun ei gwmni'n gyson. Arddel crefydd ei dadau a Chymru a Chymraeg oedd hanfod ei dduwioldeb. Agwedd ar ei dduwioldeb oedd ei wleidyddiaeth. Unwaith yn unig, mi dybiaf, y rhoes ef yn ymwybodol gryn dipyn ohono'i hunan mewn cymeriad mewn stori fer, a hynny yn Harri Bach yn 'Y Cwpwrdd Tridarn'.

Mis Gorffennaf 1968 fe ddywedodd wrth Mr Valentine a minnau mai rhyw ddwy flynedd chwaneg ar y mwya y byddai ef fyw. Yr oedd yn weddol agos ati. Y mae naws buddugoliaeth yn ei farw ar unwaith wedi annerch pobl ei fro enedigol yng nghapel Rhydcymerau. Yno yr oedd ef wedi dymuno marw. Mae'r peth mor anhygoel briodol, mor ddramatig briodol. Does dim lle i ddagrau na gofid na galar. Anaml y cafodd enaid mawr fywyd mor llawen ac mor llawn a gorffen mor ysblennydd. 'Anatiomaros, aeth at y meirwon'.

Y mae llawer o'i gyfeillion yn ablach na mi i ddweud amdano; llawer wedi cael ei gwmni'n helaethach; cyfeillion iddo yn Nyfed ac Abergwaun, Mr Waldo Williams, Miss Cassie Davies, a Mr D. J. Bowen o blith ei hen ddisgyblion. Dywedwyd wrthyf un tro yn Abergwaun iddo fynd oddi cartref un prynhawn heb roi rhybudd i neb. Bore drannoeth gwelwyd potel laeth ar riniog 49 High Street. Trennydd gwelwyd dwy botel. Cyfarfu dau a thri o'r cylch cyfrin, rheolwr banc a chyfreithiwr a Mr Phillips o westy'r Cartref, ac ymgynghori a thrafod. Er y pryder penderfynu aros diwrnod arall. Ond y noson honno aeth un ohonynt eto at y tŷ, ac wele olau yn y parlwr; yr oedd D.J. yn ôl yn iawn. Dyna'r sut y gofalai Cymry Abergwaun amdano. Enghraifft o'r anwyldeb a ymglymai amdano.

Dengys ail ran ei hunangofiant y modd y medrai ef, ac yntau'n fab ffarm a gwladwr fel Harri Bach, ymloni yn ffas y glo ac yng nghwmni gwroniaid fel Darkie Thomas. Dyw hynny ddim mor anodd yn chwech ar hugain oed. Mae'n wahanol wedi pasio'r hanner cant. Ond yn Wormwood Scrubs, fel y dywedodd Mr Valentine yn yr angladd, fe enillodd D.J. hoffter ac edmygedd rhagor nag un swyddog a chwmni brith ryfeddol o droseddwyr. Yr oedd ganddo straeon digri bron bob wythnos am un neu arall a chafodd gyfrinachau gan amryw. *'Homo sum: humani nihil a me alienum puto'*. Yr oedd dyn, pa le bynnag y ceid, a waeth befo'i foes na'i foesau, yn destun difyrrwch a thosturi a hoffter di-ben-draw i D.J. Darllener ei lith olaf yn *Barn* mis Ionawr; ni fedrai ef lwyr ysgymuno baw ar y Fainc.

Yn ei gyfnod cynnar yn Abergwaun bu ganddo elynion ddigon. Felly hefyd yn ystod rhyfel 1914-18. Oni bai am ei bregethu brwd yn erbyn y rhyfel fe'i gwelsid yng ngweinidogaeth y Methodistiaid Calfinaidd. Rhwystrwyd ef. Yr oedd hynny'n lwcus i gapeli ei enwad. Oblegid fel y dengys ei straeon byrion a'i lyfrau eraill, peth sentimental ar y naw oedd ei ddiwinyddiaeth, ac ni byddai ball na therfyn ar ei foesoli. Pan ddywedwn i wrtho mai dau beth gwahanol oedd crefydd a moesoldeb, fe dynnai wep fel gwep ei fam a dweud ie anghrediniol. Ei ddull o anghytuno mewn dadl neu sgwrs oedd dweud ie gyda goslef a olygai'n bendant na, — a'r wep honno.

Yr oedd yn ystyfnig fel mul. Dywedais i hynny unwaith mewn adolygiad a dyma lythyr:

Annwyl Sand,

A chi, os gwelwch chi'n dda . . . a'r wyneb i ddannod i fi, yr hen ŵr mwyna'n fyw, 'y mod i'n ddyn styfnig. Mae'n wir i fi glywed Pegi'n wha'r pan oedden ni'n weddol ifanc 'slawer dydd yn gwneud rhyw sylw tebyg i hyn, fwy nag unwaith, ar ganol rhyw ddadl neu'i gilydd, — "Gwed wrthw i" meddai hi, "a fuest ti'n rong mewn rhywbeth erioed?" Ond y mae blynyddoedd mawr er hynny, ac yr ydw i wedi "meildhau" (dyna air Cymraeg newydd a glywais yn ddiweddar) llawer er y dyddiau hynny.

Yr oedd ei gryfder corff a'i fabolgampau yn ddihareb yng Ngholeg Aberystwyth. Ni wyddai ef ddim am ofn corfforol a bu'n rhyfygus droeon hyd at ffolineb. Cadwodd ei egni hyd at y diwedd, fel y dangosodd y Parchedig Stanley Lewis. Iddo ef nid credu heb weithredu. Bu ganddo ran fawr iawn yn sefydlu'r Blaid Lafur yn sir Benfro. Wedyn y brif ran yn sefydlu'r Blaid Genedlaethol Gymreig yno. A'r un dull gyda'r ddwy, mynd o dŷ i dŷ, o bentre i bentre, rhannu llenyddiaeth, trefnu cyfarfodydd, rhoi ei amser, arllwys ei gyflog, tynnu eraill i roi, cerdded milltiroedd.

Fe ŵyr Cymru benbaladr am ei ddawn i ddifyrru cwmni â straeon. Yn ysgolion haf cynnar Plaid Cymru, ym Machynlleth a Llangollen a Llandysul a Llandeilo ac ati, fe gafodd odfeuon liw nos o gwmpas tân gwesty nad oes neb a'i clywodd ef yn eu hanghofio. "Yntau Wydyon gorau cyfarwydd yn y byd oedd. A'r nos honno diddanu y llys a wnaeth ar ymddiddanau digrif a chyfarwyddyd". Da y dywedodd Miss Cassie Davies nad oedd ei straeon yn debyg i'w waith llenyddol. Yr oedd celfyddyd diddanu llafar a chrefft y llenor yn ddau beth ar wahân ganddo. Ond yr oedd wrth ei fodd mewn cwmni, canys yr oedd yn dda ganddo ddynol ryw. Yn wir ni fedrai aros yn hir heb gwmni. Dyna'r pam y crwydrodd gymaint yn Neau a Gogledd Cymru wedi iddo golli ei ddewis gwmni.

Bu llawer yn ei alw'n sant. Ystyr sant i ni'r Cymry yw anghydffurfiwr duwiol sy'n weddïwr cyhoeddus dwys ac yn garedig a'i gymwynas yn hael i'r truan a'i dosturi'n llaeth. Wel, un felly oedd D.J., ond nid yw saint fel yna'n brin (a rhwng cromfachau nid dyna yw sant). Yr oedd D.J. yn biwritan mawr. Ond yn biwritan go od. Yr oedd yn hoff o gwmni tafarn ac o ddiod tafarn ac o straeon tafarn. Fe gerddai filltiroedd i weld march neu siou geffylau. Piwritan? Ie, canys yn y bôn mab ei fam oedd ef a'i safonau hi a reolodd ei fywyd ef hyd at y terfyn. Er ei mwyn hi ac er mwyn ei gwên hi y dychwelodd ef i Rydcymerau i farw.

Gan ei dad a'i dad-cu y cafodd ef ei bendefigaeth. Nid oedd arian o bwys ganddo. Darn o swanc naturiol Llywele oedd gwerthu'r hen gartref a rhoi dwy fil, whiw! yn dalog ddihitio i Blaid Cymru. Yr olaf o uchelwyr Caeo. Yn yr ail ganrif ar bymtheg a'r ddeunawfed nid oedd uchelwr o biwritan yn anghyffredin yn Sir Gaer. Mae'r naill a'r llall yn brin heddiw; a'r cyfuniad o'r ddau — yn naear Rhydcymerau.

Nid dyma'r awr na'r cyfle i drafod ei waith llenyddol. Ni ddywedaf ond hyn: *amateur* o lenor oedd ef, ond *amateur* mawr. Ni bu neb a llai o naws beirniadol ganddo, hanfod techneg y crefftwr profesiynol. Gan hynny damweiniau gwyrthiol yw ei straeon byrion gorau. Ond fe fydd darllen ar bopeth o'i waith — hyd yn oed ei erthyglau politicaidd — er mwyn cyfoeth enfawr ei arddull a'i dafodiaith. Mi gredaf y byddai detholiad o'i lythyrau yn gyfraniad hyfryd i'n llenyddiaeth ni. Y mae ynddynt doreth o hiwmor a mawredd tafodiaith a holl gynhesrwydd ei bersonoliaeth. Yr unig fai arnynt yw eu gweniaith sy'n rhy hael.

Barn, Chwefror 1970

Griffith John Williams
(1892—1963)

Wrth chwilio drwy ei ysgrifau ef yn *Y Llenor* deuthum ar draws adolygiad ar *Gramadegau'r Penceirddiaid* a sgrifennais i yn 1934. Mi fentraf ddyfynnu'n awr yr hyn a sgrifennais i amdano yn 1934 pan oedd ef megis ar drothwy canol oed:

> Ef yw'r ysgolhaig mwyaf sy'n gweithio heddiw. Mae lle i ofni mai ychydig a ŵyr fod adolygiadau Mr Williams yn y *Llenor* ar adargraffiadau Gwasg Prifysgol Cymru o lyfrau printiedig Cymraeg yn gyfres o orchestion ysgolheictod . . . Yr adolygiadau hyn yw'r cyfraniad pwysicaf i lyfryddiaeth feirniadol Gymraeg yn y cyfnod wedi'r rhyfel.
>
> I'r un maes, neu i'r un gangen o ysgolheictod, y perthyn gwaith Mr Williams ar y llawysgrifau Cymraeg. Ei ymchwil hir a llafurus ar Iolo Morganwg oedd ei gychwyn a'i brentisiaeth. Pennod ar y llawysgrifau y cyfeiriai Iolo atynt oedd un o'r rhannau gwerthfawrocaf yn ei lyfr ar *Iolo Morganwg a Chywyddau'r Ychwanegiad*, ond trwy gydol y llyfr hwnnw fe amlygai wybodaeth a oedd eisoes yn ddihafal nid yn unig am lawysgrifau Llanofer, eithr am dwf a helynt yr holl brif gasgliadau o lawysgrifau Cymraeg . . . Heddiw Mr Williams yw hanesydd y llawysgrifau Cymraeg a'r awdurdod arnynt. Rhan fawr a newydd a hanfodol o'i Ragymadrodd i'r llyfr hwn, *Gramadegau'r Penceirddiaid*, yw'r ymdriniaeth â llawysgrifau ysgol y beirdd a chysylltiad y llawysgrifau hynny â'r gramadegau, megis gramadegau Gruffydd Robert a Siôn Dafydd Rhys, a oedd ymhlith y llyfrau printiedig cynharaf mewn Cymraeg.
>
> Yn wir, y mae'r gweithiau a gyhoeddodd Mr Williams hyd yn hyn yn esiampl glasurol o'r cysondeb difwriad eithr anorfod a nodwedda gynnyrch ysgolheictod pur. Canys i'r un maes â'r llyfr presennol y perthyn hefyd ei adargraffiadau ef o *Egluryn Ffraethineb* Henri Perri a *Barddoniaeth neu Brydyddiaeth* Wiliam Midleton. Y mae'r cwbl oll, y llyfrau a'r adolygiadau a'r ysgrifau beirniadol trylwyr a llym, megis y rheini ar Ab Ithel, Wil Hopcyn, Llythyrau Llenorion, Ieuan Fardd, Traddodiad Llenyddol Morgannwg, yn ymffurfio'n adeilad cymesur, clasurol. Nis gorffennwyd eto; y mae arafwch yn elfen hanfodol yn

aeddfedrwydd sicr yr ysgolhaig. Ond dyd bywyd a chynnyrch yr ysgolhaig gymaint gogoniant ar wareiddiad ag a ddyd cyfanwaith bardd neu gampweithiau'r pensaer. A llawen gennym gael cyfle i alw sylw at y peth mawr hwn sy'n tyfu'n awr yng Nghymru, gyrfa dawel, gyfoethog ysgolhaig Cymraeg . . .

Yn awr, naw mlynedd ar hugain yn ddiweddarach, mae'r yrfa honno ar ben. Mae'n fymryn o gysur imi fy mod wedi sgrifennu amdano fel yna, a hynny'n gynnar. Mae'n dda gennyf imi ddarlithio arno ac ar ei waith i staff y Coleg yng Nghaerdydd ryw flwyddyn ar ôl ei ymddeol. Ni soniaf yn awr ddim am ein cysylltiad ni â'n gilydd. Ni soniaf ychwaith ddim amdano yn ei swydd o athro coleg. Ceisiaf yn hytrach ac yn unig ystyried ei gyfraniad i ysgolheictod. Nid rhaid imi dynnu'n ôl ddim a ddywedais yn fy adolygiad yn 1934. Nid rhaid ond ychwanegu a manylu, a hynny'n rhy fyr. Y mae lle a chyfle i lyfr sylweddol arno.

"Gwna fi fel pren planedig, O fy Nuw". Fel pren planedig y tyfodd llafur yr ysgolhaig hwn. Hoff ganddo dystio mai'r Prifathro J. H. Davies yn 1917, wedi i lawysgrifau Iolo Morganwg ddyfod i'r Llyfrgell Genedlaethol, a awgrymodd iddo "draddodiad llenyddol Morgannwg" yn destun ymchwil ac "a'm dododd ar ben y ffordd". Heliwr llawysgrifau oedd J. H. Davies; ni pheidiai G. J. Williams â'i glodfori. Go brin y gwybu na J. H. Davies nac yntau yn 1917 mai "traddodiad llenyddol Cymru" ydoedd y maes, ac mai ar lan afon fywiol holl ffrydiau ysgolheictod y canrifoedd Cymreig y planasid y pren.

Ar dudalen 152-3 o'i *Iolo Morganwg* ceir yr unig ddarn tebyg i hunangofiant, yr unig *apologia pro vita mea*, a sgrifennodd G. J. Williams. Dyma fo yn llawn:

Y pwynt y mae'n rhaid inni ei gofio'n barhaus wrth olrhain gyrfa Iolo fel ysgolhaig Cymraeg yw hwn, fod yn rhaid i'r neb a fynnai ddod yn unrhyw fath o awdurdod ar hanes ein llenyddiaeth lunio casgliadau o'i eiddo'i hun, a bwrw blynyddoedd lawer yn copïo pob rhyw hen gwrrach llychlyd a charpiog o lyfr ysgrifenedig y câi afael arno (oni allai ei brynu), ac yn ymweled â'r llyfrgelloedd lle y cedwid y casgliadau mawr. Bywyd crwydrad ydoedd bywyd yr ysgolhaig Cymraeg yn yr oes honno. Pa le bynnag y ceid llyfrgell Gymraeg, yno y gwelid yntau — yn yr Hengwrt, yn Llanforda ac wedi hynny yn Wynnstay, yng Ngloddaith, yng Ngholeg yr Iesu, yn yr Amgueddfa Brydeinig (ac yn yr ysgol Gymreig yn Gray's Inn Road mewn cyfnod diweddarach, lle y cedwid casgliadau'r Morrisiaid, yr unig fan lle y byddai'n sicr o gael derbyniad croesawus), a hefyd yn y Plas Gwyn ym Môn, ac am gyfnod byr, yn yr Hafod yng Ngheredigion. Dyma ganolfannau dysg Gymraeg yn ail hanner y ddeunawfed ganrif. Yr enghraifft glasurol o'r ysgolhaig crwydrad ydoedd Ieuan Fardd. Dyna hanes Iolo yntau. Felly y casglodd ei wybodaeth ryfeddol am hanes ein llên ac y prifiodd yn brif awdurdod ei ddydd yn y maes hwnnw. Y mae hyn yn wir hyd yn oed heddiw, er yr holl ymdrechion a wnaethpwyd yn y ganrif hon i gyhoeddi cynnwys ein llawysgrifau. Nid oes neb yn ŵr cyfanddysg yn y byd hwn onid yw wedi byw ymhlith y llawysgrifau hynny. O ddibynnu ar a geir mewn llyfrau printiedig, amherffaith a bylchog fydd ein gwybodaeth.

"Byw ymhlith y llawysgrifau", dyna a wnaeth G. J. Williams o 1917 ymlaen, mor drylwyr â neb o'i ragflaenwyr, yn Aberystwyth, yn Llundain, yn Rhydychen, yng Nghaerdydd. "Gŵr cyfanddysg" yw'r disgrifiad priodol ohono. Gyda hynny fe gasglodd ynghyd y llyfrgell Gymraeg breifat fwyaf dethol a phwysig sy'n bod yng Nghymru heddiw. Fel y dengys y paragraff uchod fe'i rhoes ei hun yn fwriadus yn olyniaeth ac yng nghwmni Thomas Wilkins a William Maurice ac Edward Lhuyd a Ieuan Fardd a Iolo Morganwg. Fe wyddai mai ef oedd yn olaf o'u hil, fod ei yrfa a'i ddull o fyw yn ôl y patrwm, a'i fod mor helaeth deilwng ohonynt — "fel y cymerasant fi atynt i fod yn un o'u cwmni" —

Ch'esser mi fecer della loro schiera.

Un o'r amryw resymau pam na sgrifennwyd ail gyfrol yr *Iolo Morganwg* yw iddo ymroi fwyfwy yn ystod y chwe blynedd olaf i olrhain gyrfa a gwaith Edward Lhuyd. Meddai:

Mae gyrfa Lhuyd yn destun a ddylai gynhyrchu cyfres o gyfrolau, ac ni ddaeth yr amser eto i sgrifennu'r rheini . . .

Cyfres o gyfrolau! Yn union megis y bwriadasai (a gweld â llygaid ei ddeall) gyfres o'i gyfrolau ar Iolo Morganwg. Lhuyd oedd ei arwr terfynol ef. Er iddo ddod i garu Iolo, fel y caf sôn yn fyr yn nes ymlaen, Lhuyd gyda'i ddeall mawr ac ehangder ei ddiddordebau a sydynrwydd ei dreiddgarwch a'i safonau uchel o gywirdeb a disgyblaeth a'i fwriadau ysblennydd — ie, Lhuyd oedd ei ddelfryd ef. Y canlyniad yw mai'r gwaith byr mwyaf personol a gyhoeddodd ef, y darn sy megis yn bortread ac yn grynodeb ohono ef ei hunan a holl brif ddiddordebau ei yrfa, yw ei ddarlith ef i Gymdeithas Hanes Sir Ddinbych ar *Edward Lhuyd a Thraddodiad Ysgolheigaidd Sir Ddinbych.* Campwaith o ddarlith. Ynddi mae o'n mynd megis dan groen Lhuyd a'i ddarganfod ef ei hunan yno:

Un o'r pethau a roes fwyaf o gyffro iddo oedd darganfod Llyfr Coch Hergest ym Morgannwg, a'i berchennog, yr offeiriad enwog hwnnw, Thomas Wilkins o Lan-fair, yn rhoi caniatâd iddo i'w ddarllen a'i gopïo. Mewn gwirionedd, cafodd afael, nid ar lyfr, ond ar lyfrgell a oedd yn cynnwys casgliad mawr o'n hen lenyddiaeth . . . Am y tro cyntaf, cafodd

46

gyfle i eistedd yn hamddenol i ddarllen y llenyddiaeth y buasai gwŷr Sir Ddinbych a'r cyffiniau yn ei hanwesu yn y cyfnod blaenorol. Gweld gwlad fawr yn ymagor o'i flaen ...

Gweld gwlad fawr yn ymagor o'i flaen! Pa sawl gwaith yn ystod ei yrfa o ddarganfyddiadau y cafodd G. J. Williams ias y profiad hwn? Pa sawl gwaith y rhoes ef syniad am wefr y profiad i'r rhai llachar ddisglair ymhlith ei ddisgyblion, y rhai sy heddiw'n arddel rhyfeddod ei ysbrydiaeth ac yn cynnal safon ei ddysg mewn coleg ac amgueddfa, yn ieithegwyr ac yn dafodieithegwyr ac yn haneswyr ac ymchwilwyr llên? Yr oedd hynny hefyd yn rhan o'i ysgolheictod; "ef a'i fechgyn", fel y dywed ef am Edward Lhuyd.

Mi garwn roi pwyslais arbennig ar fawredd ei weledigaeth. Y syniad cyffredin amdano yw ei fod yn ymchwiliwr dyfal, trwyadl, manwl, yn boenus ofalus am bob ffaith, am bob dyddiad, yn sicrhau pob gosodiad, yn casglu pob llychyn o dystiolaeth, yn ymgroesi rhag esgeuluso unrhyw "hen gwrrach llychlyd a charpiog" o lyfr neu lawysgrif. Digon cywir; yr oedd ef felly. Ni ellir ysgolhaig mawr heb y cyfryw fanylrwydd. A dyna reswm arall pam na chafwyd ond y gyfrol gyntaf o'r *Iolo Morganwg*. (Rhesymau eraill, wrth gwrs, yw'r llafur enfawr a thrwyadl a roes ef i olygu *Llên Cymru* ac i helpu gyda *Geiriadur Prifysgol Cymru*.) Ond yn chwarter canrif olaf ei yrfa, o'r pryd y dechreuodd weithio ar ei lyfr helaeth o Ragymadrodd i *Ramadeg* Gruffydd Robert fe dyfodd meddwl a grym deall a chynnwys gwelediad G. J. Williams yn eang awdurdodol. Ni farnaf i fod ei Ragymadrodd i *Y Ffydd Ddiffuant* Charles Edwards lawn mor ddisglair. Mae'r rhan hanesyddol, bid sicr, yn fanwl derfynol, canys hanesydd oedd G. J. Williams wrth reddf. Ond y mae metaffiseg a diwinyddiaeth Charles Edwards y tu allan i gylch ei ddiddordebau. Yr ysgolhaig Cymraeg a'r hanesydd Cymreig, etifedd traddodiad dysg cyffiniau Dyffryn Clwyd, dyna'r agweddau ar Edwards a ddenai G. J. Williams i'w astudio. Dychwelodd at Iolo Morganwg a'i brofiad a'i wybodaeth yn gyfoethog gyflawn. Erbyn y blynyddoedd olaf fe ddaliai ef draddodiad llenyddol y mil blynyddoedd Cymreig a holl dreigl ysgolheictod y Gymraeg megis ar gledr ei ddeheulaw. Dyna ei weledigaeth ef, creadigaeth yr oes o fyw ymhlith y llawysgrifau, gwlad fawr yn ymagor o'i flaen. Os myn neb flasu rhin a mawredd y gweld, darllened ei ddarlith ef ar *Draddodiad Llenyddol Dyffryn Clwyd a'r Cyffiniau* neu ynteu'r paragraffau ysblennydd dreiddgar hynny ar dudalennau 275-9 o'r *Iolo Morganwg*, un o golofnau pros gweledigaeth y Gymraeg yn ein dyddiau ni. Mae'n fuddiol pwysleisio, er mwyn y lleygwyr na wyddant am gyfanrwydd ei ymchwiliadau ef, nad hanesydd na chofiannydd Iolo Morganwg mohono, er pwysiced y rhan honno o'i lafur, eithr hanesydd ysgolheictod y Gymraeg a'i thraddodiad llenyddol. Gwnaeth ef lawer iawn o'i waith yn y Llyfrgell Genedlaethol yn Aberystwyth.

Yr oedd y llyfrgellydd presennol yn un o'i gyfeillion agos. Gellir gobeithio y ceir cyn pen hir iawn yng nghylchgrawn y Llyfrgell lyfryddiaeth gyflawn o holl waith cyhoeddedig G. J. Williams. Dyna'r pryd y gwelir faint a phwysigrwydd parhaol ei holl astudiaethau.

"Nid digwyddiad yn y byd yw marwolaeth, y mae'n ddiwedd y byd. Nid newid a wna'r byd pan fyddaf i farw, ond dod i ben . . . Ac fe ddigwydd hyn bob tro y bydd dyn farw". Y mae geiriau grymus-ddwys yr Athro J. R. Jones yn ei bamffled *Cristnogaeth a Chenedlaetholdeb* yn eglur a theimladwy wir pan fydd farw ysgolhaig o faint a naws G. J. Williams. Darn o'i fyd, darn o'i weledigaeth, darn o'i Gymru a roes ef inni. Wrth ymgyfathrachu ag ef byddai dyn yn cael cip ar Gymru a oedd yn gyfoethocach nag a wyddid. Mae'r weledigaeth honno wedi peidio â bod. Ni all neb arall fyth ysgrifennu ei ail gyfrol ef o gofiant Iolo Morganwg. Ni all neb arall fyth fythoedd orffen na chyflawni ei waith ef. Ni all neb arall *weld* yr Iolo Morganwg a welodd ef. Un o dasgau rhyw ysgolhaig sydd i ddyfod fydd olrhain datblygiad Iolo Morganwg G. J. Williams. Dechreuodd weithio arno yn awyrgylch barnau llym-foesol John Morris-Jones a dadleuon amddiffynnol-ddigri'r bar-gyfreithiwr annwyl a thwp gan Llywelyn Williams. Ysbryd y ditectydd yn datguddio twyll sydd amlycaf yn y gyfrol ar *Iolo Morganwg a Chywyddau'r Ychwanegiad*, 1926. Y mae naws ac ysbryd yr *Iolo Morganwg, y Gyfrol Gyntaf*, 1956, yn rhyfeddol wahanol. Newidiodd ei agwedd nid yn unig tuag at Iolo ond tuag at William Owen-Pughe a hyd yn oed Ab Ithel; tuag at y bedwaredd ganrif ar bymtheg oll. Death yn un o amddiffynwyr selog Gorsedd y Beirdd. Canys daeth honno hefyd yn rhan o'r byd Ioloaidd y collodd ef ei galon iddo po fwyaf yr astudiai arno. Y mae'n ffaith od mai pen draw gyrfa o ysgolheictod i G. J. Williams ydoedd cariad.

Morgannwg VII, 1963

Plasau'r Brenin

Cofio. Go brin fod unrhyw act ddynol bwysicach, na chynneddf fwy breiniol. Y mae peidio â chofio, — taflu ymaith iaith, er enghraifft, neu ddileu'r Sul Cristnogol, — yn tlodi, yn ysbeilio, yn diddyneiddio unrhyw gymdeithas y bu'r cyfryw gofio unwaith yn rhan o'i byw. A dyna'r pam y mae'n rhaid i wareiddiad wrth feirdd. Ebr y gweledydd mawr, awdur *Epoch and Artist*:

> I think we can assert that the poet is a 'rememberer' and that it is a part of his business to keep open the lines of communication . . .

Nid i lawer ohonom, drwy drugaredd, y rhoddir cofio yn ddisgyblaeth feunyddiol reolaidd yng nghyfnod llencyndod. Diau na all dim fod yn fwy anghydnaws â thymer ac ysbryd llanc normal. Y mae hen draddodiad am Gadair Idris — fe'i cewch yn y *vade mecum* hwnnw, *Cymru Fu* — fod pwy bynnag a dreulio noson yn y Gadair yn siŵr o orffen y nos yn farw neu'n wallgof neu'n fardd. Gellid dweud yn debyg am fachgen teimladol o Gymro'n ddeunaw oed yn profi dwy flynedd o garchar mewn cell unig yn Wormwood Scrubs. Dyna fu profiad Gwenallt o Fai 1917 hyd at Fai 1919, am iddo ar dir egwyddor wrthod mynd yn gonsgript i'r rhyfel. Gwybu ymosodiadau gwallgofrwydd. Gwelodd wallgofrwydd. Daeth yntau allan yn fardd. Hanes llunio bardd yw *Plasau'r Brenin*.

Nofel, medd yr wyneb-ddalen. Y mae arni rywfaint o lun nofel; nid llawer. Gwastraff ar amser fyddai ei dadansoddi a'i beirniadu o safbwynt crefft ac arddull nofel, neu drafod ei hanghysondebau. Darn o brofiad, darn dwys o hunan-gofiant bardd sydd yma, ac yntau'n fwy rhydd i ddweud amdano drwy ei drosglwyddo i fab ffarm o ardal Llansadwrn a'i alw yn Myrddin Tomos. Dwy flynedd o fyw'n fain, o lafur caled, o unigedd mud gelynol, o wynebu gwallgofrwydd cyn ei fod yn ugain oed, a chael ymwared — drwy gofio, a chodi cofio'n sacrament.

Ychydig o sôn sydd yn *Plasau'r Brenin* am drigolion y carchar, a bychan yw'r diddordeb ynddynt. Dywedir am un yn wylo wrth adrodd y gyffes yng ngwasanaeth yr eglwys a'i ddwrdio gan swyddog, a chaiff hwnnw frawddeg o dosturi. Ond didostur yw'r darlun cyffredinol:

Yr oedd llygredigaeth a phechod yn awyr y carchar, ysbryd dial a chosb rhwng ei furiau ef. Bu yno genedlaethau o droseddwyr, creaduriaid caled, uchelffroen, mor gyflym â chathod, mor greulon â theigrod ac mor fympwyol â phlant; deddf-dorwyr a haerllugrwydd yn eu llygaid a gwawd ar eu gwefusau; tywysogion camwedd a phechod; brenhinoedd anghyfraith ac aflywodraeth; gwrthryfelwyr yn erbyn moesoldeb cymdeithas ond yn ffyddlon i'w moesoldeb eu hunain; beilchion na ddysgodd gwareiddiad iddynt lywodraethu eu nwydau, nwydau'r bwystfilod a gymysgwyd â'r clai cyntefig. Edrychai'r troseddwyr hyn gyda dirmyg ar y carcharorion gwleidyddol a'u hwynebau meddal a'u dwylo merchetaidd. Yr oedd y carcharorion gwleidyddol yn tresbasu ar eu cynefin hwy ...

Darn o retoreg yw hwn, nid ffrwyth sylwi na darlun cywir. Nid anian nofelydd sydd ar waith. Cofier mai llanc deunaw oed oedd y bardd yn y carchar. Fy nghof i yw bod troseddwyr o Saeson yn y carchar mor wlatgar â ninnau ond hefyd yn deyrngar odiaeth i'r orsedd, a hynny am fod tua hanner poblogaeth carchar yn wan eu meddwl ac felly'n gydnaws a braidd yn hoffus. Ond trown oddi wrthynt at y darlun cyferbyniol sy'n codi i gof y bardd, y darlun o bobl sir Gaerfyrddin:

Gwŷr caredig oedd gwŷr Sir Gaerfyrddin; gwŷr cymwynasgar, tylwythgar, teulugar; cymdogion da; boneddigion y tir; gwragedd diwyd, doeth a ffrwythlon; pobl heb ddail ar eu tafod, yn lletygar i grwydriaid, yn talu dyledion, yn rhoi arian ar fenthyg heb wystl ond ymddiriedaeth, yn cynorthwyo'i gilydd; y bobl a fu'n dioddef gorthrwm a thrais y mestri tir a'r stiwardiaid, yn ymladd yn erbyn anghyfiawnder, yn aberthu pob dim er mwyn egwyddor ac yn dal at eu hargyhoeddiadau hyd y carchar a'r bedd. Pobl unplyg, gweddïgar, duwiol, yn mwmian emynau wrth ladd y gwair a chywain y cynhaeaf, yn cynnal y weddi deuluaidd bob bore wrth ford yr allor, gan dynnu Duw i lawr i'r ceginau rhwng y potiau a'r pedyll.

Oni bai am ruthm a hwyl a barddoniaeth y darn, byddai'n rhaid chwerthin arno. Y mae mor wrthrychol a thua mor gywir ag ydyw *Angelus* y peintiwr Ffrengig Millet. Ond cof euraid plentyn am wyliau haf yn Llansadwrn sydd yma, a'r cof hwnnw'n chwalu muriau'r gell ac yn cynnig dihangfa mor beraidd â llais Leila Megane yn yr un cyfnod yn canu 'Cawn orffwys yn y nefoedd'.

Gyda hynny y mae'r paragraffau hyn o foliant i sir Gaerfyrddin nid yn unig yn rhyddiaith gampus farddonol, ond hwy yw un o ffynonellau dyfnaf y sonedau a'r cerddi mawr diweddarach, ffynnon y cloddiodd y llanc tuag ati ym mhydew ei garchar. Mi hoffwn fedru dyfynnu'r cwbl o'r disgrifiad o'r Sul yn Llansadwrn, yn enwedig y darlun o'r Ysgol Sul yn y ffermdy (Arg. Cyntaf,

t. 84-5). Rhaid darllen y ddau dudalen a throi wedyn ar unwaith at y drydedd ran o awdl 'Y Sant', pennod o ganu telynegol sy'n gymaint campwaith â phethau mawr *Ysgubau'r Awen*. Ac yna, ar derfyn y ddau dudalen fe ddaw'r paragraff allweddol hwn:

> Yr atgofion hyn, ac atgofion tebyg iddynt, a ddôi i gof Myrddin Tomos wrth ddarllen y Beibl Cymraeg. Mynych yr arhosai'r Beibl yn agored o flaen ei lygaid, heb ei ddarllen, a'r atgofion hyn yn codi i'w feddwl, un ar ôl y llall. Ar ôl blino ar ddarllen y Beibl gadai i'w feddwl fyned yn ôl i ardal Llansadwrn, gan grwydro o atgof i atgof, fel aderyn o lwyn i lwyn. Yr oedd yn bwysig i'r carcharor gadw gafael yn ei atgofion; rhaid oedd iddo lynu wrth y gorffennol, wrth y tir lle y gwelodd gyntaf olau dydd ac wrth y bobl a roes eu gwaed yn ei wythiennau, eu nerth yn ei ymennydd a'u dycnwch yn ei ysbryd. Pe collai ei atgofion byddai fel coeden ddi-sugn ar drugaredd pob gwynt gwallgof.

Cadw gafael yn ei atgofion. Ar ddau dudalen arall rhoir rhestr faith o'r pethau a gofiai Myrddin Tomos yn ei gell (t. 58-60) a dywedir amdanynt:

> Dyma'r atgofion a ddôi i feddwl Myrddin Tomos. Hwynt-hwy a'i clymai ef wrth y byd pell y tu allan i'r carchar; hwynt-hwy a'i cadwai rhag syllu ar foelni a hacrwch ei gell, rhag ei ofnau a'i unigrwydd. Y gorffennol oedd ei ddihangfa.

Dyna'r sut y mae'r gorffennol yn greadigol. Dyna'r sut y mae'r bardd sy wedi ei feithrin ar y gorffennol yn canu i'r dyfodol. Dyna'r sut y mae cofio byw yn chwilio am sumbolau ac yn eu cael:

> Yr oedd y Beibl yn fwy na Beibl iddo ef. Yr oedd ynddo benodau o atgofion am fywyd fferm yn Sir Gaerfyrddin.

Act sacramentaidd yw cofio, pob cofio, hyd at y coffâd sy'n sacrament: *Gwnewch hyn er coffa* ... Naturiol fod y bardd felly yn y carchar yntau'n chwilio am y peth sacramentaidd ac yn ei gael:

> Un diwrnod gwnaeth Myrddin Tomos yr hyn a'i synnodd yn fawr. Lladrataodd rosyn. Wrth ddychwelyd o'r Eglwys a myned heibio i'r gwelyau blodau, cafodd gefn y ceidwad ac ar amrantiad torrodd un o'r rhosynnau a oedd ar ymyl y gwely, a'i osod tan ei gôt. Pan aeth i'w gell gosododd y rhosyn mewn dŵr yn y llestr uwd a'i ddodi yng nghornel y bwrdd bychan yn ymyl y drws fel na allai'r ceidwad ei weled drwy'r "twll Iwdas" ... Pe delid ef byddai'r gosb yn drwm. Treuliai oriau lawer i syllu ar y rhosyn; ar ei liw hufen, ei ddiliau sidanaidd a phlygion

51

melyn ei galon. Gosodai ei ffroenau wrtho a sugno drwyddynt felyster ei aroglau. Newidiai'r dŵr yn y llestr yn fynych a chydiai yn y blodeuyn mor dyner â mam yn cydio yn ei phlentyn . . .

Mae'r bardd wedi ei eni.

Y Traethodydd, Ebrill 1969

Llenor yr Hôtel Britannique

Yn 1924 aeth John Heywood Thomas yn efrydydd ymchwil i Baris. Trefnasid iddo aros yn yr Hôtel Britannique yn yr Avenue Victoria ar ochr ddeau'r afon. Tŷ ydoedd a gedwid ar gyfer myfyrwyr gan deulu o Grynwyr o'r enw Baxter. Saeson oedd y mwyafrif a gartrefai yno a Saesneg oedd iaith y bwrdd cinio. Oblegid hynny nid arhosodd Heywood Thomas ond un sesiwn yno. Eithr ymhlith y lletywyr yn y tŷ yr oedd *lecteur* o Gymro yn y Sorbonne, un a oedd eisoes yn llenor Cymraeg a'r dadleuwr mwyaf pybyr o bawb wrth fwrdd cinio'r Hôtel Britannique. W. Ambrose Bebb oedd ei enw.

Aeth y ddau Gymro Cymraeg yn gyfeillion. Os oedd Ambrose Bebb eisoes yn cyfrannu i'r *Geninen* — yn 1950 y troes hi'n *Genhinen* — ac i'r *Llenor*, yr oedd Heywood Thomas hefyd cyn hir i gyhoeddi yn y *Llenor* ei ysgrif feirniadol yntau ar 'Y Gwacter Moesol yn Shaw'. Buasai Bebb yn byw ac yn gweithio ym Mharis er 1921. Yr oedd wedi dotio ar ddau gylch o fywyd llenyddol a pholiticaidd, sef ar fudiad cenedlaethol Llydaw ac ar fudiad cenedlaethol a gwrth-weriniaethol yr *Action Française*. Tynnodd ef Heywood Thomas i gyfarfodydd y *camelots du roi*, dieithr a rhyfedd i ŵr ifanc o Ddeheudir Cymru, ac i danysgrifio i'r papur beunyddiol, yr *Action Française*, y ceid ynddo, chwedl Bebb:

> ysgrifau Rabelaisaidd gan Leon Daudet, rhai Voltairaidd gan Jacques Bainville, a doethineb Groeg a Rhufain gan Charles Maurras.

Yn wir fe eddyf pob beirniad diragfarn heddiw fod disgleirdeb llenyddol y papur yn y blynyddoedd hynny ar ôl rhyfel 1914-18 yn un o ogoniannau newyddiaduraeth.

Mi geisiaf ddangos, o safbwynt llenyddol, beth sy'n hynod a diddorol a hanesiol bwysig yng nghyfarfod y ddau hyn yn yr Hôtel Britannique. Ambrose Bebb oedd y llenor Cymraeg cyntaf i fyw bum mlynedd yn Ffrainc er pan fu farw Emrys ap Iwan. Nid wyf yn anghofio am yr ysgolhaig trylwyr a phwysig hwnnw yr etifeddodd John Heywood Thomas ei gadair yng Nghaerdydd, sef yr Athro Morgan Watcyn, gŵr y mae ei gyfraniad i ysgolheictod ac i hanes cysylltiadau llenyddol Ffrainc a Chymru yn yr Oesoedd Canol yn debyg o ennill rhagor o sylw a pharch yn y dyfodol nag a gawsant hyd yn hyn. Yn wir y mae cysylltiadau *Cymraeg* Cadair Iaith a Llenyddiaeth Ffrangeg yng Nghaerdydd yn rhan ddiddorol o hanes y Coleg. Yr oedd yr Athro P. M. Jones yntau'n perthyn i'r bywyd hwnnw, canys er na fedrai ef Gymraeg yr oedd ei gyfeillgarwch â Morgan Watcyn a Heywood Thomas a W. J. Gruffydd yn peri ei fod yn cyfrannu i'r trafodion Ffrangeg-Saesneg-Cymraeg a oedd yn rhan o fywyd meddyliol y Coleg yn y cyfnod rhwng y ddau ryfel.

Ysgolhaig oedd ac ydyw Morgan Watcyn. Ni cheisiodd lawryf y llenor, er iddo ddadlau unwaith yn y *Geninen* gydag Ambrose Bebb. Felly, ar ôl Emrys ap Iwan, a fu farw yn 1906, Bebb oedd y llenor Cymraeg cyntaf yn ein canrif ni i fynd i Ffrainc i fyw, i'w drwytho yn ysbryd ienctid llenyddol a politicaidd mwyaf Ffrengig Paris yn y cyfnod hwnnw, meddwi ar eu hegwyddorion a'u dull o'u mynegi, a'u dwyn yn ôl gydag ef i Gymru i'w dal yn frwd a phryfoclyd ddi-droi'n-ôl hyd yn agos at ei farwolaeth annhymig.

Erbyn heddiw y mae popeth wedi newid yn llwyr. Y mae efrydwyr ifainc yn mynd o Gymru i wledydd y cyfandir yn fynych fynych. Ceir sgyrsiau radio ar y Llenor yn Ewrop gan athrawon a darlithwyr o Gymry Cymraeg sy'n arbenigwyr yn eu pynciau. Rhoes Mr Emyr Humphreys inni ar radio Cymru gyfres o gyfieithiadau o ddramâu Ffrangeg ac Ellmyneg ac Eidaleg gan arweinwyr y ddrama yn Ewrop. Nid oedd y chwyldro hwn wedi cychwyn yn 1921 pan aeth Ambrose Bebb o Aberystwyth yn *lecteur* i'r Sorbonne. Da y dywedodd A. E. Zimmern yn 1920 mai trwy ffenestr Lloegr yn unig yr edrychai Cymru ar y byd. Torrodd Bebb lwybr gwahanol. Cododd ef fantell Emrys ap Iwan a'i gwisgo. Aeth i Baris, ac yntau eisoes er dyddiau'r *Wawr* yn Aberystwyth yn genedlaetholwr Cymreig, a thrwy lygaid a thrwy ffenestr Paris yr edrychodd ef ar y byd cyfan o hynny allan. Cyhoeddodd ysgrifau politicaidd yn y *Geninen* yn 1922 a 1923 sy'n atseinio athrawiaeth enwog Charles Maurras, *la politique d'abord*, a diau mai'r ysgrifau hynny, fel yr honnodd ef ei hunan yn ddigon teg yn 1936, a fu'n ailgychwyn i genedlaetholdeb Cymreig ar ôl 1918 ac yn swmbwl i ffurfio Plaid Genedlaethol Cymru.

Yn y blynyddoedd y bu ef ym Mharis rhedai cyfres o ymddiddanion rhwng Frédéric Lefèvre a llenorion blaenaf y Ffrangeg yn y *Nouvelles Littéraires*. Daliodd Bebb ar y syniad a chyhoeddodd yn y *Llenor* 1925 'Une heure avec ...' sef Awr gyda Charles Le Goffic, un o brif ddehonglwyr Llydaw yn y Ffrangeg, y peth olaf, mi gredaf, a sgrifennodd ef ym Mharis. Yno y ceir y dialog hwn:

Beth yw eich barn am Maurras?
    Dyn mawr. Dyn hollol ar ei ben ei hun. Y mae'n llenor, y mae'n feirniad, y mae'n athronydd. Efô yn ddiddadl ydyw gwleidydd mwyaf y dyddiau hyn ... Cenedlaetholwr ydyw. Ond er mai astudio

gwleidyddiaeth yn ôl ei chysylltiad â Ffrainc a wna, y mae ei feddwl a'i gyfundrefn yn bwysig i bawb sy'n meddwl ... At hynny, y mae wedi ffurfio meddyliau gwychion yn ddisgyblion iddo.

Yn ddios, un o'r disgyblion meddyliol hynny fu Ambrose Bebb.

Nid am Bebb y gwleidydd a'r cenedlaetholwr y traethaf yn awr. Eithr am lenor yr Hôtel Britannique, am yr hyn a'i gwnaeth ef yn gyfaill i Heywood Thomas ac yn gyfrannog yn yr un diwylliant a'r un cariad deallus tuag at Ffrainc a'i gwareiddiad. Hynny a roes i'n llenyddiaeth ni un o glasuron ein canrif, sef *Crwydro'r Cyfandir*, a gyhoeddwyd gan Hughes, Wrecsam yn 1936. 'Anturiaeth Tri o Gymry drwy Ffrainc, yr Eidal a Swistir' yw is-deitl y llyfr, ond Ffrainc a'i hyfrydwch yw ei wir thema.

Mae'r bennod gyntaf yn cychwyn yn Nhregaron ac y mae'n allwedd i'r llyfr oll. Â Bebb adref i'r tŷ a'r ffarm y ganed ef ac y magwyd ef. Disgrifia hwynt o d.18 hyd at d.25, yr olwg arnynt, y cyffwrdd â hwynt, eu harogleuon a'u synau. Nid oes mewn unrhyw iaith a wn i ddarn o bros sy'n rhoi i chi brofi blas a sawr a theimlad a bod a chalon darn cynefin o ddaear dyn yn gyffelyb. A dyna'r allwedd i'r llyfr. Gwladwr sydd yma, un y gŵyr ei ddwylo am deimlad pob offer llafur ar y tir, yn mynd ati i ganu clod gwareiddiad Ffrainc. Ffrainc y gwladwyr a'r tyddynwyr a wêl Bebb, hyd yn oed pan fo'n Angers neu'n Tours neu'n Baris. Dyma yn esiampl ei ddisgrifiad ef o'r cip cyntaf ar St. Malo oddi ar fwrdd y llong ben bore:

Edrych y maent oll ar St. Malo, sy'n ymddangos megis yn barod i ollwng ei hangor a hwylio yn ddinas gaerog, gron, i'n cyfarfod, dan arweiniad y tŵr cymhesur, hardd, sy'n taflu ei saethau i fyny'n union o ganol y dref. Y mae gwregys o fur llydan amdani, yn golchi ei draed yn y môr. Oddi mewn i'r mur hwnnw y mae cylch oddi mewn i gylch yn codi'n ris ar ôl gris i fyny at yr Eglwys, gan agor bob yn hyn a hyn yn strydoedd culion ar orymdaith o'r gwregys caer at yr Eglwys yn y canol bob tro. Oddi ar fwrdd y llong, filltiroedd lawer i ffwrdd, edrych y dref yn fwy tebyg i un adeilad, wedi ei godi ar anadliad megis, gyda'i hendai mawr yn nifer o ystafelloedd aml ffenestrog a phinaclog, wedi eu cwbl gysylltu gan un athrylith gyfrwys.

Dyna'r peth tebycaf y gwn i amdano mewn rhyddiaith Gymraeg i dirlun gan Cézanne. Yn rhan o dirlun, yn rhan o'r wlad eang o'u cwmpas, yn addurn ar ei hafonydd hi, yr edrych Bebb ar drefi Ffrainc, hyd yn oed dref fawr Lyon:

Oddi ar ei phontydd gellid codi golygon ar ystlysau'r ddinas yn haul y bore, a syllu i lawr ar y gwastadedd neuaddau a lleoedd agored. Ymddangosai fel dinas swyn yn eistedd wrth draed y bryniau.

A gaf i, megis rhwng cromfachau, awgrymu y dylai cwrs clod yn hanes Ewrop mewn unrhyw brifysgol orfodi'r efrydwyr i ddilyn cwrs yn hanes pensaernïaeth? Anfanwl a digyfarwyddyd yw disgrifiadau Bebb o eglwysi ac o dai, er iddo ymhyfrydu'n frwd ynddynt. Ond yr oedd ganddo glust gwladwr i bob sŵn llafur a buarth, a ffroen megis Léon Daudet i bob aroglau:

> Y gyfaredd sydd mewn arogleuon! Aroglau gwair newydd ei osod i orwedd yn ei ystodiau; aroglau mawn pan gasgler at ei gilydd i wneud tas ar y geulan ar Gors Glan Teifi, neu pan gyneuont yn danllwyth ar aelwydydd y ffermydd yn yr ardal; aroglau coffi yn heolydd culaf Paris, y tu cefn i'r Panthéon, am wyth o'r gloch yn y bore, neu yn y pentrefi yn Llydaw pan gresir ef yn oriau trymaidd y prynhawn; ie, ac aroglau meddwol blodau'r eithin ar lechweddau, ac aroglau'r pridd coch pan drinir ef yn y gwanwyn, a'i droi wyneb i waered ...

Dyna synwyrusrwydd cyfoethog y dysgodd Bebb ei fagu ym Mharis. Y mae'n dwyn un a godwyd ym Mhiwritaniaeth Glan Teifi i gyfranogi yn yr un math o brofiadau â'r nofelydd y bu blas *madeleine* yn gychwyn i'w hir ymchwil am amser a gollasid.

Yn ei bennod ar Nice, tua diwedd ei daith yn Ffrainc, try Bebb i gyfansoddi traethawd ystyriol ar wareiddiad Ffrainc a delfrydau a safonau moes y Ffrancwyr. Math o *riposte* oedd hyn, ond odid, i lyfr Dr R. T. Jenkins ar *Ffrainc a'i Phobl*. Sgrifenasai Dr Jenkins yn ddeallus a gwybodus o safbwynt "Ni'r Prydeinwyr", enw a cham flas atgas arno i ŵr o argyhoeddiadau Bebb. Yr hyn sy'n arbennig yn nhraethawd Bebb yw mai dehongliad Ffrancwr o safonau diwylliant Ffrainc a geir ganddo, a dyrchafu *goût, moderation, mesure, ordre*, yn bennaf mesur dyneiddiaeth resymol. Caiff ei dystiolaeth ef ei hunan am y modd y carodd ef Ffrainc gloi'n briodol hyn o atgof amdano mewn cyfrol deyrnged i'w hen gyfaill ym Mharis, athro a dreuliodd ei yrfa yng Nghadair Ffrangeg Caerdydd i ddysgu i Gymry eraill garu'r wlad a'i hiaith a'i llenyddiaeth:

> Fe'i caraf am mai ar ei daear hi y gellir gweld orau rwysg y canrifoedd; am ei bod yn wynebu'r dyfodol gan gadw'r gorffennol beunydd mewn cof; am sicrwydd a diogelwch ei greddf, a'i ceidw rhag rhedeg fel plentyn ar ôl teganau newyddion; am ei gerddi a'i gwinllannoedd sy'n fynegiant mor drwyadl o waith ei dwylo hi, ei chwaeth, ei chydbwysedd a'i chymesuredd; am iddi ddyrchafu dyn uwchlaw safonau materol a pheiriannol am fywyd; am na phaid dyn â bod yn ddyn yno pan fyddo'i gerpyn yn rhydyllog, ac na ddosberthir dynion yn ôl eu cyfoeth a'u meddiannau daearol; am y myn hi hawlio bob amser mai *syniadau* a ddylai arwain y byd; am iddi arwain y byd ar hyd y canrifoedd, a bod yn rhaid i'r byd — ac i Gymru — wrthi eto.

> *Gallica* (Gwasg Prifysgol Cymru, 1969)

Dail Pren

Ar gais y Golygydd y ceisiaf ddweud rhai o'm meddyliau am yr unig gyfrol o farddoniaeth a gyhoeddodd Waldo Williams. Bu hynny yn 1956. Y mae hi'n gyfrol sylweddol ac ynddi gerddi a gyfansoddwyd mewn cyfnod o chwarter canrif neu ragor.

Oblegid hynny y mae hi'n gasgliad anwastad. Od oes ynddi lais, y mae ynddi hefyd adleisiau, o T. Gwynn Jones hyd at gyfeillion a chyfoedion Waldo, Gwenallt ac Idwal Jones, heblaw penillion yn null ac ar fesurau beirdd y ganrif gynt. Pa beth a ddywedaf? Y mae llyfr o farddoniaeth newydd yn bwysig pan fo arwyddion o arbenigrwydd yn gyffredin drwy lawer o'r cynnwys, a hynny'n torri allan deirgwaith neu bedair neu ragor mewn cerddi sy'n awdurdodol feistraidd ac yn peri i'r holl draddodiad llenyddol roi cam ymlaen i dir newydd. A bod gofyn am enghreifftiau, dyna *Gerddi* T. H. Parry-Williams yn 1931 ac *Ysgubau'r Awen* Gwenallt yn 1940.

Ystyriwn gyntaf gerddi yn *Dail Pren* nad ydynt yn llwyr gampus. Tua 1943, mae'n debyg, yr ysgrifennwyd 'Y Tangnefeddwyr':

> Uwch yr eira, wybren ros,
> Lle mae Abertawe'n fflam.
> Cerddaf adref yn y nos,
> Af dan gofio 'nhad a 'mam.
> Gwyn eu byd tu hwnt i glyw,
> Tangnefeddwyr, plant i Dduw.

Y cwpled terfynol yw'r byrdwn i'r pedwar pennill yn y gân. Fe ddylid ein gwahardd ni, bob un sy'n ceisio canu yn Gymraeg, rhag defnyddio'r enw Duw mewn cân, o leiaf hyd at derfyn y ganrif hon. Ar ôl hynny, os bydd ar ôl hynny, fe fydd i'r enw ddieithrwch od. Ond i ni oll o genhedlaeth Waldo bu'r enw yn ddemtasiwn gyson i ddelweddu hawdd. Rhith, nid tyndra barddoniaeth, teimlad — er bod argyhoeddiad yn garn i'r teimlad — yn hytrach na dim darganfod, sydd ym mhedair llinell olaf y pennill uchod. Y mae llacrwydd eu miwsig yn bradychu hynny: ac felly drwy'r holl benillion.

Ond edrychwn eto ar y cwpled cyntaf:

> Uwch yr eira, wybren ros,
> Lle mae Abertawe'n fflam.

Yn yr ail linell nid oes acen drom nes dyfod at drydedd sillaf enw'r dref ac wedyn ar y gair fflam. Felly y mae'r darlun cyffrous yn y llinell gyntaf a'r miwsig cynhyrfus yn yr ail linell sy'n cydio'r dref â'r goelcerth, yn codi Abertawe i ofnadwyaeth barddoniaeth, i fawredd. Ac y mae'r *fflam*, nid fflamau, nid tân, yn chwanegu at yr arswyd.

Dewisaf enghraifft arall nad yw'n gwbl hapus, ond sy'n bwysicach lawer ac yn nodweddiadol o'r bardd. Wele bennill cyntaf 'Y Plant Marw':

> Dyma gyrff plant. Buont farw yn nechrau'r nos.
> Cawsant gerrig yn lle bara, yn syth o'r ffyn tafl.
> Ni chawsant gysgod gwal nes gorwedd yn gyrff.
> Methodd yr haul o'r wybr â rhoddi iddynt ei wres.
> Methodd hithau, eu pennaf haul, a'i chusan a'i chofl,
> Oherwydd cerrig y byd, oherwydd ei sarff.

Y peth sy'n taro ar unwaith yma yw'r miwsig newydd. Rhuthmau siarad, a phob llinell yn ddweud staccato, yn pentyrru ar ei gilydd, nes mynd o'r dweud yn llafar-gân neu'n dôn-salm, a'r odlau proest yn dwysáu'r effaith. Ie, dyma Waldo. Y mae'r thema'n cythruddo'i enaid ef, a'i lais ef ei hun, heb unrhyw adlais, y llais a adwaenom, a glywir yn isel daer, yn llidiog dorcalonnus yn y pennill.

Sylwn, nid oes yn y pennill cyfan un ansoddair o bwys. Enwau, pethau, megis yn nwy linell gynta'r gân am Abertawe'n llosgi. Trof fy meddwl yn ôl at delynegion Gwynn Jones ac at gampweithiau R. W. Parry. Yr oedd llyfnder mesur a sicrwydd acen yn gyffredin i holl ganu eu cyfnod hwy. Llwyth myfyrdod R. W. Parry oedd yn arafu rhediad ei linellau ef ac yn peri i'r darllen aros a darganfod dan y rheoleidd-dra gyfrwyster rhuthmig arbennig. T. H. Parry Williams gyntaf ac wedyn Gwenallt a newidiodd eirfa barddoniaeth inni a newid ei rhuthmau hi yr un pryd. Ond gwrandewch yn awr:

> Dyma gyrff plant. Buont farw yn nechrau'r nos.

Gallai'r llinell fod yn dystiolaeth plismon mewn cwest. Yn y ffeithiau, yn y pethau, wele'r trychineb. Ym moelni'r dweud, yn yr enwau diansoddair sy'n brigo fel darnau o graig i aceniad yr adrodd, y daw gerwindeb y profiad i'r wyneb, a dyfnder y tosturi. Ac y mae crefft ddiogel iawn yn trefnu'r acenion a'r odlau proest, a'r llinell derfynol drom.

Trown am funud at y cerddi sydd, i'm tyb i, yn awdurdodol, yn sefyll. Enwaf hwynt: Mewn Dau Gae, Preseli, Yr Eiliad, Wedi'r Canrifoedd Mudan, Cymru a Chymraeg. Yn y rhain y clywaf i fiwsig priod Waldo yn gyflawn a'i ddull ymadrodd arbennig yn sicr o'r dechrau i'r diwedd bob tro. Soniais am bwysigrwydd enwau broydd yn ei ganu:

Mur fy mebyd, Foel Drigarn, Carn Gyfrwy, Tal Mynydd,
Wrth fy nghefn ym mhob annibyniaeth barn.
A'm llawr o'r Witwg i'r Wern ac i lawr i'r Efail . . .

ac am enwau pethau beunyddiol cynefin:

Hil y gwynt a'r glaw a'r niwl a'r gelaets a'r grug.

Ie, ac enwau dynion, dynion a grogwyd:

John Owen y Saer, a guddiodd lawer gwas,
Diflin ei law dros yr hen gymdeithas,
Rhag datod y pleth, rhag tynnu distiau'r plas.

Y mae darllen y gerdd fawr hon a chofio am bennod John Morris-Jones yn
Cerdd Dafod (t. 27) ar enwau personol yn deffro ystyriaeth. Ein tuedd ni
heddiw yw wfftio J.M-J. a'i weld yn anobeithiol hen-ffasiwn. Ni ddylid. Yn y
dull y defnyddir enwau pobl gyffredin y mae'r gyfrinach. Rhaid eu tynnu i'r
tyndra. Yng nghân Waldo y maent megis gleiniau paderau.

Yr oedd ganddo argyhoeddiadau cedyrn. Ebr y Chwaer M. Bosco wrthyf
mewn llythyr ar ôl ei angladd: "Bore yma roedd yr offeren yn yr eglwys a'r
plant bach 6-7 oed yno gyda mi. Rydw i'n hollol siŵr nawr fod Waldo yn
ddiogel ym mreichiau Duw. Pe medrech chi glywed y plant yn gweddïo dros
Waldo Williams, fel y maen nhw yn ei enwi!" Yn wir yr oedd ei ymglywed ef â
chysegredigrwydd plant bach yn rhoddi iddo lawer o gymeriad Alyosha yn *Y
Brodyr Karamazof*. Yr oedd yn genedlaetholwr ac yn heddychwr angerddol.
Yr oedd hefyd, fel bron iawn bob bardd Cymraeg cyfoes, yn fardd y Chwith,
yn Sosialydd Cristnogol:

Oer angen ni ddôi rhyngom
Na rhwyg yr hen ragor rhôm
Pe baem yn deulu, pob un,
Pawb yn ymgeledd pobun.

Heb yr argyhoeddiadau hyn ni buasai Waldo yn fardd o gwbl. Cyhoeddi ei
efengyl oedd diben llawer o'i farddoni. Rhyfeddach i mi yw ei fod ef hefyd mor
hyderus; yn obeithiol am Gymru:

Bydd mwyn gymdeithas,
. . . Bydd terfyn traha.

yn obeithiol am lywodraethwyr gwledydd:

Gall crafangwyr am haearn ac oel
Lyfu'r dinasoedd â thân,
Ond ofer eu celwydd a'u coel
I'n cadw ni'n hir ar wahân . . .
Bydd cyfeillach ar ôl hyn.

Ac fe all ef ganu'n ddisgwylgar hyd yn oed am fil blynyddoedd y ddynoliaeth:

Daw dydd y bydd mawr y rhai bychain,
Daw dydd ni bydd mwy y rhai mawr,
Daw'r bore ni wêl ond brawdoliaeth
Yn casglu teuluoedd y llawr . . .

Wel, nid yn y darnau siriol broffwydol hyn y clywir ei wir awen ef. Haws priodi rhetoreg a'i hwyliogrwydd gyda gobaith na'r awen. Ac nid rhuthmau creadigol Waldo a glywir yn ei hymnau buddugoliaethus.

Barn, Gorffennaf 1971

Ac Onide
(J. R. Jones)
I

Pregethwr Protestannaidd a chenedlaetholwr o argyhoeddiad dwfn oedd J. R. Jones yn y Gymraeg. Mewn ysgrif arno yn y *Traethodydd*, Hydref 1970, ysgrif sy'n wych o deyrnged gan gyd-weithiwr a chyfaill agos, dywedodd Mr D. Z. Phillips amdano yn athro coleg ac yn athronydd. Y mae'r athro a'r athronydd y tu cefn i'w holl ysgrifau Cymraeg. Ond pregethu i Gymru ac i'w oes ei hun yng Nghymru y mae J. R. Jones y llenor:* "Fe sieryd y gyfrol hon wrth gyflwr ein hoes ni," ebr ef yn gynnar yn *Ac Onide*, fel un yn gwneud ei ewyllys olaf. Dyna ran helaeth o'i bwysigrwydd ef. Ni thybiaf fod neb llenor Cymraeg arall yn y deng mlynedd 1960-70 wedi siarad wrth gyflwr ein hoes ni yng Nghymru mor dreiddgar, mor gyffrous, mor broffwydol. Yn yr ysgrif hon sôn am y penodau'n ymwneud â chrefydd yn y gyfrol *Ac Onide* a wnaf. Gobeithiaf am gyfle i drafod ei lyfrau a'i ysgrifau ar genedlaetholdeb mewn llith arall. Fe adawodd ef inni gyfoeth.

Pregethwr oedd ef gyntaf a hyd y diwedd. Ac eraill o'i flaen ac o'i gwmpas yn prysur ysgwyd llwch y bedwaredd ganrif ar bymtheg oddi am eu traed, mynnodd yntau ei osod ei hun yn y traddodiad hwnnw. Yr oedd yn medru ei Feibl fel John Elias. Fe ddywed ef ei hun nad amheuodd ef ddim erioed fod Duw. Wrth gwrs, gallasai Voltaire honni hynny, ond Duw Efengylau y Testament Newydd oedd Duw i J. R. Jones. A dyna ben draw ei uniongrededd ef. Y mae tudalen terfynol y gyfrol yn gwrthod pob dim ond hynny o'r datguddiad Cristnogol. Eto i gyd cyfrol o bregethau sydd yma; pregethau yw'r ysgrifau hefyd. Dyn y pulpud yw J.R.; y mae ef yn olyniaeth angerdd cewri Cymru'r bedwaredd ganrif ar bymtheg.

Tri chyhuddiad sy ganddo yn erbyn y Gristnogaeth draddodiadol: Yn gyntaf, ei bod hi'n perthyn i gyfnod babandod y ddynoliaeth ac felly'n grefydd swcwr i fabanod. Yn *Yr Argyfwng Gwacter Ystyr*, 1964, y mynegwyd y gŵyn hon gyntaf, ond rhoddwyd y llyfryn hwnnw yn llawn yn y gyfrol olaf hon yn dystiolaeth fod yr awdur yn glynu wrth ei honiad.

Ei ail gŵyn yw fod ufudd-dod i orchmynion moesol Duw Cristnogaeth yn deillio o ofn, ofn hollalluogrwydd Duw ac ofn ei gosbau tragwyddol, a bod hynny'n lladd asbri creadigol dyn a'i natur ysbrydol. Y dyfyniad Saesneg ar waelod t. 185 yn *Ac Onide* sy'n crynhoi'r ddadl hon orau:

*Nid wyf yn anghofio ei gyfraniadau i'r *Efrydiau Athronyddol*.

61

Ystyried yr uniongred rybudd geiriau fel y rhain: 'Accustomed as they are to theories of politics which condemn absolutism, and theories of parental care which condemn possessiveness, the majority of modern men will rebel against a patriarchal God whose ... honour must be upheld by the payment of a fitting ransom for man's unpardonable sin ... And many of those who submit to the authority of this Patriarch will suffer a tragic warping of their spiritual nature and a crippling loss of ethical vitality'.

Y trydydd cyhuddiad yw fod Efengyl y Prynedigaeth ac athrawiaeth yr Apostolion yn llwyr anghyson â dysgeidiaeth yr Arglwydd yn yr Efengylau Cyfolwg. Y mae rhan helaeth o'r bennod 'Braenaru Tyndir Uniongrededd' yn trafod y pwnc hwn.

Nid wyf i'n ddiwinydd. Rhaid imi drin y materion hyn yn betrus gynnil gan mai tresbasu y byddaf. Ond ni all beirniadaeth lenyddol wrthod ystyried hanfodion meddwl awdur. Bu cyhoeddi *Argyfwng Gwacter Ystyr* ym 1964 yn gymwynas fawr â bywyd meddyliol Cymru. Daeth y llyfr ei hun ag argyfwng i'n dal. Gan Paul Tillich y cafodd J. R. Jones ei deitl. Trosi dadansoddiad Tillich o gyflwr meddwl Protestaniaid Unol Daleithiau'r Amerig i gyflwr y gwrandawyr yng nghapeli Cymraeg ac yn eglwysi Cymraeg ein gwlad ni heddiw a wnaeth ef. Y mae'r dadansoddiad o'r pryder sy'n gafael mewn llawer o'r rheiny yn deg a chywir. Y mae'r argyfwng gwacter ystyr yn ffaith i lawer ac y mae'n ffaith mai ofer yw cynnig ymwared drwy gynnig Gwaredwr. Rhaid wynebu'r sefyllfa. Y mae cyflwr crefydd a'r meddwl crefyddol yng Nghymru yn mennu ar ein holl ddiwylliant ni ac ar ein holl lenyddiaeth ni. Dyna'r gwahaniaeth rhyngom ni a Lloegr neu'r Almaen. Wrth iddo ddangos argyfwng crefydd yng Nghymru heddiw yr oedd J. R. Jones yn datguddio argyfwng ein holl draddodiad Cymraeg ni.

Mi ddymunwn gynnig dau sylw ar gyhuddiad cyntaf J. R. Jones, ac nid o safbwynt diwinyddiaeth. Dyma'r paragraff sy'n crynhoi ei ddadl:

Rhaid derbyn damcaniaeth bwysig gyfoes am natur crefyddau — mai clwm ydynt o goel ac ymarweddiad a ddaeth i fod yng nghwrs datblygiad dyn i gwrdd â gwendid a berthynai iddo — o reidrwydd yn ei ddechreuad, sef ei fabaneiddiwch, ei angen, fel un newydd eni, am ddiogelwch a gwarchodaeth a swcwr. Yn awr, yn anorfod (hwyrach) yng nghyfnodau cynharaf ei hanes, fe drowyd Cristnogaeth hithau yn 'grefydd' yn yr ystyr hon, sef yn foddion swcwr. Arfogwyd hi ag athrawiaethau a gynigiai swcwr rhag y pryderon traddodiadol — ymyriad rhagluniaethol Duw rhag pryder tynged a thranc, ac athrawiaethau'r 'cymod' a'r 'prynedigaeth' yn swcwr rhag pryder euogrwydd. (t. 16)

Fy marn i yw nad yw'r ddamcaniaeth nac yn bwysig nac yn gyfoes. Fe aeth yr amser heibio y gellir dweud pethau cyffredinol a syml fel yna am darddiad crefyddau. Dengys tystiolaethau ymchwilwyr i gymdeithaseg llwythau cyntefig nad syml ac nid mor fabanaidd yw eu hegwyddorion crefyddol. Ac ai yng nghyfnod babandod y ddynoliaeth yr ymddangosodd Cristnogaeth? Yr oedd Socrates wedi marw ers canrifoedd. Heddiw fe osodir babandod y ddynoliaeth filiynau o flynyddoedd cyn Crist. Bid siŵr fod elfennau o fabaneiddiwch a chwilio am swcwr yn aros yn rhan o ddefosiwn Cristnogol hyd heddiw. Gall ysbryd arwrol fel Simone Weil groesawu'r puredigaeth sydd mewn anffyddiaeth a sgrifennu: "Y mae crefydd yn gymaint â'i bod yn ffynhonnell cysur yn rhwystr i wir ffydd". Diau. Ond nid cynulleidfa o arwyr ac athronwyr yw'r eglwys Gristnogol.

Nid mor hawdd yr ymddihetrir o fabaneiddiwch. Nid mor hawdd yw ymwrthod â swcwr. Dowch at Paul Tillich. Ni wn i am well enghraifft o sentimentaliaeth ac optimistiaeth di-gost Americanaidd y cyfnod 1945-52 na'r bregeth gan Tillich a ddyfynnir yn *Ac Onide* 'to the man who wants to be acknowledged by God and cannot even believe that He is':

> You are accepted, accepted by that which is greater than you, and the name of which you do not know. Do not ask for the name now . . . Do not try to do anything now . . . Do not seek for anything . . . *Simply accept the fact that you are accepted*. If that happens to us, we experience grace. (t. 25)

I mi nid oes yma ond twyll a chynnig swcwr ar delerau anonest. Dyma aralleiriad J. R. Jones ar yr efengyl hon:

> Y mae'n sylfaen yr holl ystyr a welaf i mewn Cristnogaeth fod ar ddyn, ar yr aeddfetaf o ddynion, a phrun bynnag a ddaeth dyn erbyn canol yr ugeinfed ganrif i'w gyflawn oed ai peidio, — y mae ar *bob* dyn un angen mawr — *angen y sicrwydd ei fod wedi ei dderbyn*. (t. 186)

Dyna enghraifft nodedig o ddyhead sy'n wir ac yn naturiol ar brydiau i bob dyn ym mhob oes, yr awydd am ddychwelyd i groth ei fam, *you are accepted*. Y mae seicoleg yn rhybuddio pawb ohonom heddiw mai'n araf y dylem frolio inni orffen â babandod.

Ail bwynt yr Athro yw bod dysg Cristnogaeth am Dduw yn magu cydwybod daeog yn y Cristion uniongred:

> Ofn, at ei gilydd, yw'r ysgogydd cryfaf yng nghymhelliad plant ifanc i ufuddhau i'w rhieni. Diau y dônt yn ddiweddarach i ufuddhau iddynt o gariad a pharch . . . Adwaith sylfaenol *fabanaidd* yw gwneuthur daioni o

ufudd-dod i orchymyn pan fo ofn yn brif ysgogydd y cymhelliad. Gallwn adweithio felly i orchymyn Duw. Ac i'r graddau y'n hysgogir ni i ddaioni gan gymhelliad ufudd-dod yn unig, nid oes byth sicrwydd nad dyna beth yw swm a sylwedd ein 'hymdrech i fod yn dda' . . . byddai'r syniad yn un cliriach pe galwem hi (y gydwybod hon) yn Gymraeg 'y gydwybod daeog'. (t. 181)

Amheuaf y frawddeg gyntaf. Y mae'r baban tridiau ar fron ei fam yn dysgu ufudd-dod. Nid ofn sy'n ei gymell ond llaeth. Ac i'r plentyn normal i fam normal y mae llaeth yn arwain i gariad. Y mae ufudd-dod cariad yn bod, ufudd-dod llanc i'w gariad:

> — Art thou not Romeo, and a Montague?
> — Neither, fair maid, if either thee dislike.

Felly hefyd nid ymdrech i fod yn dda yw marc y Cristion, ond ymdrech i fod fymryn teilyngach o'r cariad sy'n ei dynnu ato. Ac ai cydwybod daeog a *tragic warping of their spiritual nature* sydd amlycaf mewn Cristnogion o fath Cathrin o Siena a Thomas More a John Hus a Luther? Wrth ei mawrion y mae barnu effeithiau unrhyw grefydd. Yn anffodus y mae'r ail baragraff ar d. 184 yn *Ac Onide* yn mynd yn agos iawn at haeru mai antinomiaeth yw hanfod Cristnogaeth.

Dywedodd Paul Tillich yn ei benodau o hunangofiant mai i Rudolf Bultmann ac i Albert Schweitzer yr oedd ef fwyaf dyledus am ei amgyffred o'r Testament Newydd. Bydd pawb yn barod i gydnabod fod Bultmann yn un o'r ysgolheigion pwysicaf oll yn ei faes ac yn ei oes. A ellir dweud hynny, neu rywbeth agos at hynny, am Schweitzer? Dehongli a chefnogi Schweitzer y mae'r bumed ysgrif yn *Ac Onide* ar 'Gymdeithas ei Ddioddefiadau Ef'. Trasiedi penboethyn arwrol yn mynd i'w dranc yn ffôl ofer, ond gan ewyllysio, doed a ddelo, ddwyn teyrnas Dduw i fod ar y ddaear, dyna a welodd Schweitzer yn stori'r Efengylau.* Y mae athrawon diwinyddiaeth ac arbenigwyr yn astudiaethau'r Testament Newydd wedi trafod damcaniaethau Schweitzer yn Gymraeg. Y mae J. R. Jones yn eu derbyn oll yn llwyr. Deil ef hefyd gyda Schweitzer mai ewyllysio fel yr Iesu a chyda'r Iesu i ddwyn moesau teyrnas Dduw i blith dynion yw gorchwyl a nod y dynion a elwir o'r herwydd yn Gristnogion. Yn un o'i ychydig baragraffau cynhyrfus hunangofiannol fe ddywed:

*Nid rhaid i mi, ac nid priodol imi, drafod cyhuddiad J.R.J. ynghylch anghysondeb dysgeidiaeth yr Efengylau â dysgeidiaeth yr Epistolau. Ond gweler ar hynny bennod Bultmann ar *Iesu a Phawl*.

64

Fe welais i lawer newid o bryd i'w gilydd ar fy naliadau crefyddol a'm hadweithiadau i Efengyl y Testament Newydd. Ond ni pheidiais drwy fy mywyd â chario un argraff na fedrodd dim trai yng nghredinioldeb gweddill y cynnwys athrawiaethol mo'i dileu, sef yr argraff bod rhyw arwyddocâd dwfn, tyngedfennol i fywyd y byd ym marwolaeth Iesu. (t. 124)

Tystiolaeth nobl. Hawdd tybio mai dylanwad ei gartref a'i gapel a'i fagwraeth yn blentyn sy'r tu ôl iddi. Ond anodd peidio â gofyn a fu ei addysg grefyddol mor gyflawn ag y gallasai fod. Yn ei holl ddadansoddiad o wendidau Trefn y Cadw ac Efengyl y Prynedigaeth y mae'r pwyslais yn gyfan gwbl ar *ddyn*. Trefn i gadw dyn, i achub dyn, i dderbyn dyn, i gyfiawnhau dyn, heb ofyn dim gan ddyn, dyna yw'r *kerugma* drwy'r holl benodau beirniadol hyn. Y mae un gair sy'n rhyfedd — a braidd yn ddychryn — o brin yn y pregethau a'r ysgrifau oll, sef y gair addoli. Addoli yw nod angen y meddwl crefyddol. Nid oes gweddi ond addoli. Y mae rheswm Ann Griffiths dros dderbyn iachawdwriaeth Crist yn od o wahanol i eglurhad Tillich a J. R. Jones. Iddi hi act o addoliad ydoedd. Nid dyn ond Duw yw canolbwynt crefydd iddi hi. Dyneiddwyr yw Tillich a Schweitzer, dyneiddwyr na fynnant ollwng yr enw o Gristnogion. Diau fod hynny hefyd i'w barchu.

Dan ddylanwad Simone Weil y cyfansoddodd J.R. yn ei flwyddyn olaf y pum pregeth a'u Rhagair sydd yn *Ac Onide*. Mi gredaf i fod y Ffrances hon yn feddyliwr crefyddol o safon anghymharol uwch na Tillich na Schweitzer. Y mae J.R. yntau yn ei chysylltu hi â Wittgenstein. Ganddi hi y cafodd ef:

y ddysg syfrdanol am berthynas yr Anfeidrol â meidroldeb . . . Galwaf y ddysg hon yn 'athrawiaeth yr Absenoldeb Dwyfol' . . . 'Dim ond yn null absenoldeb y dichon Duw fod yn bresennol yn y greadigaeth'. Ac yn ôl Simone Weil bu'r 'absenoli' yn un deublyg. I ddechrau fe enciliodd Duw i wneuthur lle i *fodolaeth* y byd. Ac yna fe'i habsenolodd ei hun o *ddigwyddiadau'r* byd drwy ymatal rhag ymyrryd yng ngwead Rhaid. (t. 29)

Mewn pennod fawr ac enbyd yn ei llyfr hi o fyfyrdodau, *Trymder a Gras,* y ceir y datganiad a ddyfynnir. Dyma'r gwreiddiol:

Dieu ne peut être présent dans la création que sous la forme de l'absence. (Ni all Duw fod yn bresennol yn y greadigaeth oddieithr dan lun absenoldeb)

Hynny yw: Y mae Duw yn bresennol yn y greadigaeth; y ffurf a gymer ei bresenoldeb yw absenoldeb. Y mae'r paragraff nesaf yn ategu'r datganiad paradocsaidd hwn: "Duw ei hunan yw'r byd hwn yn gymaint â'i fod ef yn gwbl wag o Dduw". Fel yna ar dro hefyd y mae J. R. Jones yn dehongli Weil. Er enghraifft:

> Am mai yn null absenoldeb ac mewn dirgelwch y mae Rhoddwr Bod y byd yn bresennol yn y byd, y mae'n amhosibl i'r meidrol wybod beth *yw* ystyr bodolaeth. (t. 46)

Ond nid felly bob tro:

> Fe gaeodd Duw ei fyd dan reidrwydd deddf. Ac y mae hynny'n gyfystyr â dweud iddo *ei gau ei hun allan ohono* . . . (t. 30)
> Ildiodd Duw lawnder ei anfeidroldeb a dewis 'absenoldeb' ac 'anallu' er mwyn gwneud ein bodolaeth a'n rhyddid ni yn bosibl. (t. 181)

Ymddengys i mi fod paragraffau fel y rhain, a hwy sydd amlycaf ac yn datgan ei feddwl ef gysonaf, yn mynd ymhellach na Weil ac yn gwneud peth cam â chyfrwyster angerddol dyner ei hymwybod hi â'r Dwyfol. Deil J.R. iddi honni: "Drych yw Rhaid i ni ganfod ynddo amhartïaeth Duw. Dyna'r pam y mae'r syniad o wyrth yn fath o gabledd". Ond nid dyna a ddywedodd Weil. Y mae gwahaniaeth pwysig rhwng hynny a hyn: '*Ainsi la notion ordinaire de miracle est une espèce d'impiété*', — y mae'r syniad *cyffredin* (neu boblogaidd) o wyrth yn fath o gabledd.

Y mae i mi anhawster arall yn nehongliad J.R. o fyfyrdod Weil:

> Yr oedd yn rhaid i Dduw ei absenoli ei hun allan o ryw ddarn o 'ofod bodolaeth', a chaniatáu i hwnnw fynd yn droedle bodolaeth bodau amgen nag ef ei hun, cyn y medrai . . . greu'r meidrol. (t. 29)

Os gwir hyn, onid yw'n dilyn mai bodau o'r un natur â'i gilydd yw Duw a'i greaduriaid? Ni all mai dyna feddwl J. R. Jones (gweler t. 121-2). Sicr nad dyna feddwl Simone Weil. Yn wir, a rhoi bod Duw, a'i fod y Duw y cred J.R. ei fod, y mae'n amhosibl ei fod yn absennol o'i greadigaeth, o unrhyw ronyn ohono; canys diddymra popeth fyddai ei absenoldeb. Ni allai'r greadigaeth fod a bod yn wag o Dduw. I Simone Weil un o'r pedwar praw o drugaredd Duw yw prydferthwch y cread, a dywed hi amdano: "Y mae rhyw fath o ymgnawdoliad o Dduw yn y byd gweledig a phrydferthwch y byd yw'r arwydd o hynny . . . Gwir bresenoldeb Duw mewn mater ydyw prydferthwch". Gallwn ninnau chwanegu y buasai sôn am gariad Duw, heb ei fod yn bresennol yn holl boen diderfyn y greadigaeth, yn annioddefol. Ond ar lun absenoldeb: "Nid eich ffyrdd chwi . . .".

Y mae dau beth sydd yn gyfan gwbl y tu hwnt i'n gallu ni i'w dirnad na dweud dim amdanynt yn iawn, Diddymdra a Duw. Ystyriwn farwolaeth. A ellir ystyried marwolaeth?

II

Yn 1969, yn sobr o wael ei iechyd, fe gafodd J. R. Jones flwyddyn sabothol gan ei goleg, sef y sesiwn 1969-70. Gwyddai yntau na ddychwelai ef fyth mwy i ddarlithio. Troes i gasglu ynghyd ei ysgrifau ar Gymru a'i hargyfwng a'u llunio'n llyfr, *Gwaedd yng Nghymru*, ac wedyn i sgrifennu pregethau a rhageiriau ac ysgrifau'r gyfrol *Ac Onide*. Cyflawnodd ef yr holl waith mewn poen mawr a chyson, ac ar ysbeidiau dan driniaeth lawfeddygol, a'i nerth yn pallu o wythnos i wythnos, o ddydd i ddydd. Y mae'r cambrintiadau yn *Ac Onide* yn dangos yr anhawster a gâi i gywiro proflenni; ni wn i am unrhyw gamgymeriadau argraffu sy'n dwyn darllenydd mor agos at awdur, megis at erchwyn ei wely; camgymeriadau annwyl. Yr oedd ganddo ewyllys a hunan-reolaeth a'i cadwodd yn gadarn i'r pen. Mab i chwarelwr yn wir.

Wyneb yn wyneb â'r angau a oedd yn ei feddiannu fwyfwy yr ysgrifennodd ef. Nid oedd yn drigain oed. Yr oedd ei ymennydd o hyd ar ei orau. Edrychodd ar y peth oedd o'i flaen. Hynny sy'n rhoi i'r pregethau yn *Ac Onide* eu hangerdd cynhyrfus. Dywed ef yn y Rhagair mai dysg Simone Weil am 'absenoldeb Duw' yw ei garn ynddynt oll. Ni welodd ef ond proflenni'r ddau lyfr. Ar ôl ei farw y daethant i'r siopau. Ar ôl ei farw y cawsom ni ddarllen darn fel hwn: rhaid i mi gwtogi dipyn arno:

> Does dim byd mwy angerddol *unigol* — dim sy'n marcio allan arwahanrwydd a chysegredigrwydd y bersonoliaeth unigol — yn fwy na'r ffaith bod yn rhaid iddi farw. Ni fedr neb farw ein marwolaeth drosom, na 'mynd i'r lladdfa yn ein lle'. Rhaid i bob peth byw gynnal ei boen a wynebu ei dranc yn gyfangwbl ar ei ben ei hun . . . Y mae yn y gwacter di-droedle hwn — yr unigrwydd tufewnol, tywyll yma — ryw ddyfnder o ddirgelwch na fedr y method gwyddonol, gwrthrychol, arbrofol ddim cyffwrdd ag ef byth . . . Ond mi fydd parchu a phlygu i'r dirgelwch hwn — cadw, fel petai, yn ostyngedig agored tuag at y *ffin* hon sy'n amgylchynu ein bodolaeth — yn *rhan* o'r dasg o gynnal a gorseddu gwerth y bersonoliaeth unigol . . . (t. 100)

"Cadw yn agored tuag at y ffin hon sy'n amgylchynu ein bodolaeth". Mi dybiaf mai gan Heidegger y cafodd ef y frawddeg. Mewn pregeth ar beryglon yr anwarineb technolegol unffurf y mae'r gwledydd diwydiannol yn ymsuddo ynddo y daw'r rhybudd hwn fod marw yn ffaith, yn ddirgelwch sy'n cynnal gwerth y person unigol. Dweud ei brofiad, dweud ei galon wrth ei bobl ei hun y mae J.R. yma. O Homer hyd at Horas hyd at Williams Parry, "beirdd

67

erioed", ebr J.R., "yw'r eneidiau a fu'n sensitif i ddirgelwch y diddymdra sy'n ein cylchynu". Rhaid i bob peth byw farw, popeth. Ac er hynny dyma'r unigrwydd eithaf, "y dyfnder o ddirgelwch" na ellir cydymdeimlo ag ef. A hynny iddo ef, yr awr honno, sy'n rhoi gwerth anhraethadwy ar y person unigol byw. A thry'r bregeth yn yr awr honno yn rhybudd taer i Gymru fod iaith ac undod cenedl, sy'n faeth i'r person Cymreig byw, yn ymborth i'r enaid, a bod tarfu ar hynny neu ei daflu ymaith yn llofruddiaeth. Unwaith yn unig, medd ef, y mae Duw yn creu cenedl. Y mae elfen o santeiddrwydd yng nghenedlaetholdeb J. R. Jones. Dyna ffrwyth "cadw yn agored tuag at y ffin".

Beth yw marw i ddyn? Fe fynnai'r athronydd ynddo yn ogystal â'r dyn marwol bwyso'r cwestiwn. Nid o chwilfrydedd. Nid ei gyflwr ei hunan sy'n ei ddiddori. Yn hytrach o lawer iawn gyflwr ei wlad a'i bobl. Ond o safbwynt ei bresennol ei hunan y gwêl ef y byd, — o safbwynt gŵr hapus yn ei fyw: "Dim ond y sawl sy'n byw yn y presennol ac nid mewn amser sy'n hapus". Dangos peryglon y gwareiddiad diwydiannol sy'n gorseddu peiriannau gwneud pethau, fel y bo miloedd ar filoedd o'r un peth ar gael at wasanaeth pawb a'u pryn, a dynion eu hunain yn y ffatrïoedd yn troi'n rhannau ailadroddus o'r cyfryw beiriannau, dyna thema'r bregeth ar Ddelw'r Anghyffelyb. Y mae mawredd yn y pregethau hyn. Ar ddyn ei hun y mae Delw'r Anghyffelyb. Ond, medd y pregethwr, llygaid cariad yn unig a wêl hynny:

> I'r sawl sydd yn ei garu y mae holl werth dyn *yn ei wahanrwydd* . . . I ddibenion gwaith a chyflogaeth a busnes fe wna un dyn y tro yn lle un arall. Ym myd y 'gwerthoedd' hyn, cynifer o 'ddwylo' ydyw dynion. Ond fel person — sef i'r sawl sydd yn ei garu — y mae pob unigolyn yn gyfryw nad oes dim cwestiwn y gwnâi un arall y tro yn ei le . . . (t. 85-6)

Dyna'r sut y dylem ni edrych ar bob dyn, ebr ef, ym mhobman. Dyna a fyn Cristnogaeth. Ond sut y mae cael dynion i edrych fel yna ar ei gilydd? Trwy weld ei gilydd yn bobl ar fin marw:

> Canys y mae dwy olwg ar farwolaeth dyn. O'r tu allan, digwyddiad *yn y byd* ydyw; 'amgylchiad' yw marw, diwedd rhywun — a adwaenech, hwyrach, rhywun a arferai droi yn eich plith — wedi dod i ben ei dennyn. Ond i'r olwg arall, sef o'r tu mewn, nid amgylchiad yn cymryd lle yn y byd yw marwolaeth, y mae'n *diwedd y byd*. Yn yr ystyr hon, nid newid y mae'r byd pan fyddaf i farw ond dod i ben, darfod â bod. (t. 87)

Gan Wittgenstein y dysgodd ef feddwl fel hyn am angau; ceir y dyfyniad yn y casgliad o osodiadau'r athronydd yn y Rhagair i'r Pregethau. Ym mhennod Mr Dewi Z. Phillips yn *Saith Ysgrif ar Grefydd* (t. 128-9) fe gawn yr un ddysg a thynnu ohoni wers sy'n bwysig: "Nid yw'r syniad am fywyd tragwyddol fel parhad o'r bywyd daearol yn cymryd angau o ddifrif". Yr union beth a fyn disgyblion Wittgenstein gennym yw cymryd angau o ddifrif. Dyna a wna J. R. Jones yn y bregeth hon, a chychwyn drwy gymryd ei angau ei hunan o ddifrif. Mi dybiaf fod yn iawn cynnig dau sylw ar y paragraff. "O'r tu allan amgylchiad yw marw, diwedd rhywun a adwaenech hwyrach". Nid dyna'r holl wir. I'r neb byw a garodd y marw, — i Thisbe pan wêl hi gorff Puraf — y mae'n ddiwedd y byd yn ogystal. Ni all henaint iach weld angau yn real, tyst o chwedl La Fontaine, *La Morte et le Mourant*. Ond fe all poen corff sy'n enbyd ac fe all cariad. Ac fe all santeiddrwydd. *'Disce nunc mori mundo'*, medd Thomas à Kempis, dysg yn awr farw i'r byd. Tra bo hynny inni ond trosiad, metaffor, yn awgrymu tamaid o ymwadu, does gennym ni ddim siawns i ddeall na Wittgenstein na'r saint.

Y bregeth sy'n dangos harddaf y fuddugoliaeth foesol fawr ar afiechyd a phoen ac angau yw'r gyntaf. Ei thestun yw llinell Ann Griffiths: "Rhoddwr bod, cynhaliwr helaeth, a rheolwr pob peth sydd". Mae hi'n bregeth brofoclyd. Deil y rhan gyntaf fod rhyddymofyn gwyddonol yn peri na eill neb heddiw dderbyn fod Duw yn gynhaliwr a rheolwr pob peth sydd. Amlwg na chofiodd J.R. mai cyfeirio at yr Epistol at yr Hebreaid, I, 1-3, y mae'r emyn wrth roi'r tri enw ar Dduw, ac y mae dehongliad gwahanol yn bosibl. At hynny y mae gwyddoniaeth J.R. yn hen-ffasiwn:

> Model y gwyddonydd yw hwn. Rhagdyb sylfaenol ei holl ymgymeriad ef yw mai i oruwchlywodraeth deddf ac i swae achos ac effaith y darostyngwyd 'popeth sydd'. A bellach y mae'r darlun hwn o'r byd fel mecanwaith hunan-reolus, darostyngedig i unffurfiaethau ymddygiad nad oes byth dorri ar eu cysondeb, wedi hen gydio yn nychymyg y dyn cyffredin . . . Prin y medrwn mwyach ein dychmygu'n hunain yn ôl i esgidiau pobl a gredai'n llythrennol ym mhresenoldeb Duw fel 'rheolwr popeth sydd' (t. 40).

Fel yna y bu dilynwyr Hobbes a Locke yn meddwl yn y ddeunawfed ganrif. Ceir yn y paragraff sy'n canlyn hwn ymdriniaeth â chyfran Siawns yn y byd. Deil J.R. mai trychinebau yw damweiniau a bod gweld ynddynt "actau Duw" yn bur annuwiol. Ond y mae cyfraniad Damwain neu Siawns yn natblygiad mater anorganig ac organig yn anhraethol bwysicach nag a awgrymir. Dengys Dr Gareth Evans hynny'n eglur yn ei bennod ef yn *Saith Ysgrif ar Grefydd*. Yn y ddadl fawr ac enwog yn Sefydliad Solvay, Hydref 1927, rhwng Albert Einstein a Niels Bohr, cwyn bennaf Einstein yn erbyn damcaniaeth Bohr ar bwnc Cyflenwoldeb oedd "ei fod yn gadael i Siawns amseriad a chyfeiriad elfennau natur". Ond dadl Bohr a orfu. Ac y mae bioleg ar ôl Darwin yn rhoddi i ddamwain swyddogaeth ddi-droi'n-ôl yn natblygiad bywyd organig. Y mae gan Simone Weil bennod fer ond craff ar Siawns yn *Trymder a Gras*. Dyfynnaf ddwy frawddeg yn unig:

> Y mae myfyrio ar y siawns a barodd i'm tad a'm mam gyfarfod, yn fuddiolach na myfyrio hyd yn oed ar angau . . .
> Y mae'r unig dda na all siawns mo'i gyffwrdd y tu allan i'r byd.

Siawns yw thema'r drydedd bregeth yn *Ac Onide* hefyd, ond nid oes ynddi ddim nas ceir yn y gyntaf.

Oddi wrth ran wan y bregeth trown at adran ysblennydd yr ymdriniaeth â'r enw Rhoddwr Bod. Buasai Simone Weil hithau'n amenu'n frwd pe gallsai hi ddarllen a ddywed J. R. Jones am *The Ancient Mariner*. Y mae'r cwbl yn cytuno'n hyfryd â'i sylwadau hi ar bethau tlysion a brau y ddaear yn ei phennod ar Siawns. Fod Duw yn unig Roddwr bod, nid oes gan J.R., ni bu ganddo erioed, eiliad o amheuaeth am hynny; a rhodd ei gariad ydyw. Yma y mae'r pregethwr yn arllwys ei galon, yn cyfaddef ei gyfrinach. Ni allaf ddyfynnu'r cwbl; rhaid malurio paragraff mawr i ddal peth o'i bwys:

> Y mae 'anfod' neu 'ddiddymdra' *ynom*; diddim ydym ar wahan i nerth creadigol y Cariad annirnad a giliodd o'r golwg fel y caem ni gyfran ym mraint a rhyfeddod bodolaeth. Dyma sut y mae'n bosibl i ti ddod i deimlo — nid i gydnabod â'th reswm, ond i *deimlo* — na fyddet ti ddim yn bod . . . onibai i Roddwr Bod, drwy encilio, roi iti ddarn o'i fodolaeth yn gyfangwbl ddigymell ac yn gyfangwbl rad rodd. O'i deimlo yn affwys y dibyniad diamod hwn, y mae Duw fel petai'n gafaelyd ynot, yn cau amdanat ac yn dy feddiannu . . . Pan blymiwn i ddyfnder y ddyled am ein bodolaeth, nid ni fydd yn gafael megis â'n deall mwyach mewn unrhyw syniad neu glwm o syniadau, ond *cael gafaelyd ynom* y byddwn gan 'nerth' a chan ddyfnder rhyfeddod a dirgelwch bodoli . . . (t. 46)

Term Tillich yw *cael gafaelyd ynom*, ond dweud ei brofiad ef ei hunan y mae J. R. Jones yma, profiad sy'n ei osod ef gyda Waldo Williams. Ar y teimlo y mae'r gwerth. Ai croes i "gydnabod â'th reswm" yw'r teimlo hwn? Nage; y mae'n ei gynnwys a'r argyhoeddiad yn meddiannu'r person yn llwyr, ac felly yn troi'n act, yn weithred:

> Mynegwn y sicrwydd bod i fodolaeth ystyr pan gyfyd ynom ymchwydd o ddiolch am ein bodolaeth. (t. 47)

Mi ddywedais yn gynharach yn yr ysgrif hon fod y gair addoli yn brin yng ngeirfa'r gyfrol. Myfi oedd yn methu'n dwp. Y mae ei *ddiolch* ef yn gyfystyr ag addoli. Diolch am ei fod, addoli Rhoddwr Bod ydyw. Cân o ddiolch gorfoleddus i Roddwr Bod am iddo ef gael bod yw ail hanner y bregeth hon, a hynny ar awr y gwybu ef yn sicr ei fod yn darfod. Rhaid imi gael codi un paragraff eto o'r gân ryddiaith hon a gofyn a oes unrhyw beth mor nobl ac mor angerddol ddwys wedi ei sgrifennu mewn pros Cymraeg yn yr ugain mlynedd diwethaf?

> Eithr yng nghraidd pob diolch y mae gostyngeiddrwydd. Pan ddaw dyn i wyneb Dirgelwch sy'n dywedyd wrtho mai peth cyfangwbl ddibynnol ydyw ym myd 'bod', fe ddaw'n ymwybodol eto o ffiniau ei feidroldeb. Fe dorrir crib ei falchder yn y llwyr-fedrusrwydd technolegol a enillodd iddo gymaint awtonomi ym myd 'cynhaliaeth' a 'rheolaeth' ei wareiddiad. Ym myd 'bod' y mae'n crebachu'n ddim. Ac y mae ganddo gydymaith cyson, ar waethaf ei ymdrechion i'w dewi, a ddwg hyn yn wastad ar gof iddo, sef yr Angau ac ofn yr Angau. 'Oll a'm tyn i' meddai Williams, 'o'r creadur' — o'm hyder yn nigonolrwydd y meidrol: 'o'm headdiannau ac o'm grym', — o'r diliwsion bod esboniad fy modolaeth i'w gael rywfodd ynof fi fy hun. Ac yna, wedi'r gwacau, 'Minnau'r truan/Ffof dan adain Brenin Nef'. (t. 47)

Nid am ei diwinyddiaeth y coleddir y gyfrol *Ac Onide*. Nid am ei dehongliad o'r Testament Newydd. Nid oblegid ei hesboniadau od o rai o adnodau'r Efengylau. Ond am fod y gyfrol yn ddyddlyfr enaid mawr ac arwrol ac angerddol fyw, yn traddodi ei dystiolaeth am fywyd ac yntau wyneb yn wyneb â'i dranc. Diau fod J.R. yn fwy o fardd nag o athronydd. Dyma ei destament ef. Y mae'r penodau mawrion sydd yma yn fuddugoliaeth ac yn gân.

Ysgrifau Beirniadol VI, 1971.

Gwaedd yng Nghymru

J. R. Jones, mi gredaf i, oedd y llenor Cymraeg pwysicaf a'r cryfaf ei ddylanwad yn ystod y deng mlynedd 1960-70. Cyhoeddwyd ei ysgrif, 'Y Syniad o Genedl' yn *Efrydiau Athronyddol* 1961. Cawsom *Yr Argyfwng Gwacter Ystyr* yn 1964. Rhoes yntau'r ddau eilwaith yn ei gyfrol *Ac Onide* a ymddangosodd yn ebrwydd ar ôl ei farw. Dyna inni'r ddau gylch y bu ei waith ynddynt yn gynhyrfus fywiog drwy gydol y chwedegau. Bid sicr fe sgrifensai lawer yn y *Traethodydd* a'r *Efrydiau Athronyddol* cyn hynny; ond yn y chwedegau y gwelwyd ef yn ddeffrowr meddwl ac yn gloch alarwm i'w bobl.

Hyd y medraf i farnu, ei lyfrau a'i bamffledi ar Gymru a'i bod a'i hargyfwng yw ei gyfraniad mawr, ei gyfraniad a fydd byw os bydd byw y Gymraeg. Yr argraff a gaf i fwyfwy o'i astudio ef, ac o gofio un peth a ddywedodd wrthyf yn yr unig sgwrs a gefais i gydag ef, yw mai mabwysiadu syniadau diwinyddol neu anniwinyddol Tillich a Schweitzer a wnaeth ef, ac mai peth dros dro fuasai eu gafael hwynt ynddo petasai ef wedi byw ychydig rhagor.

Yr oedd dyfnach daear lawer iawn i'w argyhoeddiadau ar dynged ei genedl a'r iaith Gymraeg. Tyfodd y rhain allan o'i holl fywyd a'i holl ddisgyblaeth broffesiynol mewn athroniaeth dechnegol. Mr Dewi Z. Phillips yn ei erthygl goffa ysblennydd yn y *Traethodydd*, Hydref 1970, sy'n dangos hyn orau, yn enwedig yn y ddau baragraff ganddo sy'n ymestyn o dudalen 199 hyd at ganol 201. O ddarllen cyfraniadau J. R. Jones i gyhoeddiadau'r Gymdeithas Aristotelaidd Seisnig fe ddysgwn ei fod ef wedi ymdaflu i ganol y llif meddwl a darddodd o ail athroniaeth Wittgenstein. Dywed Mr Phillips hefyd iddo ddyfod yn drwm dan ddylanwad Rush Rhees. Bu dadl ddiddorol rhwng Rhees ac A. J. Ayer ar thesis Wittgenstein nad oes mo'r fath beth ag iaith breifat, eithr mai peth cymdeithasol yw iaith, a phob iaith. Daliodd Ayer y gallasai Robinson Crusoe ar ei ynys unig lunio iaith iddo ef ei hun, yn union megis petasai ef yn aelod seneddol Cymreig wedi claddu ei nain. Ond y mae papur Rhees, sy'n dymchwel dadl Ayer, yn arwain yn naturiol at destun ac ymdriniaeth J. R. Jones â'r broblem, "Sut y gwn i pwy ydwyf", a'i ddatganiad: "Heb gymdogion ni fedraf i f'adnabod fy hun fel y gwypwyf pwy ydwyf". Cam ymlaen yn yr un cyfeiriad gan hynny yw'r datganiad hwn yn *Prydeindod*:

Y mae ar bob dyn angen ei wreiddio mewn pobl. Dibynna ffurfiad ei ddynoliaeth . . . ar iddo fod y tu mewn i ffurfiant deuglwm, sef o fewn i gydymdreiddiad un diriogaeth ac un iaith.

Gwasgu'r pwynt hyd adref y mae ef eto yn *Ac Onide* pan ddywed:

Y mae yna ddolur dyfnach na'r rhain i gyd — y dolur sy'n achos ein parlys a'n diymadferthedd — sef dadfeiliad hunaniaeth. Ac o fewn i'n *meddwl* y mae hwn, 'Anrhaith angof' ydyw. Ni wyddom pwy ydym heddiw oblegid lladrata oddi arnom y cyfryngau i *gofio* pwy oeddym ddoe, o ba gyff nobl a gwydn y tarddasom . . . Aeth y Saesneg o reidrwydd felly yn iaith ein 'byd' a darostyngwyd y Gymraeg i fod yn ddim ond math o odrwydd rhanbarthol y llwyddodd rhyw weddill gwladaidd ohonom i'w chadw . . . A'r canlyniad fu ein diwreiddio ni'n ddidrugaredd.

Diau mai mewn astudiaeth drylwyr a mwy technegol y dylid datblygu'r awgrymiadau hyn o gysylltiad hanfodol cenedlaetholdeb J. R. Jones â'i argyhoeddiadau a'i athrawiaeth yn ei gadair athroniaeth. Fy amcan i yn yr ysgrif fer hon yw dangos undod y cwbl a dyfnder gwreiddiau ei ddysg ef am gydymdreiddiad yr iaith Gymraeg â daear Cymru. Nid mympwy Don Cichotaidd na sifalri'n tarddu o'i natur gynnes oedd ei amddiffyn a'i gymorth i Gymdeithas yr Iaith Gymraeg yn ei dyddiau mwyaf amhoblogaidd, nid teimlad neu sentiment. Mater o achub enaid ydoedd. Yr oedd hanfod personoliaeth pob Cymro ar ymchwalu. Ni bydd Cymru heb Gymraeg. Gwlad arall fydd hi heb yr iaith hon yn gadarn ar ei daear. Hyd yn oed os ennill ei hunan-lywodraeth, os ennill hi annibyniaeth, nid Cymru fydd Wales. Ac o'r herwydd, yn argyhoeddiad J. R. Jones, — a thrwy drugaredd yn f'argyhoeddiad innau erioed — nid oes ond un frwydr sy'n werth ei hymladd y dwthwn hwn yng Nghymru. Brwydr yr iaith yw honno, y frwydr i'w chael hi'n ôl i *holl* fywyd Cymru. Dyna destament J. R. Jones, ei neges olaf. Y mae cyfoeth a grym athroniaeth resymegol gadarn y tu cefn i'r neges.

Bu gan J. R. Jones ran flaen mewn dwy ddadl wleidyddol bwysig yn ei ddeng mlynedd olaf, y ddadl ynghylch Prydeindod a'r ddadl ynghylch yr Arwisgo yng Nghastell Caernarfon. Ef, mi dybiaf, a luniodd y gair Prydeindod yn enw ar gyflwr meddwl sy'n llygru Cymru. Fe geir Prydeiniad a Phrydeiniwr yng Ngeirlyfr Spurrell o 1916 ymlaen, ond anaml y clywir neb Cymro'n sôn am "Ni'r Prydeinwyr". Fe arddelai R. T. Jenkins yr enw yn hy, ond hyd yn oed yn ei waith ef y mae'r sain yn chwithig anghynnes. Y mae'r Cymry seisgar a'r Saeson politicaidd a gafodd seddau seneddol yng Nghymru yn ymfalchïo wrth gwrs yn y teitl "We Britishers". Nid felly neb Sais a chanddo dras a hunan-barch. Dyma farn y Cadfridog Hugh Montgomery

73

mewn llythyr i'r *Belfast News Letter*, Tachwedd 1939:

> Sir, My ancestors and I have been Irishmen for 320 years and in spite of all temptations to belong to other nations, I remain an Irishman. A "Britisher". No, thanks. Hugh Montgomery.

Gwyddel o Ulster a gŵr bonheddig. Taeogion neu Gymry a dynion sy'n ceisio codi yn y byd ac anghofio'u tras sy'n arddel yr enw bastardaidd *Britisher*. Achub y Cymry Cymraeg rhag ymdrybaeddu yn y cyfryw warth oedd amcan llyfr J.R., *Prydeindod*, rhoi inni ddadansoddiad o'r pydredd meddwl a'r pydredd darostyngiad sy'n ymguddio dan yr enw. Y mae rhesymu cyfewin a dadansoddi treiddgar yr ymdriniaeth yn ei ddyrchafu yn un o glasuron politicaidd y Gymraeg, yn llyfr a eill newid bywyd llanc a llances o'i ddarllen a'i fyfyrio.

Yr ail fater dadl oedd arwisgiad y tywysog yng Nghaernarfon. Fe wyddom erbyn hyn mai croes i ewyllys y Frenhines a'r Tywysog ei hunan y bu'r seremoni. Y llywodraeth ar anogiad taer yr Ysgrifennydd dros Gymru a'i mynnodd, a hynny er mwyn lladd neu atal twf y mudiad cenedlaethol yng Nghymru. Y mae hynny wedi ei gyhoeddi. Rhaid llongyfarch Mr George Thomas. Bu'r llwyddiant yn fawr. Chwerwodd siopwyr lawer yn Môn ac Arfon yn erbyn pob cwsmer nad oedd yn selog o blaid yr arwisgo, a mawr fu'r gobaith am elw dihafal. Cymdeithas yr Iaith Gymraeg oedd yr unig fudiad a gyhoeddodd o'r cychwyn mai bradychu Cymru y byddai pob Cymro a gefnogai'r seremoni neu a dderbyniai wahoddiad i fod yn y castell. Ymdaflodd J. R. Jones i'r frwydr yn erbyn y gwrthuni. Ymddeolodd o'r Orsedd ac o olygyddiaeth y *Traethodydd* am i'r Orsedd dan arweiniad Cynan a'i enwad ef ei hun ymuno'n selog yn y pasiant. Mae'r hanes ar gadw inni yn y llyfr *Gwaedd yng Nghymru*, ac y mae'r bennod 'Brad y Deallusion' yn ddychryn i'w ddarllen heddiw. Trwy holl gyfnod y gwarth hwnnw, J. R. Jones oedd arweinydd y Gymru wir a thafod y traddodiad Cymreig. Efallai — pwy ŵyr? — y daw cenhedlaeth o Gymry a wêl yn safiad J. R. Jones yn ei wendid a'i afiechyd olaf arwriaeth a eill symud cywilydd Cymru.

Mi fyddaf i'n ofni fod anghofio wedi mynd yn gymaint arfer gennym fel nad oes nemor yn cofio bellach am greulonderau'r Swyddfa Gartref Seisnig a'r plismyn dros gyfnod yr arwisgo. Ar union ddiwrnod y seremoni fe daflwyd bechgyn hollol ddiniwed a ffôl y Free Wales Army i ysbeidiau hir o garchar. Difethwyd bywydau rhai ohonynt. Bu triniaeth eu gwragedd a'u plant bach pan dorrodd y plismyn liw nos i mewn i'w tai yn deilwng o swyddogion Franco yng ngwlad y Basg. A Chymry oedd yn y Swyddfa Gartref yn trefnu a hybu'r cyfan. Heddiw bygythir Cymdeithas yr Iaith â'r unrhyw erledigaeth, a thaeru fod democratiaeth, sef pleidleisiau'r mwyafrif a ddigymreigiwyd drwy ganrifoedd o waseidd-dra ac addysg daeog, yn cyfiawnhau dinistrio'r tipyn gweddill na phlygodd eto lin. Ni allaf i ond taer erfyn ar bobl ifainc Cymru Gymraeg i ddarllen *Prydeindod, Gwaedd yng Nghymru, Ac Onide,* ie a'r pamffledi megis *Yr Ewyllys i Barhau.* Canys achub dynoliaeth yng Nghymru, dyna ystyr achub yr iaith Gymraeg. Dyna amcan a neges J. R. Jones, rhoi'n ôl i'w gyd-ddyn yn y darn hwn o'r ddaear urddas person a hunan-barch. Yn ei lyfrau ef fe gaiff ieuenctid gweddill yr ugeinfed ganrif Batrwm y Gwir Gymro.

Barn, Chwefror 1971

Bardd Trasiedi Bywyd

Mi fûm i'n cyfoesi â beirdd da, ond gyda dau fardd yn unig y cefais i erioed gyfeillgarwch a chyfrinach. Cymro a anwyd ac y sy'n byw yn Llundain, peintiwr mawr a bardd Saesneg mawr yw un, ac y mae ef yn fyw, ac un o ofidiau ei fywyd yw mai yn Saesneg y mae'n rhaid iddo gyfansoddi. Robert Williams Parry yw'r llall. Yn awr y mae eraill o gyfeillion agos Bob Parry ym Methesda ac ym Mangor a gafodd fwy o'i gwmni ef a rhagor o'i gyfrinach ef efallai na fi. Mi wn hefyd fod efrydwyr a beirniaid wedi astudio holl yrfa a gwaith y bardd yn llwyrach lawer na mi. Rhoes Mr Bedwyr Lewis Jones anerchiad treiddgar ar ei fywyd yn Nhal-y-Sarn yn ddiweddar.

Yn ysgolion haf Plaid Cymru y cefais i gyntaf oriau o ymddiddan gydag ef. Wedyn mi gefais y fraint fawr o aros gydag ef a Mrs Parry am ddwy neu dair noson, a hynny ryw bedair gwaith ym Methesda. Yr oedd dweud ei feddwl a dweud ei galon, ie dweud ei ŵyn yn un o reidiau bywyd i Bob. Fe fu'n ddarlithydd ym Mangor dan bennaeth a oedd yn un o ysgolheigion mwyaf holl hanes geiriaduraeth a'r iaith Gymraeg, ond un a oedd hefyd yn ddall a byddar i bob celfyddyd gain ac i farddoniaeth bur. Mewn hanes a geiriau a chystrawen yr oedd pob rhamant a phob gwerth iddo ef. 'Welai ef ddim felly fod gan Williams Parry ddim i'w gyfrannu i efrydwyr Cymraeg llawn amser ym Mangor oddi eithr ychydig wersi ar yr iaith Lydaweg, a hyd at ei ymddeol bu'r bardd mawr hwn, bardd a chymeriad Cymraeg mwyaf ein canrif ni, yn gyrru drwy nosweithiau creulon gaeafau Arfon i drafod llenyddiaeth gyda hogiau'r dosbarthiadau nos. Nid digrifwch ysgafn, ond chwerwder dychan dwfn, sydd yn y gerdd 'Chwilota':

> Pwysicach yw'r chwilotwr
> Nag awdur llyfr o gân . . .

Dyna'r pam na chafwyd adfywiad llenyddol ac artistig Cymraeg ym Mangor nes dyfod Dr Thomas Parry'n bennaeth yno a chanddo ef yr hyder a'r weledigaeth i alw awdur creadigol arall, heb unrhyw record o ymchwil wrth ei enw, Mr John Gwilym Jones, yn ddarlithydd yno. Yn *Dinas*, drama Emyr Humphreys ac W. S. Jones y mae un cymeriad yn cyhoeddi "Pobol, mae pobol yn rhyfeddol." Gofynnodd Williams Parry imi unwaith, "Wyddoch chi beth y mae Ifor Williams yn ei wneud orau o bob dim?" "Cywiro John Morris-Jones?" "Nage, dim byd academig. Gweddïo, cymryd rhan mewn cyfarfod gweddi". At yr un gŵr y mae o'n cyfeirio yn y ddwy linell:

Rho awr o wallgofrwydd i'r llugoer tu ôl i'w gell,
Gwna ddaeargrynfeydd dan gadarn goncrit Philistia . . .

Mae pobol yn rhyfeddol!

A gaf i'n awr yn fyr iawn geisio dangos sut yr ydw i'n gweld lle Williams Parry yn hanes barddoniaeth Gymraeg? Mi fedrwch ddal map bach o dreigl ein barddoniaeth ni megis ar gledr eich llaw. Un prif draddodiad sydd o Daliesin yn y chweched ganrif am fil o flynyddoedd. Canu clod y brenin neu'r arglwydd yn ei lys, canu moliant ei wraig a'i feibion, galaru am ei farw, canu croeso i'w etifedd, canu i ofyn pethau ganddo. Ystyr canu clod yw gosod o flaen y brenin neu'r llywodraeth ddelfryd o ymddygiad. Ac wedi cwymp Llywelyn y Llyw Olaf yr arglwydd neu'r uchelwr a oedd yn brif yn ei fro sy'n parhau yn gynheiliad ac yn wrthrych y canu. Dyna'r prif draddodiad, dyna'r sylfaen. Yna yn yr unfed ganrif ar bymtheg daeth y Dadeni Dysg, hynny yw daeth barddoniaeth Groeg a Lladin Rhufain yn batrwm i Loegr a Chymru, megis y buasai eisoes i gyfandir Ewrop. Edmwnd Prys yw'r arweinydd mawr sy'n rhoi rhaglen newydd i farddoniaeth Gymraeg, sef ffilosoffyddiaeth, hanes cenhedloedd, hanes y byd naturiol, hanes a bywyd dyn a'i dynged.

Bu'r rhyfel rhwng brenin Lloegr a'r senedd ac yna deyrnasiad Cromwell yn foddion i fygu'r traddodiad Cymraeg sylfaenol ac i atal twf y rhaglen newydd. Gwnaeth Huw Morys ei orau i gadw'r hen draddodiad a chanu i fân ysweiniaid ei fro ond canu hefyd i dyddynwyr a chrefftwyr oedd yn gymdogion iddo a charolau a baledi i'w datgan yn yr eglwys y Nadolig neu galan Mai neu mewn anterliwd a ffair. Felly o gam i gam fe droes y bardd llys, bardd yr uchelwr, yn fardd bro ac yn faledwr neu yng ngeirfa'r ugeinfed ganrif yn fardd gwlad. Ac y mae'r traddodiad Taliesinaidd hwn yn para hyd heddiw.

Beth am y traddodiad arall, rhaglen Edmwnd Prys a'r Dadeni Dysg? Fe'i hailgodwyd gan Oronwy Owen a chan Williams Pantycelyn yn y ddeunawfed ganrif, ac wedyn dyma Wyneddigion Llundain yn meithrin eisteddfod y beirdd i geisio cael epig Gymraeg. Fe gafwyd un gerdd arwrol bwysig, 'Dinistr Jerusalem' Eben Fardd. I'r traddodiad hwn y perthyn Islwyn a'i *Storm* ac yna destunau Tennysonaidd a rhamantaidd ac Arthuraidd Eisteddfod Bangor a Gwynn Jones a Silyn Roberts a Gruffydd. Fe ddylem gofio bob amser mai etifedd diweddar i'r Dadeni Dysg yn Ewrop ydy'r Eisteddfod Genedlaethol Gymreig.

Yn y traddodiad hwn y cychwynnodd Williams Parry. Awdl 'Yr Haf' yw ei gampwaith ef yn y dull. Ond wedyn syfrdan y safodd yntau ac ystyried ac edifarhau:

Bu amser pan ddewisais rodio ar led . . .
Trwy ddiflanedig ddydd marchogion cred . . .
Cefnais yn ynfyd ar fy oes fy hun . . .
Digymar yw fy mro trwy'r cread crwn
Ac ni bu dwthwn fel y dwthwn hwn.

Digymar yw fy mro, dyna i chi Williams Parry'n cyhoeddi maniffesto'r bardd gwlad, yn dewis y traddodiad Taliesinaidd ac yn cymryd dynion, y dynion o'i gwmpas, yn brif destun ei farddoniaeth. Rhaid imi beidio â gorddweud. Nid bardd gwlad fel Alun Cilie oedd Bob Parry. Nid bro ei eni yw ei fro ef. Nid miwsig nodweddiadol y bardd gwlad a geir ganddo. Roedd o'n barod bob amser, a bod galw, gydag englyn i gyfaill byw neu i gyfaill marw. Ond 'chyfansoddodd o ddim erioed ar y mesur tri thrawiad, mesur sy'n perthyn yn arbennig i'r beirdd gwlad, er i un bardd enwog gipio cadair yr Eisteddfod Genedlaethol gyda'r mesur. Nid hynny'n unig; perthyn i draddodiad y Dadeni Dysg y mae darlun Bob Parry ohono fo'i hunan. 'Chofia i ddim am fardd Cymraeg arall sy wedi gadael inni ddarlun mor Betrarcaidd fanwl o'i feddwl a'i dymherau ef ei hunan. Fe gofiwch fod ganddo gerdd fawr er cof am y bardd a'r ysgolhaig clasurol Saesneg, A. E. Housman. "Nid ofna'r doeth y byd a ddaw". Nid darlun Housman sydd yno o gwbl, ond rhan o gyffes Williams Parry ei hunan. Fe ddwedodd wrthyf i yn fuan ar ôl cyhoeddi'r gân: "Mi allwn i sgrifennu nifer o gerddi fel honna, ond hoffwn i ddim brifo rhai o'r bobl sy' o nghwmpas i yma". Bardd trasiedi bywyd yw Williams Parry. Hynny a'i troes yn fardd gwlad:

A phan dywylla'r cread
Wedi'i wallgofrwydd maith,
A dyfod gosteg ddiystwr
Pob gweithiwr a phob gwaith . . .

Dyna inni frawd i Sophocles a Leopardi.

Y Gwrandawr, Mawrth 1972
(*Barn*, Mawrth 1972)

Llenorion Llŷn

Echdoe yn y *Times*, Gorffennaf 30, 1971 a minnau ar gychwyn yr erthygl hon, ysgrifenna Mr Trevor Fishlock, ac yr wyf yn cyfieithu:

Mewn ffermdy ychydig filltiroedd o Aberdaron cefais de gyda Mrs Mary Roberts. Y mae hi wedi treulio deg a thrigain o'i phedair blynedd ar ddeg a phedwar ugain yn y tŷ ffarm hwn, a heddiw fe eisteddodd yn daclus a heini yn ei ffedog ger y tân. Bu'n rhaid i mi wrth ladmerydd, — Mr Gruffudd Parry — i sgwrsio gyda hi, canys hi yw un o'r ychydig weddill sy'n aros o Gymru sy bron iawn wedi peidio â bod, sef Cymru uniaith Gymraeg ... Y mae yn Llŷn eto ryw ddwsin o hen bobl sy'n Gymry uniaith ...

Ac oherwydd hynny fe erys eto yn Llŷn ac Eifionydd draddodiad o Gymraeg da a llenydda syber. Erbyn heddiw, mi wn, y mae *Plicio Gwallt yr Hanner Cymry* yn anweddus o wrthafangardaidd. Yn y wlad ddwyieithog sydd ohoni go brin y gall fod neb ond hanner Cymry, ac ni all dyn ond synnu at ehofndra Mr Hugh Bevan yn Eisteddfod Bangor yn hawlio Cymraeg glân ar gyfer y fedal ryddiaith. Ond darn o'r hen Gymru yw Llŷn i raddau o hyd. Erys y dafodiaith yn llyfrau Llŷn eto'n bur Gymreigaidd, tyst o *Dest Rhyw Air* Mrs Gwladys Williams. Y mae traddodiad cadarn yn garn iddynt. Gwyddom bawb am *Gynfeirdd Lleyn 1500-1800* ac am Gapel y Beirdd ac Eifionydd y Beirdd yn y ganrif ddiwethaf. Gwyddom am gerddi enwog a ganwyd yn Llŷn ac am Lŷn yn ein canrif ni ac am faled boblogaidd ddagreuol y 'Llanc Ifanc o Lŷn'. Yn *Cerddi Edern* y ceir enwau hendrefi a phentrefi Llŷn yn glystyrau, ond, o'm rhan i, un yn unig o delynegion Glyn Davies sy'n codi i awyr barddoniaeth aruchel bur, a honno yw'r 'Sgwner Tri Mast' yn *Cerddi Huw Puw*.

Tri awdur rhyddiaith a fagwyd yn Llŷn neu sy'n byw yno a gaiff fy sylw a'm diolch i yn yr ysgrif hon. Yr hyfforddwr i ni Gymry yw *Crwydro Llŷn ac Eifionydd*. Mabwysiadu'r fro a wnaeth Mr Gruffudd Parry ac ef heddiw yw deon ei llenorion hi. Daeth ef yno o ardal y chwareli ac y mae'r gwahaniaeth awyrgylch a golygfeydd rhwng Eryri a Llŷn ac Eifionydd yn thema sy'n help iddo i ddiffinio swyn a chyfaredd y fro. Dyma baragraff o'i bennod gyntaf:

Mae rhai o dai'r ffermydd yn hen, a'r teuluoedd wedi byw ynddynt am genedlaethau. Ac eto, nid henaint amgueddfa ydyw henaint neu heneidd-dra y rhan hon o Eifionydd . . . Yr un fath yr oedd ugain mlynedd yn ôl, a dau gan mlynedd, ac ers blynyddoedd a blynyddoedd cyn hynny. Mae'r gwellt a'r rhedyn, blodau'r grug a blodau'r eithin yn newydd bob blwyddyn, ond mae ffurfiau'r mynyddoedd a murmur dŵr yr afonydd yn aros yr un fath. Yn feddal iawn . . .

Nid oes yma'r mawredd sydd yn peri cynnwrf yn y gwaed fel y gwna clogwyni brwnt yr Wyddfa neu'r Mynyddfawr . . . Mae Garn Bentyrch mor esmwyth â chlustog felfed wrth edrych i'w chyfeiriad oddi ar y ffordd yn ymyl Cae'r Ferch, ac y mae'n ernes o natur donnog y golygfeydd sy'n dilyn. O fryncyn i fryncyn, ac o allt i allt, yn groes ymgroes drwy'i gilydd, a phob mynydd hyd yn oed yn codi i'w lawn faint trwy gymorth un bach wrth ei ochr fel pe bai arno ofn ei mentro ar ei ben ei hun.

Y mae oes o sugno argraffiadau a myfyrio arnynt y tu cefn i'r disgrifio hwn. Daw Mr Parry yn ôl at yr un thema mewn darn o hunangofiannu hoffus ar gychwyn ei chweched bennod:

Mae gwahaniaeth mawr iawn rhwng dringo mynydd yn Eryri, lethr ar ôl llethr nes cyrraedd y copa agored a bod yn edrych i lawr ar y byd i bob cyfeiriad, a dringo bryncyn yn Llŷn, ac ar ôl cyrraedd y copa, yn lle bod yn edrych i lawr, bod yn edrych o gwmpas ar hafn a dyffryn a chraig a chors. Mae llawer o swyn ym mhrydferthwch aruthredd ffyrnig y creigiau a'r clogwyni. Ond cyfaredd yn denu ac yn osgoi, yn bygwth fel rhith ac yn diflannu fel niwl, ydyw cyfaredd Llŷn. Efallai nad mynd i mewn i hanfod pobl fel 'moelni' T. H. Parry-Williams y mae'r gyfaredd hon, ond eu tynnu hwy i'w hanfod ei hun a'u carcharu a'u cadw yn rhan ohono fel na feiddiant ei gadael na throi cefn arni.

Dyna arbenigrwydd llyfr Mr Parry. Mae'n llyfr personol iawn, llyfr gŵr a gollodd ei galon i wlad ac y sy'n cyffesu hynny. Nid cyfarwyddyd i ymwelwyr neu deithwyr mohono. O'r safbwynt hwnnw gellid achwyn arno am rai diffygion canys y mae Mr Parry yn dal gwg o hirbell ar holl wŷr y plasau er gwaetha'r Lôn Goed a'r blodau rhododendron sy'n "gwneud mân fflachiadau diamwnd" ar wyneb llyn y Glasfryn. Dehongli daear a chefndir bywyd gwerin Llŷn, sgrifennu amddiffyniad, *apologia* Llŷn Gymraeg, dyna ergyd ac amcan *Crwydro Llŷn ac Eifionydd*.

Sgrifenna Mr Parry'n ddeifiol ddigri am bolion trydan Llanbedrog ac am gŵn y Saeson yno, a da ganddo'r newid "wrth adael ffug drefolrwydd

Llanbedrog a dod yn ôl i wladolrwydd gwirioneddol Mynytho". Disgrifia bentref Llangïan "yn glyd fel nyth dryw"; ni ddywed ef mai dyma hoff gyrchfan modurwyr a siarïau haf, eithr yn hytrach: "Mae'r lle yn wag ar brynhawn o wanwyn cynnar heb neb i'w weld ar y ffordd nac yn nrysau'r tai. Lle mor dawel â phe byddai'n set ar lwyfan theatr a phawb wedi mynd adref a gadael y lampau i gyd yn olau. Awel fach yn ysgwyd dail crin yn rhywle, a sŵn dwndwr y ffrwd yn prysuro ei ffordd i gyfarfod yr Afon Soch".

Yn ei ddisgrifiad o ardal y Garn dywed Mr Parry wrthym am rai o'i hoff bethau ef a'i gas bethau:

Mae'n anodd dweud pam, ond mae rhywbeth hen ffasiwn ynglŷn ag ardal Y Garn. Yn uchel ar ochr y mynydd fel hyn, dylai rywsut fod yn glir ac yn lân ac yn ddiweddar. Dylai fod yn edrych i lawr ar y llannau a'r pentrefi hen ffasiwn, ac yn codi ei herielau teledu i foderneiddio ei diwylliant. Ond nid felly y mae. Lle croesawus te a bara brith ydyw. Lle mae pobl yn dal i alw ei gilydd wrth eu henwau heb eu trimio gyda'r Mistar a'r Misus sydd yn rhan o'r diwylliant cas-llythyr Seisnigaidd yma. Lle pwyllog, ara deg, a baw gwartheg hyd y ffordd.

Dyna'r Llŷn sydd wrth fodd ei galon ef:

'Fel hyn yr ydw i wedi arfar,' meddai Morris Roberts wrth ei wraig pan geisiai hi ei ddarbwyllo i newid ei ddull o weithio. Ac yr oedd arfer yn gyfystyr â byw. A'r bywyd yn brawf o'r ffaith fod posibilrwydd cael cysylltiad cwbl arbennig rhwng dyn a darn o ddaear. Cysylltiad na fu erioed ac na fydd byth rhwng dynion byw a dinasoedd.

Y cysylltiad hwn sy'n rhoi i lyfr Mr Parry ei rin. Y mae cynllunio da arno hefyd. Y Ffordd i Lŷn yw'r bennod gyntaf a'r Ffordd o Lŷn sy'n cloi'r gyfrol gyda siwrnai i Ynys Enlli: "Daeth llawer taith i ben yng nghysgod croes mynachlog Enlli."

Ail Gwydion y Mabinogi, meistr hud a lledrith, yw awdur *Pigau'r Sêr*. Y mae'r Academi Gymreig, sefydliad y mae gennyf i wir barch iddo, eisoes wedi ei goroni. Cofio a chreu ei blentyndod yn Llŷn ac Eifionydd y mae Mr J. G. Williams. Pa faint sy'n gofio, pa faint sy'n greu, ni wn i. Y mae creu yn y cofio, a'r cofio'n cynnau'r creu. Ni ellid gwell enghraiffti o'r "cysylltiad cwbl arbennig rhwng dyn a darn o ddaear" y soniodd Mr Gruffudd Parry amdano na'r hanes hwn am blentyn. Plentyndod hapus a chyfoethog yng nghanol cymdeithas gyfoethog ac ar ddaear dda. Y mae llawenydd yn beth mor eithriadol yn nofelau a chofiannau'r Gymraeg. Plentyn a gafodd ei siâr ac y sy'n cofio cael ei siâr o fendithion y pum synnwyr a ddarlunnir. Dyma baragraff sy'n dweud am ei orfoledd mewn aroglau ac mewn lliw:

Mae gan bob coeden ei hoglau ei hun. Gallaf adnabod oglau'r rhan fwyaf o goed y Gwynfryn a dweud eu henwau gan gau fy llygaid a sefyll wrth eu hymyl. A phan fydd Jack William a Dafydd y Foty yn llifio coed tân i'r plas efo'r lli-gron fawr yn y ffarm byddaf yn hoff iawn o gael gafael yn y blociau a chael gweld eu lliwiau a chlywed eu hoglau. Mae oglau sur, chwerw'r dderwen yn un o'r ogleuon cryfaf, fel y gwedda i'r goeden honno. Wedyn y mae oglau melys ar y fasarn a'r gastan, ac oglau siarp ar y Scots, yn gweddu i'w dail pigog hi. Yr un oglau'n union ag oglau Jac-do sydd ar y wag-lwyfen, ond am y llwyfeni eraill a'r onnen a'r ffawydd — mae disgrifio oglau'r rhain y tu hwnt i allu geiriau. Pan fydd oglau'r holl goed gyda'i gilydd yn gymysg yng nghanol Coed Caban neu Ddryll y Dryw y mae'n wir fendigedig: mae'n siŵr gen i nad oes dim byd mwy nefolaidd yn bod na chael clywed oglau'r coed a gweld eu lliwiau pan fyddant yn troi'n felyn a brown a phiws a phinc a degau o liwiau eraill o dan haul yr Hydref yn Eifionydd.

Wedyn synnwyr y glust. Y mae'r bachgen o Eifionydd yn ei wely y noson gyntaf o'i wyliau yn nhŷ ei nain yn Llŷn:

Mae Harri rŵan wedi dweud ei straeon i gyd, wedi blino ac yn dechrau cysgu. Gwrandawaf finnau ar y nyddwr yn rhos Cefngwyn, ac ar regen-yr-ŷd yng nghae Llety Adda, a phob hyn a hyn yr afr-gors fel y daw hithau heibio ... Dwn i ddim pam na ddaw'r adar hyn i'r Gwynfryn a chanu yno, wel — mae rhegen-yr-ŷd yno wrth gwrs, ond rhaid i chi fynd i ardal Rhoslan os am glywed yr afr-gors, clywais hi droeon wrth ddod adre gyda'r tywyllnos wedi bod yn hel mwyar duon. Ond am y nyddwr, chlywais i mohono fo o gwbl yn unman erioed ond yn rhos Cefn Gwyn, ac yma yn y lloft ym Mhenygongl cewch glywed y tri efo'i gilydd ar yr un pryd ar noson loergan fel heno, mae'n driawd nad oes mo'i thebyg, a hyfryd rŵan ydi llithro i gysgu yn ei sŵn.

Nid yw'r dyfyniadau hyn ond esiamplau; y mae llawer ychwaneg a chystal; gyda llyfr fel hwn y demtasiwn yw dyfynnu heb beidio. Nid oes neb arall, na bardd na llenor, wedi sgrifennu am y Lôn Goed mor angerddol â Mr Williams. Ni chodaf ond darn o'i delyneg:

Wrth gerdded tuag adref fel hyn rŵan caf yr un teimlad yn union ag y byddaf yn ei gael pan fyddaf yn dychwelyd adref efo Nain o Borth Tŷ Mawr. Mae Porth Tŷ Mawr yn drysor mor amhrisiadwy nes byddaf yn teimlo rhyw ofn bob tro wrth ei gadael i fynd am adref, ofn i rywbeth ddigwydd i'r Borth ac na fydd hi ddim yno'r tro nesaf yr af yno. Caf yr un teimlad a'r un ofn ynglŷn â'r Lôn Goed. Mae gennyf gymaint o drysorau yn Eifionydd erbyn hyn ag sydd gennyf yn Llangwnadl. Dryll y Dryw, Pigau'r Sêr, Coed Caban, Parciau'r Glyn, Dôl y Betws, a'r Lôn Goed. A byddaf yn teimlo mai'r hawsaf i'w hanafu neu ei dinistrio'n llwyr ohonynt i gyd ydi'r Lôn Goed.

Mae'n hwb i'r galon fod ambell Gymro Cymraeg i'w gael o fath y plentyn hwn. Y mae darllen am rai o arweinwyr Plaid Cymru — hwy o bawb! — yn cynnal breichiau Rio Tinto Zinc i halogi dyffryn Mawddach — yr olygfa harddaf yw Ewrop i'r neb a ddaw ati o'r môr, yn ôl Belloc yn *The Cruise of the Nona*, — yn ddigon i chwerwi enaid dyn.

Y mae'r bobl yn llyfr Mr Williams yn gymdeithas ddoniog a doniol hefyd. Ei dad, y llongwr llon a'r crefftwr a'r storïwr a'r hwsmon stad medrus; ei nain, hithau yn Llangwnadl yn hen longreg a'i meibion hi yn gafael yn eu dydd fel rhai'n gafael mewn cariadon; Dafydd Parry'r cipar a Williams gyda'i lwyau nadd. Plas y Gwynfryn yw cartref y llyfr, ac y mae dylanwad y plas a'r stafelloedd a'r llyfrgell a'r dreif a'r tŵr ar y cwbl o'r disgrifio. Mae'r peth yn fwy diddorol yn gymaint â bod y Gwynfryn yn hen gydnabod yn ein llenyddiaeth ddiweddar ni. Dywed Robert Jones wrthym am ei gysylltiad â Phiwritaniaeth gynnar Arfon cyn codi'r plas. Y mae llythyrau o lyfrgell y Gwynfryn yn *Adgof uwch Anghof*, ac y mae'r straeon am yr "hen Fajor" yn gefndir hapus i *Pigau'r Sêr*. Yma y Canon Lewis yw'r ddolen gyswllt â theulu'r plas ac ef yw un o gymeriadau siriol y llyfr. Ond y darn a ddewisaf i'w ddyfynnu yw darn o ddau dudalen sy'n disgrifio pobl Llangwnadl ar fore Sul yn mynd i'r capel a'r gwasanaeth yno. Os medrwch chi synhwyro traddodiad sy'n clymu cenedlaethau ac yn rhoi undod ac ystyr a *pietas* i fywyd cymdogaeth, fe werthfawrogwch y darlun Fyrsilaidd hwn; ysywaeth rhaid imi gwtogi rhag imi dresbasu ormod:

Mae'n fore perffaith, ac oglau gwair yn yr awel. Cerddaf wrth ochr Nain a Jane a Harri a D'ewyrth Griffith i lawr y lôn heibio i'r Tŷ Uchaf. Yn gymysg ag oglau'r gwair y mae oglau'r grug hyd y cloddiau ac yn codi o ros Cefngwyn. Mae brenhines y weirglodd hefyd yn gwneud ei rhan i wneud ein hanadlu'n hyfryd. Mae llaweroedd o bobl yn cerdded yr un fath â ni i'r un cyfeiriad ... Fel y dyneswn at y capel mae'r bobl i'w gweld yn dŵad o bob cyfeiriad, o lôn Tŷ Bach, i lawr yr allt o gyfeiriad y Rhent, y Bryn a'r Gyfelan, ac i fyny o gyfeiriad Porth Colmon. Pawb wedi gwisgo'n ddu. Y sgwrsio'n tawelu fel yr awn i mewn trwy lidiart y capel, a chyn cyrraedd at y drws y mae hyd yn oed y sisial yn peidio, a'r naill ar ôl y llall yn troedio'n ysgafn, ddistaw i mewn.

Nid wyf wedi sôn am y pethau mwyaf difyr sydd yn y llyfr, y straeon, hanes y diwrnod o bysgota, gweithio ar drydan y plas. Anthem o glod i ddaear Llŷn ac Eifionydd ac i'r canrifoedd o fywyd Cymraeg a fu yno ac i urddas a phraffter y dynion a fagwyd yno, dyna yw *Pigau'r Sêr, Te Deum* plentyndod.

Dwy nofel hyfryd ysgafn a'u Cymraeg yn gywir o frid sy'n dweud am hwyl a helynt ficer ifanc a'i blwyfolion ym Môn a gyhoeddodd y Parchedig Edgar Jones, ficer Bodedern, cyn rhoi "i Lyfrgelloedd yn unig" drydedd nofel fer dan y teitl *Cicio'r Tresi*. Nid wyf i'n deall y cyhoeddi i lyfrgelloedd yma. Ni welais i'r llyfr mewn siop; ni welais adolygiad arno chwaith. Rhaid imi gan hynny feiddio datgan fy marn fod *Cicio'r Tresi* gyda *Pigau'r Sêr* yn gampwaith a fydd yn glasur Cymraeg ac yn glasur yn llenyddiaeth Llŷn. Mi gredaf mai'r un flwyddyn â chyfrol Mr Williams y cyhoeddwyd stori Mr Edgar Jones, ond nid oes dyddiad ar na'r naill na'r llall. Y mae hynny'n fai.

Un o feibion Llŷn yw Mr Jones. Fe'i ganed yn Llaniestyn; bu yn ysgol Botwnnog. Y mae iaith Llŷn, ei geirfa a'i dywediadau, yn gloywi dail ei nofelau. Yn *Cicio'r Tresi* y maent ar eu daear briod. Rhwng pentre'r ymwelwyr ar haf sych a'r ynys gyferbyn y rhennir digwyddiadau'r stori. Y mae'r cychwr ifanc cawraidd, di-feddwl drwg, a syml hyd at fod ryw fymryn yn simpil, yn ennill arian mawr wrth gludo ymwelwyr dros y swnt i'r ynys. Yn eu plith y mae geneth o artist sy wedi cymryd Tŷ Cristian ar yr ynys er mwyn peintio yno. Mae Margiad, mam ddi-briod y llanc, yn amau fod Dafydd John yn caru, ond ni fedr hi ac ni fedr ef dorri drwodd i ofyn na dweud. Hyd yn hyn buont yn bopeth i'w gilydd heb fod neb arall yn bod iddynt, oddieithr Lisi Jên, unig gyfaill y fam a'i hunig glust i glebar y pentref. Hael a charedig fel ei fam yw Dafydd John ac fe gymer lencyn eiddil a thenau a hanner pan yn fêt i'w helpu i gludo'r ymwelwyr ac wedyn i gludo dŵr i'r ynys ar ôl i'r ffynhonnau yno fynd yn sych. Mae Wil Tŷ-Pen yn cario dŵr i'r eneth o artist ac y mae hithau'n ddiniwed naturiol yn talu iddo â chusan. Cyffroir cenfigen Dafydd John ac ar y daith yn ôl dros y swnt fe ddyry ergyd i'r llanc gwanllyd sy'n ei ladd. Heb wybod beth i'w wneud y mae ef yn gollwng y corff marw i'r dŵr. A dyna ddechrau'r diwedd trychinebus.

Trasiedi seml yw'r stori. Mae hi'n peri imi gofio am un neu ddau o gampweithiau byrion Prosper Mérimée. Mae hi'n symud gyda sicrwydd cyfarwydd o bennod i bennod, o ddolen i ddolen, yn gyflym heb ffrwst. Y mae mawredd yng nghynildeb y dweud ac ym mrath a nerth yr ymddiddan rhwng y fam a'r mab. Y mae hi'n gymeriad mor gawraidd ag yntau, neu, a rhoi'r peth yn well, y mae hi'n gymeriad moesol fawr ac yntau'n blentyn o gawr. Dyma ddarn o'r siarad rhyngddynt wedi iddo ef ddyfod adref heb wybod fod corff Wil Tŷ-Pen wedi ei gael:

'O! mi rwyt ti wedi dŵad,' meddai Margiad a rhuthro heibio i'r palis i afael ynddo.
'Beth sy'n bod, mam?'
Gollyngodd Margiad ei freichiau a symud wysg ei chefn at y tân.
'Beth wyt ti wedi ei wneud?' gofynnodd.
'Wedi ei wneud? Dim.'
'Mae ei gorff o wedi ei olchi ar y traeth.'
Erbyn hyn yr oedd Margiad ar garreg yr aelwyd a chledr ei llaw dde ar y swmer.

'Corff Wil Tŷ-Pen,' meddai a chodi ei llais.

Aeth yn dywyll ar Dafydd John ac ymbalfalai am unrhyw beth i afael ynddo.

'Chdi wnaeth, felly!'

Yr oedd ei llais yn gadarn a'i greddf naturiol i ymladd drygioni wedi cael y llaw uchaf arni.

'Ia, mam,' atebodd yntau . . .

'Beth wna'i?' meddai Dafydd cyn hir.

Cododd Margiad ei phen ac edrych ar yr homer o fab a fagodd.

'Cha nhw mo dy grogi di, ngwas i,' atebodd.

Peth prin iawn yw grymuster fel yna mewn dialog. A chyda hynny y mae peth wmbredd o ddigrifwch ac o goegni yn y nofel. Rhwng Margiad a Lisi Jên y ceir hynny gan mwyaf ac y mae'r bennod olaf lle y try Lisi Jên i berswadio'i chyfaill i ailafael mewn byw yn ddyngarol addfed ac yn ddoethineb nofelydd sicr.

Crybwyllais am gyfoeth Cymraeg Llŷn yn y llyfr. Synnwyd fi gan un peth. Y mae'r llanc go syml, Wil Tŷ-Pen, yn cyfarch Dafydd John yn y trydydd person a hynny'n gyson:

'Ydi o isio help?' gofynnodd Wil a chlosio'n nes.

'Diolch yn fawr.'

'Un garw ydi o . . . Mi fuasa'n dda gen i tasa'i freichia o gen i.'

Nid yn y stori hon yn unig y gesyd Mr Edgar Jones y dull yma o gwrtais gyfarch. Fe'i ceir yn *Hirlwm Wanwyn* yn sir Fôn. Ni chlywais i arfer y dull erioed er gwybod ei fod yn fyw o hyd mewn ambell fan yn Nyfed. Y mae'n foes sy'n feunyddiol reolaidd mewn ieithoedd fel y Sbaeneg a'r Eidaleg. Defnyddia Mr Jones ef i greu personoliaeth ac y mae'n hynod effeithiol gyda'i awgrym o fonedd a pharch. Ond y mae pob un cymeriad yn *Cicio'r Tresi* yn enaid byw. Dywedaf eto: campwaith o *novella*.

Ysgrifau Beirniadol, VII, 1973

Cywydd
Gan Thomas Jones, Dinbych

Nid yw haneswyr diweddar llenyddiaeth Gymraeg na'r beirniaid llenyddol yn traethu dim am Thomas Jones, Dinbych. Anodd, efallai, erbyn heddiw yw credu bod a wnelai "prif arwr dadleuon diwinyddol Cymru" â llenyddiaeth. Saif o hyd, megis colofn i'w goffa, yr ymdriniaeth â'i waith dadleuol ym mhenodau xi a xii o *Cofiant John Jones Talsarn*. Dangosodd Owen Thomas bwysigrwydd ei fethod hanesyddol, faint ei ysgolheictod, nerth ei feddwl rhesymegol, a grym ei Gymraeg. Gwelodd hefyd yn ei gywydd 'Y Gwir yn Erbyn y Byd' arwyddion o'r

> dychan a'r gwawd a'r dirmyg oeddent mor naturiol iddo ac a'i gwnelsent, pe buasai yn greadur di-ras, yn un o ogan-feirdd mwyaf pigog a choeglym unrhyw oes neu wlad.

O fraidd y ceir gan neb arall sôn amdano fel llenor pur a bardd. Er mor rhagorol yw'r erthygl arno yn y *Gwyddoniadur*, ni cheir ynddi ymdrin â'i arddull. Dyry *Enwogion y Ffydd* air da i'w emynau ond dywed: "Nid rhyw lawer o farddoniaeth hedegog, aruchel, i'n tyb ni, sydd yn ei ganiadau ceithion." Yn y ganrif hon tawodd beirniadaeth lenyddol â sôn amdano.

Ni cheisiaf yn yr erthygl hon ystyried holl waith llenyddol Thomas Jones. Cyfyngach na hynny yw f'amcan, sef tynnu sylw at un cywydd arbennig o'i eiddo. Ond cyn dyfod at hynny carwn nodi'n fyr rai o'r pethau a'm trawodd wrth ddarllen yn ddiweddar drwy ei weithiau.

Yn gyntaf, maint ei lafur. Nid yw'r rhestr ym mhennod xv o gofiant Jonathan Jones nac yn y *Tadau Methodistaidd* yn gyflawn. Bu'n ddiwyd megis un o hen ysgolheigion urdd Benedict, a hynny drwy oes o afiechyd a chyfnodau meithion o boen dwys. Ysgrifennu oedd pennaf gorchwyl ei fywyd. Y mae ei gyfieithiad o Gurnal, *Y Cristion mewn Cyflawn Arfogaeth*, yn bedair cyfrol fawr. Ceir yn agos at 1,200 tudalen, a phob un yn ddwy golofn o brint mân, yn ei *Ddiwygwyr, Merthyron a Chyffeswyr Eglwys Loegr*. Troes *Gatecism Eglwys*

Loegr o Ladin i Gymraeg: y mae'n llyfr o ddau gan tudalen namyn deg, a geilw Thomas Jones ef yn ei ragair yn "llafur bychan o'r eiddof". Y mae nifer o'i lyfrau dadleuol yn gyfrolau sylweddol. Cyhoeddodd *Eiriadur Saesoneg a Chymraeg* yn 1800, ac ail argraffiad yn 1811, a dywed yn y rhagair Saesneg yn 1811:

> I lay no claim to authorship from the contents of this compilation. The very copious Dictionary published in 1794 by the Rev. John Walters was my chief source. Several hundreds of the Welsh words were taken out of that very laborious and truly valuable Welsh and English Dictionary by William Owen Pugh, Esq.[1] Others consulted were Mr W. Evans's, the Rev. T. Richards's, etc. . . . *I have added some hundreds of Welsh words, particularly compounds, from my own mind, where I thought there was occasion . . .*"

Y mae'n hysbys iddo osod argraffwasg yn ei dŷ ei hun yn Ninbych yn unig er mwyn cyhoeddi ei weithiau, a dwyn Thomas Gee yno'n argraffydd iddo. Profodd Jonathan Jones hefyd fod ganddo ran yn sefydlu gwasg Saunderson yn y Bala. "Gyda'i gilydd," ebr Jonathan Jones, "yr oedd ei holl weithiau tua 5,500 o dudalennau."

Yr oedd yn ysgolhaig a chanddo gydwybod yr ysgolhaig. Dywed Mr R. T. Jenkins am ddadleuwyr diwinyddol oes Thomas Jones: "Diffyg y cwbl o'r ddiwinyddiaeth hon oedd anwybyddu hanes, ac y mae dyn a anwybyddo hanes yn ei ddiarddel ei hun o gymdeithas feddyliol dynolryw" (*Apêl at Hanes*, td. 85). Dylid cydnabod na saif y cyhuddiad hwn yn erbyn Thomas Jones ei hun. Dywed Owen Thomas am ei *Ymddiddanion Ystyriol a Hyffordd*:

> Mae y nodwedd hanesyddol a berthyn i'r llyfr yn rhoi gwerth gwirioneddol arno; ac yn dangos fod yr awdwr mewn ymdeimlad calon ag egwyddor bwysig yn ei ymchwiliadau diwinyddol, nad ydyw pawb eto yn talu digon o sylw iddi, — credo yr eglwys fawr gyffredinol yn ystyr briodol y dynodiad hwnnw. (*Op. Cit.* I, 312.)

Yn wir, llyfr yw *Ymddiddanion Ystyriol a Hyffordd* sy'n ymgystlwn â thraddodiad *Hanes y Ffydd* Charles Edwards. Ni raid inni dderbyn dehongliad Thomas Jones o hanes diwinyddiaeth Ewrop. Y mae ei fraslun o'r hanes yn fylchog, yn aml yn od, ac weithiau'n orblwyfol ei safbwynt. Ond, er hynny, yr oedd meddylwyr Cristnogol Ewrop a'r oesoedd yn bwysig ganddo, ac ni ellir amau ei hawl yng "nghymdeithas feddyliol dynolryw". Pan ddeler i ystyried o newydd ei gyfraniad i feddwl ei gyfnod, mi dybiaf mai arall fydd y feirniadaeth

---

[1] Ni orffenasid Geiriadur Pughe pan gyhoeddodd T. Jones ei argraffiad cyntaf yn 1800. Felly y mae'r ail argraffiad yn wahanol i'r cyntaf.

arno, sef nad oedd ei feddwl yn ddigon metaffisegol, a'i fod hyd yn oed yn ormod o hanesydd i'r dasg a gymerth arno. Amddiffyn y traddodiad — ffordd ganol Calfiniaeth gymedrol — rhag ymosodiadau meddylwyr rhy syml (ac felly'n eithafol) ar y naill ochr a'r llall, hynny a wnâi Thomas Jones. Deallodd yn orchestol beth oedd cynnwys y traddodiad, ac adwaenai gan hynny bob gwyriad oddi wrtho ar unwaith. Iddo ef un peth oedd amddiffyn Calfiniaeth ac amddiffyn Protestaniaeth. Y mae'r *Geiriadur Saesoneg a Chymraeg* (argraffiad 1800) yn dyst pendant ac annisgwyl i'r peth:

> Calvinism: Egwyddorion crefyddol unol â barn Calfin. Y mae erthyglau eglwys Loegr (ac fe *fu* erthyglau'r holl eglwysi Protestannaidd) yn gydsyniol â'r egwyddorion hyn.

Dyna guddiad ei gryfder, gwyddai beth oedd gwir gynnwys meddyliol Protestaniaeth. Ond cynnwys y traddodiad, ac nid ei natur, a geir ganddo. Nid athronydd mohono. Dyna pam y parhaodd y dadleuon diwinyddol ar ei ôl ef ac er ei waethaf.

Nid fel diwinydd yn unig yr hawlia Thomas Jones le yn hanes ein rhyddiaith. Sgrifennodd *Gofiant y Parch. Thomas Charles* a hunan-gofiant (*Cofiant y Parch. Thomas Jones . . . a sgrifennwyd ganddo ef ei hun*, etc.), ac y mae'r hunan-gofiant yn arbennig yn llyfr dynol, diddorol, ac yn waith llenor. Sgrifenna'n ddirodres, ei eirfa'n wladaidd a chyfoethog, ei briod-ddull yn aml yn feiblaidd, ond yn ddiffuant, a ffurfiau ei ferfau bob tro'n gywir a thraddodiadol. Defnyddia'r modd dibynnol yn gyson a phriodol ac nid oes un cysgod oddi wrth ramadeg Pughe ar ei eirfa na'i gystrawen. Y mae ei arddull yn bwyllog a gwastad, arddull un a oedd gynefin ag ysgrifennu'n feunyddiol ac yn annibynnol ar hwyl a thymor. Disgrifiodd Owen Thomas ddull ei lyfrau dadleuol, ei lymder cryf a'i ogan. Yn *Hanes Cymru yn y Bedwaredd Ganrif ar Bymtheg* dengys Mr R. T. Jenkins bwysigrwydd ei waith politicaidd.

Yr enwocaf o'i emynau yw 'Mi wn fod fy Mhrynwr yn fyw'. Y mae'n un o'r emynau mwyaf Calfinaidd yn yr iaith. Rhaid ymgynefino ag iaith y dadleuon diwinyddol er mwyn deall bod yr emyn hwn yn ddatganiad terfynol o ffydd Thomas Jones a bod geiriau'r emyn yn rhes o dermau technegol yn ei ddiwinyddiaeth. Hyd y gwn i, ni chasglwyd ei waith cynganeddol ynghyd, ac efallai na ddylid. Ceir yn y cofiant gan Jonathan Jones ddarnau o'i 'Awdl Farwnad i Siôr III' a anfonodd i eisteddfod Wrecsam. Sgrifennodd amryw gywyddau, 'Y Gwir yn erbyn y Byd', 'Cywydd Trugaredd a Barn', 'Cywydd cyfochrog-lythrennol ar waith Duw yn y Greadigaeth', etc. Ceir cwpledau achlysurol da yn y rhain, megis hwn ar y sêr:

> Ein glyw, ti fu'n goleuaw
> Holl dref y canhwyllau draw.

89

Ond ei gampwaith yw'r 'Cywydd i'r Aderyn Bronfraith' — achos effeithiol y llith bresennol. Cyfansoddwyd ef yn Ionawr, 1793. Gan ei brinned, rhoddaf gopi llawn ohono ar derfyn y nodiadau hyn. Y mae'n un o'r cywyddau arbenicaf a gyfansoddwyd ym mlynyddoedd olaf y ddeunawfed ganrif, ac fe hawlia i Thomas Jones le sicr ymhlith beirdd Cymru.

Gellir canfod effaith Goronwy Owen arno, yn enwedig ei 'Gywydd y Gwahodd' a'r 'Cywydd Hiraeth am Fôn'. Peth a ddisgwyliem yw hynny. Y peth annisgwyl a chyffrous a champus yw bod y cywydd yn dwyn arwyddion pendant o ymhyfrydu Thomas Jones yn argraffiad 1789 o *Farddoniaeth Dafydd ap Gwilym* a phrofion iddo ei dderbyn yn ffynhonnell ysbrydol.

Gwyddys mai derbyniad oer a gafodd y *Dafydd ap Gwilym* yn 1789. Nid effeithiodd ddim ar ysgol Dafydd Ddu Eryri nac ar destunau'r eisteddfodau nac ar gelfyddyd y beirdd. Dengys rhagair Saesneg Dafydd Ionawr i 'Gywydd y Drindod' farn unfryd y cyfnod am y gyfrol:

> Of the poems lately published under the name of Dafydd Gwilym, I must confess that my opinion is the same as that of the public. Far be it from me to reflect in the least upon the taste of the honourable Society of Gwyneddigion. They intended, no doubt, to rescue the works of a celebrated bard in his time. But . . . the success is not likely to answer their good intentions . . .

Ie, ond pwy ddisgwyliai canai cog mewn mawnog yn y mynydd, a phwy ddisgwyliai mai gan un o'r 'Tadau Methodistaidd' y ceid y gwerthfawrogiad llwyraf a chyntaf yn ei gyfnod o awen Dafydd ap Gwilym, ac y cynhyrfid ef drwy ei ddarllen i ymdaflu i fyd y bardd hwnnw oni chanodd ei hunan gywydd sy'n gwbl ar ei ben ei hun o ran naws, geirfa a sylwadaeth ymhlith cerddi ei gyfoeswyr? Ym Mhenucha ger Caerwys y cyfansoddwyd y cywydd, ar adeg pan oedd y llenor yn afiach. Cymerwn enghreifftiau a ddengys newydd-deb y gwaith:

> Dy fron froc, dew, firain, fraith . . .
> Y cor-was llimp mewn crys llwyd . . .
> Trewi dant dy freuant fraith . . .

Dyna linellau a geirfa ac ynddynt fywyd ac egni diriaethol a sylwadaeth nas ceir yng ngwaith neb arall sy'n trin yr iaith yn 1793. Dyma fardd Cymraeg wedi darganfod yr un byd ag a ddarganfu Dorothy Wordsworth a Coleridge ychydig flynyddoedd wedyn, ond fe agorwyd drws y byd synhwyrus hwn iddo ef gan hen fardd o'i genedl ei hun a'i iaith ei hun. Ac nid dynwared Dafydd ap Gwilym mewn cywydd ymarferiad, megis y gwnaeth Lewis Morris, a wna ef. Ni chais ychwaith wneud *pastiche* ar ddull ap Gwilym megis awdur

'Cywyddau'r Ychwanegiad'. Ond fe aeth i mewn i fyd Dafydd ap Gwilym gan gadw ei feddwl a'i gymeriad ei hun. I mi, bu darllen y cywydd hwn megis darganfod planed newydd mewn rhan o ffurfafen barddoniaeth y tybiwn nad oedd ynddi ddim mwyach yn anhysbys neu ddim o leiaf yn llwyr neilltuol.

Cywydd i'r Aderyn Bronfraith
a gyfansoddwyd, Ionawr 1793,
gan y diweddar
T. Jones.
Dinbych
Argraffwyd gan Thomas Gee.
1823.

Os bydd ennill oddiwrth werthiad y Papuryn hwn, cyflwynir y cyfryw at wasanaeth y Gymdeithas Genadawl.

Ti edn eirioes, bergoes, bach,
Dlysyn, p'le ceir dy lwysach?
Dy fron froc, dew, firain, fraith,
Iawn-lunaidd, y mae'n lanwaith:
A dawnus yw dy anian;
A mydr gwych y medri gân:
Gwas sy lon, ag osle iach,
O'th fân-wŷdd p'le mae'th fwynach?

O frig cyll, rhwng gwyll a gwawl,
Bu rwydd-fwyn dy bereiddfawl;
O dderwen, llwyfen, llefi,
O ffraw nwyf, i'n deffroi ni:
Pennaeth y gerdd, pwy ni'th gâr,
O caid dy lifaid lafar?

Croesaw it', hylaw helynt,
Difyr hoen; a da fo'r hynt.
Ti gei ddewis teg ddiau,
Y lwys ddôl, neu'r faenol fau:
Hed a thrig yn y wig wych,
Y man a'r pryd y mynnych:
Y berllan, o b'ai eurlles,
Gei ar dro, i neidio'n nes:
A neidiwr diflin ydwyd,
Y cor-was llimp mewn crys llwyd.
Rhag fy ngardd ni'th waharddaf;

91

Dy hoffi, dy noddi wnaf:
Cei brysgoed neu lysg-goed lwyn,
Ganllaw rhag gwalch a'i gynllwyn:
Naid heb sen o'th glofen glwyd
I brofi y boreufwyd:
Gwrachod rai a gai yn gêd,
Neu brawf o hirain bryfed:
Arhô, myn bigo bagad,
A grawn llwnc yn gryn wellâd.
Neb ni fyn, ond cerlyn caeth,
Warafun dy oreu-faeth:
O ceri'r wledd, cei aros
(Ni'th ladd neb) oni'th ludd nos.

A nyth o mynni wneuthur,
Cei le'n fain mewn celyn fur,
Neu 'nghanol tew ysgewyll
Prysg-ffyn a chelyn a chyll;
(Tydi a'th wâr gymhares
Yn awr wych gwanwyn a'i wres),
Yno 'nghêl cei dawel dŷ;
Gwêl ateg i'th gwiw lety
Uwch dŵr digynnwr, da gell,
Hylaw, dda, i'r hil ddiell.
Addas it gael llonyddwch,
Heb raid ffo nac un tro trwch.
It ado'n gwaun, bert edn gwych,
Nis mynnwn; wyt was mwynwych.
O bruddglwyf â'th bereiddglod
O'm rhoi'n rhydd, da fydd dy fod.

Cenaist im lawer caniad,
O ddogn rhwydd, yn ddigon rhad:
Cenaist yn ddigon cynnes
Cwyn i ladd, o gwnai cân les.
Y llonwas, rhoit y llynedd,
Er hin laith, o'th orhoen, wledd:
Celfyddyd hyfryd yw hi;
Dilynaist hyd y leni;
Llawen wyt a llon eto,
A'th gerdd heb fyned o'th go':
'Nôl d'esgyn i'th frigyn fry,
(A fi 'ngwaelod fy ngwely)
Dy fawl, gyda gwawl, a gaf
Yn addysg o'r mwyneiddiaf.

92

I ebrwyddo'r bereiddiaith
Trewi dant dy freuant fraith,
Yna'n rhes daw'r gynnes gân
O fwynedd dy fyw anian
Ac o hoenedd, gyw heini',
Fodd mwyn, sy'n rhyfedd i mi:
Gan ei grym, fel gwin, a'i gwres,
Menu wna ar fy mynwes.

Ac yn nentydd, gain anterth,
Neu'r nawn 'by'ch ar nen y berth,
Melyslais o aml oslef
Syber a wnei, is wybr nef;
Da ac eon dy gywair
Melys; sain boddus e bair;
Ac wrth ddilyn (gerth eiliad)
Gwaith dy ddydd, y meddydd mad,
Dy ddawn, mewn goleulawn gell,
O ddiwylliant fydd well-well.
Doi, heb rwnc â'th bwnc o'th ben,
Gwiw ddyri brig y dderwen;
Tôn ddi-ddyrys, felys, faith,
A newidiad mewn nod-waith,
Iawn-dda *drebl*, yn ddi-drabludd,
O ddawn bêr (diddana' budd)!
A *chontra*, deheua' dysg,
Fo'n gu im, yn fwyn gymysg;
Isel neu uchel awchwaith,
(Mor ddifai ni seiniai saith)
Ac erddigan gwir ddeugwell
Na mawl yr uch-gorawl Gell.

Ple cawn un côr rhagorach
Na ffrwd dy big bertig, bach?
Er i ddiddan wŷr ddeuddeg
Roi cân a chwiban â cheg,
A chrythorion mwynion, maith,
Ddigylus, ddeuddeg eilwaith,
Dy goethlef, y da gethlydd,
Orig fach, yn fwynach fydd;
Am beroriaeth, odiaeth wyt;
Organ od, eurgain ydwyt.

Dy gerdd yn hyfryd a gaf
'Nôl gwywo niwl y gaeaf;
Oni roist ern, arwest in',
Eisoes o'th freuant iesin?
Cychwynnaist, mewn co' chwannog
Drimis maith cyn gwaith y gog;
(Hin deg, mor wiwdeg ydyw
Ei gwên erioed i'r gwan ryw?)
Ond o dychwel awel oer
Yn llidiog, a'i throi'n lledoer,
Gwylia, na fydd ddigalon,
Call yw'r dysg, rhag colli'r dôn;
I ben daw (buan y dêl)
Y garwedd ac oer awel. (?)
Ei phrif ias ni phery fawr,
Ni rynni gan rew Ionawr.
Ar fyr bydd y dydd yn deg,
A didol dithau d'adeg:
O gwena haul y gwanwyn,
Hwylia fant a'th dant yn dynn;
A chân yng ngwres hirdes haf
Mal osai o'r melysaf.

Bellach, mae'n bryd im' bwyllo;
Egwyl ge's i gael i go' —
Yr hwn a'th wnaeth mor heini
A'th wnaeth yn bregeth i ni:
Rhoes dy ffriw, dy liw, dy lun,
Dy orthorch nad yw wrthun,
Dy gylfin ddi-wad gelfydd,
Neu'th hardd big, y gwledig gwlŷdd,
Dy dda wisg, dy ddwy asgell,
A'th ddawn bâr, i'th ddwyn i bell,
Cymhibau, pibau, pob ais,
Efo'r iawnllef arianllais,
A thonau dy goeth anian:
E'u rhoes, wrth fesur a rhan,
I'th ddodi'n ddrych, llonwych, llawn,
A cherddor o wych eurddawn,
Gyw hyddysg, at gyhoeddi
Clod ein Naf, i'n clywed ni.

Ce'st, gwir yw, er byw'n y byd,
Ail fuddiol wiw gelfyddyd:
E'th wnaeth mewn saernïaeth syw,
Yn eilradd i ddynolryw,
Neu'n well, er mor bell eu bost,
Na'r ofergall ry fawrgost.
Dilys y gwnei adeilad
Fo'n g'wilydd i glebrydd gwlad:
Adeili, yr edn dilesg,
(Wychlawn hwyl) *â chlai neu hesg*!
Pa saer a wna, pe sorrai,
Fwthyn iawn, o'r fath a wnai?
Gwnai ddwbin â'th gylfin gwâr
Yn lliwus, heb un llwyar;
Ac heb sŵn gwnai fwswn fur,
Yn deg goronfa'n dŷ crynfur,
A'i briddgalch yn ddifalch dda,
Yn astud waith gonesta'.
Arluni, yn wir lawnwych,
Y gre' iawn gell, gron a gwych.
A'th epil, lwm-eiddil lu,
Yn fwythwych ti wnei faethu;
Diwall y cedwi dyaid
Heb waith plwy, yn hwb o'th plaid.
Edn gwael, e'th ddysgwyd yn gu,
Wir fuddiol, i'w ryfeddu;
Dy ganiad, a dy geinwaith
A'th nod, sy ryfeddod faith.
Gwelir ynot, mi goeliaf,
Lwyswaith a hynodwaith Naf.
Enwog odidog ydyw
Naws ei rin mewn isa' ryw.
P'sawl rhyfeddod (glaernod glwys)
Gannaid, mae'n byd yn gynnwys?
P'sawl darn, p'sawl drych, o'i wych waith,
A 'mgynnig i'n trem ganwaith?
A llyfr ei waith, llefair wawl
Y llinellau'n llawn ollawl:
A beunydd mae aml bennod
I'n mysg, er ein dysg, yn dod.

Darn lleiaf ei lwysaf law,
Yn wiw uthr y gwnâi athraw;
Cyw adeiniog bywiog beth,
Heb rygylch y rhôi bregeth;

95

A dysgai inni dwysgen
Am y Glyw, sy'n byw yn Ben,
Gwiw-faint ei rym a'i gyfoeth
A'i faith synnwyr di-ŵyr, doeth.

Doed dyn i dderbyn ei ddysg
Anhaeddawl, gan edn hyddysg:
Caed Iôn fawl (o'i hawl ei hun)
Llwyr wiwlwys yn lle'r eilun.*   *sef y dyn.

Os mawr yw ein Glyw, a'i glod,
O *un* dernyn dearnod,
Beth am wedd y mawredd maith,
A ddeillia o'i *dda oll-waith*?
A thrwy'r wedd o uthr raddau
Ei rad waith, a roed i wau,
(Isod, ac uwch rhod, y rhif
Yn eres, yn aneirif)
Beth am fawredd, glwysedd glân,
Yr hynod Iôr ei hunan!

[*Cyflwynedig i ddisgynnydd y bardd, y Gwir Anrhydeddus* Syr J. Herbert Lewis, *Penucha, Caerwys.*]

Y Llenor, Hydref 1933

Lewis Edwards, Edward Anwyl, a'r Gyfundrefn Addysg

Yr wyf newydd dreulio tridiau mewn ysgol ramadeg ac wele rifyn Gŵyl Ddewi *Y Faner* yn fy wynebu. Ger fy llaw y mae'n digwydd bod cyfrolau blynyddol *Y Traethodydd* ac yn yr amgylchiadau, yr oedd yn naturiol imi droi at yr erthygl enwog a sgrifennodd Lewis Edwards ganrif union yn ôl, yn *Y Traethodydd* 1849, i apelio am ysgolion gramadeg i Gymru. 'Ysgolion Ieithyddol i'r Cymry' oedd teitl yr ysgrif. Yr oedd sôn y pryd hynny am sefydlu prifysgol i Gymru yn Aberhonddu, ac apeliai Lewis Edwards am godi ysgolion ieithyddol neu ysgolion gramadeg, un o leiaf ymhob sir, er mwyn paratoi bechgyn ar gyfer prifysgol o'r fath. Bu'r erthygl hon yn garreg filltir gofiadwy ar y ffordd a arweiniodd i'n cyfundrefn o addysg uwchradd bresennol. Eleni, ganrif ar ôl ei hysgrifennu, cyhoeddir adroddiad y Cyngor Cymreig ar 'Ddyfodol Addysg Uwchradd yng Nghymru'. Y mae safbwynt yr adroddiad newydd hwn yn wahanol odiaeth i safbwynt erthygl Lewis Edwards: ond, oni buasai am ei erthygl ef, ni chawsid ychwaith mo'r adroddiad hwn eleni.

Y mae'r erthygl honno gan Lewis Edwards hefyd yn un o'r darnau pwysicaf o feirniadaeth lenyddol a ysgrifennwyd yn Gymraeg yn y bedwaredd ganrif ar bymtheg. Ymdriniodd Mr Gwenallt Jones â hi yn *Y Traethodydd* yn 1945. Y mae ychwaneg eto i'w ddweud ar yr agwedd honno arni. Yr hyn y dymunaf i sylwi arno'n ysgafn yn y nodiadau hyn yw'r syniadau am addysg a'r gwahaniaeth a ddaeth ar y syniad am addysg yn y can mlynedd a fu er pan sgrifennodd Lewis Edwards.

Yr oedd yn rhaid i Lewis Edwards yn 1849 ddadlau gwerth dynion dysgedig i'r gymdeithas Gymreig. Y mae'n ogoniant iddo mai gwerth dysgeidiaeth ynddi ei hun i'r genedl a faentumir ganddo, nid ei gwerth fel moddion i fechgyn godi yn y byd neu fynd i swyddi allan o Gymru:

> Nid llai yr angen (am ddynion gwybodus) wrth ystyried y lliaws. Gellir disgwyl y bydd y nifer mwyaf o ieuenctid ein gwlad yn derbyn, neu mewn cyfle i dderbyn, cymaint o addysg ag a wna y tro iddynt hwy yn yr ysgolion cyffredin; ond os na ddygir hwy weithiau i gyffyrddiad â dynion mwy gwybodus na hwy eu hunain, nid yw yn gofyn dirnadaeth gref i ganfod yr ânt yn fuan i dybied eu bod yn gwybod y cwbl. Y maent wedi

mynd felly yn barod mewn rhai mannau; ac os na chodir safon dysgeidiaeth yn uwch yng ngolwg y wlad, ein cred yw y bydd yr oes nesaf yn genedl o ddynion mwy hunanol ac arwynebol nag un a welwyd erioed er pan amcanwyd adeiladu tŵr Babel.

Gellir canfod dylanwad S. T. Coleridge, a'i ddadl ef o blaid yr eglwys sefydledig yn Lloegr, yn y darn uchod. A nobl iawn yw moliant Lewis Edwards i alwedigaeth yr athro ysgol ac i'w ran ef yn y gymdeithas Gymreig:

> Y rhwystr mawr sydd ar y ffordd yw syniad isel y Cymry am ansawdd a gwerth dysgeidiaeth. Dyma lle y mae gwraidd yr afiechyd, a dyma lle mae eisiau cymhwyso y feddyginiaeth . . . Ped argyhoeddid ein cydwladwyr i weled yn iawn pa beth yw dysgeidiaeth, ynghyd â'r gwerth sydd ynddo, byddai'r alwad yn rhwym o greu moddion digonol yn fuan tuag at ddiwallu'r angen. Ceid gweled bechgyn doniol yn heidio i'r ychydig ysgolion ieithyddol sydd eisoes wedi eu codi . . . Ceid gweled y gwŷr dysgeidicaf yn holl drefydd Cymru, fel y mae rhai ohonynt eisoes, yn ei chyfrif yn fraint ac yn anrhydedd i gael bod yn ysgolfeistri: a meibion y teuluoedd boneddigeiddiaf yn cael eu dwyn i fyny i'r swydd honno. Ac ni ryfeddem pe gwelid rhai o gyfoethogion ein gwlad, hyd yn oed yn y dyddiau hyn, yn efelychu sylfaenydd haelfrydig ysgol Llanymddyfri ac yn gadael cyfran o'u meddiannau i wneud lles cyffredinol. Ond cyn y gwelir hyn oll, y mae llawer i'w wneuthur tuag at oleuo y genedl ac ehangu ei golygiadau.

Yr hyn a wnaeth Lewis Edwards bennaf yn rhan gyntaf ei erthygl ydoedd diffinio Dysg o newydd i'r Cymry. Yr oedd Cymru wedi cyfranogi yn y Dadeni Dysg yn yr unfed ganrif ar bymtheg a'r ail ar bymtheg. Gwyddai Cymry Cymraeg yn y canrifoedd hynny beth oedd Dysg, beth oedd y Dadeni Dysg, beth oedd safonau Dysg a'i gwerth. Y pryd hynny yr oedd yn bod bendefigaeth Gymraeg. Ond erbyn y bedwaredd ganrif ar bymtheg diflanasai'r bendefigaeth Gymraeg, a chollwyd gyda hi draddodiad a safonau Dysg. Cenedl o werin bobl ddibendefigaeth oedd Cymru wedi diwygiad crefyddol y ddeunawfed ganrif — cenedl nad oedd yn genedl, cymdeithas werinol grefyddol heb orffennol na thraddodiadau. Yn awr, Lewis Edwards a roes i'r genedl honno safonau. Ef a aileglurodd, a ailddiffiniodd Ddysg i'r Cymry a'i gyfraniad rhyfedd ef oedd cysylltu'r gymdeithas werinol-grefyddol, newydd, Gymreig, â thraddodiadau a safonau'r gymdeithas bendefigaidd, Brotestannaidd Gymreig a gawsid yng nghanrifoedd egni'r Dadeni Dysg yng Nghymru. Dyna bwysigrwydd ei erthyglau mynych ef ar ryddiaith Gymreig yr ail ganrif ar bymtheg, ei ysgrifau ar Homer a Kant a Goethe a Coleridge. Ond yn 'Ysgolion Ieithyddol i'r Cymry' y diffiniodd ef safonau Dysg yn ffurfiol bendant yn ysbryd y Dadeni, ac os ymddengys ei erthygl ef yn 1849 yn hynod henaidd ac yn briodolach i'r ail ganrif ar bymtheg nag i ganol y bedwaredd ar bymtheg, deallwn mai peth da oedd ailgydio Cymru fel yna â'i gorffennol ei hunan, sef yr union beth a gollasai.

Ebr Lewis Edwards:

Mewn perthynas i ansawdd dysgeidiaeth, meddylia rhai ei fod yn gynwysedig mewn llaw-ysgrifen dda. Mae'n wir fod hon yn gelfyddyd ddefnyddiol, fel y mae y gelfyddyd o aredig, neu wneud esgidiau; ond y mae y tu allan yn llwyr i gylch dysgeidiaeth.

Mae'n amheus a gytunasai dysgeidwyr y Dadeni â hyn. Iddynt hwy, yn yr Eidal yn y bedwaredd ganrif ar ddeg megis yn yr Oesoedd Canol drwy Ewrop, yr oedd ceinder llawysgrifau yn gelfyddyd ddysgedig. Dyna un wedd ar feddwl y Dadeni nas gwerthfawrogid yng nghyfnod Lewis Edwards, ond y mae ef yn olyniaeth y Dyneiddwyr pan elo ymlaen i ddweud:

Dealler o hyn allan nad oes neb yn meddu hawl i sôn am ei ddysgeidiaeth os na fydd yn alluog i gyfieithu unrhyw lyfr Lladin neu Roeg heb gymorth gramadeg na geirlyfr. Dyma y dosbarth isaf; dyma'r cyntedd nesaf allan. Cyn y dichon iddo gael derbyniad i'r dosbarth arall, yn yr hwn y mae'r dysgedigion pennaf yn cartrefu, y mae'n rhaid iddo fedru ysgrifennu Lladin a Groeg yn gywir, heb gymorth gramadeg na geirlyfr, a hynny yn rhwydd ac yn rhydd. Dyna i chwi waith, lanciau Cymru; a gwaith y mae'n rhaid i chwi ymaflyd ynddo o ddifrif, os ewyllysiwch fod yn ddynion dysgedig.

Y mae hyder ac awch Dyneiddiwch y Dadeni yn yr anogaeth, yr un sêl ag a geir, dyweder, yn nhraethawd Saesneg Milton ar addysg. Nid oes gan y Saeson air hyd heddiw yn eu hiaith hwy i roi enw ar y Dadeni Dysg. Bodlonant ar fenthyg gair gan y Ffrancwyr a soniant am *Renaissance*. Ond y mudiad hwnnw a roes gychwyn i'n holl syniad ni am "ddysg" neu "ysgolheictod", ac a sefydlodd nod a rhaglen ysgolion gramadeg. Ac y mae Lewis Edwards wrth osod cyfansoddi'n rhwydd a rhydd yn y Roeg a'r Lladin yn ailddiffinio i Gymru fodern yr *imitatio veterum* a fu'n gychwyn i holl safonau llenyddol yr unfed ganrif ar bymtheg ac i feirniadaeth lenyddol hefyd. Y mae'n gwbl yn ysbryd Dyneiddiaeth y Dadeni fod ysgrif Lewis Edwards yn symud ymlaen i osod canonau beirniadaeth lenyddol glasurol, a bod y feirniadaeth lenyddol honno yn tarddu allan o ddiffiniad o Ddysg a phle dros ysgolion gramadeg i Gymru. Y mae undod ysbrydol a chynwysfawredd yr holl ysgrif yn atsain o unoliaeth gweledigaeth cyfnodau mawr y Dadeni.

Ac yn awr mi symudaf hanner canrif ymlaen ac edrych ar *Draethodydd* 1899. Erbyn hyn yr oedd ysgolion gramadeg Cymru wedi eu sefydlu, ac wele ysgrif gan athro yng ngholeg y Brifysgol yn Aberystwyth, sef Edward Anwyl, ar destun sy'n ymddangos yn gwbl yn olyniaeth Lewis Edwards, 'Ysgolion Canolraddol Cymru yn eu Perthynas a Phlant Galluog'.

Och, y gwahaniaeth a wnaethai hanner canrif. Yr oedd mawredd gweledigaeth y Dadeni yn ysgrif Lewis Edwards. Galwodd ef ar "lanciau Cymru", plant y werin, i fynd i mewn yn eofn i etifeddiaeth Dyneiddiaeth. Ni soniodd am fudd na mantais oddi wrth Ddysg oddieithr yn unig y lles i'r "genedl Gymreig", y fantais i'r holl gymdeithas genedlaethol Gymreig o gael dynion dysgedig i godi safon meddwl yr holl bobl. Galw ar y werin i fagu pendefigion er ei lles ysbrydol yn unig a wnâi Lewis Edwards yn 1849.

Ac yn 1899 wele Edward Anwyl yn ysgrifennu fel hyn:

> Mae yn berffaith sicr mai un o'r anogaethau cryfaf ym meddyliau a chalonnau sylfaenwyr y gyfundrefn ganolraddol yng Nghymru oedd yr awydd am gynorthwyo bechgyn a merched o alluoedd uwch na'r cyffredin i wneud y gorau o'u talentau, a dringo i'r safle a haeddent ar hyd graddfa addysg.

Addysg yn ysgol i ddringo i'r "safle a haeddent". Y mae gwaeth yn dilyn. Erys pwysigrwydd Lladin a Groeg, ond eu pwysigrwydd yn awr yw mai moddion ydynt i ennill ysgoloriaethau, peth anhepgor i'r dringwr cymdeithasol:

> Mae hyn yn bwysig i'r plentyn cyfoethog, ond y mae yn bwysicach fyth i'r plentyn tlawd. Cyn y gall ef fyned i un o golegau Rhydychen neu Gaergrawnt, er enghraifft, bydd yn rhaid iddo ennill ysgoloriaeth ... Nid pob ysgol nac athro a all baratoi bachgen am ysgoloriaeth yn Rhydychen neu Gaergrawnt, ac y mae o'r pwys mwyaf i fachgen o amgylchiadau cyffredin fyned i ysgol lle y caiff ei baratoi yn ofalus ac yn drwyadl gogyfer ag ysgoloriaeth o'r fath.

Os na all y bachgen tlawd fforddio mynd i ysgol lle y "paratoir yn drwyadl gogyfer ag ysgoloriaeth o'r fath" cynghora Anwyl ef i geisio am ysgoloriaeth yn un o'r "colegau cenedlaethol Cymraeg" a gweithio am radd ym Mhrifysgol Cymru!

Gwelsom weledigaeth Lewis Edwards ar werth y clasuron, sef eu bod yn gynlluniau o orau mynegiant a meddwl y ddynoliaeth. Ond yn ysgrif Anwyl yn 1899 gwerth Groeg a Lladin yw eu bod yn anodd a bod eu meistroli gan hynny yn disgyblu'r bachgen i lwyddo:

> Gwelwn, felly, ei bod yn bwysig i blant galluog Cymru, os am lwyddo, ddysgu yn ddiwyd ac yn ddiflin o'r cychwyn, ac nid dysgu rhywbeth ychwaith, ond dysgu pethau anodd.

A phwysa'r awdur am gael ysgolion gramadeg i ganolbwyntio sylw ar y plant galluocaf:

> Nid ymdrinir yma ond ag addysg y rhai fyddont yn meddu ar ddigon o alluoedd ac uchelgais i fedru gobeithio dringo, gydag ymdrech a bendith, i rengoedd uchaf y galwedigaethau.

A gweler i ble yr arweiniai egwyddorion addysg Edward Anwyl yn 1899:

> Er y dylai plant galluog gael digon o awyr iach, eto, wrth edrych ar yr ymgystadlu diflino a geir ym mhob cyfeiriad, rhaid dweud nad oes ganddynt lawer o amser i'w golli ym more oes mewn chwaraeon neu unrhyw bethau y tu allan i'w gwersi. Gresyn, ar ryw olwg, na chawsai plant fwy o hamdden, ond gallaf sicrhau, yn ôl yr hyn a wn am yr amgylchiadau, nad oes gan blentyn, fyddo yn dymuno ennill ysgoloriaethau yn y Prifysgolion a'r cyffelyb, ddim amser i'w golli na'i wastraffu ar bethau amherthynasol. Pan y byddo ef yn gorffwys bydd eraill yn gweithio, a'r diwyd yn unig a all ennill y dorch.

Ni wn i a ysgrifennwyd erioed, nac yn y Gymraeg nac mewn iaith arall, ddim mwy bas a thaeogaidd am addysg.

Trychineb Cymru yw bod ei chyfundrefn addysg wedi colli rhwng 1849 a 1899 weledigaeth a dyneiddiaeth Lewis Edwards ac wedi mabwysiadu syniadau isel maniffesto Anwyl yn 1899. Canys ysywaeth, yr oedd erthygl Anwyl yn nodweddiadol, yn ddrych o'i gyfnod, yn ddrych o'r hyn a wnaeth cyfundrefn arholiadau'r Bwrdd Canol Cymreig a'r ysgolion canolraddol o addysg yng Nghymru. Ac ysbryd Anwyl a'i gyfnod sy wedi rheoli o 1899 i 1949 fwy na heb. 'Dyfodol Addysg Uwchraddol yng Nghymru' — beth amdano? Ni ellir heddiw ddychwelyd at ddyneiddiaeth Lewis Edwards yn ei manylion. Ond y mae ysbryd ei ysgrif glasurol ef ar 'Ysgolion Ieithyddol i'r Cymry' yn galw arnom ar draws canrif o drasiedi addysgol i feddwl o newydd am ysgolion fel rhywbeth amgen na moddion i ddringo.

Y Faner, 26 Chwefror 1949

Y Wraig Weddw

Pe gofynnid imi enwi'r stori fer orau yn y Gymraeg, nis medrwn. Ond nid oes gennyf un amheuaeth ynghylch y stori fer *macabre* orau. Fe'i ceir yn *Chwedlau Saith Doethion Rhufain.* Cyhoeddwyd y chwedlau hyn droeon. Defnyddir argraffiad 1925 yr Athro Henry Lewis o hyd gan ysgolion a cholegau. Ceir fersiwn poblogaidd yn *Cymru Fu,* 1862. Mae arnaf ofn fod cwestiynau arholiad y Bwrdd Canol wedi cuddio gogoniant y chwedlau hyn oddi wrth blant ysgol, ac nad yw'r bobl mewn oed heddiw yn darllen *Cymru Fu.* Gan hynny ni phetrusaf gopïo'r chwedl arbennig hon yn llawn i ddarllenwyr *Y Faner,* nid yn union fel y mae hi yn *Cymru Fu,* ond gan gymharu'r fersiwn sydd yno â'r fersiwn a gyhoeddwyd yn 1925. 'Y Wraig Weddw' yw teitl y stori.

Yr oedd gynt was ieuanc o Rufain yn Siryf yn Lesodonia. Ac un diwrnod yr oedd ef yn naddu paladr, a'i wraig yn cellwair gydag ef ac yntau'n chwarae gyda hithau. Ac wrth hynny fe gyfarfu blaen ei gyllell ef â'i llaw hi, oni ddaeth ei gwaed hi. A chynddrwg oedd ganddo ef hynny fel y brathodd ef ei hunan dan ei fron â'i gyllell ac y syrthiodd yn farw i'r llawr. Wedi trefnu'r corff yn briodol yn y llys, ducpwyd ef tua'r llan i'w gladdu. A rhyfedd nad oedd ysig pennau ei bysedd hi rhag ffested y maeddai hi ei dwylo ynghyd wrth gwyno colli ei gŵr. Uwch oedd pob llef a ddiasbedai hi nag a oedd o gorn a chloch dros wyneb yr holl ddinas.

Ac wedi claddu ei gŵr a chilio o bawb o'r eglwys, archodd ei mam i'r unbennes ddyfod gyda hi adref. Tyngodd hithau i'r Gŵr-a-oedd-uwchben nad âi hi oddi yno oni fyddai hi farw.

"Ni elli di," eb ei mam, "gywiro y gair hwnnw. Ac am hynny, iawnach yw iti ddyfod i'th lys dy hun i gwyno dy ŵr na thrigo mewn lle ofnog aruthr fel hwn mor unig â hynny."

"Mi brofaf a allaf i hynny neu beidio," eb hithau. Yna peris ei mam gynnau tân golau mawr ger ei bron hi a gado bwyd a diod i'w dreulio pan ddelai newyn arni, gan na bydd newyn yn crefu am ei fwydo.

A'r nos honno yr oedd marchog arfog cadarn o'r gaer yn gwylied herwyr a grogasid y dydd hwnnw. Ac fel yr oedd ef yn troi o gwmpas o bell ac o agos, fe welai olau amlwg mewn lle na welsai ef olau ynddo cyn hynny erioed. A brathu ei farch a wnaeth i edrych pa le yr oedd y tân, a pha achos oedd am ei gynnau. A phan ddaeth yno, fe welai fur a mynwent ac eglwys, a thân uchel golau yn yr eglwys. A ffrwynglymu ei farch a wnaeth ef wrth borth y fynwent, a chyda phob gofal ac yn ei arfau hwylio i'r eglwys i edrych pwy oedd ynddi. A phan ddaeth, nid oedd namyn morwynwraig ieuanc yn eistedd uwchben bedd newyddgladdu, a thân golau di-fwg o'i blaen, a dogn o fwyd a diod yn ei hymyl.

A gofyn a wnaeth ef beth a wnâi dyn mor ieuanc o oedran a mor ddi-nerth o gorff a mor addfwyn o bryd mewn lle mor llawn ofn â hwnnw ar ei phen ei hun. Ac yna y dywedodd hithau nad oedd arni ofn dim cymaint â hwyred yr oedd angau yn dyfod iddi. A gofynnodd y marchog iddi pa achos oedd i hynny.

"Claddu," eb hi, "y gŵr a gerais i fwyaf yn fy mywyd, ac a garaf tra fwyf fyw, yn y lle hwn heddiw. A diogel garu ohono yntau finnau yn fwy na neb, gan iddo ddwyn ei angau ei hun o'm hachos i."

"A! Unbennes," heb y marchog, "pe gwnelit fy nghyngor i, ti droit oddi wrth y meddwl hwnnw ac a gymerit ŵr a fyddai gystal â'th ŵr dy hun, neu a fyddai well."

"Na fynnaf, myn y Gŵr-y-sydd-uwchben! Ni chymeraf ŵr fyth ar ei ôl ef."

A gwedi ymddiddan ohonynt sbel, fe gyrchodd y marchog tua'r crocbren. Pan gyrhaeddodd ef yno, yr oedd un o'r lladron wedi ei gymryd ymaith. A drwg oedd hynny gan y marchog; canys gwasanaeth y marchog oedd, dros holl dir ei dalaith, cadw gwŷr bonheddig a grogid rhag eu dwyn gan eu teuluoedd i'w claddu.

A thrachefn y daeth ef at yr unbennes, a mynegi ei stori iddi a'r hyn a ddigwyddodd.

"Pe rhoddit dy gred ar fy mhriodi i, mi'th ryddhawn i di o'r helbul."

"Dyma fy ffydd," eb ef, "y'th briodaf."

"Dyma fel y gwnei," eb hi, "datgladd y gŵr sydd yma, a chrog ef yn lle yr herwr. Ac ni bydd neb yn gwybod hynny ond ni ein dau."

A datgladdu y bedd a wnaeth ef oni ddaeth at y corff:

"Dyma hwn," eb ef.

"Bwrw ef i fyny," eb hithau.

"Myn fy nghyffes," eb ef, "haws fyddai gennyf i ymladd â thri o wŷr byw na dodi fy llaw ar un gŵr marw."

"Fe'i dodaf i," eb hi. A bwrw naid gyflym i mewn i'r bedd a thaflu'r corff i fyny hyd ar lan y pwll.

"Dwg ef bellach tua'r crocbren," ebr hi.

"Duw a ŵyr," eb ef, "na allaf i na'm march ymdeithio ond gydag anhawster rhag maint sydd o arfau amdanom."

"Fe'i gallaf i," eb hi. "Cod di ef ar fy ysgwydd i." Ac wedi ei gael ef ar ei hysgwydd cerddodd hithau ag ef gan frasgamu fel gŵr dewr oni chyrhaeddodd y crocbren.

"Och," eb y marchog, "pa dda yw hynny? Yr oedd dyrnod cleddyf ar ben yr herwr."

"Taro dithau," eb hi, "ddyrnod ar ben hwn."

"Na thrawaf, ym cyffes!" eb ef.

"Ym cyffes, fe'i trawaf i," eb hi. A thrawodd ddyrnod mawr â'i gleddyf ef ar ben ei gŵr.

"Ie," ebr y marchog, "pa dda o hynny? Yr oedd yr herwr yn ddi-ddant."

"Mi wnaf i hwn yn ddi-ddant," ebr hi. A chymryd maen mawr a dyrchafael llaw arno onid oedd lledr ei wefusau a'i ddannedd yn ddrylliau o angerdd a nerth ei hergyd.

"Ie," ebr y marchog wedyn, "ond gŵr moel oedd yr herwr."

"Minnau a wnaf hwn yn foel," ebr hi. A dyma hi'n cymryd pen ei gŵr rhwng ei deulin, a'i dau droed hi wrth ei ddwy ysgwydd ef. Na gwraig yn cneifio, na gŵr yn eillio, ni bu'r un mor gyflym ag ydoedd hi yn tynnu gwallt pen ei gŵr. Ac ar fyr o dro, o'i dalcen hyd at uchaf ei gorun ni adawodd hi un blewyn heb ei dynnu ymaith, mwy nag y gadai'r memrynnydd wrth gyweirio memrwn.

Ac wedi iddi ddarfod hynny archodd hi i'r marchog ei grogi.

"Dyma fy nghred," eb ef, "nas crogaf ef, ac nas crogi dithau ef chwaith. A phe byddit ti yr unig wraig yn y byd, ni fynnwn i ddim ohonot ti. Canys os buost ti mor anghywir â hyn i'r gŵr a'th briododd yn forwyn, ys anghywir o beth a fyddit i minnau, a thi heb weled golwg arnaf erioed hyd heno. Ac am hynny dos di y ffordd y mynni: canys ni fynnaf i dydi fyth."

Dyna'r stori. Ni chredaf fy mod yn dweud dim gormod wrth ddal nad oes yn holl lenyddiaeth y *macabre* ddim i guro hon. Mae'r cefndir wedi ei gyfleu mor gofiadwy, y nos, yr eglwys, y tân gerllaw'r bedd yn yr eglwys, a'r crocbren draw a'r herwyr yn gyrff arno yn y gwyll. A'r awgrymiadau o enbydrwydd, disgrifiad y fam o'r lle "ofnog aruthr", herwyr yn grog, marchog yn ei gyflawn arfau ar ei ben ei hun yn gwylio, perthnasau'r crogedig yn cyniwair drwy'r nos ac yn cipio'r corff.

Mor gynnil yw'r brawddegau sy'n cyfleu hyn oll. Y mae'r awdur yn feistr ar ddisgrifio ystum. Os benthyciodd ef oddi wrth stori 'Iarlles y Ffynnon' y darlun o'r weddw yn y cynhebrwng, daw ei rym arbennig ef ei hun i'r darlun diweddarach ohoni yn "brasgamu'n wrol-ddrud" a'r gelain ar ei hysgwydd. Wedyn daw'r darlun erchyll egnïol ohoni'n cneifio pen ei gŵr. Mae'n wiw sylwi fod yr arddull, pan ddisgrifir hi'n plicio'r gwallt —

> Na gwraig yn cneifio na gŵr yn eillio, ni bu yr un gynt yn ginio pen ei gŵr na hi —

104

megis yn barodi bwriadol ar y disgrifiad o Olwen yn stori Kulhwch ac Olwen —

Na golwg hebog mud na golwg gwalch trimud, nid oedd olwg degach na'r eiddi.

Erbyn hyn y mae'r unbennes, a oedd ar y cychwyn, megis Thisbe yn stori Ofydd am Buraf a Thisbe, wedi datblygu'n anghenfil arswydus fel Lilith.

Trwy gyfrwng dialog neu ymddiddan y llunnir cymeriad grotesg ac erchyll y wraig. Mae'n syn mor ddeheuig yw'r ymddiddan ac mor foddhaol ac artistig yw'r terfyniad. Un o straeon mwyaf "llenyddol" y Gymraeg yn yr Oesoedd Canol yw'r stori hon, un o'r campweithiau mawr, er ei byrred. Y mae'r grefft sy'n cyfuno anghenfiledd ag arswyd heb fethu ergyd, gydag eironi Groegaidd, a disgrifio sicrddethol a dialog dramatig, wedi creu un o storïau perffaith ein llenyddiaeth.

Yn llyfr *Saith Doethion Rhufain* Cato Hen sy'n dweud y stori hon. Megis pob un o'r Doethion tyn yntau wers o'r stori. Ni chredaf y byddaf innau'n niweidio artistri'r stori ychwaith wrth wahodd y darllenwyr i'w darllen hi fel dameg am dro. Enghraifft o anffyddlondeb sy'n arswydus ac yn angenfilaidd, yn anhygoel, yn wrthun-chwerthinllyd, yw'r wraig weddw.

Yr ydym ni yng Nghymru heddiw yn agos iawn at syrthio i'r unrhyw ofnadwyaeth â'r wraig weddw yn stori Cato Hen. Y mae rhywbeth sy'n peri crechwen dieflig, chwerthin annynol ysbrydion colledig sy'n ymborthi ac yn ymhalogi ar ennill dynion i sathru'r cysegredig dan draed, yn yr olwg ar Gymry heddiw, yn feirdd ac yn gynghorwyr sir, yn barod i werthu Eryri a broydd harddaf holl Ogledd Cymru i'r Awdurdod Trydan Prydeinig. Fe ddywedech fod y peth yn amhosibl, nad oes dim modd fod dwy farn o gwbl ar y pwnc hwn yng Nghymru. Beth bynnag yw'n difaterwch ni am dynged yr iaith Gymraeg, am ddyfodol Cymru fel cenedl, am lên a diwylliant sy'n ddifwlch er y chweched ganrif, beth bynnag am hynny oll —

Aros mae'r mynyddau mawr,
Rhuo trostynt mae y gwynt,

ac fe dyngech ein bod ni o leiaf yn ddiogel ein gofal, yn ddiogel ein serch at y rhain. Gwyddom nad oes dim tebyg iddynt yn union yn Ewrop oll, fod ynddynt ac iddynt gysegredigrwydd o brydferthwch sy'n gysylltiedig â'n holl lenyddiaeth ni, ein holl farddoniaeth, ein holl hanes, ie ein bod —

Ac os bydd peth o'm defnydd yn y byd
Ar ôl yn rhywle heb ddiflannu'n llwyr —

105

yna

> Ninnau gyda hwynt
> Adawn gymynrhodd o atgofion pêr
> I'r awel dyner eu mynwesu fyth,
> Neu fyth i wywo ar y niwl uwchben

Na, na, 'rown ni ddim Eryri i'r pôn — neu, a wnawn ni? Y nefoedd fawr, y mae cwestiwn, y mae amau. A ydyw'r wraig weddw yn wir yn plicio gwallt celain ei gŵr? Na, hunllef, hunllef. 'Dyw'r peth ddim yn bosibl, ddim mwy na bod bwriad i ddifetha Nant Gwynant a Nant Ffrancon a holl ogoniant Conwy a Mawddach.

Y Faner, 10 Mai 1950

Gyrfa Filwrol Guto'r Glyn

(Darlith a draddodwyd i'r Academi Gymreig, Ebrill 8, 1974)

Ychydig o ragymadrodd gyntaf. Bardd o'r bymthegfed ganrif yw fy nhestun i. Ysywaeth, maes i draethodau M.A. yw beirdd Cymraeg y ganrif honno. Go brin y clywch chi am leygwr neu bobl heb wneud Cymraeg, fel y dywedir, yn troi am bleser i ddarllen neb o'r cywyddwyr ar ôl Dafydd ap Gwilym. Mae amryw rwystrau. Un yw geirfa'r beirdd a'u cystrawen, er bod y golygyddion wedi helpu i ddod dros hynny. Mae confensiwn y canu hefyd yn rhwystr go fawr. Moliant arglwyddi ac uchelwyr yw deunydd y rhan fwyaf ohono. Nid y mater yn unig sy'n gyffredin i bob bardd, ond trefn a dull y moliant, yr adrodd achau, y trosiadau a'r cymariaethau, yr holl gyfeiriadaeth, y ffigurau a'r troeon ymadrodd. Gwell cydnabod ar unwaith fod hyn yn fynych yn feichus anniddorol ac undonog a diawen. Mae ychydig ddetholiadau, megis yn yr *Oxford Book of Welsh Verse*, o'r herwydd yn fwy na digon i lawer darllenydd. Rhwystr arall yw confensiwn crefyddol y cyfnod. Mae'r beirdd i gyd yn gatholig grefyddol. Hyd y gwn i, 'does dim canu i Dduw a Mair a'r saint yn ail hanner y bymthegfed ganrif sy'n farddoniaeth fawr na dwys, ond y mae dysg ac arferion a chalendr a defodau'r eglwys yn trefnu holl dyddiau ac achlysuron y glêr yn union megis yn Lloegr neu Ffrainc. Y mae hynny i Gymry heddiw mor ddieithr fel na ellir deall yn aml gyfeiriadau reit ystrydebol. Dyma enghraifft o gywydd marwnad Gutyn Owain i Guto'r Glyn. Mae o'n sôn am abad Glyn y Groes a gladdodd y Guto:

> A'i wledd wrth ei ddiweddu
> Mor rhydd â gwledd Ferwydd fu,
> Cann, rhost a mêl cynnar haid,
> Rhoi gwinoedd rhag ei enaid.

Pan ddatganodd Gutyn Owain y cypledau hyn yn ffreutur y fynachlog ar ôl cinio mi allwn fod yn sicr i'r abad a'r brodyr a phawb wrth y byrddau dorri allan mewn chwerthin. Wedi direidi'r llinell gyntaf roedd y cablu diniwed mor ddigri. Ni ellid rhoi dim "rhag yr enaid" ond aberth y groes; byddai bara cann a mêl a rhost a gwinoedd braidd yn fach o gynnig. Yn awr y mae'r cyfeiriadau crefyddol a defodol hyn yn lluoedd gan yr holl gywyddwyr, megis y maen' nhw yn wir o ganu Taliesin ymlaen. Mae awyrgylch y canu yn llunio gwlad wahanol i'n Cymru ni, er mai'r un yw'r iaith.

Ond yn y bymthegfed ganrif y mae rhyw bedwar neu bump o feirdd sy'n defnyddio'r holl ystrydebau a'r holl gonfensiwn ac er hynny yn rhoi stamp personoliaeth ar eu cyfraniad ac yn croesi'r ffin drosodd atom ni. Un o'r mwyaf o'r rhain yw Guto'r Glyn. Fe'i ganed, mi dybiaf i, tua'r flwyddyn 1420 yng Nglyn Ceiriog, yn fab i un Siancyn y Glyn nad oedd yn uchelwr. Yr oedd Guto yn fachgen eithriadol. Fe dyfodd yn gyflym i fod yn llanc tal, mawr o gorff, pryd tywyll, gwrdd wyneb, bwyall o drwyn, gwallt du — fe aeth yn foel cyn canol oed, — dwylo fel dwylo gof, — ai gof oedd ei dad? — yn bencampwr ar fwrw maen ac ar farchogaeth. Yr un mor gryf o ddeall ag o gorff, yn cablu er yn chweblwydd yn ôl ei gyffes ei hunan. Rhaid fod rhyw abad neu brior o fynachlog Ystrad Marchell wedi ei glywed, wedi craffu arno ac wedi gweld yn hynny addewid eithriadol a'i gymryd i'r fynachlog a rhoi addysg iddo. Y mae ei wybodaeth Feiblaidd a'i wybodaeth gyffredinol yn ehangach nag eiddo'r mwyafrif o'i gyd-feirdd. Wedi hynny ar hyd ei oes fe fu'n arbennig gartrefol mewn mynachlogydd a phersondai; mae gan Ifor Williams restr ohonyn nhw ar dudalen xvi o'i Ragymadrodd i'r *Gwaith*. Ac os oedd Guto'r Glyn mor gryf o gorff â D. J. Williams, a'r un mor gryf o ddeall, yr oedd ef fel D.J. hefyd wrth ei fodd mewn cwmni, yn enwog ddigri ei hunan ac yn cynhyrfu digrifwch y lleill. Rhaid fod un o'r mynachod wedi gweld yn ei ffraethineb ef ddeunydd bardd; yr oedd ei gablu mor bert. Mi dybiaf mai mynach oedd ei athro barddonol cyntaf. Ond yn ei gywydd marwnad ef ei hunan i Lywelyn ap y Moel, y milwr o fardd a gladdwyd yn Ystrad Marchell, mae Guto'n dweud;

> Yntau naf yn ein tŷ ni
> A gladdwyd rhwng arglwyddi.

Mae "yn ein tŷ ni" yn bwysig. Yr oedd Guto gyda Llywelyn yn ei awr olaf, oblegid y mae'n disgrifio'r Tad Riffri yn gweinyddu sacrament yr olew olaf arno cyn ei farw. Mae'n amheus gen i a fuasai Guto yno yn ysbyty'r bardd heb fod rhyw gysylltiad arbennig rhyngddynt. Ac fe gladdwyd Llywelyn rhwng arglwyddi Powys gydag anrhydedd. Mae Guto yn ei alw'n "fronfraith Owain" Glyndŵr. Ond 'welodd Llywelyn ap y Moel erioed mo Owain. Fe fu allan ar herw droeon ac am ysbeidiau hir gyda'r gwylliaid a oedd yn weddillion byddin Glyndŵr. Yr oedd ei ddewrder yn ddihareb, a'i farchogaeth beiddgar. Roedd ei ddigrifwch yr un mor enwog; canodd gywyddau gogan a'i gymryd ei hunan yn destun. Y mae hyn oll yn drawiadol debyg i dueddiadau Guto'r Glyn. A gaf i awgrymu fod Llywelyn yn ymwelydd go fynych yn Ystrad Marchell cyn iddo fynd yno i farw ddiwedd Ionawr 1440, a bod ei esiampl ef yn fardd ac yn filwr ac efallai ei wersi ef mewn cerdd dafod wedi dylanwadu'n fwy na dim ar yrfa Guto'r Glyn? Canodd Guto gywydd marwnad iddo, y cyntaf o'i gampweithiau:

Mae arch yn Ystrad Marchell
Ym mynwent cwfent a'u cell.

Y dyddiad yw Chwefror 1440. Yr oedd yntau, mi dybiaf i, yn ugain oed, ei brentistod ar ben. Nid oedd neb wedi ceisio gwneud mynach ohono. Yr oedd ei Saesneg yn rhugl. Y tebyg ydy' iddo fod droeon ar deithiau porthmona dros y fynachlog yn Lloegr. Nid hel defaid yn unig a wnâi; yr oedd iddo enw am hel merched.

Felly y cychwynnodd ef ar ei daith glera i'r Deheudir, ac yn naturiol cyrchu at Ystrad Fflur. Cafodd groeso a gofiodd drwy'i oes gan yr abad Rhys. Ef oedd ei noddwr cyntaf, ac un ffyddlon i'w noddwyr fu Guto hyd y diwedd. Mae ganddo gywyddau ac awdlau i'r abad Rhys ac ymhen tair blynedd fe ganodd ei farwnad. Ymlaen wedyn tua Gwent. Rwy'n tybio iddo gyrraedd Euas erbyn y Sulgwyn. Yno yr oedd ysgwier ifanc tua phump ar hugain oed, un Harri ap Gruffydd. Yr oedd ef eisoes wedi bod yn filwr yn Ffrainc gyda byddin Lloegr yn erbyn Siarl VII, brenin Ffrainc. Bu farw ei dad; dychwelodd yntau i gymryd meddiant o'i stad. Yr oedd ei fam Mawd yn cadw tŷ iddo, ac yr oedd yntau fel llawer milwr yn afradlon hael o'i win ac o'i aur. Tyfodd cyfeillgarwch sydyn a chlòs rhyngddo ef a Guto'r Glyn; yr oedd ganddynt gymaint yn gyffredin. Cerdd dafod i ddechrau; cyfansoddai Harri gywyddau serch a thynnodd ef Guto i'w helpu gyda'i garu. Wedyn yr un mabolgampau:

> Och ym ar dir a chymell
> O bu ŵr â bwa well,
> Na chystal, ynial annerch,
> Ar y maen mawr er mwyn merch.

> I minnau, gwarae gwiwraen,
> Y bu air mawr er bwrw maen, —
> Hiroedl a fo i Harri
> Y sydd i'm diswyddaw i.

At hynny pryd tywyll; Harri *Ddu* oedd ef a deil Guto:

> Ni cheir er ofn na charu
> Un dewr dewr ond o ŵr du,

a'r praw o hynny:

> Duw ei hun oedd ŵr du hael.

Aeth y ddau bencampwr yn y Cwrt Newydd yn Euas i drafod y dyfodol. Dywedodd Harri Ddu fod y *Duke of York* wedi ei benodi'n llywodraethwr yn Ffrainc ac yn bennaeth y fyddin yno a'i fod ar y pryd gyda Syr Wiliam ap Tomas yn Nhre'r Tŵr ym Mrycheiniog yn trefnu i Syr Wiliam fod yn aelod o'i gyngor ef a dyfod allan i Normandi gyda byddin Gymreig. Yr oedd Harri am fynd yn ôl i'r fyddin, tybed a hoffai Guto fynd gydaf ef? Cytunodd Guto'n frwdfrydig a thrannoeth carlamodd y ddau ar eu meirch i Dre'r Tŵr. Ebr Guto yn ei farwnad i Harri yn 1467 wrth gofio'r tro:

> Cwrtiwr oedd y milwr main
> Cryfaf o Iorc i Rufain ...
> Fy nghariad, fy nghynghorwr,
> Fy llyfr gynt, fy llaw fu'r gŵr;
> Dug fi at y Duke of York[1]
> Dan amod cael deunawmorc.

Mae pob cymal yma'n bwysig. Yr oedd Harri'r cwrtiwr yn cyflwyno Guto i gymdeithas uwch ei moes a'i harfer na chynefin y bardd: fy nghynghorwr, fy llyfr gynt, fy llaw fu'r gŵr. Rhaid fod Dug Iorc a Syr Wiliam wedi hoffi'r olwg ar y llanc, a chyflogi milwyr oedd eu busnes. Deuddeg punt oedd deunawmorc, a dyna, mi dybiaf, gyflog blwyddyn gŵr arfog, *man at arms*, am flwyddyn yn y fyddin. Fe wyddom mai'n rhan o fintai Syr Wiliam Tomas yr aeth Guto i'r fyddin; mae'n dweud hynny wrth gofio Tre'r Tŵr:

> Yno bu i minnau baement
> Ar dy lifrai, Gwalchmai Gwent,
> Yno y cefais naw cyfarch
> A gwell ymhell fu fy mharch.

Fe'i swynwyd gan y moesgarwch a'r croeso a chan y cyfle a'r anturiaeth. Y term technegol Saesneg am y cytundeb rhyngddo ef a Iorc oedd *indenture*, a'r arfer yn ôl yr haneswyr oedd cyflogi am flwyddyn a rhyddid i'r milwr ar ben y flwyddyn ymryddhau a mynd adref neu ynteu ail gyflogi. Gair Guto'r Glyn amdano yw "patent", a phan fu farw'r abad Rhys yn Ystrad Fflur yn 1443 fe gwynodd Guto:

> Rhyfedd oedd i'r gŵr hoywfoes
> Dorri â mi ar derm oes,
> A cherdd, myn Siat, yn batent
> Rhof a Rhys a rhoi fy rhent;
> Myn yr haul, pe mor greulawn
> Dug yn Iorc, digio a wnawn.

[1] *Dug fi at y Duke of York. Duc* yn y *Gwaith*, a dyna'r arfer mewn sgrifennu Saesneg yn y cyfnod, ond *Duke* fel heddiw oedd y cynaniad, ac i'r Cymro trôi hynny wrth gwrs yn Diwg.

Mis Mehefin 1441 yr hwyliodd Dug Iorc a'i fyddin, a Syr Wiliam Tomas a'i fintai o Gymry yn rhan ohoni, o Portsmouth i Normandi, glanio yn Harfleur a mynd ymlaen i'r brifddinas, Rouen.

Dyma gyfnod olaf y rhyfel Can Mlynedd, fel y gelwir ef, rhyfel rhwng brenhinoedd Lloegr a Ffrainc ar y cychwyn, ond erbyn hyn yn rhyfel rhwng Lloegr a Ffrainc. Llosgwyd Siân o Arc gan y Saeson yn Rouen yn 1430. Bu Dug Bedford, y gorau a'r callaf o frodyr y ffiaidd dduwiol Harri'r Pumed, farw yn 1435. Hyd yn oed cyn hynny yr oedd buddugoliaethau'r Ffrancwyr yn argoeli terfyn buan a llwyr ar oresgyniad y Saeson yn Normandi. Am y brwydro yng Ngogledd Ffrainc rhwng 1435 a 1450, mae'r haneswyr Saesneg yn bur gynnil. Fe gewch lyfrau poblogaidd yn olrhain pob diwrnod cyn brwydr Agincourt ac wedyn, ond anodd cael manylion am y blynyddoedd hyd at golli Rouen a'r cwbl ond Calais. Dyna'r brwydro y bu Guto'r Glyn yn ei brofi.

Fe wyddom fod ugeiniau o hen filwyr Owain Glyndŵr wedi mynd i Ffrainc yn rhan o fyddin ei orchfygwr ef, Harri'r Pumed o Loegr. Nid oedd hynny, fel y dangosodd Howel T. Evans yn *Wales and the Wars of the Roses*, ond dechrau. Nid y beirdd yn unig a beidiodd â sôn am Owain Glyndŵr. Fe droes uchelwyr Cymru eu cefnau'n derfynol ar holl draddodiad politicaidd Owain Fawr a Llywelyn Fawr ac Owain Glyndŵr. Bellach rhan o deyrnas Lloegr oedd Cymru. Ond 'phoenodd meddyliau politicaidd fel hyn ddim oll ar Guto'r Glyn pan laniodd ef yn Harfleur. Yr oedd ffafr a lifrai Syr Wiliam Tomas o Raglan a nodded Dug Iorc yn cau'r drws ar ddelfrydau Llywelyn ap y Moel. Yr oedd ef yn ifanc ac mewn cwmni o wŷr ifainc fel fo'i hunan, mentrus, rhyfygus, dibris, a brwydro yn ddawns o orfoledd iddynt, "dawns mawr ar hyd Aensio a Maen". Yn fuan ddigon fe gafodd gyfle i ymuno â'r gatrawd a oedd dan arweiniad Syr Mathau Goch. *Condottiere* o Gymro yng ngwasanaeth Lloegr oedd y cochyn hwn, yr enwocaf o'r holl Gymry yn Ffrainc, "broch â bar coch yn bwrw cant," medd Guto amdano gan anghofio nad oedd dewr dewr ond pryd du. Mi gredaf mai'r flwyddyn gyntaf hon iddo yn Ffrainc, 1441, y canodd Guto ei gywydd i Fathau Goch. Mae ganddo ddau gywydd sy'n dweud yn helaeth am ysbryd a *morale* y llanciau a ymladdai ar feirch dan Fathau Goch. Y cywydd hwn yw'r cyntaf. Mae Howel Evans wedi rhoi inni ddyfyniadau gwerthfawr o ferdid y Ffrancwr Blondel a chroniglwyr Ffrangeg eraill ar Fathau Goch, sy mor groes i foliant Guto ag y gallai dim fod. Ond mae'r Ffrancwyr eu hunain yn gytûn mai ef oedd y cadfridog a'r ymladdwr mwyaf hy ac enbyd a fu gan y Saeson yn ugain mlynedd olaf y rhyfel. Nid oedd iddo gymar ond ym myddin y Ffrancwyr. Y mae Alfred Byrne yn ei lyfr *The Agincourt War* yn galw La Hire a Poton de Xantrailles yn "Castor and Pollux of the Vallois army" ac yn dweud am La Hire mai ef oedd arwr cenedlaethol Ffrainc; "and his visage still adorns the Jack in a French pack of cards". Hwn a'i gyfaill Poton yw'r ddau gapten y mae Guto'r Glyn yn eu gosod gyda Mathau Goch:

> Pan fu ymgyrchu gorchest
> Ym min Rôn a'i wayw mewn rest
> La Her a roes law i hwn,[2]
> Felly gwnâi betai Botwn.

Hyd yn oed yn awr yn ei flwyddyn gyntaf yn Normandi fe ŵyr Guto fod y Ffrancwyr yn ennill y rhyfel, ond deil ef yn eiddgar y gall Mathau Goch eto achub Lloegr:

> Gwayw a chorff Mathau Goch hael
> A gyfyd Lloegr o'u gafael ...
>
> F'enaid wrth ein rhaid yn Rhôn.

Rhôn yw Rouen y brifddinas. Ond er gwybod mai colli'r dydd yr oedd Lloegr 'doedd hynny'n menu dim ar ysbryd mintai Mathau Goch yn 1441. Hwyl, sbri, — y gair Saesneg yw *lark* — oedd y rhyfel iddyn nhw, ac un ohonyn *nhw*, yn gorfoleddu yn y rhialtwch mawr, oedd Guto. Ni allai dim ond profiad yn anterth llencyndod egluro'r llinellau sy'n disgrifio'r gwynfyd:

> Ni fethodd twrn i Fathau,
> Un yw ef a wnâi ei wŷr,
> Anian teirw, yn anturwyr,
> Gŵr antur ydyw'r mur mau,
> Gwŷr antur a gâr yntau.
> Milwyr fu ei wŷr efo,
> Main gwns tir Maen ac Ainsio,
> Rhad ar eu dewrder a'u hynt,
> Rhyw flodau rhyfel ydynt,
> Heliant goed a heolydd —
> Ho-Hw, La Her! — fal hely hydd.

"Rhyw flodau rhyfel ydynt!" Fel y mae llencyndod athrylith yn darganfod y gwrtheiriad syfrdan; ac yn union wedyn, "Heliant goed a heolydd, Ho hw, La Her!" Rhaid fod bechgyn y fintai a oedd yn gwrando ar y cywydd wedi codi ar eu traed a gweiddi gyda'r datgeiniad, "Ho hw, La Her!"

Ar derfyn ei gytundeb blwyddyn 'rwy'n barnu i Guto fynd yn ôl i Gymru ac i Bowys. Yr oedd hynny'n arfer. Fe dreuliodd hefyd beth amser ym

---

[2] *La Her*: Y cynaniad Saesneg oedd *here* ac felly'r *Her* Cymraeg.

mynachlog Ystrad Fflur a oedd yn gynefin â lletya milwyr. Ond yr oedd ei *indenture* gyda Dug Iorc gymaint yn ei feddwl fel y soniodd amdano fel y gwelsom yn ei gywydd marwnad i'w noddwr a'i ffrind, yr Abad Rhys. Fe droes wedyn tua Gwent ar ei ffordd yn ôl i ail ymrestru yn y fyddin yn Ffrainc. Ar y ffordd fe arhosodd gyda Thomas ap Watcyn Fychan. Yr oedd hwnnw hefyd ar gychwyn i Ffrainc, ac y mae Guto'n gofyn ai gwir:

> Dy rifo o'r dorf ieuainc
> Deg ei ffriw o'r Dug i Ffrainc?

Y "dorf ieuainc deg ei ffriw": gallech yn hawdd feddwl mai un o'r beirdd Saesneg ar ddechrau'r rhyfel byd cyntaf megis Rupert Brooke piau'r disgrifiad. Ar derfyn y cywydd mae'n bendant fod y ddau'n mynd gyda'i gilydd, ond yn y cyfamser mae Guto'n cynnig chwarae gêm ryfel drwy ymladd ar y byrddau. Llu Lloegr fydd y beirdd a'r datgeiniaid, gwesteion Tomas dros yr ŵyl. Llu Ffrainc fydd y gwin gwyn a'r gwin coch a'r meddyglyn a'r cwrw. Y Dolffin — 'dydy Guto fyth yn cydnabod i Siân o Arc ei goroni'n frenin, — fydd y gwin gwyn, La Her yw'r meddyglyn cryf, a'i gyfaill Poton yw'r cwrw sydd, yn ôl Guto, wedi ei fragu o geirch ac mor ddiflas â gwin coch Poitou, peth sy'n wir hyd heddiw. O lu'r Duke of York y beirdd yw'r gwŷr arfog a'r datgeiniaid yw'r saethyddion, dyna ddwy ran y *lance* yn y fyddin. Galw a wnawn ebr Guto:

> "Sain Siôr" ar draws ynys Went.
> Dy win a eilw "Sain Denis".

Fel yna'n union yr âi byddinoedd Lloegr a Ffrainc i'w hymladdau, ond yr oedd digon eto'n fyw ym Mhowys ac yng Ngwent a glywsai "Sain Siôr" yn atseinio ar ddygwyl y sant, Ebrill 23, 1406, pan laddwyd dros fil o fyddin Glyndŵr a mab i'r tywysog yn eu plith. 'Dyw disgybl Llywelyn ap y Moel yn cofio dim am hynny. Mae'r cywydd i Domas ap Watcyn Fychan yn cyhoeddi'n ddigri ac yn orfoleddus y nwyfiant a'r asbri a'r direidi dibris a oedd yn gyrru'r bardd yn ôl at Fathau Goch a'r *Duke of York*.

Rydw i'n bwrw iddo gyrraedd Normandi yn 1444. Mae'r cywydd nesaf sy gennym o'i waith bum mlynedd yn ddiweddarach, sef y cyntaf o'r ddau gywydd i Syr Risiart Gethin, ac yn Caen yn Normandi y datganwyd ef. Erbyn hyn mae Guto'n tynnu at ei ddeg ar hugain oed. Mae popeth yn Ffrainc wedi newid er gwaeth iddo. Mae'r sbri fawr ar ben. Mae trefi Normandi Seisnig yn syrthio o un i un i'r Ffrancwyr, ac yn awr, yr unfed ar bymtheg o fis Hydref, 1449, wele fyddin Siarl VII yn gwarchae prifddinas y dalaith, Rouen neu Rôn Guto. Y mae Dug Iorc wedi colli ei swydd ac wedi ei alltudio i Iwerddon. Dug Somerset yw'r pennaeth ar y fyddin Seisnig, ond wedi tridiau o'r gwarchae y mae dinasyddion Rouen yn nannedd y Saeson yn agor gatiau'r ddinas i fyddin Ffrainc. Does dim yn bosib ond ildio. Mae Somerset yn gadael Wiliam Talbot — Iarll Amwythig yn ddiweddarach — gydag wyth marchog arall yn wystlon i'r Ffrancwyr. Yna mae'r Dug a'r holl swyddogion a'r gweddill byddin Seisnig yn ymdreiglo orau y gallant, ar feirch rai a rhai ar draed a'u gwragedd a'u plant bach gyda hwynt, i Caen, darn o Normandi sy'n aros dro bach dan y Saeson, ac y mae'r garsiwn Seisnig yno yn troi allan i wylio'r Dug a'i rawt yn cyrraedd. Mwy na thebyg fod Mathau Goch gyda'r garsiwn yn craffu. Dano fe fyddai Wiliam Herbert, mab Syr Wiliam o Raglan a oedd wedi mynd adref gydag Iorc, Harri Ddu o Euas, Tomas ap Watcyn Fychan, Siôn Dafi o Gemais ym Mhowys a fuasai allan er 1441, a nifer o ysweiniaid Cymreig eraill gyda'u iwmyn a'u gweision. Ac wele'r gatrawd o Rouen yn dyfod drwy strydoedd culion y dref fechan, yr arglwyddi a'r ieirll a'r capteiniaid beilch digalon. Ond mae cynnwrf yn y garsiwn Cymreig; 'dyw pennaf cydymaith Mathau Goch, sef Syr Risiart Gethin, ddim yno. Buasai Gethin yn gapten Mawnt a Mathau'n gapten Mawns. Buont gyda'i gilydd mewn cyrchoedd ysgubol. Yr oedd y ddau wedi ennill cyfoeth mawr yn Ffrainc, a Gethin, cyn belled yn ôl â 1434, wedi rhoi benthyg mil o bunnoedd i Ddug Bedford i dalu cyflogau milwyr. Beth oedd wedi digwydd i Gethin? Trannoeth, Hydref 20, 1449, wrth fwrdd cinio'r fintai Gymreig, y gwrandawyd ar gywydd cyntaf Guto i Syr Risiart Gethin ar goll. Yr oedd bod bardd yn diddanu cwmni'r milwyr ar derfyn diwrnod o waith yn arfer yn y catrodau Ffrengig a Seisnig. Y tebyg yw fod Guto wedi canu droeon i Risiart Gethin a Mathau Goch yn ystod y rhyfel. Awgrym go bendant mai i gynulleidfa o sawdwyr y canwyd y ddau gywydd i Gethin yw bod ar y mwyaf o regi ynddyn nhw a bod y cypledau cywydd mor agos at siarad ag y gallai cynghanedd fod. 'Dydyn nhw ddim yn farddoniaeth fawr, oddieithr yn unig agoriad y cywydd cyntaf o'r ddau; mae'n werth mynd ar ôl hanes yr ansoddair *oer* er mwyn cael blas y cwpled cyntaf:

> Oer oedd weled urddolion
> A'r ieirll yn dyfod o Rôn,
> Pob capten o sifften Sais
> O waelod Lloegr a welais;
> Band rhyfedd, — O'r Mawredd mau!
> Beili Mawnt! Ble mae yntau? . . .
> O Fair ddi-wair, a ddaw ef
> Yn hydr yma 'nghefn Hydref?

Ac y mae Guto'n gorffen y cywydd yn debyg ddigon o ran ysbryd i ganu'r fyddin Seisnig cyn Dunkirk yn y rhyfel diwethaf:

Cadw'r tir yn hir a wna hwn;
Cadw Rôn fel iôn yn flaenawr ...
A chadw Ffrainc, iechyd i'w ffriw.

Y mae'r ail gywydd i Gethin rai dyddiau'n ddiweddarach. Mi dybiaf mai yn
Calais y cyfansoddwyd ef a bod Guto gydag eraill o'r fintai Gymreig ar eu
ffordd yn ôl i Loegr a Llundain. Aethai si ar led fod Syr Risiart Gethin yn
garcharor yn nwylo'r Ffrancwyr, ac y mae Guto'n croniglo'r newydd gyda'r
ystrydeb a ddefnyddiai'r beirdd wrth adrodd am farw noddwr:

Y mae glaw am y glywais
O'm pen yn llithraw i'm pais,

Ond dyma newydd gwahanol ac y mae Guto'n rhegi o lawenydd:

Dug pwrsifand o Normandi
Duw Mawrth chwedlau da i mi,

Dydd Mawrth, Hydref 25, mi gredaf:

Dynion a ddywad anwir
Ddala'r gwalch, — i ddiawl air gwir!
Ond plant gwragedd Normandi
Yn ceisiaw'n gwenwynaw ni.

Melltithio'r Normaniaid, cyd-ddeiliaid brenin Lloegr bythefnos gynt, yw
byrdwn gweddill y cywydd, er cydnabod fod Syr Risiart eto "ar gil". O hyn
ymlaen mae'r haneswyr yn colli Syr Risiart. Mi dybiaf iddo gyrraedd Calais a
rhoi hugan euraid yn wobr i Guto am ei ddau gywydd. "Caffwn a fynnwn o'i
fudd," meddai Guto amdano a'i alw'n "baun aur":

Pan ddêl yr angel o Rôn
Pawb ni fedr ond edrych, —
Pand ef yn y dref yw'n drych?

Fe deithiodd y llinellau hyn o flaen Guto i Gymru. Ond ni wyddom hyd yn
hyn ddim ychwaneg am Risiart Gethin. A fu ef wedyn gyda Mathau Goch yn
Formigny, y frwydr olaf yn Normandi, a'i ladd yno? Bu cyflafan enbyd ar
fyddin y Saeson yno ac â chroen ei ddannedd y dihangodd Mathau Goch yn
fyw. Does dim sôn wedyn am Gethin nes bod Guto'n croesi Dyfi eto. Rydw i'n
tybio i'r bardd gyrraedd Llundain a'i fod yno pan laddwyd Mathau Goch ar y
bont gan ddilynwyr Jack Cade yn 1450 a phan ddychwelodd ei hen noddwr,

Dug Iorc, yno o Iwerddon. Gydag ef yn Llundain yr oedd ei hen gyfaill, Siôn Dafi o Gemais, un a oedd hefyd yn ffefryn gan fab ifanc Dug Iorc, yr hwn oedd cyn hir i fod yn Edward IV, brenin Lloegr.

Yna yn ôl i Gymru cyn diwedd 1450 a'i gael yn Rhaglan yn canu'r cywydd i Syr Wiliam ap Tomas, cywydd sy'n dwyn atgofion am y tro ddeng mlynedd gynt y cyfarfu ef gyntaf â Syr Wiliam a gwisgo'i lifrai. Erbyn hyn nid lifrai neb ond y brenin sy ganddo a chlog euraid Syr Risiart Gethin ac y mae'r hen ddigrifwch yn torri allan pan ddywed ef wrth Syr Wiliam:

> Uwch wyt tithau, blodau'r blaid,
> Uwchlaw gwŷr a chlog euraid.

Gwisg i arglwydd oedd clog euraid, ac ymhen rhyw ddeng mlynedd fe basiwyd deddf yn y senedd yn gwahardd i neb arall ei arddel. Ond fe laddwyd arglwyddi yn y rhyfel yn Ffrainc a bu llawer clog euraid yn ysbail i orchfygwr. Bu gwisgo'n llachar yn bleser gan y bardd ar hyd ei oes; mae ganddo gywyddau i ddangos hynny. Does dim rhyfedd felly ei fod wrth groesi Dyfi ar ei ffordd adref yn siarsio Ieuan ap Hywel Swrdwal i ganu clod clog euraid Rhisiart Gethin. Teitl y cywydd mewn un copi yw "Diolch am yr hug euraid a roesai Sr. Rich. Gethin capten yn Ffrainc yn amser Mathew Goch i Guto'r Glyn" ac mewn copi arall ceir "Ieuan ap Howel Swrdwal ai cant drwy ras i Gytto yn i arch". *Ar* ei arch, wrth gwrs, a ddylai fod. Y cywydd hwn yw'r sôn olaf a gawn ni am Gethin ac y mae'n ddarlun o'r milwr o Bowys yn swancio adre o'r rhyfel yn ddigon hoyw, a dwy linell neu dair yn cyfeirio at ei foliant ef ei hunan i Risiart Gethin:

> Mi a dybiais, lednais lw,
> Mai paun oedd y mab hwnnw,
> Gweled hug mal golau tân
> Goreuraid i'r gŵr eirian . . .
>
> Yngwaith merched y gwledydd
> Ei edrych fo fal drych fydd
> A gofyn i ddyn neu ddau,
> Pwy yw'r unben a'i piau?

Pwy yw'r unben a'i piau? Beth tybed oedd statws Guto ar derfyn y brwydro yn Ffrainc? Mae gennym ni air Gutyn Owain iddo gael urddas bardd swyddogol yn y fyddin:

> Milwr fu, mawl ar ei fin,
> Mwy ei urddas na Merddin.

Dychwelodd i Gymru, nid yn lifrai Syr Wiliam ap Tomas, ond gan ddwyn:

Ar fy mron arfau 'mrenin,

ac y mae Gutyn Owain yn ei farwnad hynod ffeithiol yn dweud amdano:

Dwyn o nerth doe yn ei ôl,
Dynion aur dano'n wrol,
Dwyn coler gwychter y gard
A nod y brenin Edward.

Cyfeiriad at frawddeg ym Mreuddwyd Rhonabwy ydy'r llinell gyntaf; mae'r ail linell yn dweud iddo ennill gradd swyddog cwmpaen yn y fyddin a thanio'r milwyr dano yn union fel yr oedd yntau wedi honni am Fathau Goch. "Dynion aur dano'n wrol," 'wn i ddim er chwilio — rwy'n tybio y gellid gwybod — ai ansoddair o glod ydy *aur* 'fan yma ai cyfeiriad at fraint y gard brenhinol. A fu Guto yn swyddog yn y Gard? Fe geir yr un termau gan Guto ei hun yn ei farwnad i'w gyfaill mawr, Harri Ddu o Euas:

Gard aur ysgwieriaid oedd.

A beth am

Dwyn coler gwychter y gard,

ai yn Ffrainc oherwydd ei ddisgleirdeb yn y brwydro y cafodd Guto'r dyrchafiad yma? Canys *gentlemen* yn ystyr dechnegol y term yn y bymthegfed ganrif oedd aelodau'r gard. Does dim modd ateb yn sicr, ond fy nhuedd i yw credu mai yn Llundain, yn Hydref cynnar 1450 y bu hyn. Eiddil yw'r ategion, ond dyma nhw. "Dwyn *obry* gwedi gwin arfau 'mrenin," ebr Guto amdano'i hunan wrth ganu i Syr Wiliam ap Tomas. Ystyr *obry*, rydw i'n tybio, yw 'i lawr acw yng ngwaelod Lloegr', sef Llundain. Dyna'r ystyr yn bendant yn y cywydd i Feredudd ap Howel, "*obry'r* gŵr biau'r goron". Yr oedd Dug Iorc yn Llundain ar y pryd; yr oedd Harri Ddu yno a Siôn Dafi o Gemais, a'r ddau yn perthyn i gylch Iorc, a'r ddau yn ôl pob tebyg yn aelodau o'r gard brenhinol. Pedair blynedd wedyn, ac yntau'n *protector and defensor of England*, fe gafodd Iorc hawl i ddyrchafu pedwar ugain o foneddigion i wisgo lifrai'r brenin. Fy awgrym i yw mai Dug Iorc, ei hen noddwr, a roes i Guto goler y gard yn enw'r brenin, Harri VI, a hynny ar gais arbennig Siôn Dafi a Harri Ddu.

Rydw i'n tybio fod peth ateg i hyn yn hanes Siôn Dafi. Yr oedd ef tua'r un oed â Guto; bu allan yn y rhyfel yn Ffrainc ddeng mlynedd, ond aros yn Llundain a wnaeth ef y deng mlynedd nesaf, ac er ei fod lawer yn hŷn na hwy, fe ddaeth yn gyfaill i Humphrey Stafford ac i fab Iorc, y brenin Edward IV cyn hir. Mae brwydrau achlysurol Lancaster a York wedi cychwyn. Erbyn Ionawr 1461, y mae Stafford a Siôn Dafi gydag Edward, sy'n awr yn Ddug Iorc, ym mrwydr Mortimer's Cross. Maen' nhw wedyn yn Westminstr yn gweld coroni Edward. Tair wythnos wedyn y maent hwy a Syr Wiliam Herbert o Raglan a'r fintai Gymreig gref gyda'r brenin Edward ym mrwydr derfynol Towton yn swydd Efrog. Dychwelant yn orfoleddus i Lundain ac yn ebrwydd mae'r brenin newydd yn cychwyn ar daith tua'r Deau-orllewin ac wedyn i'r Mers Cymreig. Mae Siôn Dafi yn aros yn y palas yn Westminstr ar ben ei ddigon, yn sgwier o'r gard:

> Llewpard i Edward ydwyd,
> Llundain Nudd, llawn doniau wyd . . .
> Gwalchmai holl windai Llundain,

ie ac felly y daw'r drychineb fis Chwefror, 1462, yn ôl *The Great Chronicle of London*:

> In Cheapside, John Davy, a favourite of the king, has his right hand cut off for striking a man before the judges at Westminster Hall . . .
> In the king's palace of Westminster

ychwanegodd golygydd *The Black Book of the Household of Edward IV*.

Y funud y daw'r newydd i glust Guto'r Glyn ym Mhowys y mae ef yn mynd ati i hwylio i Lundain i fod gyda'i hen gyd-filwr a'i gyfaill yn y gard:

> Er treulio punt yn Llundain
> Af trwy'r Mers at eryr main,
> Af i Loegr, wiw olygon,
> I rodio'r Siep lle'r wyt, Siôn.

Mae testun y cywydd yn y *Gwaith* yn anfoddhaol. Dyma fel y dyweid y bardd ei ddigofaint a'i gydymdeimlad:

> Llew aur yn dwyn llaw arian,
> Llaw a rôi giniaw i'r gwan;
> Llew ger bron Lloegr a'i brenin,
> Llaw a roes llawer o win.

Ac o thorred, gwae'i thiroedd,
Llaw gref gyda Lloegr oedd,
Ni thorred dan bwynied bach
Llaw gŵr na llw gywirach.

Yr iarll a'i lath aur a orchmynnodd ei thorri oedd William Neville, iarll Caint a Stiward Teulu'r Brenin. Da y dadleuodd Guto, petai'r brenin gartref, y maddeuid i Siôn Dafi, canys pedair blynedd yn ddiweddarach fe gondemniwyd un arall o gylch cyfeillion y brenin am yr un trosedd yn union, ond fe ymyrrodd y brenin i achub llaw Seint Legier. Yr hyn na ddeallodd na Guto na Siôn Dafi oedd fod ieirll Lloegr wrth eu bodd yn cosbi *a favourite of the King* tra oedd y brenin ymhell.

Mae'r cywydd hwn yn dyst i mi nid yn unig fod dyled Guto i Siôn Dafi yn arbennig, ond iddo fod hefyd gydag ef a Humphrey Stafford yn "eillio'r nordd" ym mrwydr Towton. A dyna, mi gredaf, derfyn ar yrfa filwrol y bardd. Bu wedi hynny, o 1468 hyd 1471, ryfela yng Nghymru a'r Mers, ac y mae gan Guto gyfres o gywyddau, gan orffen gyda chywydd i'r brenin Edward, sy'n trafod helyntion y cyfnod. Mae'r cywyddau hynny'n haeddu astudiaeth drylwyr a manwl. Ond fy marn i ar hyn o bryd yw na bu gan y bardd ran o gwbl yn yr ymladd ger Harlech nac ym Manbri.[3] Gyda choroni Edward IV fe ddaeth yntau'n ôl i Bowys, yn fardd, nid yn filwr mwy.

[3] Y cywydd i William Herbert, rhif XLVIII yn y *Gwaith* yw'r un sy'n disgrifio cyrch Herbert a'i frawd i Harlech a Gwynedd. Fe gyfansoddwyd y cywydd rhwng Awst 15 a Medi 8, 1468. Ni wn i a eglurwyd y cyfeiriadau yn y ddau gwpled cyntaf:

Tri llu aeth i Gymru gynt,
Trwy Wynedd y trywenynt,
Llu'r Pil, llu'r Arglwydd Wiliam,
Llu'r Ficwnt, bu hwnt, — paham?

Awgrymaf mai dyma'r cyfeiriadau:
Cymru gynt, sef Cymru'r Brutiau a'r Trioedd.
Llu'r Pil, sef llu'r brenin Harold a laddodd Gruffydd ap Llywelyn fis Awst 1063. Dywed Lloyd (HW371): "Gerald of Wales speaks of pillar-stones which were erected by Harold to mark the scenes of his victories". O'r gair Lladin am biler sef *pila* y cafodd Guto neu rywun o'i flaen yr enw Pil.
Llu'r Arglwydd Wiliam, sef Wiliam Goncwerwr. Y cyrch y cyfeirir ato yna, mi dybiaf, yw hwnnw a fu yn 1075-6 ac a ddisgrifir ym Muchedd Gruffydd ap Cynan (t.122) ac yn HW 381-4: "Ene doethant hyt en Lleyn . . . a honno vu y bla gentaf a dyvodyat agarw y nordmannyeit y daear Wyned wedy eu dyvodyat i Loegyr".
Llu'r Ficwnt. Awgrymaf mai'r Ficwnt oedd "Mab Hu Iarll Caer Llion" a arweiniodd gydag Alexander frenin fyddin ogleddol Henri I yn 1114. Dyma'r fyddin a fu, yn ôl rhai Brutiau, *hwnt* i Wynedd, ac y mae Guto'r Glyn yn gofyn pam? Efallai fy yr ateb i'w gael yn nodyn 6 Lloyd, HW463. Mae'n ddiddorol fod yr NED yn dweud am *Viscount*, "One acting as deputy or representative of a count or earl . . . Use of the title dates from the reign of Henry VI, 1440". Mae'n ddiddorol fod GPC yn dangos ei ddefnyddio am *Gelbart vikwnt Kaerloyw* yn BT 154 yn y bedwaredd ganrif ar ddeg.

Rhai blynyddoedd yn ôl mi gyfarfûm i â gŵr a fuasai'n swyddog gyda mi yn y *South Wales Borderers* yn y rhyfel byd cyntaf; nid oeddem wedi cyfarfod oddi ar hynny. Wedi sgwrsio a chofio ac atgofio dyma fo'n dweud yn sydyn, "Wyddoch chi, dyna flynyddoedd gorau'n bywyd ni". Wel, dyna ysbryd cywyddau'r milwr a'r swyddog, Guto'r Glyn. Hwyl gŵr ifanc eithriadol gryf o gorff, a llond ei groen o ddewrder ac antur, yn mwynhau'r ymladd a'r lladd a'r llosgi a'r peryglon lu a'r siawns, y mae hynny oll, a'r cariad fel cariad brodyr y mae'r cyfryw fyw yn ei feithrin, yn canu yn y cywyddau hyn.

Ond y mae'r dyn yma hefyd yn fardd, ac fe fydd, yn enwedig yn ei hen ddyddiau, yn fardd mawr. Eithr yn y cywyddau rhyfel hyn yn Ffrainc y mae'r cyntaf o Dri Chof Ynys Prydain, y Cof a fedrai greu undod cenedl a gwreiddio prydydd, wedi ei fwrw'n angof. Y mae rhai haneswyr gyda Howel T. Evans yn sôn llawer am genedlaetholdeb tanbaid beirdd y bymthegfed ganrif megis Lewis Glyn Cothi. 'Fedra' i ddim derbyn hynny. Nid oedd gan Guto'r Glyn o'i ugain oed hyd at ei ddeugain argyhoeddiad politicaidd o fath yn y byd. Yr oedd ganddo un egwyddor, bod yn ffyddlon i'w gyfeillion a'i noddwyr. Hynny sy'n rhoi mawredd urddasol i'w gais ef wrth ddychwelyd i Gymru i Syr Wiliam ap Tomas:

> Moes weithian y darian dau
> I'w dwyn lle bu dy ynau, . . .
> Nid tarian arian neu aur,
> Erchi dy galon lon lân,
> Arglwydd rywiowglwydd Rhaglan.

Ond trwy fynd i fyddin Lloegr fe'i cafodd Guto'i hun mewn amgylchfyd yr oedd cenedlaetholdeb yn llywodraethu ynddo. Trwy drugaredd ni welodd ef losgi Siân o Arc yn Rouen, ond fe welodd ef ganlyniadau hynny. Erbyn 1441 pan gyrhaeddodd ef Rouen, yr oedd y Rhyfel Can Mlynedd wedi troi'n bendant yn rhyfel rhwng dwy wlad, dwy genedl. Fe ysgubwyd yr holl uchelwyr Cymreig a'u iwmyn i dderbyn yn ddigwestiwn eu bod yn rhan o fyddin Lloegr ac o deyrnas Lloegr. Lloegr oedd eu gwlad. Llew Lloegr yw Syr Risiart Gethin yng nghywydd Guto:

> Llew Lloegr a'i llaw a'i llygad,
> Llew terwyn glew *tir ein gwlad.*

Ac fel y gwelsom ni Sain Siôr yw cri rhyfel y beirdd Cymraeg yn y chwarae ar fwrdd Tomas ap Watcyn. Mae'n hynod yn *The Black Book of the Household of Edward IV* fod dygwyl Sant Siôr yn un o'r pum gŵyl fawr yn y flwyddyn gyda Gŵyl yr Holl Saint, y Nadolig, y Pasg a'r Sulgwyn. Mae'n beth cysur i mi heddiw fod y Pab yn ddiweddar wedi taflu Sant Siôr bendramwnwgl allan o'r nefoedd.

Fy mhwynt i, fel y gwelwch chi, yw fod y Prydeindod a welai'r diweddar annwyl J. R. Jones yn bennaf perygl Cymru heddiw, yn mynd yn ôl ymhellach nag y tybiwyd. Mi ddywedwn i mai methiant Owain Glyndŵr a llwyddiant ysgubol y Saeson ym mrwydr Agincourt oedd ei gychwyn. Bu unwaith yn ffasiwn brolio'r bwa Cymreig a'r saethyddion o Gymry yn Agincourt. Wedi'r fuddugoliaeth honno chwanegwyd at nifer y Cymry yn Ffrainc fwyfwy. Nid byddin ffiwdal oedd y fyddin Seisnig mwyach, ond byddin broffesiynol Lloegr. Does dim yn dangos hynny'n eglurach nac yn fwy pendant na chywyddau Guto'r Glyn. A gaf i fentro dweud mai yn y fyddin a gollodd Normandi a phob darn o Ffrainc oddieithr Calais y tyfodd cenedlaetholdeb Lloegr fel na chlywyd fyth wedyn am rannu'r deyrnas megis yng nghytundeb Chwefror 1405 rhwng Northumberland, Mortimer a Glyndŵr. Derbyniodd y capteiniaid Cymreig a'r uchelwyr yn y fyddin mai Lloegr oedd eu gwlad, a brenin Lloegr eu brenin. Ac ar ôl y rhyfel a thrwy ryfeloedd y Rhos (fel y gelwir hwynt) hyd at Ddeddf Uno 1536, go brin fod unrhyw lais yng Nghymru yn herio'r ddysgeidiaeth. Yn Agincourt y gosodwyd seiliau'r Ddeddf Uno a'r Arwisgiad yng nghastell Caernarfon.

A gaf i orffen drwy gyfeirio at ddau ddatganiad gan Guto tua diwedd ei oes. Mae'r cyntaf yn ymgysylltu â'r cerddi rhyfel y bûm i'n eu trafod, sef y cywydd i Feredudd ap Howel, rhif cxxii yn y *Gwaith*. Mae'n debygol i Feredudd fod allan yn Ffrainc gyda Guto yn un o'r gwŷr antur ifainc:

> Mewn trin mwya antur yw.

Dychwelodd Meredudd i Bowys a bu fyw yno ac yng Nghroesoswallt heb na'i godi'n farchog na chael swydd na phensiwn dan y goron. Ac yn sydyn mae Guto'n arllwys ei gwd:

> Ni phery stad na phwrs dyn
> Na'i gywoeth mwy nog ewyn;
> Y lleiaf ei alluoedd
> Iarll neu ddug y llynedd oedd;
> Y salwa o iselwaed
> A roir draw aur ar ei draed;
> Obry'r gŵr biau'r goron
> A wnâi saer Sais yn Syr Siôn:
> Rhyfedd nad gŵr bonheddig
> A roir fry aur ar ei frig.

Dyna inni farn gŵr sy wedi gwylio gwleidyddiaeth Lloegr o gyfnod "barwniaid breiniol" Rouen hyd at ddiflaniad y Mers Cymreig a sefydlu gwasanaeth sifil heb waed brenhinol. Fe welodd ef y brenin Edward yn gwneud hyn yn bolisi mewn rhyfel ac wedi rhyfel. Medd Philip de Comines yn ei Atgofion: "Fe ddywedodd y brenin Edward wrthyf am bob brwydr a enillodd ef (yn Rhyfel y Rhosynnau) ei fod, y funud y gwelodd ef ei fod yn ennill, wedi esgyn ar ei farch a gweiddi ar ei filwyr am iddynt arbed y milwyr cyffredin ond lladd pob arglwydd". Nid cariad at y werin oedd hyn ond hunan-gariad, cael gwared o bawb a allai gynllwyn yn ei erbyn, ac wedyn dyrchafu "saer Sais yn Syr Siôn". Fe gofiwch am ddychan debyg gan Siôn Tudur yn y ganrif nesaf. Ond dyna'r *byd*, dyna'r bywyd politicaidd y mae'r uchelwyr Cymreig yn ceisio ymwthio iddo "obry", a Guto'i hunan mewn degau o gywyddau yn brolio'u llwyddiant a'u swyddi, er iddo fedru hefyd ddweud wrth un gwahanol ei ysbryd:

> Ac eraill gynt a gerais
> A bryn swydd a breiniau Sais.

Mae'n ymddangos i mi fod rhyw dyndra megis rhwng Pihahiroth a Baalsephon yn ei fywyd. Doedd ef ei hunan ddim yn uchelwr o waed, ond ef yn ei ddydd oedd pennaf cynheiliad traddodiad Taliesin, ac mi dybiaf ei fod ef fwy nag unwaith yn ei waith yn dangos dylanwad cywydd clasurol Dafydd Nanmor i Rys ap Rhydderch o'r Tywyn ar ei feddwl. Canys Dafydd Nanmor oedd pennaf lladmerydd y traddodiad Cymraeg. Ond i bwy y canai Guto ei gywyddau? I uchelwyr na welen' nhw bellach ddim ystyr o gwbl i'r canu i Urien nac i ganu Iolo Goch ond yn unig ei fod yn weniaith foesgar a chonfensiynol wedi cinio ar ddyddiau gŵyl. Yr oedd yr Oesoedd Canol wedi darfod hyd yn oed yng Nghymru, a darn o ethos yr Oesoedd Canol oedd "y gerdd orau i gyd". Fe welodd Guto hynny.

Fe welodd ragor. Fe welodd cyn ei farw nad oedd ddyfodol i'r traddodiad llenyddol Cymraeg na chwaith ddyfodol o ddim pwys i Gymru. Ychydig fisoedd cyn ei farw, ac yntau'n byw ers rhai blynyddoedd yn abaty Glyn y Groes, fe archodd yr abad iddo beidio â chanu clod dynion yn unig ond rhoi

> Rhan i Dduw o'r hen ddeall,

ac on'd ydy "yr hen ddeall" yn enw da ac annwyl ar gerdd dafod? Mae Guto'n ufuddhau ac yn cyfansoddi ei farwysgafn, rhif cxix yn y *Gwaith*. Yn y cywydd hwn mae o'n edrych yn ôl ar ei fywyd mewn cwpled sy'n ddychryn o weledigaeth:

> Moli bûm ymylau byd,
> Malu sôn, melys ennyd.

Rhaid cysylltu "melys ennyd" â llinell arall yn nes ymlaen:

Rhy fyr i'r hwyaf ei oes.

Yr oedd ef ar y pryd yn gwbl ddall, yn drwm iawn ei glyw, mewn gwth o oedran, ond ei ddeall, ei athrylith a threiddgarwch a grym ei amgyffred eto'n ddi-ffael: *melys ennyd* yw ei farn ef ar fywyd o glera a cherdd dafod, ond gyda hynny *malu sôn*. Y gair sy'n gynefin i mi yw "malu awyr", a'r ystyr yw gwag siarad, siarad ofer di-bwynt. Ac yn wyneb angau dyna ferdid y prydydd ar ei yrfa. Ond beth am yr enw yn y llinell gyntaf:

Moli bûm *ymylau* byd?

Dyna yw Cymru fel y gwêl ef hi bellach, ymylau byd, nid rhan sy'n cyfrif o Ewrop nac o Loegr, ond fel y bu papurau Llundain yn sôn dro'n ôl am aelodau seneddol Plaid yr Alban a Phlaid Cymru, *fringe areas*, lle nad oedd dim o bwys yn cael ei benderfynu. Yr oedd y Cymro a'r Mab Darogan, Harri Tudur, ar orsedd Llundain, a gwelodd Guto nad oedd ei wlad ef bellach ond ymylau byd. Fe welodd drasiedi Cymru.

Ysgrifau Beirniadol IX, 1976.

Dafydd ab Edmwnd

Uchelwr a phencerdd, *fl.* 1450-1490, medd y *Bywgraffiadur* amdano. Gallai fforddio bod yn genedlaetholwr politicaidd Gymreig pan oedd hynny'n dwys bigo cydwybodau beirdd eraill. Bu "Guto'r Glyn, nid gwatwar glod" yn brolio dyweddïad Rhys Wyn o Fodffordd, Ynys Môn, i Saesnes. Cyfansoddodd Dafydd ab Edmwnd gywydd i rwystro'r briodas a beio Guto. Ni faddeuodd Guto iddo. Nid oedd Guto'n gyfoethog. Hyd yn oed yn hen, hen ŵr, yn gleiriach cwbl ddall, fe âi ef ar ei deithiau clera ar gefn ei farch hyd oni chymerodd abad Glyn y Groes ef i mewn i ddiogelwch y cwfaint. Ychydig iawn o glera a wnaeth Dafydd ab Edmwnd o gwbl. Prin yw ei gerddi moliant ef, a'r rheini i gymdogion neu i ffrindiau arbennig yn Ynys Môn. Prinnach fyth yw ei farwnadau, ac yr oedd marwnadu i noddwyr y plasau yn rhan fawr o orchwylion pencerdd. Nid oes ond pedair mawrnad yng nghasgliad Thomas Roberts o'i waith, ac o'r pedwar caniad hynny y mae dau gywydd sydd ymhlith pethau mawr y bardd. Yr oedd i'r ddau eu hachlysur cynhyrfus.

Buasai ysgarmes yn y Biwmares, "Y ffrae ddu yn y Bewmares", rhwng milwyr y garsiwn a'r Cymry yno, ar ddiwrnod marchnad yn ôl R. Llwyd mewn nodyn ar ei gerdd Saesneg, 'Beaumaris Bay' a gyhoeddwyd yn 1800, a'r hyn a ddywed ef a ddywedir gan Wallter Mechain (*Gwaith Lewis Glyn Cothi,* t. 440) a chan Thomas Roberts (*Gwaith Dafydd ab Edmwnd,* t. 155). Ychwanegodd E. A. Lewis yn ei lyfr ar fwrdeistrefi Gwynedd: "Erbyn amser y Tywysog Du yr oedd y rhan fwyaf o fwrdeisiaid y Biwmares yn Gymry, ac yr oedd yr elfen Gymreig yn bygwth rhyddid y dref". Awgryma hynny ddyddiad cyn canol y ganrif i'r "ffrae ddu", dyweder tua 1440-1445. Arweinydd y Cymry yn yr ysgarmes oedd Dafydd ab Ieuan ab Hywel o Lwydiarth yng nghwmwd Twrcelyn, uchelwr a chanddo dŷ hefyd yn y dref. Clwyfwyd ef yn ddifrifol yn y brwydro a chymerwyd ef i'w dŷ gerllaw. Bu'n gorwedd yno rai dyddiau mewn poen mawr. Daeth y newydd am ei berygl i'w wraig, Angharad, yn Llwydiarth, a bu'n ormod iddi. Bu hi farw o'r sioc. Clywodd yntau am ei thranc a dyna'r pennaf poen, wedi dyddiau o boen, a'i lladdodd ef. Claddwyd y ddau gyda'i gilydd yn Llanfaes, yng nghangell eglwys y Brodyr Llwydion, claddfa arglwyddi Môn.

'Cywydd Marwnad Dafydd ap Ieuan' yw teitl cerdd Dafydd ab Edmwnd. Ni ddywed ef ddim am y brwydro, ond nad dyn oedd piau'r lladd:

Doe 'dd oedd, nid cennad o ddyn,
Duw, Ddafydd, yn dy ddyfyn
O'r hundy lle bu'r hendad
I dŷ Duw lle'r oedd dy dad,
I ddwyn rhent i Dduw yn rhodd
O bur enaid a brynodd.

Y mae cryfder a dwyster arbennig yn y cywydd, ac nid oes ond ychydig linellau amheus. Dyma'r darn sy'n arwain i'r disgrifiad o'r angladd:

Ar unwaith yr âi annedd,
Arian a bwyd i'r un bedd;
Dwyn o'i thai, Duw a wnaeth hyn,
Dy wraig hael o Dwrcelyn;
Pennaf, yn niwedd poeni,
Poen a'th ddug pan aeth â hi;
Och ŵr, gan ei ddwyn na chad
Angau hwyr i Angharad,
Neu dithau yn byw, fy llyw llym,
Ym mraich elor merch Wilym.

A ellid dweud yn rymusach na'r llinell olaf yna am hiraeth gweddwdod? Yna'r cynhebrwng:

Y dydd yr aethoch i dai
Y Brodyr pawb a redai,
Yr oedd feirch irwydd o Fôn
I'ch dwyn rhwng wyth o'ch dynion,
A llu gwyn, llewyg anian,
A llawer tors a lliw'r tân
A phorth rhudd a pharth rhuddaur
A pheri ym Môn offrwm aur,
A chŵyn Môn a chân mynych
A chri clêr a churo clych,
A chwedi ych dwyn o'ch dau dŷ,
Wyrion gwawl, i'r un gwely
A rhoi llen ar holl Wynedd,
A chwyr a bwrdd a chau'r bedd,
Llyna gôr llawn o gariad;
Llanfaes deg, llawn fu o stad.

Mae'r llinell am borth yr eglwys a'i llawr, "a phorth rhudd a pharth rhuddaur" yn peri cofio am y capel "o fain cwrel" a roes Syr Hywel yr

125

offeiriad i leianod Tegeingl. Ystyr "a pheri ym Môn offrwm aur" yw peri uchel offeren *requiem* a'r mynachod yn ei chanu. Mae'r bardd yn disgrifio, drwy grynhoi enwau, y pethau sy'n perthyn i'r gwasanaeth terfynol a'r cwbl ohonynt yn drwm o ystyr, a'r cwbl yn arwain i'r bedd yn y gangell, — "Llyna gôr llawn o gariad". Canys yn hanes Dafydd ac Angharad y mae megis atgo am stori Puraf a Thisbe gan Ofydd. A hyfryd yw cael gan fardd Cymraeg ddotio ar bensaernïaeth "Llanfaes deg".

Rhaid mai rhyw bedair neu bum mlynedd cyn Eisteddfod Caerfyrddin, a fu "tua 1450" yn ôl astudiaeth derfynol Mr D. J. Bowen (*Barn*, Awst 1974), y crogwyd Siôn Eos y telynor yn swydd y Waun, ac y cyfansoddodd Dafydd ab Edmwnd gywydd marwnad iddo. Ffrwgwd rhwng Cymry a'i gilydd, "heb achos ond un bychan", fu cychwyn yr helynt; ond fe boethodd a lladdwyd un o "ddeuwr lân". Restiwyd Siôn Eos a'i brofi gan ddeuddeg rheithiwr yn ôl cyfraith Lundain a'i gondemnio i'w grogi, ac yn ôl un llawysgrif: "Siôn Eos, pencerdd graddol, a ddienyddiwyd yn swydd y Waun a phan oedd ef ar yr ysgol . . . ef a alwodd am ei delyn ac a ddychmygodd gainc o gerdd, a gelwir y gainc honno Cainc Siôn Eos".

Cwyn fod swydd y Waun yn gweinyddu'r gyfraith Seisnig yn hytrach na'r gyfraith Gymreig, a fuasai nid yn unig yn fwy trugarog ond hefyd yn fwy o les i enaid y gŵr a laddasid, yw rhan gyntaf marwnad Dafydd ab Edmwnd. Ond yr ail ran sy'n farddoniaeth fawr angerddol. Yma mae'r prydydd yn arllwys ei wybodaeth drwyadl o holl foddion a thechneg cerdd dant a'i geirfa hi, a'i lwyr ymhyfrydu yntau yn ei rhin a'i alar nid am golli cyfaill yn unig ond cyfaill o bencerdd ac artist heb ei ail rhwng Euas a Môn:

> Nid oes nac angel na dyn
> Nad ŵyl pan gano delyn.

Ac y mae llinell olaf y cywydd yn dangos, er medru o Ddafydd ganu am y nefoedd yn null llên gwerin duwioldeb ei gyfnod:

> Ac yn ôl ei farwolaeth
> I ganu i Dduw gwyn yr aeth,

ei fod ef hefyd yn gwybod am athrawiaeth fwy diwinyddol:

> Oes 'y nyn y sy yn nos,
> Oes yn Nuw i Siôn Eos.

Gyda'r ddau gywydd marwnad hyn, sy'n datguddio cymaint o feddwl ac argyhoeddiad a chymeriad Dafydd ab Edmwnd, rhaid imi osod hefyd ei gywydd ef i 'Rys Wyn ap Llywelyn ap Tudur o Fôn rhag priodi Saesnes'. Y mae pedwar — ac o bosibl bum — cywydd ac awdl i Rys Wyn yng nghasgliad Thomas Roberts o waith Dafydd. Credaf mai rhwng 1450 a 1455 y canwyd hwynt. Daeth Duc Iorc i'r Biwmares yn 1450 ar ei ffordd i Lundain ac efallai fod Rhys yn un o'i osgordd, canys dywed Dafydd yn ei awdl-gywydd iddo:

> Yn Ffrainc, nid anhoff ei ras,
> Câi urddas ac Iwerddon.

Yr oedd y Mortimeriaid eisoes yn berchnogion tiroedd enfawr yng Ngogledd Cymru, ac y mae awgrym mai merch o'r tylwyth hwnnw a fwriedid yn wraig briod i Rys Wyn ac yntau ar y pryd, mi dybiaf, yn ŵr gweddw. Cywydd i geisio rhwystro'r briodas a ganodd Dafydd. Nid yw'n gampwaith cyfan fel y ddau gywydd marwnad, ond y mae iddo ddau baragraff anghyffredin. Y cyntaf yw'r agoriad syfrdanol, un o bethau mwyaf y bymthegfed ganrif:

> Mawr uwch aig y marchogir, —
> Môr Tawch, ni chair mwy o'r tir!
> Swydd aruthr sydd i'w oror,
> Sugno main i sugnau môr;
> Arno mae, fôr o enw mawr,
> Arwain y gwrthfain gwerthfawr
> I bob môr dan oror nen,
> Ffyrf wiwfor, o'r ffurfafen:
> Tebig, Loegr gerrig oerion,
> I Fôr Tawch ydoedd fryd hon
> Yn ceisio twyllo o'n tir
> Maen gwyrthiau Môn a'i gorthir . . .
> Er maint ei braint yn ei bro
> A'i chyfoeth, ni châi efo.

A gaf i aralleirio mewn rhyddiaith er mwyn yr ambell ddarllenydd anghyfarwydd? Yna gall yntau droi'n ôl at y cypledau cywydd i'w gwerthfawrogi, canys prif amcan beirniadaeth lenyddol yw rhannu pleser gydag eraill:

Fe geir eto farchogaeth yn ddiberygl uwchben y dyfnfor. Môr Tawch, sef y Môr Atlantig, sy'n curo ar draethau Cymru, ni chei di draflyncu rhagor o'n tir ni. Swyddogaeth aruthr sydd i'r cefnfor yma, sugno penrhynnau a chreigiau Ardudwy ac Eifionydd i lawr i grombil yr eigion (peth sy'n digwydd wrth gwrs hyd heddiw). Ei gamp ef, fôr o enw arswydus, yw tynnu'r creigiau gwerthfawr sy'n ei wrthwynebu ef, y cryf

127

wiw fôr ag ef, i mewn i'r dyfnderoedd eigion sydd oddi tan bob rhan o'r ffurfafen. A thebyg i Fôr Tawch oedd fwriad y Saesnes yma, sef ei droi ef yn un o gerrig oerion y cefnfor Seisnig a'i dwyllo allan o'n tir ni, ef o bawb, craig amddiffyn werthfawrocaf Môn a'i chyffiniau. Ond er uched ei safle hi yn ei gwlad ei hun, ac er ei chyfoeth mawr hi, ni chaiff hi Rys Wyn.

Ni wn i am gymhariaeth Fyrsilaidd wedi ei chywreinio mor helaeth effeithiol yn holl hanes y cywydd. Awgrymodd Mr D. J. Bowen (*Barn*, op. cit., 447) mai Dafydd ab Edmwnd a droes y dwned Lladin i Gymraeg yn 1455; y mae hynny tua'r amser y bwriaf innau iddo gyfansoddi'r cywydd hwn. Mae'r gymhariaeth yn ysblennydd briodol a mawredd ei thema yn codi mater priodas Rhys Wyn i'r un pwysigrwydd tyngedfennol â phriodas Eneas. Dyma'r datganiad politicaidd Cymreig mwyaf cynhyrfus a wnaed mewn nac awdl na chywydd yn ystod y rhyfeloedd am orsedd Loegr.

Yn union wedyn daw'r ail baragraff a godaf o'r cywydd:

> Ni roir mab, un awr o'r mis,
> Llywelyn yn llaw Alis;
> Ŵyr Dudur a'i air didwn,
> I wŷr Hors pwy a rôi hwn?
> O'm bodd ni bydd mab iddi,
> Â Rhys ni phriodir hi . . .
> Y mae i'm rhi yn briod
> Hen wraig a ludd hon yw'r Glod;
> Mae rhwym neu ddeurwym ddyrys
> Galed rhwng y Glod a Rhys,
> A'r Glod ni ad briodi
> Â gwŷr Hors ddim o'i gŵr hi . . .

"Hen wraig a ludd hon (h.y., a rwystra'r Saesnes yma) yw'r Glod"; mae dyn yn dychryn weithiau wrth ddarllen a chofio rhyw debygrwydd od. Y peth cyffelyb sy wedi glynu yn fy meddwl i er pan gyntaf y darllenais gywydd ab Edmwnd yw'r dialog terfynol yn nrama W. B. Yeats, *Cathleen ni Houlihan:*

— Did you meet an old woman and you coming up the road?
— No, but I met a young woman and she had the walk of a queen.

Pwy yw'r hen wraig hon a'i henw y Glod a beth yw ei gafael hi ar Rys Wyn o Fôn? Wel, fe fu hi gydag Urien yn Rheged, bu hi yn Aberffraw gydag Owain Fawr, bu ei chadair yn Sycharth a Harlech. Hi yw traddodiad llenyddol Cymru, traddodiad Taliesin. Ond i ni heddiw hawsaf peth yw syrthio i amryfusedd enbyd, gan dybio mai peth llenyddol yn unig yw hyn. Nid felly; holl bwynt Dafydd ab Edmwnd yw mai dyma draddodiad *politicaidd* Cymru, traddodiad amddiffyn y genedl, a phrydyddion y Glod, cerddi moliant yr amddiffyn, yw datgeiniaid a chynheiliaid polisi oesol yr amddiffyn. Ie, Hen Wraig, ond mae ganddi gerdded brenhines, ac wele hi'n galw ar Rys Wyn a holl uchelwyr Cymru, yn awr cychwyn rhyfeloedd rhaib y Rhos, i ddal baner Cymreigrwydd ac annibyniaeth teuluoedd Cymru hyd y terfyn. Nid rhyfedd mai ychydig yw cerddi moliant Dafydd. Mae gan Utyn Owain ddisgrifiad ohono'n mynd i Eisteddfod Caerfyrddin. Aethai'r prydyddion o'r Deheudir yno yn wych drwsiadus a Dafydd yn "ddisas mewn gown o liw y dryw":

A phan ddoeth Dafydd ir Eisteddfod i Gaerfyrddin, a myned yn ei own llwyd y mysc prydyddion gwchion, y gofynnodd rhyw ddisgibyl neu ddatcanniad iddo ai un ohonom ni ydych chwi: nag ef heb Dafydd prydydd wyf fi. (*Llenor*, V, 98)

Prydydd? Ie, ond prydydd ar ei ben ei hun, un na fedrai na bradychu nac anghofio'r Hen Wraig. Nid heb reswm y rhoddai pawb bwys ar ei uchelwriaeth ef. Felly fe droes oddi wrth y gerdd orau i gyd a thraddodiad Taliesin ac ymroi i'r dewis arall, cerdd Ofydd. Brenin y gerdd hon oedd Dafydd ap Gwilym, a da oedd gan Ddafydd ab Edmwnd ei gyfrif ei hun yn olynydd iddo, gan wrogi iddo a chan ganu ar rai o'i themâu, ar Eiddig, ar garu yn y llwyn, ar ganu'r nos dan ffenestr ac erchi am agor. Canu hefyd ar destunau Dafydd Nanmor ac eraill, ar wallt melyn:

Geneth a'i phleth fel y fflam . . .
Gwefr o liw, ni bu gyfryw lwyn,

ar gusanau:

Chwarae da bûm o chair dydd
Â chwr gwynddaint chwaer Gwenddydd,

ar harddwch corff a gwedd ei gariad. Y mae rhyw hanner dwsin o'r cywyddau hyn yn gampweithiau bychain, a theg y dywedodd ef:

Gwiw iddi rhwymais gywyddau rhamant.

Ond y cywydd, nid y ferch, oedd ei wir gariad ef. Ysmaldod hapus ydyw caru iddo ef a llawer tro fe fydd yn diweddu cywydd yn ddigri iawn, megis yma i Gari Mwyn ac yntau'n honni canu o dan ei ffenestr hi noson o aeaf:

Er dy fwyn yr ydwyf i
Mewn eira yma yn oeri;
Dyred, fy nhraed a oerais,
Dyro dy ben drwy dy bais
A'th law yn un o'th lewys
Ac â'r llall agor y llys.

Rhwymo cywyddau rhamant ac awdlau hefyd oedd ei hoffter. Gorchestion cerdd dafod ei hyfrydwch. Mae ganddo amryw gywyddau a chymeriad llythrennol gyda chymeriad cynganeddol drwy'r holl gypledau o'r cychwyn i'r terfyn. Cywydd Gorchestol yw'r enw arnynt yn y llyfrau ysgrif. Rhwymo'r cwbl yn undod miwsig ac undod cyswllt meddwl yw'r bwriad. Fe wyddom drwy 'Farwnad Siôn Eos' a chyfeiriadau eraill fod gan Ddafydd glust cerddor a gwybodaeth dechnegol. Mae miwsig yn medru ymroi i ddigrifwch technegol gymhleth; felly Dafydd gyda'i gymeriadau. Y mae ef ei hun yn chwerthin ac yn synnu wrth eu darganfod a'u clymu ynghyd, yn union fel y bu iddo glymu cywydd o enwau merched:

Gwenhwyfar feddylgar fwyn,
Gwladus a'r wefus ryfwyn,
Catrin, Gwenllïan, annerch,
Cari, Mallt, cywira merch,
Lleucu lliw briallu bron,
Lowri dan wiail irion,
Mwyn yw cusan Myfanwy,
Marwol iawn am Werful wy . . .
Alis, Isabel, Elen,
Efa neu Nest, fy nyn wen.

Wrth glywed enwau merched yn canu fel yna 'does nac angel na dyn all beidio â chwerthin a dawnsio. Ac os yw John Morris-Jones yn iawn ei gondemniad ar Orchest y Beirdd, 'does dim rhaid dal fod Dafydd ab Edmwnd ei hun yn ei gynnig yn fesur enbyd o bwysig. Yr oedd ei gynnig i gystadlu arno gan fintai o benceirddiaid chwyslyd drwsiadus yn sbri ynddo'i hun. Y tebyg yw mai i Rys Wyn o Fodffordd y canodd Dafydd y pennill a ddyfynna Morris-Jones yn *Cerdd Dafod* (t. 350), a hynny wrth adrodd hanes Eisteddfod Caerfyrddin. I Ddafydd yr oedd troi cerdd dafod at ddigrifwch yn ddull o aros yn ffyddlon i'r Hen Wraig.

Post Scriptum (1.7.1976):

Wedi imi orffen yr ysgrif hon daeth wyres imi yn ôl o Aberystwyth a chefais ganddi fenthyg copi o'm *Braslun o Hanes Llenyddiaeth Gymraeg*, 1932, ac edrych pa beth a ddywedais i yno, t. 124-9, am Ddafydd ab Edmwnd. Nid oeddwn wedi ei ddarllen er 1936. Nid yw'r gwahaniaeth barn na safbwynt gymaint ag yr ofnais, ond y mae gwahaniaeth. Ym 1932 mi gredwn i, mae'n amlwg, fod beirdd 1450-1490 yn genedlaetholwyr Cymreig oll. Ni chredaf felly amdanynt oll ers blynyddoedd bellach.

Ysgrifau Beirniadol X, 1977

Gutyn Owain

(Myfyrdod ar ddwy gyfrol ysblennydd M. Bachellery, *L'oeuvre Poétique de Gutyn Owain*, Paris, 1951, yw'r traethawd hwn. Mae'r cyfeiriadau mewn rhifau Rhufeinig at rifau'r cerddi yn ei gasgliad ef. Ef biau'r holl ymchwil ac y mae ei waith, yn nodiadau ac yn gyfieithiad ac yn yr astudiaeth o'r llawysgrifau, yn gyfraniad drudfawr i'n llenyddiaeth ni. Byrfodd am *Ramadegau'r Penceirddiaid*, G. J. Williams, yw G.P.)

Y rhagair iawn i unrhyw drafod ar fywyd a gwaith Gutyn Owain yw'r tri thudalen cyntaf o ddarlith glasurol G. J. Williams, *Traddodiad Llenyddol Dyffryn Clwyd a'r Cyffiniau*. Yn honno dywedodd hanesydd ysgolheictod y Gymraeg:

> Hwn yw'r rhanbarth pwysicaf yng Nghymru o ddechrau'r bymthegfed ganrif hyd at y ddeunawfed, a'r bywyd llenyddol a fu'n nodweddu'r wlad yma sydd, i raddau helaeth, yn egluro parhad traddodiadau diwylliannol cenedl y Cymry hyd ein dyddiau ni . . .
> Dylid cyhoeddi erthyglau ar yr hen gartrefi enwog a oedd yn gefn i'r bywyd llenyddol yn yr hen amser, oherwydd ceir mwy ohonynt yn Nyffryn Clwyd a'r cyffiniau nag mewn un rhanbarth arall . . . nid yn unig blasau enwog fel Llyweni a Chloddaith a'r Rug, ond hefyd dai fel Bachymbyd, Bachygraig, Bryneuryn, Gwenynog, Y Foelas, Plas-y-Ward, Berain, Bodidris &c., &c. . . . Canolfan bywyd llenyddol Cymru — canolfan dysg Gymraeg — ydoedd y rhanbarth hwn a Gogledd Powys . . .

Dyna gip ar wlad Gutyn Owain a'i gymdeithas a'r tai a fynychai. Yr oedd yntau'n uchelwr ac yn berchen ystad. Cymerodd Dafydd ab Edmwnd ef yn ddisgybl prydydd tua'r pedair ar ddeg oed, yr oed yr âi llanciau da eu byd yn Lloegr i brifysgol Rhydychen. Yr oedd Dafydd ab Edmwnd yn "berchen tir mawr" a chymerodd ef Gutyn gydag ef i Eisteddfod Caerfyrddin yn 1451. Yno yr enillodd Dafydd y gadair arian, ond yno hefyd:

> yr enillodd Cynrig Bencerdd o Dreffynnon y Delyn arian: a Rhys Bwtting o Brystatun a enillodd y tafod am ddatceiniad; ag felly y doeth y tri thlws . . . i Degaingyl o Ddeheubarth.

Felly nid dysg Gymraeg a cherdd dafod yn unig a achlesid yn Nyffryn Clwyd a'r cyffiniau, ond cerdd dant a chanu llais gyda'r mwynder sy'n cydfynd â hwy. Ni welodd Gutyn Owain fawr o ryfel, ac yn ei oes ef yr oedd uchelwyr y ddwy Faelor yn codi neu'n gwella eu plasau, yn dysgu gan arglwyddi a thirfeddianwyr o Saeson ac yn magu uchelgais a delfrydau ysweiniaid gwlad. Canodd yntau fel un ohonynt:

> Y dolydd a'r adeilad
> Aeth it o du mam a thad:
> Parc gwair, ŷd, lle pawr ceirw, oedd,
> Plasau, perllannau, llynnoedd,
> Gwiw faenol ac afonydd,
> Gwenithdir a heldir hydd;
> Ffriw nef yw ar ddyffryn iach,
> Ni phryn dug ddyffryn degach ... (LIII)

Wele wareiddiad yn thema ac yn achlysur barddoniaeth, ac yn y canu gwrthrychol hwn enwau, nid ansoddeiriau na berfau, piau'r blaen. Hud a thelynegrwydd enwau yw golud pob cywydd moliant, ac yr oedd dysgu rhesi o enwau cyfystyr yn rhan bwysig o addysg prydydd. Canys adloniant cymdeithasol oedd cerdd.

Dyry cywyddau gofyn Gutyn inni drem ar hoffterau eraill y gymdeithas hon: "Tair celfyddyd fonheddig y sydd", yn ôl un llawysgrif o'r Cyfreithiau, "arfau, marchogaeth a helwriaeth". Ac y mae deg cywydd gofyn casgliad M. Bachellery oll yn ymwneud â'r rhain, tri yn gofyn am feirch, dau am darianau ar gyfer twrnameint, un am wayw, un am gleddyf, un am gŵn hela, un am walch ac un am gyllell heliwr. Cerddi a gyfansoddwyd dros neiod i geisio rhoddion gan ewythredd, ac un dros ewythr i ennill ffafr nai, yw naw ohonynt. Diau mai gwaith comisiwn oedd y cywyddau hyn a bod talu mewn aur amdanynt. Yr oedd i'r cywydd gofyn er ys talm ei ddull a'i drefn a disgrifio a dyfalu'r march neu'r darian neu'r gwalch mor ystrydebol â'r moliant i'r rhoddwr. Y mae'r cywydd i ofyn dau gi hela yn un o bethau hyfryd Gutyn Owain. Y mae'n disgrifio bwcled yn fanwl a chrefftus a'i ddyfalu yn ôl y patrwm, ond yn gynnil. Ni cheir dim atsain o'r Llyfr Arfau yn y ddau gywydd hyn — fe'i ceir yn y cywydd moliant i Ddafydd Llwyd ap Tudur (XL) — ac efallai mai gwaith go gynnar oedd cywyddau gofyn Gutyn, cyn iddo gopïo'r Llyfr Arfau. Iddo ef ei hun y gofynnodd ef am gleddyf:

> Llafn ni ochel ryfeloedd,
> Llewych haul ar y lluwch oedd.

Rhai fel yna oedd llanciau Maelor. Yr oedd Gutyn fel mab maeth wrth fwrdd teulu'r Pilston yn Emral ac fe ganodd lawer iddynt. Cymydog agos iddynt oedd ei athro, Dafydd ab Edmwnd.

Dysgodd Dafydd iddo o'r cychwyn nad arfau, marchogaeth a helwriaeth oedd yr unig gampau bonheddig. Yr oedd barddoniaeth, canu telyn, darllen Cymraeg, canu cywydd gan dant, ymhlith y pedair camp ar hugain ac yn y ddwy Faelor, ac oddi yno hyd at Wepra yn Nhegeingl a hyd at Lyweni yn Nyffryn Clwyd, o ddyddiau cyn geni Gutyn fe roid bri ar y celfyddydau hyn hefyd. Yr oedd Guto'r Glyn eisoes wedi canu am y diwylliant hwn yn ei gywydd i feibion Edward ap Dafydd o'r Waun, ac yn ei farwnad i'r tad yn 1440 fe gwynodd ef:

> Wedi Gildas i'r nasiwn
> Ap Caw, ni bu debyg hwn;
> Gwreiddiodd bob ymadrodd mad,
> Gwreiddyn pob gair a wyddiad;

a dyna'r ail Gof yn addysg prydydd a bonheddwr, "of which the bards were to account for every word" (G.P.xci).

Yn 1455 y mae Gutyn Owain, sy bellach, mi dybiaf, yn tynnu at ei ugain oed, yn ysgrifennu copi o Ramadeg newydd y prydyddion, sef Gramadeg Dafydd ab Edmwnd, i Phylip ap Madog o Halchdun, cymydog arall i'w athro, ac yntau'n aros yn ei dŷ. Yr un pryd fe ganodd awdl i'w noddwr, peth braidd yn eithriadol, ac, ysywaeth, ymhen blwyddyn neu ddwy, fe ganodd gywydd marwnad amdano. Yn y cerddi hyn, a'r lleill sy'n sôn am ieuenctid y bardd, cawn ddisgrifio bywyd cymdogion o uchelwyr yn y fro hon. Y maent yn ddiddorol bersonol a'r gŵr ifanc yn traethu o fewn cylch o gyfeillion diogel:

> Ar ei fwyd a'i win yr wyf i'w dai
> Yn un drythyllwch mab neu nai — ap brawd ...
> Fal mab cu arab y'm carai, filwr,
> Yn gerddwr ac yn ŵr ef a'm gwnâi.

Ac wedyn yn ei farwnad iddo y mae'n dweud ei ddyled:

> Ei ddysg a'i gariad a'i dda
> A gwin aml a gawn yma;
> Oer oedd im yr awr yr aeth,
> A thruan am f'athrawiaeth;
> Fy aur budd fu ef o'r banc,
> Fy mywyd tra fûm ieuanc.
> Weithian y lliw aeth yn llwyd,
> Yn oes gwŷr y'n hysgarwyd ... (XXXIV)

Tŷ arall yr oedd Gutyn fel mab neu nai ynddo oedd Bryn Cunallt, nemor o ffordd o Ddydlust, man ei eni. Hwn oedd cartref Siôn Trefor Hen, ail fab Edward ap Dafydd o'r Waun, a'i briod Annes. Amdano ef y dywedodd Guto'r Glyn iddo gael gan ei dad "ei synnwyr a'r chwedlau o'r llyfrau'n llwyr". Bu fyw i'w alw yn hen. Dywed Gutyn yn ei farwnad amdano iddo farw ddydd Gwener, y chweched o Ragfyr, 1493, a'i gladdu ddydd Sul, yr wythfed, Gŵyl Fair yn y Gaeaf. Yr oedd yn agos at ddeg a phedwar ugain oed a geilw'r bardd ef yn 'sant arafaidd' ac yn un arall o athrawon ei ieuenctid ef:

> Byd a gefais, nis ceisiaf,
> Barwn 'y nysg, hwn nis caf.

Buasai Annes, ei wraig, farw ddeng mlynedd o'i flaen, ac yn ei farwnad iddi hi y mae'r prydydd yn cofio'n hiraethus:

> Y palis clos a'r plas clyd
> Fu wraidd fy nghyfarwyddyd;
> Moethau yn hir fu'r maeth yn hwn,
> Mau ddolur os meddyliwn . . .
> Gwaeddwn pe bai wiw gweiddi,
> Gweddw yr aeth f'egwyddor i,
> Fy nysg a fu yn ei hysgol . . . (XXXV)

Mae'r cywyddau hyn, wrth gwrs, yn cynnwys gyda'r darnau personol ac atgofus yr ystrydebau arferol. Nid yw'r *cliché* yn dychryn dim ar Gutyn na'r troad ymadrodd Gormodiaith. Fe ddywed am yr wylo ar ôl Siôn:

> Dilyw a roes Duw eilwaith . . .

a cheir hynny dro ar ôl tro; fe'i disgwylid. Rhaid wrth nwyf mawr Guto'r Glyn i droi'r ormodiaith yn farddoniaeth ryfygus:

> Troes Menai tros y mynydd,
> Troes Dyfrdwy oll, trist fu'r dydd.

Ond y mae'r darnau dwys a ddyfynnwyd yn goleuo inni gymeriad a bywyd gŵr ifanc o fardd mewn cymdeithas glòs a chyffrous ddiddorol. Nid oes gan Gutyn Owain ddim sôn am y ffraeo a'r ffromi a'r dwrdio y cyfeiria Tudur Aled yn fynych atynt, er bod Lewis Môn yn ddiweddarach yn awgrymu na bu teulu Trefor ddim heb gynnen (L.M.lxxv). Ac y mae'n iawn sylwi i'r disgybl hwn i Ddafydd ab Edmwnd fod yn gyfaill da hefyd i Guto'r Glyn. Mae ganddo ragor i'w ddweud am deulu Bryn Cunallt. Fe ganodd gywydd yn gynnar i dri mab Siôn Trefor Hen (XXXVII), ac yno nid oes ond eu campau mewn twrnameint neu'n marchogaeth, ond pan fu farw Robert Trevor yn 1487, chwe blynedd cyn ei dad, y mae pwyslais y farwnad ar yr hen draddodiad a'r hen ddeall:

> Doe o'i thŷ y doeth awen,
> Durgrys oedd, i dai'r Groes Hen,
> Aeth i'r Glyn â'r gerdd uthr gled
> A'r farn i ddaear Ferned.
> O dôi ofyn cerdd dafod
> Un o'i fath ni wn ei fod:
> Gwreiddyn pob gair o'i addef
> A'i dyfiad a wyddiad ef;
> Cerddwr, ystorïwr oedd
> O'n heniaith a'n brenhinoedd.
> Duw, oer oedd roi daearen
> Ym mrig Cof Cymräeg hen.
> Catwn glân, caewyd dan glo,
> Cau ar ddwned cerdd yno.
> Pwy ar foliant pêr felys
> A gâr merch â gair, am wŷs?
> Gwae ni, Dduw, feirdd Gwynedd wen,
> Farw yn ieuanc farn awen . . .
> Egoriad mydr a geiriau
> A chlo dysg uchel a dau . . . (XXXVIII)

Claddwyd y Treforiaid yn Llan Egwestl, lle yr oedd yr abad cyntaf o Gymro ei hunan "o ganol llwyth Trefawr", ac mi dybiaf fod "Gwynedd wen" yn tystio mai yn y gaeaf y bu Robert farw. Dyna'r drydedd genhedlaeth o deulu uchel a phwysig y canwyd eu harweiniad mewn dysg a moes, a sylwer ar safle anrhydeddus y gwragedd yn eu plith. Go brin ein bod ni hyd yn hyn wedi synnu digon at y ffenomen yma yn hanes ein diwylliant, y traddodiad yn disgyn o genhedlaeth i genhedlaeth alluog a blaengar, ac o athro i ddisgybl, mewn cymdeithas Gymraeg o deuluoedd pendefigaidd sy'n ymfalchïo — ac yn ymgysuro — yn eu perthynas i Owain Glyndŵr ac i Owain Gwynedd, ond sy bellach heb uchelgais politicaidd Cymreig nac amgyffrediad fod undod i Gymru o gwbl mwy oddieithr siawns undod yr iaith. Buasai Phylip ap Madog yn ymladd yn Ffrainc ac ebr Gutyn Owain amdano:

> Lloegr o dir Ffranc yn ieuanc a wnâi.

Un arall o'r gymdeithas hon y dysgodd Gutyn ganddo ac y canodd farwnad iddo yn 1489 oedd Elisau ap Gruffydd. Wrth alaru amdano ef y mae Gutyn yn

136

fwy tanbaid ei wladgarwch, yn fwy o genedlaetholwr. Y mae angerdd a dwyster a grym yn y farwnad hon a hynny o'r cychwyn:

> Llwyr o beth! Lle aur a bwyd
> Llin Troea, oll y'n treiwyd.
> Isel ŷm, gwaith wasel oedd,
> A'n hynaif yn frenhinoedd;
> Can coron cyn Saeson sydd
> O'n cronigl a'n carennydd,
> Can t'wysog rhywiog o'r rhain,
> A'u diwedd fu hyd Owain:
> Y cyff hwn, oedd i'n coffáu
> A las pan aeth Elisau.

Y mae'r cypledau yn grynodeb o holl egwyddor cenedlaetholdeb Gutyn: Llin Troea, yn ôl y Brut — a'r enw Brut yn ei gyhoeddi — ydyw cenedl y Cymry, o'r un gwaed a'r un etifeddiaeth â Phriaf ac Eneas; ond isel ydym er mai brenhinoedd oedd ein hynafiaid, a brad Rhonwen fu cychwyn ein cwymp: ac wedi can brenin coronog ac eto fyth gan tywysog annibynnol, daeth yr amddiffyn a'r balchter a'r rhyddid i ben gyda methiant Glyndŵr. A heddiw wele ninnau'n colli'r ddolen a'n clymai wrth yr ach a'r mawredd a fu gyda marw Elisau. Fe dreuliodd Gutyn fisoedd lawer yn Ninas Basing yn copïo ac yn myfyrio'r Brutiau. Nid yn ofer. Erys Brutiau'r Llyfr Coch hyd heddiw, yn eu trefn a'u naws a'u cysylltiadau, yn ddehongliad cynhyrfus o'r muthos Cymreig ac yn aml yn llenyddiaeth sy'n gafael. Iddo ef yr oedd Elisau, "Owain Gwynedd Iâl" — a rhaid cofio am hoffter Owain Fawr o gerdd dafod ac o geinion crefftau llaw — yn deilwng o'i dras:

> Campau a defodau da,
> Cywirdeb penaig gwyrda;
> Aur fydd pob gair ar ei fin,
> Elisau, fel Taliesin;
> Tair iaith o gyfraith a gaf
> Yn ei ddethol yn ddoethaf:
> Aeth fo gyda chyfraith fyd
> I wreiddyn pob cyfrwyddyd;
> Ni adodd, ni fynnodd fod
> Ar y Beibl air heb wybod;
> Arfau a ŵyr ar ei fys
> A chronigl iachau'r ynys.
> Un gŵr yw ein agoriad,
> Ysgol in' a dysg y wlad . . . (XLIII)

137

Mi dybiaf fod y dyfyniadau hyn yn arddangos Gutyn Owain yn fardd a lladmerydd yr holl ddiwylliant uchelwrol Cymreig cyn dyfod chwyldro'r Dadeni Dysg yn anad neb bardd arall. Y mae'n canu o fewn y gymdeithas. Fe ddylai fod mor bwysig i haneswyr cymdeithasol Cymru ag ydyw i garedigion llên.

Yn y gymdeithas hon, a than ei athro, fe ddysgodd ef weithio'n galed heblaw marchogaeth a hela ac ymarfer ag arfau. Dechreuodd yn ifanc ar ei yrfa yn gopïwr llawysgrifau a dyry Thomas Roberts, yn y *Bywgraffiadur Cymreig*, grynodeb trawiadol o'i lafur oes. Ac er hynny i gyd nid oes ar gael ganddo un copi o na chywydd nac awdl o'i waith ei hun, ac y mae dros drigain ohonynt yng nghasgliad M. Bachellery. Bid sicr fe all hynny fod yn ddamwain, ond go brin. Yr oedd yn addfwyn ac yn ddiymhongar a chanddo anian crefftwr. Pethau i'w gymdeithion oedd ei gerddi ganddo ef, nid gweithiau i'w copïo. Dysgodd ei grefft prydydd yn drwyadl, braidd na ddywedwn i yn rhy drwyadl; mae ganddo lawer cywydd sy megis atebion tan gamp i bapurau arholiad, heb ddim ar goll a'r Tri Chof a'r achau priodol oll ar flaenau ei fysedd. Er enghraifft, cychwyn y cywydd moliant i Ddafydd Llwyd o Fodidris (XL):

> Y mae eryr fel Morudd
> A llew yn Iâl a llaw Nudd.

Ceir eryr a llew yn enwau ar arglwydd yng nghopi Simwnt Fychan o gyfystyron yr Hen Gymraeg a cheir y ddau hefyd yn y *Llyfr Arfau*. Yno dywedir am y llew: "Pennaf anifail anrhesymol yw ac urddasaf a dewraf ym mhob perygl"; ac am yr eryr: "Megis brenhines ym mysg adar eraill ac edn haelaf o'r byd yw". Yr oedd Morudd gyda Gwalchmai yn un o farchogion Arthur a cheir Nudd yn y Trioedd gyda Rhydderch a Mordaf yn un o dri haelïon Ynys Prydain. Dyna fynegi ar unwaith ddau brif rinwedd arglwydd drwy'r gyfeiriadaeth brydyddol gywiraf: "Arglwydd a folir o feddiant a milwriaeth a gwrhydri . . . a haelioni". Wedyn wrth gwrs fe gawn yr enwau o'r llyfr achau a chyda hwynt, allan o'r Brutiau a'r cyfarwyddyd, Offa, Bleddyn, y Blaidd, Ithel Felyn, Urien, Llywarch ac eraill, a disgrifio targed Ynyr o Iâl megis yn y *Llyfr Arfau*. 'Does dim gwadu anrhydedd yn y dosbarth cyntaf i bencerdd fel yna. Ond beth am farddoniaeth, yn ein hystyr ni i'r gair heddiw? Barddoniaeth?

'Rwy'n gobeithio fod rhannau o'r cywyddau a ddyfynnwyd eisoes yn profi'n "felyster i'r glust ac o'r glust i'r galon", hynny yw, yn farddoniaeth fyw i ddarllenwyr yn chwarter olaf yr ugeinfed ganrif. Ond y mae ugeiniau lawer o gywyddau moliant rhwng 1430 a 1550 — ac y mae cywydd moliant Dafydd Llwyd yn eu plith — sy'n farddoniaeth farw. Anaml bellach y mae'r cyfresi enwau o'r llyfrau achau na'r enwau o'r Trioedd a'r Brut a'r chwedlau yn canu mwy. Buont ar y pryd nid hwyrach yn cynhyrfu atgof, yn boddhau balchder, yn brawf o hawliau ac urddas, yn ffeithiau byw. Ond y mae holl economeg bywyd wedi llwyr newid ac nid oes yng Nghymru bellach gysylltu teulu â bro nac ond ychydig iawn yn byw yn y man y ganed. A eill achau ganu mwy? A eill enwau tad a mam droi mydr yn gryndod tannau? Ar gychwyn un o'i ddramâu y mae Racine yn galw'r wraig sy'n brif gymeriad ganddo, a hynny cyn iddi ddyfod i'r llwyfan:

La fille de Minos et de Pasiphaé.

Rhaid bod eiliad o *frisson* neu ias wedi mynd fel awgrym o wynt drwy seddau'r gwrandawyr cyntaf; yr oedd enw tad a mam Phèdre i bobl a addysgwyd yn y clasuron — ac y mae eto rai — yn darogan trasiedi, yn dwyn ar gof hen etifeddiaeth a thrychineb; yr oedd tynged anorfod yn cau amdani cyn iddi ymddangos o gwbl. Y mae'r llinell yn farddoniaeth rymus. Ac o sôn am enwau arwyr hen chwedlau, trown at fardd na ddarfu ychwaith mo'i fri:

Yma bu Arthur, yma bu Arthur dro,
    Yn torri syched hafddydd ar ryw rawd;
Ac odid na ddaeth Gwydion heibio ar ffo,
    Ni ddaw ddim eto, na Gilfaethwy'i frawd.

Dyna farddoniaeth a darddodd o ddadeni addysg Gymraeg a rhamantiaeth dechrau'r ganrif hon ac y mae'r enwau eto'n cario eu hud. Trown yn ôl felly at Gutyn Owain ac yntau ym mynachlog Llyn Egwestl. Y mae'r abad yno yn llywyddu, yn arglwydd abad yn ei wlad ei hun a'i westeion o Degeingl a'r ddwy Faelor wrth ei fwrdd a'r wledd yn llawenydd dadeni urddas:

O Edwin frenin, fry o Awr — a Gwên,
    O ganol llwyth Trefawr,
    Ei deidiau mal nodau mawr
    Oedd foliant i ddwy Faelawr.

Mae'r fynachlog wedi ei thrwsio a'i harddu, mae'r iaith eto wrth y bwrdd, a dacw'r arglwydd abad ar ei gadair a'r enwau'n syrthio ar ei glyw, o ganol llwyth Trefawr, ac o ganol ei henfro, yn ddiddanwch iddo ac yn nerth fel tafodau'r Ysbryd Glân. Y mae yma hefyd farddoniaeth fawr.

Am ryw hanner canrif, sef tua 1450-1503, bu bywyd Cymreig a llawenydd a phrysurdeb a duwioldeb cysurus, megis oes aur hydrefol, ym mynachlog Pant y Groes, a hynny dan ddau abad o Gymry, Siôn ap Rhisiart a Dafydd ab Ieuan, y ddau o ganol llwyth Trefor. Ceir awgrym gan Gutyn Owain mai'r abad Siôn cyn marw a gymhellodd ddewis ei gâr yn olynydd iddo. Cyn Siôn, yn ôl Syr Rhys o Garno, cyfaill ac offeiriad plwy Guto'r Glyn am sbel, Saeson fu'r abadau, "lle bu Saeson Siôn y sydd". Dyry M. Bachellery inni enw'r Sais a oedd yn abad yn 1448, un Richard Mason. Y mae Gutyn Owain yn llym a phendant ei ddedfryd arno ef:

> I'w swydd y bu Sais, wyliau a welais,
> A'i dai o falais yn adfeilio.

Hynny yw, fe welodd Gutyn yn fachgen y fynachlog yn ei dirywiad dan yr abad estron a oedd yn casáu ei swydd a'i drigfan. Wedyn, nid yn hir ar ôl Eisteddfod Caerfyrddin daeth Dafydd ab Edmwnd i aros yno, ac fe gododd bob nos yn y tywyllwch i fod yn y gwasanaeth cyntaf o'r saith awr addoli, "cyn y dydd canuau da", ac fe gyfansoddodd gywydd i'r abad Siôn i ddweud am y gweddnewid a'r gweithgarwch:

> Ei eglwys ef a glyw saint
> Yn gyfan iawn o gwfaint,
> Adeilad o dai aelaw
> Weithian a wnaeth, wyth neu naw;
> I Siôn y rhoes Iesu yn rhad
> Yma dâl am adeilad.

Digon tebyg fod Gutyn Owain yno gydag ef ac o hynny ymlaen bu Gutyn yn un o'r gwesteion rheolaidd a wahoddid i dreulio gwyliau'r Nadolig, sef deuddeg noson, a gwyliau'r Pasg yn y cwfaint:

> Deng mlynedd yn ei wledd lân
> Fu'r maeth, Ifor, im weithian,
> Heddiw nid llai 'ngwahoddion
> I wleddau a seigiau Siôn . . . (XXI)

a dywed eto dro arall:

> Fy ngwahodd wrth rodd yr ŵyl
> A gawn lle bûm ugeinwyl . . . (XXII)

a phan fu farw Siôn Abad — tua 1476 — galarodd Gutyn yn ddisyml:

Tref tad yn yr abadaeth
Oedd im hyd y dydd ydd aeth;
Fy mywyd yn ei glyd glos,
Fy neugain, a fu'n agos . . .
Ar Basg odid awr y bwyf
A Nadolig nad wylwyf . . . (XXIII)

Trwy'r holl gywyddau hyn i'r abad y mae'r pwyslais, nid ar ddyled prydyddion a datgeiniaid yn unig i'w haelioni ef, ond hefyd ar y mil o seiri maen a choed, gan gynnwys y pen-seiri, a fu drwy holl flynyddoedd ei lywyddiaeth ef yn atgyweirio a harddu Llan Egwestl ac ar wyliau yn westeion anrhydeddus wrth ei fwrdd. Yr oedd tywysogion Powys ac arglwyddi Tegeingl a theidiau llwyth Trefor wedi eu claddu yno, ac yr oedd adnewyddu'r eglwys gain a gwisgo'r côr yn goeth ar gyfer y gwyliau mawrion ynddi yn rhoi i enaid Siôn ap Rhisiart ragbraw o hedd. Ond trwy siawns od, nid cywydd iddo ef, eithr cywydd i abad Dinas Basing yw'r unig un a gadwyd o waith Gutyn Owain sy'n disgrifio holl dir a gweithiau a thai allan mynachlog yn weddol drwyadl:

> Da yr ydeilai dai'r dalaith,
> Difai naddfain defnyddfawr, (main = ll. maen)
> A derw tir mewn dortur mawr,
> Tai melys win, teml y saint,
> Tair cafell, tŷ i'r cwfaint,
> Tŷ da i'r ŷd o'r tu draw,
> Tŷ brag sydd to brics iddaw,
> Gwal gerrig wrth Gilgwri
> A thŷ porth ar ei thop hi,
> Coed ar fur lle caid aur faich,
> Caer fain yn cau ar fynaich . . . (XXXII)

Y gwahaniaeth rhwng hyn a'r canu i abad Llyn Egwestl yw nad oes yn hwn awgrym mai cariad a duwioldeb a symbylodd yr adeiladu. Mae hwn yn debycach i ymwelydd yn cael dangos iddo stad gan berchen go falch.

I Gutyn Owain nid olynydd Siôn ap Rhisiart oedd Dafydd ab Ieuan eithr ei etifedd a pharhad ei abadaeth a'i ddefosiwn:

> Ni châr growndwal fy nghalon
> Ond arglwydd y sy yn swydd Siôn. (XXVIII)

Dyna'r math o gwpled, ac y mae llawer tebyg, sy'n rhoi inni adnabod a gwir hoffi Gutyn Owain. Y mae yntau'n dangos gwahaniaeth hynod ddiddorol rhwng ei ddau abad. Os mewn adeiladu a phensaernïaeth yr oedd diddordeb artistig y cyntaf, mewn musig a chanu'r offeren a'r gwasnaethau a hyfforddi'r côr yr oedd llawenydd yr ail:

> Mewn côr canu mên y caid,
> Melys iawn am les enaid;
> Carodd ddwyn tôn, cerdd Dduw'n Tad,
> Cyweirdant y naw cordiad,
> Llyfrau ac allorau llên,
> Llefor musig Llyfr Moesen . . .

Y mae disgybl Dafydd ab Edmwnd yntau'n gartrefol yn y gelfyddyd hon ac yn ei deall, ac er ei holl ofnau pan fu farw Siôn ap Rhisiart ni fedr ef ond colli ei galon yn lân i'w olynydd:

> Aeth aur fal yng ngwaith Arras
> Ar goed, ar gloc a'r gwydr glas;
> Aur genwch i organwyr
> Ar fydr saint, rifedi'r sêr . . . (XXX)

Disgrifio'r gwaith y talodd yr abad amdano i harddu'r eglwys a'i gwasnaethau sydd yma. Yr oedd y cloc yn addurn drud a'r cerfio ar seddau coed y côr yng nghangell yr eglwys. Mae'r gwydr glas yn cyfeirio, ond odid, at y ffenestr liw goruwch yr allor y portrewyd arni ddarlun o'r Forwyn Fair yn ei mantell las arferol. Talu tan ganu i'r crefftwyr a adeiladodd yr organ, mi dybiaf, yw ystyr yr ail gwpled. Mae'r cwbl o'r cywyddau hyn yn dystiolaeth i'r hyn a gollodd Cymru yn y dinistrio alaethus ganrif yn ddiweddarach. Nid rhyfedd i Gutyn Owain o rowndwal ei galon dorri allan:

> Dau a garaf, — dwg urael, —
> Duw a thi, y gŵr doeth hael.

ac wrth edrych ar Ddafydd Abad yn ei gasul gerbron yr allor:

> Aed â'r maes, awdur musig. (XXXI)

Fe welir, gobeithio, fod gwerth eithriadol yn perthyn i gywyddau Gutyn yn abaty Pant y Groes. Ni ddyfynnwyd uchod ond rhai o'r paragraffau diddorol. Efallai nad oes yn ei holl waith gywydd sy'n gampwaith barddonol cyfan — nid wyf yn siŵr — ond y mae paragraffau ddigon a chan cwpled sy'n synnu ac yn swyno. Nid oes ganddo ddychymyg creadigol, a alwai Owen-Pughe yn ddarfelydd, ac felly wrth ddarllen llawer cywydd moliant i uchelwyr ac i abad fe ellir syrffedu ar undonedd y rhygnu ar y diwallrwydd bwyd a diod a rhoddion ac ar ystrydebau'r dyfalu. Wel, dyna'r foes a dyna anffawd casgliadau o waith pencerdd. Cofiwn nad ar gasgliadau y gwrandawai'r gwesteion mewn gwledd.

Trown at ei awdlau. Erbyn ei oes ef braidd yn anfynych y cenid awdl yng Ngogledd Cymru. Y mae ar gadw dros gant o gywyddau Guto'r Glyn, — a phum awdl. Y mae Lewis Glyn Cothi, bid siŵr, a Dafydd Nanmor yng Ngheredigion lawer haelach. Ond er cymaint a newidiodd Dafydd ab Edmwnd ar fesurau'r awdl ni chymerodd ef hi o ddifri mawr, eithr rhoi dwy awdl i ferched Maelor, un yn wraig briod. Daliai Ieuan Deulwyn nad dyna'r traddodiad:

> Lle awdl i'r llew a ydoedd,
> Lleucu dda lle cywydd oedd.

Hynny yw, cerdd i arglwydd yn ei lys oedd awdl a hynny er dyddiau Urien, ond cerdd i ferch yn tarddu o'r canu Ofydd oedd cywydd. I Gutyn Owain, wedi un arbraw yn null ei athro, cerdd a rhwysg Pindaraidd yn perthyn iddi, cerdd i arglwydd ar achlysur o bwys oedd yr awdl. Ni bu ef heb sylwi mai cywydd a luniodd Guto'r Glyn i'r Brenin Edward IV, ond awdl i Berson Corwen ac i abadau Ystrad Fflur a Phant y Groes.

Yn nhŷ Phylip ap Madog, yn ystod haf 1455, y penderfynodd Gutyn feistroli'r awdl. Yr oedd ef yno'n copïo gramadeg ei athro ac yn myfyrio cyfnewidiadau 1451. Y tebyg yw bod Dafydd wedi mynd i Dre Wepra yn Nhegeingl, ond yr oedd cwmni Phylip a'i westeion a'r gwin a'r ymddiddan wrth y bwrdd ynghylch y rheolau newydd yn tanio'r prydydd ifanc. Cyn y Nadolig fe orffennodd dair awdl a'r tair yn y dull newydd. Ni ellid amau ei benceirddiaeth. Os ystyriwn ni mai pum awdl arall sydd ar gael ganddo ac iddo fyw hyd yn agos at derfyn y ganrif, ac ymhellach nad yw'n debyg fod awdl o'i waith wedi ei cholli, cawn syniad o'r cyffroad, cyffroad pinagl llencyndod, a brofodd ef yn Halchdun yn haf 1455. Cân serch i wraig briod a luniodd ef gyntaf. Dau englyn unodl union a dau englyn proest bob yn ail yn gychwyn, ac y mae tinc arbennig Gutyn i'w glywed ar unwaith yn y dyfyniad o'r Trioedd:

> Soniwn amdanad, Policsena — ail,
>   Elen, Diodema,
>   Dy liw'n deg wrth dy lun da
> A dyfodd fal pryd Efa.

Ac wrth brofi'r englyn ar ei glust a chael yr enwau'n canu fel tannau fe ddarganfu'r llanc ei briod ddawn. Nid oedd y gair yn bod yn ei ddydd ef, ond mentrwn arno: bardd telynegol yw Gutyn Owain, geiriau'n canu yw barddoniaeth iddo a dyna ystyr cynghanedd. Yr oedd ganddo glust fel Ceiriog. Ac felly oddi wrth yr englyn fe droes at y tawddgyrch cadwynog newydd a phrofi mai neges dyblu odlau fel dybledau oedd "clander melyster mawl":

> A! Duw ddwyfol, od addefais,
> Arno llefais, orn a llifiad,
> A min nwyfol, ymanefais,
> Aml a gefais fal mêl gafad.
> Iawn im ganu am gusanu
> A'th ddiddanu o'th eidduniad,   (sef, ei llw priodas)
> Er fy ngwanu a'm goganu
> Ac amcanu drwg i'm cennad.

Y musig sy'n rheoli, ac er hynny mae'r pennill yn dweud stori hawdd ei dilyn. A'r awdl hon a sicrhaodd lwyddiant y tawddgyrch newydd.

    Naturiol iddo droi wedyn i dalu ei ddiolch a'i deyrnged i'w letywr a'i noddwr a'i gyfaill. Dyfynnwyd eisoes rannau o'i awdl i Phylip. Ceir digrifwch direidus yn ei englyn proest sy'n disgrifio dwy gamp oruwchnaturiol:

> Gwlith a ddêl o'r Ysbryd Glân
> A dawdd bechodau mewn dyn;
> Aur Phylib ar y bib win
> A dawdd syched prydyddion.

Ac yna wedi ei wahodd i wyliau'r Nadolig ym Mhant y Groes fe aeth â'i awdl gydag ef i gyfarch yr Abad Siôn. Buasai yno eisoes droeon. Yn awr y mae disgwyl am ei gerdd. Meistr sydd wrthi. Mae'r englynion unodl a phroest bob yn ail yn dymuno ac yn galw'n daer am ddyrchafu'r abad yn esgob Llan Elwy. Fe dderbynnid yn y bymthegfed ganrif megis heddiw fod dyrchafiad yn nod mor anhepgor i eglwyswr o dras ag ydoedd i wŷr llys y brenin. Wedyn daw'r byr-a-thoddeidiau yn benillion trefnus reolaidd sy'n disgrifio "arglwyddawl roi gwleddau" ac urddas y neuadd a swyddogion yr abad wrth eu gwaith, ei fwtler a'i gog, ac yn y ffreutur:

> Yr ystiward ar westeion
> I roi beirddion wrth y byrddau
> A lle yno a llieiniau
> I roi'n ddisglair arian ddysglau;
> Ac un wasanaeth â gwyniau Arthur   (*ac ennau*, yn y ll.)
>   Yn segur yw'r seigiau.

Ac wedyn yn yr eglwys:

A gwasanaeth a gwiw seiniau
A Duw a'i fydr ar dafodau
A myneich a Duw i'w minau cyson
Ym mlaenion moliannau . . .

a chyn ymadael:

Efô a'n croesa heb feiau
Â'i dri bys drwy ei fodrwyau
A'i eurserch fagl ac â'i wersau deddfawl
A'i ddwyfawl law ddeau . . . (XX)

Dyna inni banorama o urddas dydd gŵyl mewn abaty Cymreig. Y mae'r
ystrydebau'n gynnil a'r gormodiaith gweniaith dan reolaeth a'r llyfnder a'r
symlrwydd cynghanedd ddiorchest, sydd bellach yn nod ar arddull Gutyn, yn
ei gwneud hi'n *libretto* hapus i'r datgeiniad. Cyfansoddodd ef ddwy awdl arall
i'r abad Siôn, ond ar ôl campwaith ei ugain oed y maent yn siom. Ni cheir fawr
ynddynt oddieithr brolio haelioni'r abad i'r tlawd ac i'w westeion, a'i ffrwd o
fedd a'i afonydd o win a'i dri gwasanaeth i bob saig ar ginio.

Lluniodd wedyn dair awdl i'r abad Dafydd ab Ieuan ar wahanol achlysuron.
Yn y gyntaf ohonynt yn llyfr M. Bachellery y mae Guto'r Glyn yn hen a dall yn
byw yn y fynachlog a dywaid Gutyn yr â yntau i fyw gydag ef. Canu'r côr yn yr
offeren a'r gwasnaethau sy'n ei ddofi ef fel na all ymadael:

Os teg llef côr nef yn y nawfed sŵn
Unllais y barnwn wenllys Berned.
Angylion gwynion lle ganed Iesu
A ddug i ganu i Dduw gogoned:
Yng ngheyrydd Dafydd lle'n dofed yn llu
Y cawn fawl Iesu cyn felysed . . . (XXV)

Nid oes neb bardd Cymraeg y gwn i amdano wedi sgrifennu mor ddwys ac mor
gerddorol am fusig â'r prydydd hwn. Gellir dweud ychwaneg: yng nghanu'r
offeren a'r oriau eglwysig fe gafodd ef brofiadau y gallasai Ann Griffiths eu
deall. Ac yr oedd cangell Llan Egwestl a'r cerfiadau o ddail yn null Southwell
ac o'r delwau yn gefndir nefol i siant yr addoli:

Aur fynychle yw'r fynachlog
A'i chôr sy well na Chaer Sallog
A drud doriadau o'r dail a'r delwau
A lleisiau lluosog . . . (XXVII)

145

Y mae'n aros un awdl arall sy'n anthem o glod i win yr abad a chaniadaeth y cysegr a cherdd dant. Fe berthyn y gerdd hon i gyfnod addfedrwydd y bardd, ar ôl 1485. Roedd y flwyddyn wedi agor yn deg, ond daeth gwynt y dwyrain ddechrau Mawrth a "rhew ac eiry anhrugarog" gan gloi'r ddaear yn haearn a fferru dynion. Y mae Gutyn Owain yn troi o ucheldir ei gartref i geisio cynhesrwydd ym Mhant y Groes, ac y mae'r Pasg yn agos:

> Dafydd, i'w lys rydd yr af — i gwyno
> Rhag annwyd y gaeaf,

ac y mae'r gyfres englynion yn weddi daer am wellhau'r hin:

> Eithr a'i rhoes ni thyr yr hin,
> Nis toddai ein tai a'n tân;
> Rhyddhau'r ddaear a garwn,
> A Duw uchod a'i dichon.

Yna daw'r hir-a-thoddeidiau sy'n bendithio a chlodfori lloches yr abaty a chroeso'r abad, a'r prydydd yn dawel ymwybodol hefyd o'i ddawn ef ei hun:

> Ei dai ef a'i win a dyf awenydd.

Y mae'r hir-a-thoddeidiau hyn yn baian cyfoethog o ddiolch a gorfoledd, a phob pennill yn gorffen ar enw Dafydd, a'r cyrchu cynganeddol yn ychwanegu at undod cerddorol y cwbl. Yn yr ail bennill yn enwedig y mae'r awenydd yn crynhoi'r deniadau sy'n peri fod y fynachlog iddo ef yn rhagbraw o'r canu yn y nefoedd. Ni all cais i iawn brisio cyfraniad Gutyn Owain i farddoniaeth Gymraeg, ac i'n deall o hanes y celfyddydau yng Nghymru a'r gwareiddiad a fu, orffen yn well na thrwy ddyfynnu tri o'r penillion hyn. Ystyr "echwydd" yn yr ail hir-a-thoddaid yw'r amser rhwng naw ar gloch y bore a chanol dydd, sef amser yr uchel offeren ar ddydd gŵyl, ac y mae'r ansoddair "echwydd engyliawl" yn dweud am brofiad o ecstasi:

> O rhoes Duw oerin a rhus daeërydd
> Y mae im glydwr yma i'm gwledydd;
> I goed ir glynnau a gado'r glennydd
> Yr â'r ewigod ar oer rewogydd,
> A minnau a ddof o'r mynydd i'r côr
> At dair gwledd Ifor, at arglwydd Ddafydd.

Abad air Dyfnwal o bedwar defnydd
A'i hyder, flaenor hyd at Feilienydd,
A fu baradwys, af i'w barwydydd,
A chôr ddigrifach a cherdd o grefydd,
Uchel offeren, echwydd engyliawl,
Organ, a dwyfawl air genau Dafydd.

Ei dai ef a'i win a dyf awenydd,
Arglwydd a'm eurai, air gwleddau Merwydd,
A'n iarll yw yno a wna'r llawenydd
A phab, paradwys i hoffi prydydd,
A chant o gerdd dant bob dydd a fynnai
A phob rhyw westai a ddofai Dafydd ... (XXVI).

1978

Siôn Cent

Sgrifennais bennod ar Siôn Cent, gan ei gyfrif yn fardd mawr a phwysig, yn fy *Mraslun* a gyhoeddwyd yn 1932. Dirmyg a enillodd y bennod honno, a'i thitl 'Ysgol Rhydychen', gan olygydd gwaith Siôn Cent yn *Iolo Goch ac Eraill* a chan ddilynwyr iddo am genhedlaeth, a gwrthod hyd heddiw y syniad fod a wnelai Siôn erioed ddim â Rhydychen. Hyd y gwn i nid oes neb oddi ar hynny wedi cyhoeddi astudiaeth o waith y bardd. Mae'r hyn a ddywedwyd amdano yn 1944 yn *Hanes Llenyddiaeth Gymraeg hyd 1940* yn aros i gladdu Ysgol Rhydychen ac ysywaeth i gladdu Siôn Cent hefyd:

> Yr oedd yn yr iaith Ladin a'r Ffrangeg a'r Saesneg yn y cyfnod hwnnw *ddigon o ganu o'r un ansawdd yn union* â gwaith Siôn Cent.

Bûm yn darllen fy mhennod i arno yn y *Braslun* ar ôl bod yn myfyrio lawer ar ei gywyddau. Nid oes fawr ddim yn y bennod honno nad ydwyf yn awr yn barod i'w arddel a'i amddiffyn. Ond datguddio mawredd y bardd, os gallaf, yw fy nod. Bu am hanner canrif dan gwmwl. Mae'n bryd edrych arno eto.

Gwnaeth Ifor Williams waith campus arno yn 1925 yn dewis a golygu ei gywyddau ac yn astudio'i hanes a'r straeon amdano a phenderfynu hyd y gellid gyfnod ei ganu.[1] Gwyddom lai lawer amdano nag am feirdd cyfoes ag ef. Un rheswm am hynny yw na chanodd ef ddim cywydd moliant na marwnad i unrhyw arglwydd nac uchelwr. Awgrymodd Ifor Williams fod 1407-1430 yn gyfnod ei ganu. Tueddaf innau at 1412-1445. Ni chredaf iddo ganu dim o'i waith sydd ar gael cyn diflaniad Owain Glyndŵr, ac ni thybiaf ei fod yn fyw adeg Eisteddfod Caerfyrddin. Am ei hanes, mae gennym, efallai, ffaith neu ddwy ac ambell awgrym o bwys yn ei gywyddau ac yng nghywydd ymryson Rhys Goch Eryri ag ef. Mentraf ddal mai ffaith sydd yn y ddau gwpled yma o'r cywydd 'Hud a Lliw Nid Gwiw ein Gwaith':

> Mae'r perchen tai? Mae'r parchau
> Yn fab a welais yn fau?

---

[1] Dyfynnir o IGE[2], 1937.

Hynny yw, fe'i ganwyd i gysur a chyfoeth a chafodd addysg a bri megis Ieuan ap Rhydderch:

> Cefais gan rwydd arglwyddi
> Cwbl gyfarch mawrbarch i mi,

ond gwahanol fu tynged stad a chyfoeth Siôn Cent:

> Ni ŵyr cennad goeladwy
> Na herod gwynt eu hynt hwy.

Ni ddywed ef na sut na pham. Ni wyddys ei ach, ond y mae awgrym yn y ddau gwpled mai yn rhyfeloedd Owain Glyndŵr y collodd ef neu ei dad eu cwbl ac na fedrid cael unrhyw adroddiad "coeladwy" sut y bu na phwy oedd yn gyfrifol. Mae'r ddau gwpled yn dilyn bron ar unwaith y sôn am Owain, "iôr archfain oedd", a Risiard frenin, a buasai mwrdrad y brenin Risiard yn un o gymhellion gwrthryfel Glyndŵr. Y mae siom a dadrithiad mewn ieuenctid yn gyson iawn â themâu barddoniaeth Siôn.

Ail ffaith a gawn gan y bardd yw ei fod yn brydydd:

> Profais i megis prifardd
> Fesur y byd hyfryd hardd,
> Profais yn rhwydd arglwyddi,
> Tlawd, cywaethawg, rywiawg ri . . .

ac y mae gennym ddau gywydd sy'n gwarantu ei alwedigaeth. Y cywydd moliant i Frycheiniog yw un, cerdd sydd yn nhraddodiad y beirdd o Iolo Goch a Gruffydd Llwyd hyd at gywyddwyr mawr Croesoswallt. Byd hyfryd hardd yn wir a brofodd y prifardd ifanc ym Mrycheiniog:

> Nid rhyfedd, unwedd iawnweilch,
> Eu bod yn ddewrion a beilch,
> Cyffion bonedd haelioni . . .
> Ni'm gomedd un bonheddig,
> Nid ŷnt na chybydd na dig;
> Gwŷr eglwysig a gerais,
> Gwell nag un eu llun a'u llais . . .

ac fe gysylltà ef y mwyniant clera hwn â chlaer foethau glêr Fôn. Mae'r deunydd moliant a'r enwau clod cyfansodd a'r achau a'r cymeriadau oll yn bradychu gwybodaeth drylwyr o'r Gramadeg ac y mae'r cywydd yn gampwaith bychan o weiniaith aneithafol er mai o fraidd y mae'n dianc rhag y sen sydd i ddyfod yn yr ymryson â Rhys Goch Eryri.

149

Mae addysg y pencerdd yn amlwg eto yn y cywydd o benillion, 'Gobeithiaw a ddaw ydd wyf'. Nid propaganda Tuduraidd sydd yma; nid yw'r gŵr darogan wedi ei eni. Gobeithio er gwaethaf anobaith a geir. Onid oes yn y llinellau:

> Wellwell mae Cymry wylliaid
> Dydd rhag ei gilydd a gaid,
> Gwelaf waethwaeth ein galon . . .

awgrym i'r bardd ei hunan fod yn un o fintai o filwyr Owain na fuont fodlon i daflu ymaith eu harfau ar unwaith ar ôl y cyrch ar ffiniau Amwythig? Mae mwy o dorcalon a dwyster poen yn y penillion hyn nag yn holl weddill gwaith Siôn Cent. Byddaf yn ofni weithiau na fedr ond Cristion Catholig dreiddio i'r ing sydd yn y gymhariaeth fawr olaf:

> Unwedd ŷm, Gymry annwyl,
> Â'r pumoes yn hiroes hwyl
> Yn uffern gynt, iawn affaith,
> *Limbo patrwm*, cwm y caith,
> Yn disgwyl beunydd, dydd, dioer
> Gweled goleuni gwiwloer . . .

Dyna'r cefndir i gywydd sy'n adrodd muthos cenedl Cymru o Droea hyd at Rufain a "Sesar, ein câr dihareb" ac at Lundain; ac i Siôn Cent y mae dinistr ei deulu ef ei hunan yn rhan ac yn ddrych o drasiedi ei genedl. Mae'n anodd darllen y cywydd heb ymgynhyrfu; canys dyma'r farwnad fwyaf a ddaeth o fethiant Glyndŵr.

Gwahanol i'r ddau gywydd hyn a chroes iddynt yw gweddill y gwaith a briodolir yn awr i Siôn Cent. Bu toriad rhyngddo ef a'i gyd-benceirddiaid. Rhoes hynny inni yr ymryson enwog gyda Rhys Goch. Rhown gyda'i gilydd ei ddatganiad yng nghywydd Brycheiniog;

> Ni beiaf i i'm bywyd
> Glewder beirdd na gwlad o'r byd,

a'i farn yn y cywydd ymryson ar ei hen alwedigaeth:

> Os moliant i oes milwr
> Er gŵn oer a gân i ŵr,
> Crefft annoniog fydd gogan,
> Cywydd o gelwydd a gân,

150

ac eto ei glod i arglwyddi ac uchelwyr Brycheiniog:

> Dyrys ydynt a dewrion,
> Diriaid, o bydd raid, ar hon,
> Nid rhyfedd, unwedd iawnweilch,
> Eu bod yn ddewrion a beilch,

wrth ymyl y cywydd olaf, yn fy nhyb i, a gyfansoddodd ef:

> Perygl rhyfel rhywelwn
> A pha fyd hefyd yw hwn?
> Byd ymladd cas â glas gledd,
> Byd rhyfalch dyn, byd rhyfedd.
> Nid edwyn brawd, cydwawd call,
> Bryd eirian, y brawd arall.
> Anwylach, gilfach gelyn,
> Yw'r da o'r hanner na'r dyn. (xciii)

Neu ystyriwn ei glod i eglwyswyr Brycheiniog, "gwŷr eglwysig a gerais", a'i ddychan deifiol diweddarach i fynaich a fu'n claddu arglwydd mawr:

> Cas gan grefyddwyr y côr
> Cytal â'r tri secutor;
> O'r trychan punt yn untal
> A gawsant am swyddiant sâl,
> Balch fydd ei genedl dros ben
> O pharant dair offeren. (xcvi)

Yr oedd tri chan punt y pryd hynny yn dâl enfawr. Onid yw'n amlwg, onid yw'n sicr, ddyfod newid mawr i'w fywyd? Ni fynnai Ifor Williams briodoli iddo "Meddyliaid am addoli i Dduw a'i fam ydd wyf i", lxxxiv. Mae'r llawysgrifau yn tueddu o'i blaid a mentraf ei hawlio iddo. Mae trefn ac arddull y cywydd a'r pwyslais yn yr ail ran ar bechodau ieuenctid:

> Pob hanes a gyffesaf,
> Profi mynegi a wnaf,
> Annoeth rwyf, heb ofn na thranc,
> Fy mywyd tra fûm ieuanc,

yn awgrymu adeg o ymholi a chwilio cydwybod o ddifri; sylwer hefyd ei fod yn cyfaddef ei feiau yn brydydd:

> Gwag weniaith a goganu,

151

a bod y gyffes yn gorffen fel nifer eraill o gywyddau Siôn mewn gweddi ac Amen.

Felly, beth fu? Tröedigaeth. Cefnu ar "Gymry wylliaid", y "Cymry annwyl"; cefnu ar y "gobeithiaw a ddaw" yn y bywyd hwn; cefnu ar alwedigaeth y prydydd a'r "beirdd teg a'r byrddau tâl"; troi at obaith arall a moliant arall, "meddyliaid am addoli" a hynny mwyach yn unig amcan byw. Y mae Rhys Goch Eryri yn taflu'r peth megis ar draws ei ddannedd ef wrth ei gyhuddo o'i frad:

> Caeth rŵol ffydd, cerydd cenedl

Ystyr caeth rŵol ffydd yw gŵr sy wedi ei rwymo ei hun drwy lw gerbron yr allor i fod yn aelod llwyr ufudd o urdd eglwysig weddill ei einioes. Ni olygai ei fod yn offeiriad na chwaith o raid yn fynach. Gallai fod yn frawd bregethwr yn urdd Sant Ffransis neu yn urdd Sant Dominic, sef Urdd y Pregethwyr. Gallasai fod yn ddiacon neu'n lector. Dyna, mi dybiaf, yr awgrym yng nghwpled Siôn:

> Nid cymwys gwŷr eglwysig
> Medd Duw *ohonom* modd dig. (lxxxvii)

Tair gwaith yn yr ychydig gywyddau hyn fe ddywed ef mai pregeth yw bywyd a byd; pregeth hy yw cyffelybu bywyd i ddiwrnod; "rhyfedd yw'r byd, rhyw fawr bregeth", ebr ef ar gychwyn cywydd y Farn; ac eto ar gychwyn ei gampwaith mawr (cii) "pregeth, oer o beth, yw'r byd", hynny yw, dychryn o beth. Beth yw ystyr *byd*? Yr un ag yn llinell allweddol Guto'r Glyn, "Moli bûm ymylau byd", sef y gymdeithas o dirfeddianwyr, etifeddion goresgynwyr, y mae ganddynt awdurdod eang a rheolaeth ar ddeiliaid a gweision ac adnoddau i gynnal rhyfel neu i lawenhau mewn llawnder. Moli hynny oedd swydd penceirddiaid Cymru, hynny yw, rhoi darlun delfrydol ohono. Astudio hynny, medd Siôn Cent, oedd swydd bardd a dyna'n union oedd pregeth, "Ystad bardd astudio byd". Yr un gymdeithas yn union ag a folai'r penceirddiaid oedd testun rhybuddion a gogan a dadrithiad didrugaredd Siôn:

> Profais i megis prifardd
> Fesur y byd hyfryd hardd,
> Profais yn rhwydd arglwyddi . . . (lxxxvii)

Ac nid oes ond arglwyddi yn Uffern cywydd y Farn. Yno'n unig yn holl farddoniaeth Siôn y ceir sôn am y tlodion. Y Barnwr sy'n eu disgrifio hwynt gan daflu ei fantell drostynt ac y mae pathos sy'n brifo yn ei ansoddair cyntaf ef,

152

Tlodion, gwynion a gweiniaid,

sy'n ddarlun sydyn fel mellten o hanner poblogaeth Cymru wedi methiant Glyndŵr. Yr oedd ymyrraeth y prifardd hwn yn ymrysonau dibwys Rhys Goch, a'i ymosod ar holl athrawiaeth gramadegau'r penceirddiaid, yn gais am chwyldro ac yn bygwth seiliau galwedigaeth y prydydd. Darllened unrhyw un y paragraff o linell 17 i 36 o'r cywydd i'r Awen Gelwyddog ac fe wêl mai un sy'n llwyr wybod ei benceirddiaeth yw'r awdur, a'i fod wedi cefnu ar alwedigaeth y prydydd ac ar draddodiad politicaidd barddoniaeth Gymraeg am byth, — "cerydd cenedl".

A mynd i Rydychen i ddilyn y cwrs mewn diwinyddiaeth. Mi eglurais i hynny yn y *Braslun* gan dybio'n ddiniwed imi ei brofi. Cymerais y llinellau:

Mae'n y dics mewn y decsir
Meistr Tomas Lwmbard, gward gwir;
Pob celwydd yn nydd, yn nod,
Bychan, mae ynddo bechod.
Tyst ar hyn yw'r dengyn da
Synnwyr llyfr Alysanna:
Neu lyfr Durgrys, gadrfrys fro,
Mwyn ei ditl ond mynd ato.

Mi chwiliais am y testun Lladin gwreiddiol yng ngwaith Petrus Lombardus, a'i gael a'i ddyfynnu, gan egluro mai esboniwr ar Lwmbard oedd y Thomas, a bod hynny'n ddigon cyffredin o gywasgiad yn llawysgrifau'r ysgolion. Ond mynnai Ifor Williams fod rhyw Thomas Lwmbard wedi bod ac ni fyn rhai athrawon hyd heddiw gysylltu Siôn Cent â Rhydychen. Mi geisiaf gan hynny grynhoi'r profion yn fyr a dyfynnu awdurdodau go ddiweddar. Dangos gyntaf i Siôn Cent ddilyn cwrs diwinyddiaeth mewn prifysgol; wedyn mai Rhydychen oedd y brifysgol honno.

Dywaid Étienne Gilson yn ei *La Philosophie au Moyen Age,* 1944: "Y ddau brif ddull o ddysgu yn holl brifysgolion yr Oesoedd Canol oedd y wers a'r ymryson. Darllen ac esbonio rhyw adnod arbennig o'r Beibl neu o *Sententiae* Pedr Lombard oedd y wers yn y cwrs diwinyddol". Un o ddisgyblion Abelard oedd Lombard. Bu Cyngor Latran yr Eglwys yn 1215 yn ystyried *Quattuor Libri Sententiarum* ac fe'i cyhoeddwyd ef yn *Feistr y Sententiae,* ac o'r flwyddyn honno hyd at ddarlithiau'r athro ifanc Martin Luther llyfr Lombard oedd llyfr testun, *Liber textus,* pob prifysgol drwy holl wledydd Cred. Dywed J. de Ghellinck yn ei *L'essor da la Littérature Latine au XIIe siècle* (1946): "Fe groesodd y *Quattuor Libri* yr oesoedd canol a chyrraedd yr oes fodern gyda gosgordd o ragor na phum can esboniad, a rhagor na dau gant a hanner o'r rheiny yn waith Urdd y Pregethwyr, ac o leiaf gant a thrigain ohonynt wedi eu sgrifennu yn Lloegr". Dyna ategu yr union beth a ddywedodd Siôn Cent:

153

Mae'n y dics *mewn y decsir*.

At hynny y mae darllen Siôn Cent yn argyhoeddi fod ganddo gefndir diwinyddol nad oedd gan neb arall o awduron cywyddau duwiol ei ganrif. Bodlonaf ar ddwy esiampl. Ystyrier y cywydd (lxxxv), 'Llyma y byd cyd cadarn'; pregeth genhadol seml ei hiaith a'i harddull ond sy'n grynhoad o holl athrawiaeth y bardd. Mae'n dechrau gyda dyn a'i gyflwr a'r pwyslais ar fyrdra truenus ei hynt, a'r enaid wedyn yn wynebu ai'r Purdan ai'r "boen arall", a dyfod at y cwestiwn:

> Pwy sydd nerth gwiw yn perthyn,
> Onid Duw i enaid dyn?

a daw'r ateb:

> Iesu o gyfraith Foesen
> Yn brid a'n prynodd ar bren.
> Goddef a wnaeth gwiw Dduw Nêr
> Gwanu ei gorff ddyw Gwener
> I brynu dyn â bron don,
> Gwedi'i gael gwaed o'i galon.

I'r darllenwyr hynny sy'n craffu ar y meddwl mewn barddoniaeth onid yw'r llinell gyntaf yna yn sioc? Yr oedd Esboniad Pedr Lombard ar Epistolau Paul yn llyfr gosod yng nghwrs diwinyddiaeth y prifysgolion ac onid aralleiriad o'r Epistol at y Galatiaid 3:13 yw ateb Siôn? Ni ddylem ychwaith golli'r dwyster a'r onomatopoiia yn

> Gwanu ei gorff ddyw Gwener.

Caf enghraifft arall o atgof am astudio Beiblaidd ym mhennill cyntaf y cywydd 'Nid oes iawn gyfaill ond un':

> Llyma freuddwyd, coeliwyd cêl,
> Llafar doniog Llyfr Deiniel.
> Waethwaeth fydd y byd weithian
> Hyd dydd brawd, medd tafawd tân.

Ceir stori breuddwyd Nebuchodonosor yn ail bennod Llyfr Daniel, sef stori'r ddelw a'i phen o aur a'i bol o bres a'i thraed o haearn a phridd, a'i malurio'n ddim gan garreg. Dehongla Daniel y breuddwyd gan ei ddangos yn ddrych o hanes y byd hyd oni chyfyd Duw frenhiniaeth "yr hon ni ddistrywir byth".

154

Dyna brif neges Siôn Cent ar ôl ei dröedigaeth mewn sawl cywydd ond y pwynt diwinyddol diddorol yma yw ei fod yn cysylltu dehongliad Daniel â dehongliad yr Apostol Pedr o gynnwrf dydd y Pentecost i ddangos mai "tafod tân" yr Ysbryd Glân a fu'n llefaru yn y proffwyd a'r apostol.

A pham Rhydychen? Yn gyntaf, oblegid mai hynny oedd yn arferol a thebygol. Dywaid J. E. Lloyd yn ei *Owen Glendower* (t. 72) fod efrydwyr Cymreig Rhydychen a Chaergrawnt wedi mynd yn fintai yn ôl i Gymru i ymuno ym myddin Glyndŵr, a'u bod yn ddigon eu nifer yn Rhydychen yn 1402 i beri sefydlu pwyllgor ymchwil i ystyried eu terfysg. Yn ail, os cywir cyhuddiad Rhys Goch Eryri, "caeth rŵol ffydd", nid oedd gan Siôn ddewis ond Rhydychen. Yn 1334 etholwyd mynach Sistersaidd yn Bab dan yr enw Bened XII. Ymroes ef ar unwaith i ddiwygio moesau ac addysg yr holl urddau eglwysig, gan drefnu fod ysgolion diwinyddol ym mhob mynachlog a thŷ brodyr. Dyfynnaf o drydedd gyfrol Philip Hughes, *A History of the Church*, 1947: "Heblaw eu hefrydiau yn eu tai eu hunain fe orchmynnodd fod tri brawd i'w danfon bob blwyddyn i brifysgol Paris, tri i Rydychen a thri i Gaergrawnt i astudio diwinyddiaeth, a bod yn rhaid i bob un cyn mynd i'w brifysgol fod wedi darllen Pedwar Llyfr Pedr Lombard" (t. 181). Gorchmynnwyd hefyd mai Rhydychen oedd y brifysgol i holl fynachlogydd y Sistersiaid a thai brodyr Urdd y Pregethwyr yng Nghymru.

Ymhellach y mae gennym dystiolaeth y bardd ei hunan. Rhydychen oedd canolfan dysgeidiaeth William Ockham a'i ddilynwyr. Mi geisiais ddangos yn y *Braslun* mai athroniaeth Ockham oedd athroniaeth Siôn Cent. Nid af i ailadrodd. Nid da gan ddiwinyddion Catholig heddiw ddim o ddysgeidiaeth Ockham, ond nid oes neb ohonynt a wad ei ddylanwad difesur ar bob prifysgol yn Ewrop, a dywed Philip Hughes (Op. cit. 122): "O ganol y bedwaredd ganrif ar ddeg ymlaen sustem Ockham sy'n arglwyddiaethu ar bob un athronydd a diwinydd Catholig", a hynny gan gynnwys y Martin Luther ifanc. Nid peth annhebygol yw dylanwad Ockham a Rhydychen ar feddwl a barddoniaeth Siôn Cent, ond peth anocheladwy.

Mae ganddo ddau gywydd lled hanesyddol. Nid mewn eglwys yng Nghymru yn ystod gwrthryfel Glyndŵr nac yn fuan wedyn y gwelodd ef

> . . . Baentiwr delw â phwyntel
> Yn paentiaw delwau lawer
> A llu o saint â lliw sêr. (xc)

Yr oedd hynny'n debycach dipyn o ddigwydd mewn eglwys neu gapel coleg yn Rhydychen. Yno hefyd y byddai ef debycaf o daro ar *ballade* gan y bardd Ffrangeg Eustache Deschamps a fu farw yn 1407 ac a fuasai'n gyfaill i Chaucer:

Ou est Nembroth le grant jayant
Qui premier obtint seignerie
Sur Babiloine? Ou est Priant,
Hector et toute sa lignie?
Achillès et sa compaignie,
Troye, Carthage et Romulus,
Athene, Alixandre, Remus,
Jullius Cesar et li sien?
Ilz sont tous cendre devenus.
Souflez, notre vie n'est rien.

Clymodd Siôn Cent ei brofiad o edrych ar y paentiadau ffresgo o'r saint wrth thema Deschamps, a gofyn yr un cwestiwn am lawer o'r un cymeriadau, a'i fyrdwn ar derfyn pob paragraff yw:

Hud a lliw, nid gwiw ein gwaith.

Y mae penillion Deschamps yn fwy cymen na chywydd Siôn a'i fyrdwn yn mynd i galon holl brofiad ac athroniaeth y Cymro:

De mort n'est d'eulx eschapez nuls:
Souflez, notre vie n'est rien.

Ond y mae'r gerdd Gymraeg yn fwy personol, yn debycach i angerdd Villon ar ei ôl, a ganodd yntau am y rhianedd meirw ac am:

Ou sont les gracieux galants
Que je suivoye ou temps jadis,

sy megis atgof Siôn am ei glod gynt i wyrda Brycheiniog 'Mae'r gwyrda gynt?':

Er eu dewred, wŷr diriaid,
A'u balchedd rhyfedd a'u rhaid,
Yn ddiddim, awgrim ograff,
I'r pridd ydd aethant, wŷr praff. (xc)

Cerdd hanesyddol arall yn deillio o'i efrydiau prifysgol yw'r cywydd 'I'r Wyth Dial'. Trem ar hanes y byd o drychineb i drychineb, hynny yw o ddial neu gosb Duw ar ei greaduriaid o gyfnod i gyfnod hyd at ddydd y Farn, ac ar ei ganol fraslun o raniad ieithoedd neu deuluoedd y ddynoliaeth rhwng Asia ac Ewrop a'r Affrig. "Pob cronigs a digs" darlleais, ebr Siôn, ac mi dybiaf y gellid darganfod ffynhonnell ei gronig o hanes y byd yng nghyfrolau'r *Patrologia*

Latina ond medru dringo grisiau'r llyfrgelloedd. Ymhlith dilynwyr Isidor neu Orosius tua'r ddeuddegfed ganrif y dylid chwilio gyntaf. Ceir yn *Delw y Byd* gan Honorius o Autun, awdur yr *Elucidarium* hefyd, bennod sy'n rhannu'r hanes yn gyfnodau. O gwymp Lwsiffer o'r nefoedd hyd at gwymp Adda o Eden a boddi'r byd yn oes Noah yw'r cyfnod cyntaf, yr ail o Noah hyd at Abraham a'r trydydd o Abraham hyd at gwymp Caer Droea. Nid dyna ffynhonnell cywydd Siôn ond y mae'n arddangos yr un cylch o syniadau a'r un dull o drafod hanes a'r egwyddor fod i'r cwbl gynllun a nod a diben. Gweledigaeth farddonol o'r greadigaeth.

Creadigaeth fach glyd a theuluaidd, a'r ddaear yn ganolfan iddi wedi ei rhannu'n dri chyfandir rhwng meibion Noah; nefoedd Duw uwchben a thrigfa'r Anysbryd oddi tanodd. Dyna'r bydysawd, "llyma y byd cyd cadarn"; yr oedd yn nefoedd posibl. Ond oherwydd cymryd "o Adda gan Efa afal", gwir fu gynt "i Dduw felltigo'r ddaear". A'r felltith yw dirywio a darfod, pydru, marw. Fe ddigwydd i'r bydysawd oll cyn hir, "diwedd byd yw Dydd Barn", ac fe ddigwydd yn gyson, tra pery dim bywyd, i bopeth sy'n anadlu neu'n symud ar y ddaear. Yr un yw tynged brenhinoedd a breniniaethau yng ngweledigaeth Daniel, a choed a chi a march a gŵr a'r anifeiliaid hwyaf eu hoedl yn hen, hen chwedlau'r Cymry:

> A faco'r ddaear aren
> A lwnc oll fal afanc hen. (lxxxiii)

Tro ar ôl tro drwy'r casgliad bychan o gywyddau a roddir iddo y mae'r geiriau darfod, diwedd a'u cyfystyron yn taro, profiad wedi tyfu'n argyhoeddiad, yn bennaf ffaith, y peth anochel a buan a damniol. Ac eto er hynny, yn groes i hynny, y mae dyn yn enaid a chorff:

> Dyn yn anad creadur
> A wnaethost, gorfuost gur,
> O nerth tragwyddol i ni
> Ar dy ddelw, er d'addoli.

Dyna fawredd a dyna drychineb dyn, nerth tragwyddol yr enaid. Gall ddirywio'n dragwyddol heb ddarfod, Tithonos y cread.

Ond yr enaid, yr enaid noeth heb y corff, i'r Cristion iach a normal, wedi ei eni i gysur neu gyfoeth, nid peth o ddim pwys beunyddiol fel cinio neu rent yw'r enaid. Fe ddywaid Siôn Cent hynny drosodd a throsodd a rhybuddio yn erbyn y difrawder caled:

> Daw praw tost gwedy'r ffost fwyn.

157

Yn ei erbyn yr oedd traddodiad y penceirddiaid a nodded arglwydd ac uchelwr. Nefoedd ddaearol, nefoedd drwy'r synhwyrau, onid dyna destun pob canu moliant:

> Baradwys wlad bêr ydwyd,
> Bro serch o ail Baris wyd.

Ie, ond y mae'n darfod, darfod. Os yw darfod yn bosibl y mae'n bosibl o'r cychwyn. Nid dyna nefoedd. A sut ddarfod? Astudiwn ef; ystad bardd astudio byd, ac ymroes Siôn o ddifri angerddol i droi'r gwir yr oedd wedi ceisio'i ddangos sawl gwaith yn un campwaith terfynol. Rhoes rhyw gopïwr deallus y titl 'I Wagedd ac Oferedd y Byd' i'r cywydd gan ddefnyddio geirfa Siôn. Titl y gellid hefyd ei roi arno fyddai 'Nid oes iawn nefoedd ond un'. Y mae'r cywydd yn gant a hanner o linellau. Gwnaeth Ifor Williams waith nodweddiadol feistraidd ar y testun ac ar baragraffu'r traethiad. Rhaid bwrw allan gwpled neu ddau. Cofier na chadwodd unrhyw deulu gywyddau Siôn a bu rhai copïwyr yn anwybodus hy yn ystumio'i enwau hanesyddol ef ac yn gwthio cypledi o ryw gywydd duwiol i mewn i'w waith ef. Byddai trafod yr holl gywydd yn fanwl fel yr haedda yn gofyn gormod o ofod. Mi ddyfynnaf y paragraff cyntaf yn llawn, gan fwrw allan linellau 21-24 yn IGE[2]:

> Pruddlawn ydyw'r corff priddlyd,
> Pregeth, oer o beth, yw'r byd.
> Hoywddyn aur heddiw'n arwain
> Caeau, modrwyau a main;
> Ysgarlad aml a chamlod,
> Sidan glân, os ydyw'n glod;
> Goroff buail ac eurin,
> Gweilch a hebogau a gwin;
> Esgynnai ar Wasgwyniaid
> O'r blaen, a gostwng o'r blaid.
> Ymofyn am dyddyn da
> Ei ddau ardreth, oedd ddirdra,
> Gan ostwng gwan i'w eiste
> Dan ei law a dwyn ei le;
> A dwyn tyddyn y dyn dall
> A dwyn erw y dyn arall.
> Dwyn yr ŷd o dan yr onn,
> A dwyn gwair y dyn gwirion.
> Cynnull anrhaith dau cannyn,
> Cyrchu'r da, carcharu'r dyn.
> Ni roddai ddifai ddwyfuw
> Wrda, ddoe er dau o Dduw.
> Heddiw mewn pridd yn ddiddim,
> O'i dda nid oes iddo ddim.

Pridd yw'r gair sy'n clymu'r cwpled cyntaf wrth y cwpled olaf ac yn datgan safbwynt y cywydd. Moliant mingam i arglwydd o Gymro ffyniannus yw llinellau 3-10 sy'n ei frolio yn ei anterth gyda'r priodoleddau traddodiadol. Yna mae'r mab wedi'r maeth gan "greulon ddwyn gwroliaeth" yn ymroi i bob trais gan ysbeilio tyddyn y gwan a'r dall, dwyn tiroedd y diamddiffyn, porthiant dyn ac anifail, estyn ei ormes dros wlad eang a'i garchar yn ddychryn i deuluoedd. 'Does dim na neb a all roi eiliad o bryder iddo a daw her a chabledd ei wawd a'i chwerthin ar Dduw i goroni —! Ond nage. Daeargryn yw'r cwpled olaf. Y mae nofel Manzoni, *I Promessi Sposi*, yn darlunio arglwydd fel hwn yn yr Eidal yn yr ail ganrif ar bymtheg; nid oes dim gormodedd yn narlun Siôn Cent.

Wedi'r rhialtwch byrlymog daw'r ail baragraff a'r trydydd sy'n dweud am bennod olaf y baradwys bêr, a'r neuadd fawrfalch yn awr yn arch bach dan bridd a gro. I mi y mae'n gryn ddryswch sut y gall neb ddarllen y paragraffau hyn heb ei gynhyrfu gan argyhoeddiad mai dyma lais ac athrylith un o feistri barddoniaeth. Y mae'r disgrifiadau yn ffeithiol hyd at fanylion:

A'i drwyn yn rhy laswyn drist;

Onid yw coegni'r adferf *rhy* yn brathu? A'r dychan, ei wraig gywir iawn yn gwra'r ail,

Ni rydd gordderch o ferch fain
Ei llaw dan yr un lliain.

Brad yw nod amgen pob câr, pob deiliad a swyddog a gwas, pob anifail addfwyn, pob offeiriad a chrefyddwr, pawb ond y llyffant amyneddgar du. Y mae'n iawn ystyried un gwrthwynebiad. Gall amheuwr ddal na ŵyr y corff marw ddim am boen na budreddi na brad, ac amau felly ddilysrwydd y farddoniaeth. Ond nid peth ar ei ben ei hun yw nefoedd neb. Y mae paradwys bêr y gormesydd yn rhan o nefoedd ei holl gariadon a'i ddilynwyr a hwythau'n rhan fawr o'i wynfyd yntau. Hwy sy'n profi'r enbydrwydd a'r boen, hwy y bradwyr a'r dychrynedig, ac y mae eu poen a'u hofn hwy yn rhan mor hanfodol o faluriad ei nefoedd yntau fel mai dwfn wirionedd barddoniaeth yw priodoli'r artaith i'r "dyn â'r gwallt melyn mawr". Soniais am Villon a oedd genhedlaeth yn iau na Siôn Cent, yntau hefyd yn fardd prifysgol. Go brin fod neb arall o feirdd y bymthegfed ganrif gymaint yn yr un byd â Siôn Cent. Ond y mae gan Villon hefyd dynerwch a chwerthin y tu hwnt i'r Cymro.

Mae'r pedwerydd paragraff yn dychwelyd at gwestiynau Deschamps gan holi am hap yr holl fwyniannau a fu'n gynhysgaeth yn y gwynfyd coll. Bu'r arglwydd wrth gwrs ar yr ochr iawn, megis un o leiaf o noddwyr Rhys Goch

159

Eryri, yn ystod gwrthryfel Glyndŵr. Felly fe all y bardd ofyn, "Mae'r swyddau mawr, mae'r llysoedd, mae'r siwrnai i Loegr, mae'r beirdd teg?" Rhan o restr go faith a'r cwbl yn chwanegu'n helaeth at bictiwr y paragraff cyntaf o fywyd wedi ei anelu at fodloni pob chwant a chwaeth, at ymroi i flasu holl bosibiliadau gwareiddiad llewyrchus, beiddgar a di-dduw. Y mae'r Dadeni wrth y drws. Ond geilw Siôn ni'n ôl at y corff fu yn y porffor:

> Ni seing na dadlau na sir . . .
> Ni rown ben un o'r cennin
> Er ei sgrwd yn yr ysgrîn.

Mae'r ddedfryd yn derfynol, ac nid yw helynt yr enaid ddim rhadlonach. Ond byr yw'r sôn am uffern canys nefoedd y corff yw thema'r cywydd hwn, ac fe dry'r bardd i derfynu at y gŵr a roes batrwm o benderfyniad iddo ef ei hun ac i holl grefyddwyr Ewrop:

> Medd Sain Bened grededun,
> Ni fyn Duw roi nef ond un . . .
> Dyn na chymered er da
> O nwyf aml ei nef yma,
> Rhag colli, medd meistri mawl,
> Drwy gawdd y nef dragwyddawl.

Yr un meistri mawl ag a ddyfynnodd ef gynt yn ei ymryson â Rhys Goch.

O ystyried holl drefn a saernïaeth y cywydd, y datblygiad o baragraff i baragraff, a'r cyfoeth mater, yr angerdd, y dychan, y dirmyg, yr eironi, y tristwch a'r pathos, y disgrifiadau o'r gymdeithas, o gymeriad y gwron, o'i dŷ a'i deulu a'i westeion, o reolaeth gwlad, o gampau uchelwyr a'u difyrion, o lygredd mynachlogydd, a'r ddadl athronyddol gref sy'n gorwedd oddi tan y cwbl, onid rhaid cydnabod mai dyma gerdd rymusaf yr iaith Gymraeg yn y bymthegfed ganrif ac un o gampweithiau pennaf cerdd dafod erioed?

1979

ERTHYGLAU CYFFREDINOL AR LENYDDIAETH GYMRAEG

Y Ddrama yng Nghymru

Nid oes dim yn rhyfeddach yng Nghymru heddiw na ffyniant y ddrama. Pe ceisid dangos yn fyr iawn y gwahaniaeth hanfodol rhwng y ganrif ddiwethaf a'r ganrif hon, byddai'n ddigon dweud nad oedd drama Gymraeg ddim yn bod yn y ganrif ddiwethaf, a heddiw wele hi'n boblogaidd i'r eithaf. Yn sicr y mae chwaraeon eraill yn newydd yn y pentrefi hefyd, megis y tai pictiwr, ond pethau estron yng Nghymru yw'r rheini o hyd. Y mae'r ddrama mwyach yn Gymreig a Chymraeg.

Fe ŵyr pawb y bu drama gynt yng Nghymru hefyd. Y mae'n arfer dweud mai diwygiad crefyddol y ddeunawfed ganrif a laddodd yr hen interliwdiau difyr, a throi chwaeth y werin oddi wrth chwarae a dawns at bregeth a hymnau. Ond y mae hynny'n amheus. Cofiwn fod Twm o'r Nant wedi byw a chwarae ei interliwdiau drwy flynyddoedd olaf y ddeunawfed ganrif, peth amhosib petasai'r diwygiad wedi lladd yr interliwd. O'm rhan i, ni allaf gredu mai effaith y diwygiad oedd marw'r interliwdiau.

Beth ynteu a'u lladdodd? Pe deallem hynny, odid na chaffem oleuni hefyd ar y sut y tyfodd y ddrama newydd heddiw. Canys y mae'n debyg bod yn rhaid i'r peth hwnnw a laddodd yr hen ddrama ddiflannu cyn y gellid cael y ddrama newydd. A'r dull hwylusaf i ddarganfod beth a ddinistriodd y ddrama yw gofyn ymhellach: Beth yw hanfod drama a'i phrif ddiddordeb?

Yr ateb yw bod yn arfer mewn drama ddarlunio dynion, ac mai diddordeb mewn cymeriadau, mewn personoliaeth, sy'n rhoi bod i'r dramâu cyflawnaf. Dangos dyn fel y mae yn y byd hwn, yn ei drafferthion, ei ychydig wynfyd, ei ansicrwydd, ei ofn a'i ofid, ei chwerthin a'i ysmaldod, ei flinder, ei dranc, dyna fusnes y ddrama yn gyffredin. Yn awr, y mae gweithiau Williams Pantycelyn ar eu pen eu hunain yn ddigon o braw nad oedd y diddordeb hwn mewn dyn ac mewn eneideg dynion ddim yn wrthwyneb o gwbl i'r diwygiad yn y ddeunawfed ganrif, ac y mae'n hawdd deall bod Twm o'r Nant yn hawlio iddo yntau helpu gwaith y diwygwyr. At hynny, anodd a fyddai gredu bod y mudiad a roes fod i'r seiat yn elyn anghymod i'r ddrama, oblegid diddordeb angerddol mewn dyn, a chyflwr profiad dyn, a helbul enaid dyn, a fu'n achos cychwyn y seiat, a seiat brofiad y gelwid hi, profiad dynion, fel nad oedd hi ddim ymhell oddi wrth y ddrama. Ac am gân sy'n arbennig yn ffrwyth y seiat, sef 'Theomemphus', fe ddywedodd Williams Pantycelyn ei hun mai prydyddiaeth "ddramatig" oedd hi. Prin iawn y gellid dal yn wyneb hynny mai'r diwygiad a laddodd y ddrama.

Beth ynteu? Mi gredaf mai colli diddordeb mewn dynion a phersonoliaeth dyn a fu'r drwg. Ac onid dyna un o nodweddion amlwg meddwl a llenyddiaeth y ganrif ddiwethaf yng Nghymru? Oblegid wedi tawelu diwygiad y ganrif gynt, fe ddaeth newid ar dymer y wlad, a mwyach nid profiadau duwiol a oedd yn destunau'r seiat, ond yn hytrach broblemau crefydd. Ac felly drwy lawer iawn o lenyddiaeth y ganrif ddiwethaf: *Cyffes Ffydd y Methodistiaid, Athrawiaeth yr Iawn* Lewis Edwards, barddoniaeth yr Eisteddfod a chaneuon Islwyn, — pynciau haniaethol, nid profiadau dynion, yw eu deunydd. Ac mewn awyrgylch felly nid oedd fodd i'r ddrama fyw.

Os gwir hyn, y peth a roes fod i'n drama ni heddiw oedd atgyfodi'r diddordeb mewn dyn a phersonoliaeth. Fe welid dechrau hynny yn nofelau Daniel Owen, ac ef yn wir yw rhagflaenydd drama'r ganrif hon. Ond nid yn ebrwydd y diddyfnwyd llenorion oddi wrth y diddordeb mewn pynciau a phroblemau. Fe welwyd yn gyntaf fod problemau bywyd oll yn bod y tu mewn i feddyliau dynion, a bod gwahanol syniadau yn y meddwl yn taro yn erbyn ei gilydd, a chreu drysni, a'r dyn mewn cyfyng gyngor, a syniadau un dyn yn ei yrru'n elyn i ddynion eraill. Hynny yw, fe ddeallwyd y gellid edrych ar broblemau haniaethol o safbwynt athroniaeth, ac felly, bod problemau'r meddwl yn fater dramatig. A dyna ddeunydd dramâu Mr J. O. Francis, megis *Change* a *Cross Currents*. A sylwch nad yw Mr Francis yn ei ddramâu fyth yn setlo'r broblem, nac yn datgan ei farn ei hun, ond yn hytrach yn cadw'r fantol rhwng y pleidiau, a dangos effaith eu syniadau ar bersonau ei ddramâu. Ei degwch, ei ddihitio, ei allu i'w gadw ei hun yn rhydd oddi wrth bob plaid a phob athrawiaeth, dyna sy'n hynod yn Mr Francis. Y mae ganddo feddwl sgeptig, a hynny sy'n peri ei fod mor wahanol i feddylwyr y ganrif ddiwethaf. Yr oeddynt hwy oll, er eu ffraeo, yn hanfodol unfarn bod barnu yn bwysig a bod yn rhaid dewis ochr mewn dadl. Ni wêl Mr Francis un rheswm dros ddewis ochr; yn hytrach fe wêl reswm da dros beidio, a dyna'r pam y mae ef yn ddramodydd.

Fe ddechreuodd Mr. D. T. Davies yntau gan drin problemau, a ffrwyth hynny yw *Ble Ma Fa*. Ond nid yn hynny y mae Mr Davies wrth ei fodd. Dynion yw gwir ddiddanwch yr awdur hwn, ac felly y mae'n perthyn yn llwyrach i'r ganrif hon. Pan feddyliom am weithiau Mr Davies, nid cofio am broblemau ei ddramâu a wnawn, nac am anneall pleidiau gwrthnebus, nac am ryfel yr hen a'r ifanc; ond yn hytrach cofio am Ephraim Harris a Dinah, y fam yn *Ffrois*, a'r fam arall yn *Troi'r Tir*, y bugail yn *Y Dieithryn*, y barbwr a'r

162

arweinydd côr yn *Castell Martin*, aelodau'r Pwyllgor sy'n aros o hyd yn nodweddiadol o bwyllgorau eisteddfodau. Fe greodd Mr Davies fyd llawn o bobl fyw. A dyna yw drama iddo ef, cyfle i edrych ar ddynion a sylwi ar eu hystumiau. Dyn yw'r peth mwyaf swynol ar wyneb daear iddo, a dangos hynny yw rhinwedd pob drama a gyfansoddodd.

Ac y mae'n wiw sylwi cyn ymadael fod y diddordeb hwn mewn dynion a phersonoliaeth dyn yn amlwg mewn meysydd eraill ein llenyddiaeth hefyd. Dyna sydd wrth wraidd straeon Miss Kate Roberts, a barddoniaeth ddiweddarach yr Athro Parry Williams a Mr Prosser Rhys, a *Gŵr Pen y Bryn* Mr Tegla Davies. Ac nid oes un elfen gyfoethocach na hon yn ein llên. Hyderwn fod iddi y tro hwn hir oes, ac nas collir.

Y Faner, 26 Mawrth 1925

Llenorion a Lleygwyr

Mewn ysgrif bwysig yn *Y Llenor* dywed Mr G. J. Williams:

> Er pob ymdrech a wnaethpwyd yn Nghymru yn ystod y deugain mlynedd diwethaf i ddarganfod y gwirionedd ynglyn â hanes llenyddiaeth Gymraeg, eto gwelir o hyd bobl a ddylai wybod amgenach pethau yn dal i gyhoeddi syniadau ac i draethu chwedlau y profwyd yn derfynol nad oes dim sail iddynt.

Dyry Mr Williams enghreifftiau o'r drwg hwn; ac ar unwaith wedi cyhoeddi ei ysgrif, ymddangosodd yn y *Western Mail* ateb iddi sydd yn enghraifft arall o'r un camwri.

Fe'n gorfodir felly i geisio deall problem ddyrys. Fel y dywed Mr Williams eto: "Peth digon digalon i'r rhai a fyn hyrwyddo ysgolheictod yng Nghymru ydyw gweled gwŷr cyfrifol yn anwybyddu pob goleuni newydd." A ellir esbonio'r peth? Ebr Mr Williams: "Noddfa'r cwacyddion hyn gan amlaf ydyw Gorsedd y Beirdd." Ie, ond os amddiffynwyr yr Orsedd yw rhai ohonynt, yn sicr y mae iddynt hefyd eu dilynwyr ymhlith gwerin gwlad. Yn ddiamau fe lŷn llawer iawn o leygwyr llengar Cymru, er pob dim a brofwyd gan ysgolheigion, wrth y syniadau a'r "traddodiadau" am hynafiaeth yr Orsedd a'r Eisteddfod a Chadair Morgannwg. Yn wir, er gwaethaf y *Geiriadur Beiblaidd*, nid oes gan Gymru eto ffydd o gwbl mewn uwchfeirniadaeth oddieithr mewn efrydiau sy'n mynd yn fwyfwy dibwys ganddi. Mi dybiaf y gallai myfyrio ar y broblem hon ddwyn gwers nid i lenorion yn unig eithr hefyd i ddiwinyddion.

Fel na'm camddealler, dywedaf yn gyntaf fy mod i'n ochri o blaid yr uwchfeirniaid. Y mae'r hyn a ddangoswyd am ddarddiad yr Eisteddfod, am yr Orsedd, am Gyfrinach y Beirdd, am ffugion Iolo Morganwg, yr hyn a eglurwyd gan Syr J. M. Jones, gan Mr Ifor Williams, gan Mr G. J. Williams yn llwyr a llawn, yn ffeithiau profedig, di-droi'n-ôl. Yn hanes ysgolheigiaeth Gymraeg fe ymddengys yr efrydiau hyn ymhen cenhedlaeth arall yn glasuron ymchwil feirniadol. Ac eto yr wyf yn deall paham y derbynnir hwynt yn hwyrfrydig ac yn sarrug gan rai heddiw, a phaham na chaiff yr ysgolheigion mawr sy'n gyfrifol amdanynt mo'r clod a roddir iddynt yn hael ymhen ugain mlynedd. Y mae bai ar y lleygwyr, ond a gaf i awgrymu'n gynnil nad cwbl ddifai y llenorion hwythau.

Rhaid yw i uwchfeirniadaeth dorri ar hen ddaliadau a thybiaethau, ac yn enwedig rhaid iddi wneud hynny pan fo'r tybiaethau hynny'n wreiddiol yn ffrwyth ffugio a thwyllo. Ond yr hyn nas deallodd y llenorion yn ddigon eglur yw bod yr hwyrfrydigrwydd i dderbyn eu goleuni newydd yn codi oddi ar ofn y lleygwyr y bydd eu hetifeddiaeth hwynt yn dlotach oblegid y torri hwn, y bydd eu traddodiadau a'r pethau a garasant ac a brisiasant yn lleihau a diflannu. Ni ddangosodd y llenorion yn ddigon pendant nad tlodi llên a sefydliadau Cymru heddiw a wnânt, ac am na ddangoswyd hynny bu'r wlad yn gyndyn i wrthod eu darganfodau.

Gellid cymryd Iolo Morganwg ei hun yn enghraifft. Y syniad cyffredin yw bod Iolo, oblegid ymchwiliadau Mr G. J. Williams, wedi colli pob pwysigrwydd a fu iddo yn hanes llên Cymru, nad oes iddo mwyach na chymeriad na gwerth na diddordeb, nad yw ef namyn twyllwr a gŵr drwg. Ond y ffaith yw bod Iolo heddiw i astudwyr llên ei gyfnod yn ffigur pwysicach nag y bu erioed, yn athrylith mwy nag a freuddwydiodd neb, ac yn un o feirdd mawr y ddeunawfed ganrif; a Mr G. J. Williams yn anad neb byw a ddangosodd hynny. Gwir na chredir mwyach yng ngonestrwydd llenyddol Iolo, ond fe gredir mwy nag erioed yn ei athrylith, a chofier bod athrylith yn sicrach sylfaen anfarwoldeb na gonestrwydd.

Cymerer enghraifft arall. Buwyd yn credu bod yn yr Eisteddfod draddodiad a sefydliad Cymreig a âi'n ôl drwy'r Oesoedd Canol a thu draw i hanes hyd at y Derwyddon eu hunain. Bellach fe wyddys mai peth a gychwynnwyd yn niwedd y ddeunawfed ganrif yw'r Eisteddfod, ac a dyfodd i'w ffurf bresennol yn y ganrif ddiwethaf. Gan hynny, a amddifadwyd yr Eisteddfod o'i hen urddas a pharch a phwysigrwydd? Oni chollodd hi gyda'i hynafiaeth bob hawl mawr ar ein serch? Naddo ddim, ond yn hytrach fel arall. Canys sylwer: canlyniad sicr yr hen dybiaeth oedd gwneud o'r Eisteddfod beth cwbl ddibwys. O bu un peth diwerth ym mywyd Ewrop, Derwyddaeth oedd hwnnw. Y mae'n beth a fu farw cyn hanes. Ni wyddom ddim amdano. Nid effeithiodd o gwbl ar dwf gwareiddiad. Fe'i hysgubwyd ymaith yn llwyr gan ddiwylliant uwch. Pe buasai'r Eisteddfod yn rhywbeth a ddihangodd yn ninistr yr hen baganiaeth ac a gadwyd yng Nghymru drwy'r oesoedd, buasai'r ffaith honno'n unig yn brawf mai traddodiad marw, diffrwyth, heb iddo ran yn y byd modern, yw traddodiad yr Eisteddfod, a dyna ddigon o gondemniad arno.

Yr hyn a brofwyd gan ymchwil llenorion y Brifysgol oedd tarddu'r Eisteddfod o adfywiad llenyddol y ddeunawfed ganrif, ac yn arbennig o uchelgais lenyddol Goronwy Owen. Dangoswyd mai yng ngyrfa Goronwy Owen y daeth y Dadeni Dysg a'i ddelfrydau llenyddol yn ôl i Gymru, ac ymgais oedd yr Eisteddfod i sylweddoli'r delfrydau hynny a chael mewn Cymraeg gyfoeth barddoniaeth epig Groeg a Rhufain. Y Dadeni Dysg a ffurfiodd Ewrop fodern. Profwyd mai sefydliad a dyfodd allan o'r Dadeni hwnnw yw'r Eisteddfod. Hynny yw, fe brofwyd bod yr Eisteddfod yn cynrychioli y peth pwysicaf a ddigwyddodd yn hanes Ewrop yn y canrifoedd diwethaf. Yn hytrach na bod yn rhywbeth chwedlonol, Derwyddol, digrif, plwyfol, y tu allan i fywyd gwareiddiad y Gorllewin, profwyd bod yr Eisteddfod yn hanfod o'r gwareiddiad hwnnw ac yn symbol i bob Ewropead o ran Cymru yn nhwf diwylliant gwledydd cred.

Yn awr dyma duedd holl efrydiau ysgolheigion Cymraeg heddiw, — nid dryllio seiliau balchder yn nhraddodiadau Cymru, eithr yn hytrach brofi bod y traddodiadau hynny yn gyfoethocach ganwaith nag y credid ers canrif a'mwy, dangos bod Cymru o ddyddiau Dewi Sant hyd heddiw wedi cyfranogi ym mudiadau pwysicaf y Gorllewin. Nid oes raid ofni ffrwyth ysgolheictod na chanlyniadau ymchwil feirniadol. Eithr rhaid ofni ofn. Canys ofn yn y pen draw a gyfrif am hwyrfrydigrwydd lleygwyr i dderbyn goleuni beirniadaeth, sef ofn cenedl a gollodd ei balchder ac a fyn ymgysuro drwy honni rhyw etifeddiaeth gudd, neilltuol o'i heiddo'i hun. Ffurf ar atalnwyd israddoldeb ydyw Derwyddaeth, fel y dengys hanes Iolo Morganwg ei hun. Ceisiais ddangos nad yr etifeddiaeth neilltuol a ddylai fod yn wrthrych balchder, eithr yr etifeddiaeth gyfrannog. Priodol yw cofio hynny ar Ddygwyl Dewi Sant. Fel y dengys Mr Wade-Evans mewn paragraff gwerthfawr ac awgrymiadol, dewisodd y sant Dyddewi yn ddinas iddo, nid am fod y lle'n anghysbell a neilltuedig, eithr oblegid ei fod ar briffordd y môr, yn ganolfan trafnidiaeth rhwng Ffrainc, Cernyw, Iwerddon, ac ynysoedd y Gogledd, y man lleiaf neilltuedig yng Nghymru. A dyna a weddai i Ddewi Sant, a ymfalchïai yn ei etifeddiaeth lydan: *civis romanus sum*. Dyna fu'r traddodiad Cymreig yng nghyfnodau cyfoethog ein bywyd. Byddwn gyfranogion o'r traddodiad hwnnw heddiw nid drwy ddehongli bywyd Cymru yn nhermau sefydliadau Celtaidd meirw, ond yn nhermau gwareiddiad Ewrop. A dyna yn wir gyfeiriad efrydiau Mr G. J. Williams a'i gyd-weithwyr. Y maent yn ein rhyddhau ni oddi wrth draddodiadau meirw a diffrwyth a phlwyfol er mwyn rhoi ein traed unwaith yn rhagor ar briffyrdd llydain ac union sy'n arwain o wyll y llwyni derw i erddi trefnedig y gwinwydd a'r olewydd a'r palmwydd, y coed sy'n symbolau diwylliant. Troediwn y ffyrdd hynny, canys hwnt-hwy yw Sarn Helen, ac arnynt y mae olion traed ein tadau.

Yr Efrydydd, Mawrth 1928

Cyflwr Ein Llenyddiaeth

Dylem lawenhau nad yw cynhyrchu llyfrau Cymraeg yn ddiwydiant pentyrrol. Andwyol i safon ac i barhad organig llenyddiaeth yw anferthwch maint y cyhoeddi llyfrau Saesneg. Ond y mae gennym ninnau achos i boeni oherwydd teneuder llenyddiaeth Gymraeg y dyddiau hyn. Pa lyfrau Cymraeg o ddiddordeb cyffredinol sydd wedi eu cyhoeddi er y calan? Gwir mai rhyw ddwywaith y flwyddyn y ceir adegau manteisiol i gyhoeddi llyfrau yng Nghymru, sef cyn y Nadolig a thuag amser yr Eisteddfod Genedlaethol. Hyd yn oed felly, rhy fain yw ffrwd llenyddiaeth Gymraeg y blynyddoedd hyn. Ystyriwn y pwnc am dro.

Ple y byddem ni oni bai am yr ysgolheigion? Heb yr athrawon Cymraeg yn y Brifysgol a Gwasg Prifysgol Cymru, byddai golwg ddu ar y flwyddyn lenyddol Gymraeg. Nid gormod dweud bod y Brifysgol yng Nghymru yn ddau sefydliad. Ffatri Seisnig yw'r naill i gynhyrchu graddedigion ac i gymhwyso pobl ifainc mewn gwlad ddiwydiannol i ennill bywoliaeth. Peth hwylus a rhad a gwerthfawr o safbwynt masnachol yw hynny. Y sefydliad arall yw adrannau Cymraeg ac adrannau hanes Cymru yn y Brifysgol, yr adrannau a glymir ynghyd yn y Bwrdd Gwybodau Celtaidd. Y mae agwedd gwerin Cymru tuag at y rhain yn gwbl wahanol. Mesurir eu gwerth a'u gwaith yn wahanol. Y mae'r safon a roddir arnynt gan y wlad Gymraeg yn uwch a llymach nag a roir ar y llall. Ac er bod weithiau ddannod iddynt eu dysg, a'u galw yn hanner cenfigenllyd yn "feirdd y colegau" neu'n "snobyddion llenyddol y colegau", nid yw hynny oll nac yma nac acw — fe ŵyr y wlad Gymraeg mai yn nwylo'r rhain y mae arweiniad llenyddiaeth Gymraeg. Rhywbeth arbennig yn hanfod ym mywyd ac yn hanes Cymru yw hyn. Llenyddiaeth ysgolheigaidd fu llenyddiaeth Gymraeg erioed. Ni allai fod yn amgen. Oblegid cymdeithas fonheddig, aristocratig, fu'r werin Gymraeg erioed, ac ni all cenedl fonheddig hepgor llenyddiaeth ysgolheigaidd. Gellir dweud yn ddibetrus: y mae'n annichon i lenor Cymraeg mawr beidio â bod yn llenor dysgedig. Ac yn y pen draw, fe ŵyr ac fe gydnebydd Cymru hynny. Dyna, gellir tybio, baham y cymer hi artist o ysgolhaig fel John Morris-Jones i'w mynwes weithiau. Ac os edrychwn ni dros restr o'r llyfrau a gyhoeddwyd y pum mis cyntaf o'r flwyddyn hon, gwelwn yn ebrwydd na byddai ond mymryn o gronigl heb fawr o bwysau ynddo oni bai am Wasg Prifysgol Cymru.

Bid sicr, rhaid ystyried y cyfnodolion. Y mae fy nghymydog 'Euroswydd' yn eu hadolygu yn ei golofnau ef yn gyson, ac fe wyddom oll trwy hynny gynifer o bethau rhagorol llenyddiaeth Gymraeg sy'n aros yn y cylchgronau misol a chwarterol. Nid rhaid ond edrych drwy restr ysgrifenwyr y rhifyn diwethaf o'r *Llenor*, er enghraifft, er cael rhywbeth tebyg i banorama o lenyddiaeth Gymraeg heddiw: sonedau gan R. W. Parry a T. H. Parry-Williams, telynegion gan Iorwerth C. Peate ac A. Gwynn Jones, stori fer nodweddiadol gan D. J. Williams, ysgrif ysgafn gan R. T. Jenkins, ysgrifau beirniadol gan W. J. Gruffydd a David Thomas. Megis yn yr Eidal ac yn Sbaen, y mae llawer iawn o lenyddiaeth gyfoes werthfawr y Gymraeg yn ei chylchgronau. Ond rhaid cyfaddef hefyd fod yn yr Eidal lawer iawn ychwaneg o gylchgronau llenyddol pwysig, hyd yn oed ar gyfartaledd i boblogaeth, nag y sydd yng Nghymru. Ac onid yw'n wir mai pur denau yw cynnwys y cylchgronau Cymraeg gan amlaf? Gobeithiwn unwaith fod y chwarterolyn newydd, *Tir Newydd*, ar ddwyn newyddwch i feirniadaeth lenyddol Gymraeg, ac y ceid llais y genhedlaeth newydd yn llefaru ar bethau cymdeithasol a llenyddol yn fisol yn *Heddiw*. Caf sôn am broblemau cylchgronau a'u trefniadaeth lenyddol yn nes ymlaen.

Ymgais fwyaf uchelgeisiol y flwyddyn Gymraeg mewn llenyddiaeth yw rhaglen yr Eisteddfod Genedlaethol. Anaml er hynny y bydd cynhyrchion yr Eisteddfod yn ychwanegu dim hirhoedlog at lenyddiaeth. Mewn rhyddiaith y bu'r cyfraniadau gwerthfawrocaf y blynyddoedd diweddar, nofel gan Kate Roberts, straeon ac ysgrifau gan T. J. Morgan ac eraill. Ond nid yr Eisteddfod ac roes gychwyn i'r ysgrifenwyr hynny chwaith. Ac os troir at y llenyddiaeth gyffredinol a gyhoeddir gan y ddau neu dri chyhoeddwr pwysig Cymraeg, peth a'm tery fwyfwy y ddwy neu dair blynedd diwethaf yw diffyg neu absenoldeb difrifwch meddwl yn ein llyfrau. Ni chafwyd un nofel ac ynddi fyfyrdod ar fywyd na nerth arddull na dygn ymgodymu â ffeithiau, ar ôl *Traed Mewn Cyffion*. Rhyfeddach na hynny, ni cheir odid ddim o bwys mewn llenyddiaeth defosiwn na diwinyddiaeth Brotestannaidd. Rhaid i ddyn amau weithiau a ydyw colegau ac ysgolion Cymru yn dysgu i'w hieuenctid astudio'n galed a meddwl a myfyrio yn syml a dwys a gwreiddiol. Neu a ydyw egni creadigol ar ball a'r ffynonellau wedi sychu? Diau fod materoliaeth ofnus ein hoes ni, ei diffyg gwroldeb a ffydd, a'i pharodrwydd i'w hudo gan sibolethau a sloganau, oll i'w canfod mewn llenyddiaeth ddifawredd a diegni.

Nid chwilio i achos y gwendidau hyn a fynnwn yn awr, eithr ystyried a ellir mewn rhyw fodd eu hatal. Gellid ateb yn deg mai'r modd i'w gorchfygu yw mynd at eu hachosion a cheisio'u dileu. Gwir hynny. Ond nid gwaith llenyddol mo hynny. Gwendidau yng nghorff y genedl Gymreig ydynt. Rhaid adfywio'r corff hwnnw a'i adnewyddu cyn y delo ysblander yn ôl i'n llenyddiaeth. Ond gellir hefyd ymosod ar rai o ganghennau'r drwg tra byddir mewn dulliau eraill yn cloddio at y gwraidd. Awgrym neu ddau sy gennyf yn awr.

Ystyrier yn gyntaf bwnc y cylchgronau. Dywedwyd uchod fod i gylchgronau bwysigrwydd arbennig mewn llenyddiaeth Gymraeg. Sôn yr ydys am gylchgronau llenyddol a chyffredinol, nid y rhai enwadol. Ymhlith y cylchgronau, y mae blaenoriaeth *Y Llenor* yn ffaith y bydd pawb diduedd yn barod i'w chydnabod. Ond nid yw'r *Llenor*, ac ni wn i fod unrhyw gylchgrawn Cymraeg heddiw, yn magu na meithrin ysgol o sgrifenwyr nac yn darganfod na phorthi llenorion newydd. A'r gwir am lenorion ifainc yw bod yn rhaid eu magu, eu magu heb eu maldodi. Y mae bywyd Cymru yn peri fod yn annichon i lenorion fyw yn agos i'w gilydd, ymddiddan yn fynych ac yn hir a difrifol, a llunio egwyddorion ynghyd. Ar siawns fe ddigwydd peth felly am ddwy flynedd neu dair i gylch bychan o fyfyrwyr etholedig a ddigwyddo fod yr un flwyddyn yn y brifysgol. Wedyn fe'u gwasgerir. Bydd eu prifiant yn ystod y byr flynyddoedd y buont ynghyd yn arafu ac yn nychu yn undonedd marcio llyfrau plant ysgol. Y canlyniad yw bod addewid a brwdfrydedd y blynyddoedd llancaidd, onid oes grym cymeriad eithriadol yn y dyn, yn diflannu.

Yr unig fodd i glymu ynghyd lenorion ifainc sy ar wasgar oddi wrth ei gilydd mewn gwlad fel Cymru yw bod ganddynt egwyddorion y credant ynddynt a chenadwri i'w hoes. Cylchgronau o'r natur yma'n unig sy'n gadael eu hôl ar lenyddiaeth gwledydd heddiw. Byddaf yn gweld yn achlysurol ddau gylchgrawn llenyddol Saesneg, y ddau yn deillio o brifysgol Caergrawnt a'r ddau yn gyfrwng cenhadaeth cylch bychan o lenorion ifainc. *Scrutiny* yw'r naill ac *Integration* yw enw'r llall. *Scrutiny* yw'r cylchgrawn beirniadol bywiocaf yn Lloegr heddiw; y mae ganddo neges bendant a pholisi, safon ac egwyddor, a beirniada fywyd cymdeithas a chynhyrchion llenyddiaeth a chyhoedda farddoniaeth, ac y mae unoliaeth cenadwri ym mhob rhifyn. Cylchgrawn nifer o raddedigion Catholig ifainc Saesneg yw *Integration*. Yr oedd yn y rhifyn diwethaf a welais (Tachwedd 1938) erthygl ar fywyd clerc mewn banc, darn o feirniadaeth wreiddiol a deifiol. Felly hefyd darllenais dro'n ôl yn *Scrutiny* feirniadaeth ar arholiadau ysgolion dyddiol, yr unig beth trwyadl a sylfaenol ar y gyfundrefn arholiadau a welais i mewn cyfnodolyn. Enwaf y ddwy ysgrif hyn oblegid bod llu mawr o ddynion ifainc Cymru yn glercod banc ac yn athrawon ysgol, ac er hynny nid cof gennyf ddarllen dadansoddiad trwyadl, wedi ei sylfaenu ar egwyddorion clir, o fywyd clerc banc nac athro ysgol erioed mewn cylchgrawn Cymraeg. Heb egwyddorion pendant, clir, ni all fod beirniadaeth ar fywyd nac ar lenyddiaeth. Egwyddorion yw'r pethau hanfodol mewn bywyd a llenyddiaeth. Ac nid teimlad yw egwyddor, eithr argyhoeddiad deallol, canfyddiad o wirionedd gwrthrychol, a hwnnw yn uno bywyd. Gorchwyl golygydd ar gylchgrawn a geisiai gyflawni gwaith o'r math yna fyddai ymroi i fod yn ganolbwynt ac yn arweinydd i'r cylch neu'r ysgol a fynnai gydweithio i gynnal yr egwyddorion a gymerwyd ganddynt yn sylfaen. Y mae un cylchrawn eclectig, cylchgrawn a fo'n llwyfan gyffredinol i bawb a fynego'i feddwl yn effeithiol, yn ddigon i wlad fechan fel Cymru. Dyna swydd *Y Llenor*. Y mae bod holl gylchgronau llenyddol Cymru yn ymdebygu fwy neu lai i'r *Llenor* yn arwydd o'r caos neu'r anhrefn, a'r diffyg gweledigaeth ac egwyddor, sy'n rheoli ein bywyd cenedlaethol.

Awgrymaf yn ail, y dylid ailafael yn y dasg a gychwynnwyd yn rhagorol gan 'Gyfres y Brifysgol a'r Werin', sef cyhoeddi cyfieithiadau o glasuron Ewrop mewn Cymraeg. Ysywaeth, y mae'n wirach nag erioed heddiw fod Cymru'n edrych ar y byd drwy lygaid a thrwy ffenestr Lloegr. Y mae llenyddiaeth Gymraeg yn gystal â bywyd gwleidyddol a meddwl cymdeithasol Cymru yn barasitig ar fywyd Lloegr. Dylai fod yn nod gennym beri bod dichon i unrhyw Gymro ennill adnabyddiaeth o holl brif glasuron rhyddiaith Ewrop drwy'r Gymraeg. Nid gwaith yw hyn a dalai i gyhoeddwyr preifat ymgymryd ag ef, ac ni welaf ond Gwasg Prifysgol Cymru a allai ei gychwyn, a dylai'r wasg honno gael rhodd flynyddol oddi wrth yr Eisteddfod Genedlaethol tuag at y gwaith. Y mae llyfr a gyfieithwyd yn gain yn mynd yn rhan o lenyddiaeth yr iaith y cyfieithwyd ef iddi. Dyna yw *Faust* Goethe, er enghraifft, yn nhrosiad Gwynn Jones; rhyw ddydd neu'i gilydd bydd beirdd a dramawyr Cymru yn rhwym o ddarganfod y cyfieithiad hwnnw — peth nas gwnaed eto — a'i gael yn ffynhonnell ac ysbrydiaeth i uno cymhlethdod drama â barddoniaeth. Oblegid cofier mai drwy ymborthi ar y clasuron a'r mawrion y prifia llenor. Ni rown lawer o bwys ar farn dyn am farddoniaeth a ddarllensai Stephen Spender — sy'n fardd da, dyna'r pam y cymeraf ef yn enghraifft — ond na ddarllensai nac awdlau Dafydd Nanmor na'r *Môr o Wydr* na chwaith yr *Aeneid*. Rhaid bod mynyddoedd y clasuron yn gefndir gennym er iawn werthfawrogi unrhyw awdur cyfoes. Dyna'r pam y mae cyfieithu'r meistri o ddyddiau Groeg a Rhufain hyd at ddydd Marcel Proust yn ddyletswydd ar ysgolheictod Cymraeg.

Mynych y dywedir y dyddiau hyn mai angen pennaf ein llenyddiaeth heddiw yw digon o nofelau ysgeifn, poblogaidd i hudo pobl i ddarllen ein hiaith. Anghytunaf yn llwyr. Yn gyntaf maentumiaf nad hudo neb i ddarllen Cymraeg a ddylid, eithr dysgu pob dim drwy gyfrwng Cymraeg yn holl sefydliadau addysg Cymru Gymraeg fel na bydd sôn mwy am ddarostwng llenyddiaeth er mwyn denu dynion i wneud yr hyn y dylai addysg fod wedi ei wreiddio ynddynt. Ac yn ail, nid doeth darostwng llenyddiaeth er mwyn gwneud iaith yn boblogaidd. Y mae llenyddiaeth wych mor debyg o gadw iaith yn fyw â llenyddiaeth fas. Ond pe na bai hynny'n wir, nid amcan llenyddiaeth yw cadw iaith yn fyw; a phuteinio llenyddiaeth yw ei throi i wneud gwaith y dylai cenedl fod yn ddigon gwrol i'w wneud ei hunan. Tasg y genedl Gymreig yw diogelu'r iaith Gymraeg. Tasg llenorion yw peri bod llenyddiaeth yr iaith yn ddigon ysblennydd i gyfiawnhau pob aberth a phob ymdrech a wneir i gadw'r iaith, offeryn yr ysblander hwnnw, yn hoyw ac yn anllygredig.

Y Faner, 24 Mai 1939

Trem ar Lenyddiaeth y Dadeni Dysg

Anfonodd cyfaill ataf yn ddiweddar i ddweud ei fod yn awyddus i astudio llenyddiaeth Gymraeg yr unfed ganrif ar bymtheg (sef o 1536 ymlaen) a'r ail ar bymtheg, ac i ofyn a wnawn i ei gyfarwyddo sut i fynd ati, pa lyfrau i'w darllen, ac yn olaf oll onid oeddwn innau wedi dechrau ar ail ran fy *Mraslun o Hanes Llenyddiaeth Gymraeg.* Cyfres o ofyniadau anodd, a'r olaf yn un pur bigog. Meddyliais innau, gan imi oedi ei ateb yn rhy hir, mai buddiol fyddai troi'r ateb yn erthygl.

Y gwir amdani yw bod yn annichon eto i neb ysgrifennu hanes llenyddiaeth Gymraeg yr unfed ganrif ar bymtheg. Dysgais un wers oddi wrth y derbyniad a gafodd rhan gyntaf fy *Mraslun* i, sef mai ffolineb yw ysgrifennu llyfr bychan ar gyfnodau llenyddiaeth cyn gorffen y gyfres o weithiau llawn a manwl a thrwyadl, sy'n anhepgor cyn crynhoi pethau i lyfr bychan. Y mae hynny'n wir hefyd am yr unfed ganrif ar bymtheg. Rhaid cael y testunau i gychwyn, ac y mae hynny'n bell iawn o'i gyflawni. Wedyn rhaid cael cyfres o fonograffau neu astudiaethau ar brif feirdd a llenorion y cyfnod. Yn drydydd rhaid cael y llyfr mawr, llawn, hamddenol, cyffredinol ar holl lenyddiaeth y cyfnod. Yna, ac nid cyn hynny, y gellir ysgrifennu llyfr bychan poblogaidd na bydd y beirniaid yn dawnsio wrth ei ddamnio.

Ac yn wir y mae llenyddiaeth yr unfed ganrif ar bymtheg yn gymhleth ac yn gyfoethog ac yn anos na nemor ddim arall i'w grynhoi. Er hynny, os bydd dyn yn fodlon ar wybodaeth fylchog, ac os digwydd fod ganddo wrth law lyfrgell Gymraeg weddol gyflawn, nid yw'n annichon hyd yn oed i ddarllenydd cyffredin gael rhyw syniad am brif fudiadau a phrif weithiau a phrif feirdd a llenorion y ddwy ganrif hyn, yr unfed a'r ail ganrif wedi'r bymthegfed. Ceisiaf awgrymu cynllun ar ei gyfer. Mi gymeraf ei fod yn gorfod dibynnu'n llwyr ar lyfrau a chylchgronau argraffedig.

Yn gyntaf, rhaid cael rhyw fap cyffredinol. Nid rhaid imi alw i'w gof ddau lyfr yr Athro W. J. Gruffydd ar lenyddiaeth, na *Wales in the Seventeenth Century* y Parchedig J. C. Morrice, na llyfr Ashton na llyfrau eraill y ganrif ddiwethaf, megis *Enwogion y Ffydd* a'r *Gwyddoniadur.* Dylid darllen y cwbl wrth gwrs. Y mae digon o lyfrau tila a llu arall o lyfrau oedd yn weddol yn eu cyfnod ond nad ydynt hyd yn oed yn weddol bellach; ond nid oes odid unrhyw lyfr o gwbl sy'n hollol ddiwerth, na dim y gellir yn ddiogel ei ddiystyru. Y mae hynny'n arbennig wir am lyfrau'r ganrif ddiwethaf. Llyfrau Gruffydd biau'r maes ar hyn o bryd, gan nad oes dim diweddarach ar y cyfnod yn gyffredinol; ac yn sicr iawn y mae yn ei ddau lyfr ef rai penodau rhagorol, megis y bennod ar Forgan Llwyd a'r gwerthfawrogiad o'r Beibl Cymraeg. Rhaid dechrau gydag hwynt, ond byddai'n well peidio â derbyn rhaniadau na dosbarthiadau y llyfr ar ryddiaith.

Yr un modd rhaid cael map o hanes y cyfnod, sef cefndir y llenyddiaeth. Digon yw cyfeirio yma at *A Bibliography of Welsh History*. Ond nid hanes Cymru yn unig sy'n bwysig, eithr hefyd hanes Ewrop yn yr unfed ganrif ar bymtheg a'r ganrif wedyn, ac yn arbenicaf hanes cyfnewidiadau cymdeithasol yr oesoedd hynny a hanes meddwl a diwylliant. Ni bu erioed gyfnod yn hanes llenyddiaeth Gymraeg yr oedd llenorion Cymru mor ymwybodol o Ewrop, mor gynefin â thueddiadau meddyliol Ewrop, mor uniongyrchol mewn cysylltiad ag Ewrop, ag oeddynt yn yr unfed ganrif ar bymtheg, ac (i raddau llai) yn yr ail ar bymtheg. Y mae Rhufain a Milan a Pharis yn cyfrif llawer yn llenyddiaeth Gymraeg y ddwy ganrif, ond felly hefyd Amsterdam a threfi'r Iseldiroedd a'r Almaen, ac y mae Llundain yn awr yn brifddinas i Gymru, a Rhydychen a Chaergrawnt yn brifysgolion iddi. Gan hynny ni ellir deall llenyddiaeth Gymraeg y cyfnod o gwbl heb wybod am Luther ac Erasmus, am Borromeo a Chyngor Trent, am Du Bellay ac am Cervantes, ac am ffynonellau a thueddiadau'r mudiadau a elwir gennym yn Ddadeni Dysg a Dyneiddiaeth a Phrotestaniaeth a Chenedlaetholdeb, a'r Diwygiad Catholig hefyd, neu, a rhoi iddo ei hen enw, y Gwrth-Ddiwygiad. Rhoddaf bwys arbennig ar y rhan hon o'r astudiaeth. Er enghraifft, y mae'n hanfodol deall tueddiadau athronyddol y cyfnod, y diddordeb mewn gwyddoniaeth, mewn hanes, Platoniaeth newydd a Stoigiaeth, a chysylltiad beirniadaeth Feiblaidd â diwylliant, cyn y gellir amgyffred barddoniaeth Edmwnd Prys. Amhosibl deall llenyddiaeth Gymraeg y cyfnod hwn yn anad un heb ddarllen yn helaeth y tu allan i Gymraeg, a'r tu allan i Saesneg hefyd. Y mae Groeg a Lladin ac Eidaleg a Ffrangeg oll yn rhan o dreftadaeth llenorion Cymraeg y cyfnod, ac ieithoedd eraill hefyd. Ni all y lleygwr cyffredin ddilyn hynny oll? Na all, ond gall gofio mai dyna ran sylweddol o gefndir y pethau a astudir ganddo yn Gymraeg. Gall gofio, er enghraifft, fod y pethau oedd yn uno Gruffydd Robert a William Salesbury yn llawn mor bwysig, o safbwynt llenyddiaeth, â'r pethau oedd yn eu gwahanu. Hyd yn oed ar faterion crefydd byddai'r ddau yn fwy cytûn â'i gilydd nag a fyddai'r naill na'r llall â syniadau mwyafrif mawr o grefyddwyr Cymru heddiw. Dyna un wers a ddeuai o astudio cefndir hanes meddyliol y cyfnod.

Yn awr, sut mae i'r ymofynnydd pryderus ddechrau darllen awduron y cyfnod? Dyma fy awgrym cyntaf: cymered i'w law *Gramadegau'r Penceirddiaid* G. J. Williams a darllen yno *Y Pum Llyfr Cerddwriaeth* gan Simwnt Fychan. Wedyn cymered *Ramadeg* Gruffydd Robert yn argraffiad newydd G. J.

Williams, a darllen y testun yn gyntaf, nid y Rhagymadrodd. Sylwed, wrth eu darllen y tro cyntaf, fwy o lawer ar y gwahaniaeth mewn arddull nag ar y mater. Y gwahaniaeth arddull hwnnw yw'r arwydd o'r chwyldro llenyddol a wnaeth y ganrif. Wedyn bydd yn fuddiol dilyn Mr G. J. Williams, ei ddilyn drwy'r rhagymadrodd mawr i'r Gruffydd Robert, drwy ei ragymadrodd i'r Middleton, i'r *Egluryn Ffraethineb* ac i *Ramadegau'r Penceirddiaid,* y rhan olaf ohono. Y mae'r rhagymadroddion hyn yn arweiniaid gwych i dueddiadau cyffredin yn llenyddiaeth y cyfnod.

Cofiaf mai pethau printiedig yn unig y gall yr ymofynnydd eu cael. Awgrymaf gan hynny mai'r rhain yw'r personau pwysicaf yn yr unfed ganrif ar bymtheg sydd o fewn ei gyrraedd:

William Salesbury (rhestr o'i lyfrau yn Gruffydd, ond y mae erthyglau pwysig arno yn *Y Llenor* (Lewis Evans), ac ym *Mwletin y Bwrdd Celtaidd*). Pwysig iawn yw ei lythyr ar ddechrau *Oll Synnwyr Pen Kembero Ygyd.*

Richard Davies: ni allaf ddeall pa fodd y diystyrwyd cymaint arno ac ar ei ragymadrodd i *Destament Newydd* 1567. Fe dâl astudio arddull a mater y rhagair hwnnw yn drwyadl odiaeth. Nid hynny'n unig, ond cofier fod y *Llyfr Gweddi Gyffredin,* 1567, yn bwysicach yn hanes llenyddiaeth Gymraeg na *Thestament Newydd* yr un flwyddyn.

Edmwnd Prys: argraffiad Asaph, neu'n hytrach lyfr Asaph. Ysgrifau arno gan Gruffydd (yn ei lyfr ar lenyddiaeth), John Morris-Jones yn *Y Geninen,* ni allaf gofio'r flwyddyn a digwyddaf fod yn ysgrifennu lle nad yw wrth fy llaw; ond y mae'n wych, y darn beirniadol gorau efallai a wnaeth J.M.J. Hefyd T. Gwynn Jones yn *Y Llenor.* Ond darllenwch gywyddau Prys drosoch eich hunan, a mynnwch eu deall. Oblegid Edmwnd Prys yw bardd mwyaf y Dadeni Dysg yng Nghymru, ef yw dehonglydd llawnaf y Dadeni, ac ef yw'r unigolyn pwysicaf mewn barddoniaeth Gymraeg rhwng Dafydd ap Gwilym a Williams Pantycelyn. Pan ddyweder wrthych fod ei gywyddau ymryson yn rhy ddyrys a thywyll i'w deall, na chredwch; ewch atynt. Canys y mater oedd mewn dadl rhwng Prys a Chynwal oedd swydd barddoniaeth yn y byd modern a delfrydau'r Dadeni Dysg. Astudiwch ei bersonoliaeth hefyd, oblegid y mae ef megis ymgorfforiad o ysbryd ysgolheigion y Dadeni.

Siôn Tudur: rhaid rhedeg ar ôl ei weithiau printiedig mewn llyfrau od. Atodiad i *Ramadeg Gruffydd Robert* a *Cheinion Llenyddiaeth Cymru* yn enwedig. Gweler hefyd W. J. Gruffydd, y llyfr cyntaf eto. Astudier yn arbennig ddychan Sion Tudur, oblegid yn ei ddychan y mae ef o ddifrif, yno y ceir ei angerdd ac yn ei ddychan y mae yntau'n fardd mawr ac yn fardd o'i oes.

William Llŷn (argraffiad Urdd y Graddedigion): gweler Gruffydd unwaith eto, a hefyd ei ysgrifau diweddar ef yn y *Llenor* ar y farwnad Gymraeg, a'm rhagymadrodd innau i ddetholiad o weithiau Ieuan Glan Geirionydd.

Soniais eisoes am Ruffydd Robert, ac efallai y caf gyfeirio at fy erthyglau innau arno pan adolygais argraffiad newydd Mr G. J. Williams.

Dyna lenorion a beirdd printiedig pwysicaf yr unfed ganrif ar bymtheg wedi uno Cymru a Lloegr. Yng ngweithiau'r rheini y ceir newyddwch ac ysbryd y cyfnod egluraf. Ond bid sicr gellir darllen yn fuddiol iawn bob dim arall o farddoniaeth y cyfnod a geir mewn detholion. Y mae peth o naws y cyfnod i'w weld er enghraifft mewn bardd fel Tomos Prys o Blas Iolyn, ond yn wir nid oes iddo'r pwysigrwydd lleiaf, a gellir ei ddarllen yn frysiog. Ond y mae llythyrau cyflwyniad a rhagymadroddion y cyfieithwyr megis Maurice Kyffin a Huw Lewis a'r gramadegydd Siôn Dafydd Rhys a'r rhetoregydd Henri Perri oll yn allweddau i ysbryd yr oes. Gruffydd Robert ac Edmwnd Prys yw dau gawr y cyfnod. O'u cwmpas hwy y dylid trefnu'r lleill oll. Tri champwaith pennaf y Dadeni yng Nghymru yw Gramadeg Gruffydd Robert, cywyddau ymryson Edmwnd Prys, yn arbennig y Naw Cywydd Ateb, ac yn drydydd Beibl William Morgan.

Ond diau y dywed yr ymofynnydd nad digon yw dweud wrtho beth y dylid ei ddarllen. Pwysicach na hynny yw dangos iddo nodweddion ac ysbryd y cyfnod, a'r pethau y dylid craffu arnynt yn y llyfrau a'r awduron a ddarllenir. Ie, ond dyna'n union yr hyn na ellir ei wneud yn sicr a diogel cyn bod y cwbl o farddoniaeth a rhyddiaith y cyfnod o'n blaen. Y mae'r nodiadau a ganlyn gan hynny yn awgrymiadau anghyflawn. Ni ddylid eu hystyried yn derfynol.

1.   Gair mawr rhyddiaith a barddoniaeth y cyfnod yw "Dysg". "Mynnwch ddysg yn eich iaith." Term technegol ydyw. Astudier y gair Lladin *humanitas* a'r ystyr sydd iddo yng ngweithiau'r dyneiddwyr. Delfryd o ddiwylliant, dyna sydd yma, ac yn llenyddiaeth glasurol Groeg a Lladin y ceir ei gynnwys. Dyna'r hyn a ddaw i mewn i lenyddiaeth Gymraeg y blynyddoedd hyn a newid ei naws a'i hysbryd. Amcan Dysg yw creu llenyddiaeth newydd, ond ei hamcan hefyd yw creu dyn newydd, y gŵr llys neu'r gŵr bonheddig. Y rhan hanfodol o *aristeia* boneddigion newydd Cymru yw Dysg.

2.   Ysbryd pendefigol llenyddiaeth y cyfnod. Llysoedd tywysogion oedd canolfannau'r Dadeni. Yr oedd bod yng ngwasanaeth tywysog yn rhan o *aristeia*, yn rhan o berffeithrwydd dyneiddiwr neu lenor. Rhaid cofio hynny er mwyn deall anghysondebau dynion fel William Salesbury a Kyffin, eu sêl dros Gymru a Chymraeg a'u sêl dros y Frenhines a'i llywodraeth Seisnig hefyd. Aristocratig yw holl lenyddiaeth y cyfnod. Yn wir, dyma'r unig gyfnod aristocratig mewn llenyddiaeth Gymraeg, oblegid nid oedd y delfryd hwn na'r meddwl hwn yn bod yn yr oesoedd cynt. Cofier hyn wrth ddarllen Salesbury a Maurice Kyffin a Gruffydd Robert. A chofier hyn hefyd wrth astudio agwedd y llenorion hyn tuag at Brotestaniaeth. Iddynt hwy, crefydd Dysg, crefydd dyneiddiaeth aristocratig yw'r grefydd newydd; cymharer pwysigrwydd

sgeptigiaeth neu amheuaeth grefyddol yng nghyfansoddiad meddwl dyneiddwyr yr Eidal.

3. Y farddoniaeth newydd. Pwysig iawn yw ymdriniaeth Mr G. J. Williams ag awgrymiadau Gruffydd Robert ynghylch ffurf ac arddull y farddoniaeth newydd, ac mor bwysig â hynny bob dim yw rhaglen y farddoniaeth newydd fel yr amlinellir hi gan Edmwnd Prys yn eï gywyddau ymryson. Ni allaf fanylu ar hyn. Rhywdro mi obeithiaf fedru cael hamdden i ysgrifennu llyfr ar Edmwnd Prys.

4. Ond gellwch ar unwaith ddal ar bwysigrwydd Dychan ym marddoniaeth y cyfnod. Beirniadaeth gymdeithasol, gweledigaeth cwrs y byd, dyna yw dychan bellach. A dyna farddoniaeth bwysicaf y cyfnod, yn Siôn Tudur ac yn Edmwnd Prys, yng nghywyddau rhagflaenydd y Dadeni yng Nghymru, sef Gruffydd Hiraethog, ac mewn beirdd eraill hefyd.

5. Trowch wedyn at ryddiaith. Darllener fy adolygiad i yn *Y Faner* ar Gruffydd Robert ac ar Emrys ap Iwan. Astudier arddull rhyddiaith y Dadeni a'i chymharu ag arddull rhyddiaith y bymthegfed ganrif a rhyddiaith y Rhamantau Cymraeg a'r *Elucidarium*; y gwahaniaethau yn ffurf y frawddeg, yn ei chystrawen, yn ei rhuthmau. Chwiliwch yn arbennig yn *Epistol at y Cembru* Richard Davies, o flaen *Testament* 1567, am enghreifftiau o ryddiaith draddodiadol yr Oesoedd Canol a rhyddiaith newydd y Dadeni. Darllenwch ei frawddeg gyntaf ef a'i chymharu yn ei geirfa, ei threfn, a'i chystrawen a'i rhuthm, â brawddeg gyntaf *Gramadeg* Gruffydd Robert. Darllenwch hefyd yn Saesneg *Schoolmaster* Ascham a phennod Mackail ar Cicero yn ei hanes llenyddiaeth Ladin.

6. Y cyfieithiadau rhyddiaith. Yr oedd dau amcan iddynt yn arbennig, sef trosglwyddo Dysg glasurol i Gymraeg ac yn ail disgyblu rhyddiaith i fod yn gyfrwng priodol i fynegiant dyneiddiaeth.

Rhaid imi ymddiheuro am sychder y nodiadau hyn. Efallai y byddant o ryw help nid yn unig i'r cyfaill a ysgrifennodd ataf eithr i eraill sy'n ceisio deall llenyddiaeth Gymraeg ac yn ddigyfarwydd. Gwelaf fy mod wedi anghofio ail hanner ei faes, sef yr ail ganrif ar bymtheg. Caiff hynny aros i dro arall. Bydd digon o lafur am flwyddyn hir, am flynyddoedd yn wir, yn y rhan gyntaf.

Y Faner, 13 Medi 1939

Barddoniaeth Fodern

Unwaith, flynyddoedd yn ôl, ceisiais godi nyth cacwn allan o lawnt y tŷ â'm llaw. Fe fu hi'n ddrwg arnaf am ddarn o wythnos wedyn. Echnos, gwrandewais ar dri beirniad llenyddol yn trafod soned drwy'r radio. Daeth arnaf ysfa i ymyrraeth yn y drafodaeth. Gwn o'r gorau y dylwn wybod yn well; ond ba waeth? Dyma'r soned fel y ceir hi yn y *Radio Times*:

John Sebastian Bach

> Pan oedd ei dorllwyth plant yn hongian wrth ei wddf
> Fel rhaff o wynwyn Ffrainc, ni allai bronnau hysb
> Ei Anna Magdalena mwyach roddi swcr
> I'w hewaich hwy, a phrin o hyd oedd sylltau'r Cownt.
> Ei femrwn oedd fel cnebrwng brain, a'i law yn drosgl,
> A'r si yng nghragen bŵl ei glust mor daer ag ing.
> Pa ddewin allai droi'r Lwtheraidd ffydd yn diwn
> A'r metronomaidd gloc yn tipian diflas odl?
> Ond pan ddaeth bore-godwyr Weimar ar eu sgawt
> 'Roedd Iesu, drud ddifyrrwch dynion lond yr hewl,
> A'r gŵr â'r claficord yn pyncio'i uchel ffiwg
> 'Rôl tynnu torch ag Angel Awen trwy'r nos bwdr.
> Cwilsyn y Cerddor Perffaith oedd ei bluen 'styfnig,
> A mwy na John Sebastian Bach a ddaeth o'r gwewyr.

Mi gymeraf mai cam-brint yw "hewaich" yn y bedwaredd linell ac mai "hewiach" yw'r gair.

Fel y gwelwch, llinell Alecsandraidd y soned Ffrangeg reolaidd a ddefnyddiodd y bardd. Hon yw llinell glasurol holl farddoniaeth Ffrainc a'r sonedwyr clasurol oll o Ronsard hyd Aragon. Y sioc gyntaf a roes y beirniaid i mi oedd eu clywed yn sôn am Betrarc a Shakespeare fel unig batrymau'r soned. Ni soniodd un ohonynt am arbrofion Manley Hopkins nac am arbrofion Saesneg yr ugain mlynedd diwethaf. Soned hefyd heb odlau, meddai'r barnwyr. Neu tybed nad awgrym o ryw fath o odlau Gwyddelig a oedd yma? Ond yr oedd y fath beth yn anathema yn y soned fel y lluniodd Petrarc a Shakespeare hi. A dyna ben. Ni chafwyd awgrym gan neb o'r beirniaid fod beirdd Saesneg er dydd Wilfred Owen yn arbrofi'n helaeth â'r odlau proest Cymraeg a bod arbrofion tebyg ynglŷn ag odlau a therfyniadau llinellau yn gyffredin yn y Ffrangeg ac yn yr Eidaleg. Yn y pwyslais ar ffurf draddodiadol "gywir", yng ngheidwadaeth y safbwynt, yr oedd yr holl feirniadaeth yn deilwng o Syr John Morris-Jones ac yn briodol i anghenion cyfnod Morris-Jones. Cawsom feirniadaeth lenyddol athrawon colegol sy'n graddio ac yn marcio ac yn rhoi "pass" i ddisgyblion. Y mae angen y math hwnnw o feirniadaeth. Mae iddo ei le a'i orchwyl. Ond trueni na chawsid hefyd gan un o'r tri beirniad gais i ddeall bwriadau a diddordebau'r sonedwr ac i ddehongli hynny i'r gwrandawyr. Ni ddywedodd neb o'r tri ddim a ddangosai gydymdeimlad â meddwl y gerdd nac â barddoniaeth gyfoes.

Buont oll yn llym ar ffigurau'r bardd. Cafodd Mr William Morris hwyl uwchben y pedair llinell gyntaf. Ni chafodd, yn wir, gymaint o hwyl ag y gellid. Canys problem fawr y pedair llinell yw dyfalu sut y disgwyliai'r bardd i fronnau'r fam gyrraedd y torllwyth plant pan oeddynt hwy oll yn hongian fel wynwyn wrth wddf y tad. Gwasgu gormod o ffigurau wrth ei gilydd yn yr un darlun — mae'r peth yn berygl i feirdd da a beirdd anwastad. Nid yw'r soned hon yn ddarn llwyddiannus o farddoniaeth. Caniatawn hynny ar unwaith. Yr wyf innau wedi sgrifennu swrn o brydyddiaeth bwdr, heblaw llawer Cwrs y Byd.

"Barddoniaeth ymenyddol". Yn Ffrainc y dechreuodd, a daeth i Loegr gyda Pound ac Eliot. Yn y Ffrangeg y dylanwadau bywiocaf oedd Rimbaud ac Apollinaire. Torrodd y canu newydd hwn drwy lyfnder rhuthmau a thrwy eirfa draddodiadol a thrwy ffiguraeth farddol a thrwy "dŵr ifori" testunau'r rhamantiaeth flaenorol. Ond nid rhaid imi fynd i lenyddiaethau eraill i olrhain ei dwf. Fe'i cafwyd yng Nghymru o 1922 ymlaen. Cynrychiolydd Cymraeg yr ysbryd newydd hwn, a ysgogai holl farddoniaeth fyw Ewrop a'r Amerig, oedd Dr T. H. Parry-Williams. Ef yw'r bardd pwysicaf ei ddylanwad ar ddatblygiad barddoniaeth Gymraeg yn ei gyfnod. Ef oedd y Cymro cyntaf i ddwyn y *poésie cérébrale* i mewn i'n hiaith ni ac i dorri drwy glasuraeth ysgol John Morris-Jones. Dr Parry-Williams a roes yr ergyd effeithiol i holl athrawiaeth y rhan gyntaf o'r llyfr *Cerdd Dafod*. Y mae lle Dr Parry-Williams gydag Apollinaire ac Ezra Pound — ac nid ei sonedau sy bwysicaf, ond ei gerddi a'i rigymau. Hwy a laddodd y —

> Penillion bach ysgafn a ffri
> . . . Sy'n tiwnio, a ffwrdd â hi —

yr ystrydebau rhuthmig, yr eirfa farw, y gystrawen annhafodieithol. I'w lle daeth anesmwythyd ac amheuon ein byd rhwng y ddau ryfel:

Twyllwr wyf innau. Pwy sydd nad yw
Wrth hel ei damaid a rhygnu byw? . . .

Rhwng pob rhyw ddau a fu 'rioed yn y byd
Ni bu ond anwiredd — a dyna i gyd.

Gellid dilyn llinell y canu newydd hwn a gwneud blodeugerdd sy'n datblygu o
rigymau Dr Parry-Williams drwy gerddi Gwenallt a Charadog Prichard ac
Alun Llywelyn-Williams hyd at feirdd *Y Fflam* heddiw. Daeth dylanwad
beirdd Saesneg y tridegau, o Auden hyd at Dylan Thomas, i lunio amcanion y
beirdd ifainc diweddar hyn. Defnyddiant eirfa sy'n fwriadol anfarddonllyd, yn
union megis Aragon. Gwrthodant ansoddeiriau rhwydd. Chwiliant am
ffigurau a chymariaethau o'r stryd fyw. Ceisiant frawddegau a geiriau o'r
tafodieithoedd ac o slang bro ac o eirfa'r technegau modern. Sioncrwydd
meddwl dyfeisgar, sydyn, amharchus, effro, cyflym, dyna'r hyn y mynnant ei
roi mewn prydyddiaeth. Adfywhau barddoniaeth yw'r nod, ei dwyn i
gysylltiad agos â thrafferth a helbul bywyd, fel na bo hi mwyach yn ymarferiad
academig neu lên-farwol, ond yn gyffes angerdd ac yn ddogfen o'n heddiw ni.
A chan mai garw yw'r bywyd heddiw, boed arw hefyd ei cherdd, canys felly y
bydd hi'n ddidwyll ac yn dystiolaeth.

   Yn awr edrychwch ar soned yr ymddiddan radio a ddarlledwyd. Cymerwn
y frawddeg gyntaf:

Pan oedd ei dorllwyth plant yn hongian wrth ei wddf
Fel rhaff o wynwyn Ffrainc . . .

A welsoch chwi fechgyn Llydaw ar strydoedd ein pentrefi ni yn y cymoedd
diwydiannol? Y mae'r "rhaff o wynwyn" fel tynged wrth eu gyddfau, yn rhan
ohonynt megis. Cymhariaeth fyw. A'r "dorllwyth plant"? Datganiad cras, ond
clywais ddefnyddio'r gair mewn syrffed i fynegi blinder tyaid o blant fwy nag
unwaith, a dyna'r bwriad yma. Ac y mae meddwl y bardd yn rhoi naid o'r
syniad am dorllwyth i'r syniad am y plant fel rhaff yn crogi. Nid dweud bod y
frawddeg yn gampwaith yr wyf, ond daliaf ei bod yn datguddio'n ddigon teg
fethod barddoniaeth fodern, a'i ffynonellau mewn ffigur a geirfa, a'i
heffrouster trosiadol.

   Gellid dangos esiamplau eraill o arddull y "canu ymenyddol" yn y soned.
Er enghraifft, y chwarae ar air mwys yn y frawddeg "a phrin o hyd oedd
sylltau'r Cownt"; peth cyffelyb yn y frawddeg "Ei femrwn oedd fel cnebrwng
brain" — yr ydym oll yn gynefin ag ysgrifen sy fel "traed brain", datblygiad o
hynny yw'r "cnebrwng brain" sy'n disgrifio ehediad nodau'r miwsig ar y
memrwn. Ac yna neidia meddwl y bardd oddi wrth sŵn y "cnebrwng brain"
i'r "si yng nghragen bŵl ei glust". A sylwer ar benderfyniad y bardd i ddianc

179

rhag ansoddeiriau rhwydd — "nos bwdr", "cloc metronomaidd", sef cloc a phendil iddo, ond bod yr ansoddair yn awgrymu hefyd naws haearnaidd beiriannol y tipian "diflas odl".

Hynny yw, dramatig yw'r bwriad, Ceisio'i daflu ei hun i mewn i ysbryd a sefyllfa ei wrthrych a wna'r bardd, a pheri sylweddoli'r angerdd profiad drwy iaith a ffiguraeth fyw.

Ac yn awr mi geisiaf ddangos paham y mae'r soned yn fethiant. Nid er mwyn ei chondemnio, ond fel y bydd Dewi Emrys a Golygydd *Y Faner* yn estyn cymorth weithiau i feirdd. Yn gyntaf, yr wyf yn lled dybio mai dyma gais cyntaf y bardd i sgrifennu soned Alecsandraidd, hynny yw llinellau deuddeg sillaf. Ychydig iawn o batrymau sydd yn y Gymraeg ac y mae'r mesur yn anodd. Mesur o Ffrainc yw'r llinell ac y mae'r Ffrangeg yn iaith amlsillafog ei geirfa ac ychydig neu ddim o wahaniaeth pwys sy rhwng acenion y sillafau. Nid felly'r Gymraeg. ·Yn awr, gwelwch yr effaith. Delfryd y bardd yw sgrifennu soned sionc, fyw, mewn iaith agos at iaith siarad, a blas y stryd ar ei arddull, megis yn y darnau "ar ei sgawt", "lond yr hewl". Ni all dim fod yn bellach oddi wrth y cyfryw arddull na gwrthdroi trefn y Gymraeg naturiol, megis dodi ansoddair o flaen enw. Syrthio'n ôl ar arddull y bedwaredd ganrif ar bymtheg yw hynny, ond y mae'r mesur yn drech na'r bardd ac yn ei yrru i sgrifennu'n llwyr groes i holl naws ei soned:

> Pa ddewin allai droi'r Lwtheraidd ffydd yn diwn
> A'r metronomaidd gloc yn tipian diflas odl.

Bradwyr barddoniaeth yw ansoddeiriau, pennaf gelynion bardd. Peidiwch fyth â gadael iddynt eich twyllo drwy eu gosod o flaen yr enw er mwyn y rhuthm. Gellir cyfiawnhau onomatopoeia y frawddeg "metronomaidd gloc" sy'n awgrymu "diflas odl", ond y mae'r "Lwtheraidd ffydd" yn godwm, ac felly hefyd yr "uchel ffiwg".

Beth yw thema'r soned? Hanes noson o wewyr a chreadigaeth gerddorol fawr. Y mae gan Mallarmé soned enwog ar destun cyffelyb:

> Je t'apporte l'enfant d'une nuit d'Idumée.

Yn y soned Gymraeg hon disgrifia'r wythawd drueni a phoen y dyn Bach. Disgrifia'r chwe llinell olaf greadigaeth wyrthiol y Cerddor Perffaith. Yn yr ail ran hon y mae methiant terfynol y soned. Bu'r awdur yn gweithio ar frys, mi dybiaf. Gofynasai'r B.B.C. iddo am soned erbyn y dydd a'r dydd; cafodd destun rhagorol a dechreuodd arni. Y mae olion brys, hynny yw, y mae olion ystrydebau, ar y rhan gyntaf. Ond y mae stwff y rhan gyntaf yn weddol hawdd ei feistroli. Nid felly ddeunydd yr ail ran. Dylesid cael amser i'r syniad suddo i'r meddwl a phriodi rywbryd rywsut â ffigur a fyddai'n dal y wyrth, plentyn y noson o wewyr. Nid oedd gan y bardd mo'r amser. Ni ddaeth y ffigur, dim ond —

A mwy na John Sebastian Bach a ddaeth o'r gwewyr.

Chwarae teg i'r bardd, fe wyddai ef gystal â ninnau nad oedd y ffigur iawn wedi dyfod iddo. Canys er mwyn cuddio'r gwacter fe wyrdroes ef unwaith eto drefn naturiol ei frawddeg, sef:

A daeth mwy na John Sebastian Bach o'r gwewyr.

Rhy dlawd, onid e? Felly rhoes y bardd dro rhetoregol a rhuthmig i guddio'r tlodi a defnyddiodd drefn y frawddeg farddonol Gymraeg. Gymaint gwell yn wir fyddai:

A daeth o'r gwewyr fwy na John Sebastian Bach.

Yn awr, gwrthryfel yn erbyn yr idiom farddonol a'r arddull barddonol traddodiadol yw'r mudiad y mae'r bardd hwn yn ei edmygu ac yn ymegnïo i berthyn iddo. Newid idiom ac arddull yw pob newid o bwys mewn barddoniaeth. Ond bob tro y bu hi'n gyfyng ar y bardd yn y soned hon yr hyn a wnaeth ef oedd bwrw heibio'r idiom a'r arddull newydd a syrthio'n ôl ar yr arddull traddodiadol farddonol sy'n gosod y testun o flaen y ferf yn y frawddeg a'r ansoddair amlsillafog o flaen yr enw. Prawf yw hynny nad yr idiom fyw, fodern sy'n naturiol iddo. Nis meistrolodd eto; camp yw hi iddo. Y mae ef felly'n cloffi rhwng dwy idiom, rhwng dau ddull.

Mentraf awgrymu pam, sef oblegid nad ydyw ef yn byw ddigon mewn barddoniaeth Gymraeg. Ceryddodd Mr Aneirin Talfan Davies fi dro'n ôl am imi ddweud wrth y beirdd ifainc Cymraeg am ddarllen llai o farddoniaeth Saesneg. Ond dywedaf hynny eto. Yr wyf i'n hoffi ymdrechion y beirdd ifainc heddiw. Mae gennyf hyder y daw pethau da o'u hymgodymu â'n problem ni ac o'u harbrofion. Ond y maent yn efelychu'r beirdd Saesneg ormod ar hyn o bryd, ac y mae gormod o gyfieithu o'r Saesneg i Gymraeg. Gorau po fwyaf Goetheaidd y bo gorwelion bardd Cymraeg, ond yn ei lenyddiaeth ei hun y dylai ef fyw, gyda'r clasuron byw a'r clasuron a fu. Felly y daw iddo yn y pen draw idiom Gymraeg newydd ac yr adnewyddir ein traddodiad a'i gyfoethogi. Unwaith, flynyddoedd yn ôl, mi geisiais godi nyth cacwn . . .

Y Faner, 4 Tachwedd 1949

181

Canrif yn ôl: Eisteddfod Rhuddlan

Eleni bu rhai llenorion yn ceisio perswadio awdurdodau'r Eisteddfod Genedlaethol i roddi'r goron yn wobr am waith rhyddiaith. Wel, ganrif union yn ôl, yn Eisteddfod Frenhinol Rhuddlan, 1850, fe roddwyd y gadair i awdwr pryddest. A mawr iawn fu'r twrw.

Na thybiwn fod pethau'n symud yn afresymol o gyflym yng Nghymru ganrif yn ôl wrth y fel y mae pethau'n symud heddiw. Braidd yn ara' deg oedd chwyldroadau hyd yn oed y pryd hynny. Rhyw ganrif union bron cyn hynny y dechreuodd y ddadl fawr ynghylch mesur yr arwrgerdd neu'r epig Gymraeg. Cywydd 'Y Farn' Goronwy Owen oedd cychwyn y peth. Yn llythyrau Goronwy Owen, rhwng 1752 a 1755, y ceir y drafodaeth gyflawn gyntaf, y ddadl gyntaf, ar briodoldeb cerdd dafod gynganeddol i farddoniaeth epig. Dadlau gydag ef ei hun a wnâi Goronwy Owen yn ei lythyrau. Yr oedd dau Oronwy, bardd y cywyddau mawr a'r awdlau, a'r beirniad damcaniaethol a fynnai i farddoniaeth Gymraeg rodio ar briffordd barddoniaeth y Dadeni Dysg yn Ewrop, gan roi i'r byd epig a cherddi eraill arwrol a didactig — ond yn arbennig epig fel 'Paradise Lost' Milton.

Nid oedd y broblem yn gwbl newydd hyd yn oed yn 1750-1755. Pethau hamddenol yw chwyldroadau sydyn. Rhyw ddwy ganrif fer cyn hynny, tua 1570, yr oedd Gruffydd Robert o Filan wedi dweud:

> Os byddai raid traethu yn gyfanbeth ryw ddefnydd hir, amlbarth, neu sgrifennu mewn mydr ystori o hir amser, ni ellid fyth wneuthur hynny yn berffaith mewn un o'r pedwar mesur ar hugain . . . Am hynny fe eill bardd enwog yn y cyfryw leoedd fod yn fodlon i'r fath fesurau ag y mae'r Eidalwyr yn eu harfer, sef â breichiau yn cyfodli bob yn ddau a dau, a'r un nifer o sillafau ymhob un, heb ymorol am yr un o'r cynganeddion.

Hynny yw, ni ellid canu epig ar fesurau cerdd dafod; byddai'n rhaid i "fardd enwog" fenthyg un o fesurau'r Eidalwyr. Dyna, wrth gwrs, a wnaeth y Saeson. Mesur Eidalaidd yw'r "mesur diodl" a ddaeth i Filton oddi wrth y dramawyr Saesneg. Yn 1570, gan hynny, y cychwynnodd y chwyldro a roes y gadair yn Rhuddlan yn 1850 i bryddest "a'i breichiau yn cyfodli bob yn ddau a dau a'r un nifer o sillafau ymhob un".

Yn Rhuddlan

Yn *Hunangofiant Gweirydd ap Rhys* y ceir y disgrifiad hwylusaf heddiw o'r stŵr yn Eisteddfod Rhuddlan. Cyhoeddwyd hwn y llynedd gan Miss Enid Roberts drwy'r Clwb Llyfrau Cymreig. Ni chafodd fawr o sylw gan feirniaid llenyddol na chan gylchgronau sy'n honni trafod llenyddiaeth. Mae'r peth yn od, oblegid y mae'r *Hunangofiant* yn llyfr eithriadol ddifyr, yn llyfr rhyfedd ddigon, ac at hynny'n ddarganfyddiad llenyddol ac yn "ddogfen" sy'n arbennig werthfawr. Gwrandewch ar Weirydd yn adrodd hanes y cadeirio yn Rhuddlan:

> Yr Arglwydd Mostyn oedd llywydd yr Eisteddfod; a Beirniaid testun y Gadair oedd yr Archddiagon Williams, John Jones (*Tegid*) a William Jones (*Gwrgant*), ac yr oedd y beirdd yn bur anfoddog atynt fel beirniaid, am nad oedd dim ond *un* ohonynt, sef Tegid, yn esgus o fardd. Testun y Gadair oedd y diwethaf a wobrwywyd ddiwrnod cyntaf yr Eisteddfod. Gwrgant a ddarllenodd y feirniadaeth, a hysbysodd fod wyth ar hugain o gyfansoddiadau wedi eu hanfon i mewn, sef deg o Awdlau a deunaw o Bryddestau. [Yr oedd rhyddid i'r beirdd ganu ar y mesurau a fynnent, caeth neu rydd.] Rhoddwyd y brif wobr, £25 a Thlws Aur, i Ieuan Glan Geirionydd am Bryddest, a'r ail wobr, £5, i Galedfryn am Awdl. Parodd gwaith y beirniaid yn rhoddi'r brif-wobr a'r Gadair am Bryddest yn lle Awdl, a hynny heb awdurdod Eisteddfodol flaenorol, gyffro aruthr ymhlith y beirdd, a chymerai Gweirydd, ymysg eraill, ran frwdfrydig o blaid yr Awdl . . .

Ond dysgodd Gweirydd yn ddiweddarach gan ei fab ei hun —

> fod y mesurau caethion, cynganeddol, yn gwbl anaddas i gyfansoddi caniadau gwir aruchel ynddynt, megis caniadau Job, Moses, Dafydd, Solomon, a'r proffwydi eraill, neu ganiadau Homer, Virgil, Dante, Milton, Shakespeare, neu'r cyffelyb . . .

Dyna un o ganlyniadau Eisteddfod Rhuddlan. Ymryddhau oddi wrth "gaethiwed" mesurau cerdd dafod er mwyn creu barddoniaeth aruchel, barddoniaeth epig, oedd un o brif frwydrau barddoniaeth Gymraeg rhwng Goronwy Owen ac Islwyn. Yn 1856, pan ysgrifennodd Islwyn 'Diwedd y Storm' yr oedd y mater a drafodir yno yn fater "llosg", fel y dywedwn.

Ond y bardd a siomwyd fwyaf ar ddyfarniad cadair Rhuddlan oedd Eben Fardd. A oes rhyw lenor ifanc a fynno sgrifennu campwaith, ymroddi i dasg lenyddol fawreddog, megis y mae'r Athro G. J. Williams yn ymroddi i sgrifennu cofiant Iolo Morganwg? Os oes, dyma gyflwyno testun a mater ysblennydd iddo, sef Bywyd a Chysylltiadau Llenyddol Eben Fardd. Byddai llyfr helaeth, mawrfrydig ar y testun hwnnw yn rhoi inni banorama o holl fywyd llenyddol Cymru am drigain mlynedd o'r ganrif ddiwethaf. Yn wir, y mae'n syn nad yw'r llyfr ddim ar gael. Mor ychydig o wneud dim a rhyw fawredd ynddo sydd yn ein llenyddiaeth gyfoes. Ym Medi 1824 enillasai Eben gadair Eisteddfod Trallwng am ei awdl ar 'Ddinistr Jerusalem'. Dyna fyth wedyn y patrwm o'r awdl arwrol Gymraeg. Daeth ar ei hôl gyfres o awdlau o gyffelyb naws ac arddull. Ond nid ystyrid yr awdl arwrol yn arwrgerdd neu epig. Yn raddol yr oedd y beirdd a'r beirniaid oll, gan gynnwys Caledfryn, yn dyfod i gydnabod na ellid canu cerdd faith, fawreddog, ar fesurau'r gynghanedd. Y mae pros Caledfryn yn y *Drych Barddonol* yn 1839 yn darllen megis Cymreigiad o Aristoteles pan fo ef yn diffinio epig:

> Barddoniaeth hanesiol yw yr arwrol, wedi ei ffurfio ar ystori, mewn rhan yn wirioneddol, ac mewn rhan yn ffugiol: gan osod allan mewn dullwedd oruchel ryw weithred nodedig a ffodus, wedi ei hynodi drwy amryw o addysgiadau mawr a phwysig, er ffurfio y cymhwysiad, ac effeithio ar y meddwl i'w dueddu i garu rhinwedd arwrol.

Y bryddest

Yn yr un llyfr dyry Caledfryn inni bennod ar "y pethau a elwir Pryddestau" — "cyfansoddir rhai ohonynt heb un odl, ac eraill, sydd yn odli, heb un gynghanedd". Ac yna fe ddywed:

> Y mae yn ddiddadl pe dilynid y dull hwn yn fwy cyffredin, y gwnelai les mawr i brydyddiaeth; oblegid, yna, rhaid fyddai i'r beirdd roddi meddylddrychau yn eu cyfansoddiadau ... Rhaid i waith fod yn dra barddonol pan y gafaela yn y teimlad, ac yntau yn amddifad hollol o addurniadau a chelfyddgarwch y gynghanedd. Meddwl, mewn gwirionedd, yw barddoniaeth.

Blackwell a Gwenffrwd yn unig o'r Cymry, yn ôl Caledfryn, a sgrifenasai bryddestau boddhaol, a chynghorodd ef y beirdd i astudio Milton a Pope a Thomson. Ac meddai ef — ac nid oedd Islwyn ar y pryd ond saith oed — fod y pryddestau Cymraeg:

> yn sôn yn rhy aml am y cymyl, yr edn, y môr, y gwynt, y mynydd, y graig, y niwl.

Hwyrfrydig megis Goronwy Owen oedd y beirdd Cymraeg i dorri ar y traddodiad barddonol Cymraeg a chymryd at fesur diodl Milton. Dangosai Goronwy iddynt nad oedd cynghanedd yn rhan wreiddiol, hanfodol o gerdd dafod. Eto chwilient o hyd am fesur a fuasai'n perthyn i'r traddodiad. Yr oedd y broblem yn eu poeni er dechrau'r ganrif ac ynghynt. Cynigiasai William Owen Pughe ei gyfieithiad o 'Goll Gwynfa' yn batrwm iddynt yn 1819, ac yn ei ragair pwysig i'r cyfieithiad fe ymdrinia ef â phroblem mesur arwrgerdd a dadleua fod y mesur diodl

> o wir ansawdd y 24 o gysefin fydrau beirdd Ynys Prydain, sef gorchan y gyhydedd wen.

Dyma, wrth gwrs, iaith *Cyfrinach Beirdd Ynys Prydain*. Iolo Morganwg a roes i'r beirdd Cymraeg fesur arwrol a honni ei fod yn rhan o'r hen draddodiad. Ni chyhoeddwyd ei lyfr cyn 1829; ond yn 1826 yn y rhagair i gynhyrchion Eisteddfod Trallwng rhoes Gwallter Mechain grynodeb o *Gyfrinach y Beirdd*, a disgrifiodd y Gyhydedd Wen — ddeg sillaf, "aml arfer sydd ar hon mewn Cerddi Galar a Gwrhydri"; ond hefyd y Gyhydedd Hir — ddeuddeg-sill:

> Colofn ragorwych yw hon a'r laes (11 sill) er cynnal eglurdeb synnwyr ac er adrodd yn loywiaith bethau hanesiol —

hynny yw, dyma fesur Cymreig i'r epig. Bu hyn yn rhyddhad a gwaredigaeth fawr i'r beirdd a oedd yn ymgodymu â phroblem yr epig. Ar y mesur hwn y canodd Ieuan Glan Geirionydd y bryddest a enillodd gadair Rhuddlan yn 1850. Ar y mesur hwn y canodd Eben Fardd ei bryddest yntau ar 'Yr Atgyfodiad' — a cholli'r gadair.

Dechrau ei yrfa farddol drwy sgrifennu'r awdl arwrol fwyaf yn yr iaith; coroni ei yrfa drwy ennill cadair eto yn 1850 am y bryddest-epig Gymraeg fawr — dyna oedd uchelgais Eben. Rhoes ei holl nerth yn y bryddest. Dywedodd wrth Siôn Wyn o Eifion mewn llythyr yn 1849 —

> Yr wyf yn ymhyfrydu mewn darllen a myfyrio yn barhaus; ond am englyn a chywydd, fy nuwiau gynt, y maent yn bresennol yn faich arnaf, er fy mod yn fawr am gyfansoddiadau barddonol rhydd, tebyg i eiddo y Saeson.

Ieuan Glan Geirionydd a gafodd y gadair. Yr oedd y siom i Eben Fardd yn chwerw. Cyfeiria Nicander at y digwyddiad mewn llythyr ato pan gollodd Eben y gadair eto yn 1862 i Hwfa Môn:

> Chwi a deimlwch yn yr achos presennol gyda'r un mawrfrydigrwydd a ddangosasoch yn y penderfyniad beirniadol o barth Cadair Rhuddlan. Mae bywyd yn llawn o bethau annisgwyliadwy fel hyn. Enillodd bardd israddol iawn fwy nag unwaith y gamp yn erbyn Soffocles ei hun. Ond Soffocles yw'r anfarwol . . .

Safodd ei gyfeillion a'i edmygwyr yn bybyr o blaid pryddest Eben. Sgrifennodd Siôn Wyn o Eifion ato yn y Saesneg er mwyn rhoi pwysau chwanegol yn ei ddatganiad ac ymddangos yn fwy proffesyddol:

> I have seen Evans' Pryddest and the Awdl by Williams, and indeed I was much disappointed in Evans' . . . Williams' Awdl is very good, I think . . . I have read your Poem, and no one can read it without clearly perceiving that the writer is a person of superior mental powers, and that his poetic genius and imagination are full of energy and loveliness . . . The poem is very sublime.

Cafodd y bardd lythyr hefyd oddi wrth Iorwerth Glan Aled:

> Yr oedd W. Rees yma neithiwr yn areithio ar Babyddiaeth; ac areithio yn rhagorol o dda a ddarfu ef. Pan aethom i ymddiddan am y Pryddestau ar yr Atgyfodiad, fel hyn y dywedai Gwilym: "Yn wir, nis gwn i beth y maent yn ei feddwl! Y mae cyfansoddiad Ifan Ifans yn dda fel rhyw draethawd ymarferol ar yr Atgyfodiad; ond am un Eben, y mae yn Bryddest Anfeidrol; yr wyf yn edrych arni fel Poem, yr orau o ddigon ar bob un yn yr Iaith." Gellwch feddwl i minnau yn y fan ddywedyd, Amen . . . Amser a ddaw â'ch Pryddest chwi i'w lefel.

Cyflawnwyd proffwydoliaeth Iorwerth Glan Aled. Bu bri mawr ar 'Atgyfodiad' Eben Fardd drwy gydol ail hanner y ganrif. Trown at *Hanes Llenyddiaeth Gymraeg* yr Athro T. Parry am enghraifft o farn yr ugeinfed ganrif. Ar ôl sylw dipyn yn anffodus ar y mesur fe ddywed yr Athro:

> Amcanodd Eben at rywbeth llawer mwy nag Ieuan — cynllun mawreddog a dramatig, disgrifiadau hedegog o aruthredd yr atgyfodiad, ac ymgais at aruchedd Miltonaidd, gan gynnwys tynged Satan, cymeriad poblogaidd gyda'r beirdd hyn. Er bod y mesur yn annheilwng a'r mynegiant yn ymfflamychol, y mae yn y gerdd lawer o ddychymyg, ac er mai methiant ydyw, rhaid dywedyd bod Eben yn gwybod at beth yr ymgyrhaeddai.

Nid oes gennyf ofod yn awr i astudio na cherdd Eben Fardd na cherdd Ieuan Glan Geirionydd — sy'n llawer mwy diddorol nag a awgryma'r beirniaid diweddar. Ond fe welwch fod Eisteddfod Rhuddlan 1850 yn ddigwyddiad mawr yn hanes datblygiad y bryddest Filtonaidd neu'r epig Gymraeg. Braidd na ellid dweud mai canrif Filtonaidd yn hanes barddoniaeth Gymraeg yw'r ganrif 1760-1860. Y mae Milton a phroblem yr epig Gymraeg y tu cefn i holl *Gyfrinach Beirdd Ynys Prydain*, i lawer iawn o weithgarwch pwysicaf William

Owen Pughe, i holl ddatblygiad yr Eisteddfod ac i efrydiau ac ymdrechion y beirdd pwysig o Oronwy Owen a Dafydd Ionawr hyd at Islwyn; hynny hefyd a greodd feirniadaeth lenyddol Gymraeg. Y mae'n rhan fawr o hanes meddwl yng Nghymru.

Y Faner, 24 Mai 1950

Dyfodol Llenyddiaeth

Nid adwaen i odid neb o lenorion ifainc y colegau yng Nghymru. 'Wn i ddim beth yw natur eu hymddiddanion. Byddaf yn cyfarfod weithiau â llenorion sy'n gyfoed â mi neu rai sy'n hen gyfeillion gennyf. Cwynant hwy'n ddigalon am ragolygon llenyddiaeth Gymraeg. Gofynnant, ble mae'r beirdd dan ddeugain oed a ddengys ddim meistraeth? Ble mae'r llenorion creadigol ifainc sy'n addo chwanegu'n sylweddol at gorff ein llenyddiaeth? Onid yw ffrwd ein llenyddiaeth greadigol yn rhedeg yn fain odiaeth ac ar fin darfod? Ac mor brin yw beirniadaeth a ddengys fawredd a gwelediad. Dyma'r pethau sy'n poeni'r bobl ganol oed. Ânt ymhellach weithiau, ac ofni fod y dafodiaith yn dirywio gymaint ym mhob rhan o Gymru wledig fel na ellir mwyach fagu meistri yn yr iaith. Bydd calonnau'n codi dipyn a'r llygaid yn gloywi pan enwir Mr John Gwilym Jones neu Mr Geraint Bowen. Ond gwan yw'r golau a phrin y geill un dyn na dau gario cenhedlaeth. Dyna'r gwyn.

Mi fûm i'n trafod rhai o'r syniadau hyn ryw ddwy flynedd yn ôl pan ofynnwyd imi annerch Cymdeithas Gymraeg y Coleg yng Nghaerdydd, a hynny'n ddifyfyr. Dywedais y pryd hynny fod gormod o ofidio digalon am ragolygon llenyddiaeth Gymraeg. Tymer afiach a diffrwyth yw digalondid. Fe ddylai'r cyflwr cymdeithasol sy'n peri i ddynion fynegi digalondid eu cyffroi hwynt i ymdrechu i'w newid. Hyd y gwn i, ni bu ond rhyw ddwywaith neu dair gyfnodau calonogol yn hanes y genedl Gymreig. Prawf yw hynny fod y genedl Gymreig yn rhan o'r ddynoliaeth. Canys prin iawn a damweiniol fu cyfnodau calonogol yn hanes dyn ar y ddaear erioed.

Ystyriwn ragolygon yr iaith Gymraeg, cyfrwng a stwff ein llenyddiaeth ni. Y mae un peth yn weddol amlwg: fe fydd yr iaith Gymraeg fyw, yn iaith lafar ac yn iaith lyfr, weddill yr ugeinfed ganrif o leiaf. Os digwydd rhyfel byd arall, nid oes gennyf i syniad o gwbl beth fydd ei ganlyniadau. Ond y mae rhagolygon yr iaith Gymraeg yn ddigon da i ddyn normal a chanddo egni creadigol fynd ati i droi'r Gymraeg yn offeryn crefft a champ, a chael llawenydd yn ei waith, a gwybod yn ddiogel y dyry ef lawenydd i eraill neu fater ffrae. Hynny yw, mae hi'n werth ymroddi i sgrifennu yn y Gymraeg. Bydd yr iaith yn un o ieithoedd llenyddol Ewrop yn nechrau'r ganrif nesaf, os bydd nac Ewrop na chanrif nesaf i neb. A dylai hynny fod yn ddigon — ac yn llawer — i unrhyw lenor ifanc. Y mae hawlio sicrwydd a diogelwch diderfyn i'n hiaith cyn bodloni i sgrifennu, cyn cychwyn ar yrfa llenor, yn ynfydrwydd. Ansicrwydd yw amod a chyflwr normal bywyd dyn. Heddiw y mae mudiadau cryfion o blaid y Gymraeg, nid mudiadau politicaidd yn unig, eithr sefydliadau o fath yr ysgolion cynradd Cymraeg. Wrth gwrs, y mae pwerau enbyd yn bygwth yr iaith. A thra pery'r gwareiddiad diwydiannol presennol, bydd yr iaith dan berygl a'i thynged yn amheus. Y cwbl a ddaliaf i'n awr yw ei bod hi'n ddigon sionc ac yn ddigon hoyw, ar ganol yr ugeinfed ganrif, i lenorion fedru creu pethau godidog ynddi am ddwy genhedlaeth a thair eto. Ac y mae hynny'n ardderchog; ychydig o ieithoedd yn Ewrop a eill addo chwaneg.

Dealler, nid wyf yn honni nad oes colledion, colledion anguriol; ni bu safon tafodiaith erioed cyn ised; ni bu geirfa'r Cymry cyffredin erioed cyn dloted; ni bu diwylliant llafar erioed mor wan. Er hynny, nid oes esgus digonol i neb ohonom roi'r ffidil yn y to oblegid cyflwr y Gymraeg. Hawdd dangos dirywiad cyffelyb mewn ieithoedd eraill, ac yn enwedig yn y Saesneg, yn Saesneg y llenorion ac yn Saesneg llafar y dosbarth llythrennog. Wrth ddinistrio cymdeithas y mae diwydiannaeth o reidrwydd yn dinistrio iaith.

Ble mae'r beirdd dan eu deugain oed? Dro'n ôl, wrth drafod soned y bu barnu arni yng 'Nghongl y Llenor' drwy gyfrwng radio Cymru, mi geisiais i ddangos fod ymrechion bywiol ar gerdded ymhlith y beirdd ifainc. Ond mi anturiaf awgrymu pwynt i'w ystyried. Tybed nad oedd y deng mlynedd cyn cychwyn rhyfel 1939 yn gyfnod dibroffid a chaled i lenorion a beirdd ifainc? Yn y cyfnod hwnnw yr oedd ein llenorion newydd yn fwy na neb erioed o'u blaenau dan ddylanwad mudiadau Seisnig. Yr oeddynt, braidd oll, yn dilyn llyfrau Gollancz a'r "Left Book Club". Ymroddent i astudio Auden a'r beirdd a'r beirniaid Comwnyddol Seisnig, graddedigion Rhydychen. Agorwyd hyd yn oed Y Llenor i fod yn organ "beirniadaeth y Chwith" yn y dull a oedd yn ffasiwn yn Llundain ar y pryd. Darfu'r mudiad hwnnw yn Lloegr yn ddigon truenus, a darfu bellach am ei effaith yng Nghymru. Nid trafod ei syniadau a fynnaf yn awr, eithr sylwi fod cyfnod o efelychu eithafol ar lenyddiaeth Saesneg yn hynod anfanteisiol i dwf bardd Cymraeg. Yng Nghaerdydd mi geisiais i awgrymu i'r efrydwyr y dylai ehangder efrydiau'r cwrs celfyddydau eu rhyddhau hwynt oddi wrth raffau Saesneg eu hysgolion gramadeg; gallai Catwlws fod yn llawn cymaint o gyffro i fardd Cymraeg â W. H. Auden. Er hynny, yr hyn sy'n unig anhepgor i fardd da yw gwybod llenyddiaeth ei iaith ei hun.

Ar derfyn ysgrif ar Robert ap Gwilym Ddu yn *Yr Herald Gymraeg* yr wythnos hon fe ddywed Mr Gwyndaf Owen, sydd, mi dybiaf, yn efrydydd ym Mangor, hyn:

Pan yw cyflwr prydyddiaeth Gymraeg heddiw mor isel, nid annoeth fyddai dychwelyd at yr eiddo'n hunain i ail amgyffred y naws hwnnw sy'n naturiol i ni fel Cymry ... Onid chwerthinllyd yw ceisio ymreolaeth gan Loegr a ninnau'n byw ar ei llenyddiaeth yn eildwym? Parchwn ein treftadaeth ein hunain gyntaf ...

Mae'n dda fod gŵr ifanc yn dweud hyn. Byddaf yn meddwl weithiau mai'r rheswm y bydd y llenorion ifainc Cymraeg yn astudio gymaint ar eu cyfoedion yn Lloegr yw eu bod yn cael y Saeson yn fwy "cyfoes", yn ymgodymu fwy â phroblemau byw y byd sydd ohoni. Diau fod ychwaneg nag un esboniad ar y dybiaeth honno. Poenus gorfod cyfaddef fod israddoldeb politicaidd Cymru yn rhan o'r esboniad cyfan. Seisnig a Saesneg hefyd yw holl addysg ysgol a choleg yng Nghymru. Rhy ychydig lawer o Gymry Cymraeg, llenyddol eu bryd, a gaiff gyfle i feithrin eu diwylliant Cymraeg a dysgu'r clasuron a llenyddiaeth dramor fyw, megis yr Ellmyneg neu'r Ffrangeg. Dylai'r llenor ifanc Cymraeg ymroi ei hunan i feistroli iaith dramor a'r clasuron, oni chafodd gyfle mewn nac ysgol na choleg. Un o'r arwyddion calonogol heddiw yw bod gennym ni nifer o feirniaid da, megis Dr Gwyn Griffiths a Mr Myrddin Lloyd a Mr T. P. Williams, sy'n dehongli'r clasuron neu lenyddiaethau cyfandir Ewrop inni, neu'n dweud wrthym am athronwyr y tu allan i Ynys Brydain. Mae hynny oll yn agor ffenestri inni.

Ond pwysicach na'r cwbl i fagu llenor creadigol yw ei fod yn gwybod cyfoeth rhyfeddol a dihysbydd y meddwl sydd yn ein llenyddiaeth Gymraeg. Rhoddaf bwys ar y meddwl, y profiad sydd yn ein llên ni. Dyna'r hyn sy'n ddarganfod, sy'n ddatguddiad syn a pharhaus i mi. Hynny sy'n troi'r cwbl yn gyfoes ac felly'n gyfoeth, fel y gallo Dafydd Nanmor a Thudur Aled a Charles Edwards ac Islwyn dyfu'n rhan fawr o fywyd y myfyriwr yn eu gwaith heddiw. Nid parchu'n treftadaeth yn unig sy'n rhaid, ond byw ar ein treftadaeth, os mynnwn feithrin y ddawn greadigol. A thasg beirniadaeth lenyddol ydyw darganfod a datguddio a dehongli'r holl gyfoeth hwnnw. Y mae hynny hefyd yn waith creadigol.

Yn yr Eidal cylchgronau misol neu chwarterol yw'r cyfryngau arferol i fudiadau llenyddol. Mae yn yr Eidal hanner dwsin o brifddinasoedd, hen brifddinasoedd taleithiol neu hen ddinasoedd sofran ac annibynnol gynt. Erys llawer ohonynt yn brif-ddinasoedd diwylliant o hyd, a bydd llenorion a phaentwyr a cherflunwyr yn ymgasglu ynddynt, yn cyfarfod â'i gilydd yn gyson, a'r trafodaethau yn dwyn ffrwyth mewn cylchgrawn a mudiad a pholisi bwriadol mewn barddoniaeth neu gelfyddyd.

Y syniad Cymreig heddiw am gylchgrawn llenyddol yw llwyfan agored i bopeth. Mi hoffwn i weld cyhoeddi chwarterolyn llenyddol Cymraeg a chanddo egwyddor a pholisi. Pan welais i gyntaf enwau golygyddion *Y Fflam* mi dybiais fod y cyfryw gylchgrawn ar ymddangos a chrychneitiodd fy nghalon o'm mewn. Ni chyflawnodd *Y Fflam* fy ngobeithion, ac efallai mai felly y mae hi orau. Yr hyn a hoffwn i ei gael yn fy nghylchgrawn delfrydol fyddai, yn gyntaf adolygu cyson gan ychydig, a'r rheini'n medru cyfarfod i drafod llyfrau'r chwarter a phenderfynu ar eu pwysigrwydd, a bod yr adolygu yn arweiniad i werth y llyfrau; a bod cais o hyd i fesur gwerth gwaith llenyddol pob hanner blwyddyn neu flwyddyn. Yn ail, hoffwn weld astudiaethau teg a thrwyadl o waith llenorion cyfoes, a hynny'n gyson, gyda chais i feithrin safon o farn, a thrin mater eu meddwl yn gwbl ddiofn. Yn drydydd, astudiaethau gonest o fywyd cymdeithasol Cymru heddiw, o'r hyn yw bywyd yng ngholegau'r Brifysgol, yn y Colegau Normal, yn y chwarel a'r pwll glo a'r banc a'r siop, yn y dref a'r pentref, yn y swyddfeydd darlledu sy gan y B.B.C. yng Nghymru — a thrafod yn arbennig "werth" y cyfryw fywyd. Polisi? Trafod bywyd y gymdeithas Gymreig yn fanwl analitig a cheisio deall y bywyd a'i weld. Dwyn ein sgrifenwyr i edrych yn graff ar y gymdeithas gyfoes a'i hastudio yn ei phersonau ac yn ei moddau.

Pam? Oblegid bod llenyddiaeth Gymraeg heddiw yn dihoeni oherwydd diffyg gwrthrych.

Edrych ar bethau sydd y tu allan i chwi eich hunan a cheisio'u deall a dweud pethau gwir amdanynt. Nid oes disgyblaeth lenyddol well mewn cyfnod o drai ar awen. Mi geisiais i unwaith mewn erthygl yma berswadio'r beirdd gwlad i aros yn feirdd gwlad, i ganu am briodasau'r ardal a'r angladdau, am drip yr Ysgol Sul a dwyn pibell ddŵr i'r pentref, a pheidio â cheisio bod yn awenyddion angerddol nac efelychu Williams-Parry na T. H. Parry-Williams. Ceisiais ddangos mai'r bardd gwlad, cymwynasgar ei gerdd, yw gwir olynydd Taliesin a'r penceirddiaid. Ni chredodd neb monof — er bod y peth yn ffaith — a cheryddwyd fi am geisio cadw'r bardd gwlad yn rhigymwr dinod — enghraifft arall o snobyddiaeth.

Ond y mae'n amlwg fod y delyneg Gymraeg heddiw wedi darfod oblegid nad oes iddi wrthrych. Pan fo llond gwlad o feirdd yn ymroi i feithrin profiadau personol angerddol, yr un fydd y canlyniad â phan fynnodd y llyffant ymchwyddo i fod gymaint â'r tarw:

Est-ce assez? dites-moi; n'y suis-je point encore? Nenni. — M'y voici donc? — Point du tout. — M'y voilà? — Vous n'en approchez point. La chétive pécore s'enfla si bien qu'elle creva.

(Ai digon hyn? O d'wed; on'd ydwyf gymaint 'nawr? Na, na. — Wel, beth am hyn? — Nac eto. — Dyma fi? Nid ydych agos ddim. A'r llyffant eiddil gwan — ymchwyddodd nes ymddryllio'n llwyr.)

191

Dyna gofiant byr i'r delyneg Gymraeg yn y dyddiau diweddar hyn ac i lu mawr o feirdd a droes o rych Twm o'r Nant i gors yr awen angerdd.

Mewn cyfnod o wendid ar lenyddiaeth nid oes gwell rhwymedi na disgyblaeth y gwrthrych. Fe ddywedodd W. B. Yeats unwaith fod cyfnod o newyddiaduraeth yn dda i fardd. Mi ddysgais drwy brofiad chwerw ei fod yn dda i fardd fel fi, mae'n chwyddo'r gallu i dyngu a rhegi yn rhyfeddol. Ond y mae'r cyfnod rhamantaidd ar ben, mae'r "hunan" wedi ei wagio fel cronfa farddol ac nid oes yn awr na hyder mawr yn nyfodol y genedl i gynhyrfu awdlau i Wlad y Bryniau nac ychwaith nefoedd broletaraidd y tridegau. Eto i gyd, mae bywyd yn mynd ymlaen, mae dydd yn dilyn dydd, rhaid byw, rhaid llenydda, rhaid gorffen yr erthygl hon cyn y post. O'r gorau, trown i edrych ar ffrwd y bywyd beunyddiol a dywedwn yr hyn a welwn, tasg anodd a dyrys. Dysgwn grefft y llenor, ac ymgyfoethogwn yn nhraddodiad ein blaenoriaid.

Y Faner, 7 Mehefin 1950

Dail Dyddiadur

"Gormod o bwdin a daga gi," meddai cyfaill o weinidog plaen ei dafod wrthyf am f'ysgrifau. A dyma'r Golygydd yn gofyn am bedair colofn yn gynnar ar gyfer rhifyn y Nadolig. Nid oes dim amdani ond rhoi i chwi rai nodiadau o ddyddlyfr sgrifennwr — paragraffau digyswllt a difyfyr.

Storïau'r Tir Du

Yn *Y Faner* y darllenais fod D. J. Williams yn yr ysbyty. Bydd chwerthin llon gan lawer nyrs cyn yr êl ef adref eto. Gyrrodd hyn fi i ddarllen *Storïau'r Tir Du* o newydd. Cafodd y llyfr hwnnw yr adolygiadau rhyfeddaf, adolygiadau pwysig, pedantig, a gogoneddus brudd. A ydy' llenyddiaeth ac astudio llenyddiaeth wedi mynd mor gwbl academig yng Nghymru na fedrwn ni na chwerthin na synhwyro digrifwch? Y mae yn *Storïau'r Tir Du* ddwy o'r straeon byrion godidocaf eu digrifwch a sgrifennodd D. J. erioed. Y mae'r 'Capten a'r Genhadaeth Dramor' yn rhoi inni gymeriad y buasai Cervantes a Laurence Sterne yn ei groesawu i'r un nefoedd â Don Sancho ac Uncle Toby. Mae'r Capten yn un o gampweithiau D.J., a'i anerchiad yn y seiat mor gofiadwy â derbyniad Thomas a Babara Bartley.

Mi ddywedwn yr un fath am gymeriadau 'Meca'r Genedl', ac yn enwedig am Mr Dogwell Jones, Bargyfreithiwr. I mi mae'r stori o'r dechrau i'r diwedd yn berl difai. Ac wedi ei chaboli'n fwy crefftus na stori'r Capten. Mae'r paragraff cyntaf oll, er enghraifft, yn stori'r Capten yn ddianghenraid. (Darllenodd D.J. ormod o lyfrau ar sut i lunio stori fer.) Ond ni welaf ddim yn afraid ym 'Meca'r Genedl', ac y mae'r frawddeg gyntaf oll yn honno yn gosod yr arwyr ger ein bron yn feistraidd; a sylwch fod brawddeg olaf y stori yn cydio'n "gymeriadol" yn y frawddeg gyntaf, megis awdl o'r cyfnod clasurol.

Pennaf athrylith D.J. yw disgrifio hymbygiaid. Fel y dywedais wrtho, 'fedraf i ddim dygymod o gwbl â'i bobl dda, ei dduwiolion ef. Mae eu heneidiau a'u hymennydd hwy wedi eu gwneud o wlanen, Edith, Colbo a Cheinwen. Ond pan gaffo D.J. hymbyg pur, sgowndrel o ragrithiwr, i'w ddwylo, yna mae'r artist yn D.J. yn ymroi'n orfoleddus i'w fwynhau. Y funud honno fe ddeffroir ei holl athrylith a'i wawd a'i hiwmor a'i werthfawrogiad pur o "spesimen" y gall ef ei droi o gwmpas a'i ryfeddu a gwynfydu uwch ei ben. Mae'r hymbyg a'r sgowndrel mor gwbl, mor affwysol ar wahân i D.J. onid yw ef yn medru ei drafod fel artist gwrthrychol. Gwelais hynny droeon yn Wormwood Scrubs. Yr oedd yno Iddew a allasai fod yn batrwm i Uriah Heap, creadur a ffieiddiai pawb — pawb ond D.J.! I D.J. hwn oedd "spesimen" godidoca'r carchar. Daliai ar ei ddywediadau, câi flas diddiwedd ar ei hiwmor od, ar ei droeon cachgiaidd, ar ei druenusrwydd trwstan. A dyna sy'n rhoi anfarwoldeb go sicr i'r Capten yn y seiat ac i Mr Dogwell Jones, Bargyfreithiwr. Gwrthrycholdeb pur yn naddu gemau clasurol. Ond y funud y cyffyrddir cymeriad gan ddelfrydau neu naws o dduwioldeb, mae niwl yn disgyn ar wydrau sbectol D.J., ac nid oes dim yn glir, na dim yn galed.

Mae pawb ohonom o bryd i'w gilydd wedi sôn am gyfoeth arddull D. J. Williams. Dylid cydnabod peth arall: y mae'r fath beth yn bod ag a ddiffiniwyd gan T. H. Parry-Williams yn idiom y seiat a phriod-ddulliau cyfarfodydd gweddïo Cymru ymneilltuol. Mae'r rheiny'n diflannu neu eisoes wedi diflannu. Ond y maent, lawer ohonynt, ar gadw i haneswyr y dyfodol yn straeon D. J. Williams. Mae o'n gartrefol gyda Mari Lewis a Jimmy Wilde.

Tŷ Dol

Tachwedd 23: digwydd imi fod yn Llandudno a chlywed fod Chwaraewyr Garthewin yn cyflwyno Tŷ Dol Ibsen yn y theatr yno. Euthum i'w gweld a'u gwrando. Gwelswn eu cyflwyniad o'r ddrama yn ffestifal Garthewin yn yr haf. Bernais fod y perfformiad yn Llandudno yn rhagori, yn aeddfetach a sicrach. Mae hi'n ddrama anodd. Prin y gallai thema fod yn fwy digystlwn â bywyd Cymru. Mi wn i'n dda am fywyd dosbarth canol Cymry Lerpwl yn 1870-1880 trwy glywed gan fy modryb hanesion di-rif am deuluoedd cefnog cynulleidfa Princes Road. Ni thybiaf fod yr agwedd tuag at ferched a fuasai'n wrthrych ymosodiad Ibsen yn 1879 (dyddiad Tŷ Dol) yn ffynnu o gwbl ym mysg Cymry Lerpwl yn y cyfnod. Ac erbyn heddiw mae'r syniad hwnnw am swydd merched wedi darfod ym mhobman. Y canlyniad yw bod yn rhaid i'r actorion Cymraeg hyfforddi'r gynulleidfa a'i harwain hi i ddeall thema'r ddrama drwy gydol yr act gyntaf anodd a beichus. Ni all hyd yn oed y terfyn — y drws ffrynt yn cau'n glep — fod mor gynhyrfus heddiw i neb ag ydoedd yn 1880. Gan hynny, cywirdeb y cymeriadau, y datguddiad o'r natur ddynol, yw craidd y diddordeb i ni. Yr oedd y cyflwyno yn Llandudno yn gynnil ac yn ddidwyll, yn actio onest, meddylgar, ac yn fynych yn ddwys.

Bid sicr, drama Nora, y "ddol", yw hi bennaf; ail gymeriad yw hyd yn oed ei gŵr. Dyn dwl, hunanol, prennaidd, a rhagrithiwr nad yw'n deall na fo'i hunan na neb o'i gylch, yw ef. Nodwedd bwysicaf Nora yw ei bod hi'n ddeallus. Camp cyflwyniad Miss Nora Jones o'r rhan ydoedd dangos hynny. Yr oedd ei hwyneb hi'n actio, ei llwnc hi'n actio, yr oedd ei chorff hi'n sylweddoli pob tro yn natblygiad y stori. Ar un pwynt yn unig y bernais i iddi fethu, a phwynt pwysig yr ymroes Ibsen i'w wneud yn drobwynt yr act olaf:

mae hi'n disgwyl gwyrth. Y wyrth iddi hi fydd y prawf fod ei phriod yn ei charu ac y gall hi aros yn yr un tŷ ag ef. Y funud pan ddywed hi hynny wrth ei gŵr yw trobwynt yr act olaf. Fe ddylasai'r cynhyrchydd ganolbwyntio ar y funud honno a dangos ei holl ystyr. Dylasai'r actores godi'r funud honno i angerdd araf a syfrdanol. Dylasai'r mynegiant o'i siom fod fel haearn poeth yn serio. Nid astudiwyd digon ar drobwynt seicolegol yr act yn yr ymarferion. Eto, er gwaethaf hynny, fe ddaliodd y ddrama ei chynulleidfa. Cafwyd perfformiad gwir ddeallus ac effeithiol. Profiad o ddifrifoldeb artistig a phob aelod o'r cwmni yn rhoi gorau ei gydweithrediad i greu undod argraff.

'Cornel y Llenor'

Gwrandewais ar Mr J. M. Edwards a Mr Glynne Davies yn trafod "barddoniaeth fodern" drwy'r radio. Go brin y cymerth Mr Rhydwen Williams ran o gwbl. Ganddo ef, mi dybiaf, y mae un o'r lleisiau hyfrytaf ar gyfer darlledu yn ein gwlad. Mae'n artist o ddarlledydd Cymraeg; cefais i wers o'i weld yn deall meddwl a rhediad pob dyfyniad o Charles Edwards heb ei fod wedi gweld fy "sgript" i cyn yr ymarfer cyntaf. Na thybied y canol-oed fod diwylliant Cymraeg yn darfod. Dywedaf gymaint â hynny cyn mynd ymlaen i regi. Ni chlywais i ers tro gymaint o wynt o'r set radio ag a glywais yn y trafod ar farddoniaeth fodern. Barddoniaeth fodern yw barddoniaeth "vers libre"; barddoniaeth fodern yw barddoniaeth Saesneg; barddoniaeth fodern yw barddoniaeth sumbolaidd; yr unig fardd modern Cymraeg o bwys yw Gwenallt; a thrueni na cheid Dylan Thomas yn Gymraeg. Ni chafwyd yn y sgwrs un awgrym o gefndir o ddiwylliant na thraddodiad llenyddol Cymraeg; dim ond syniadau ail-law Seisnig heb na'u treulio na'u cnoi — enghraifft adfydus o blwyfoldeb, *provincialisme* Cymreig. Y mae ceisio bod yn fodern drwy ddynwared llenorion Seisnig yn hen, hen bla arnom ni yng Nghymru. Ni ddaw dim na da na modern felly.

Waldo Williams

Y mae "barddoniaeth fodern" yn beth sydd, ac y sydd yn ddidwyll. Fe'i ceir hefyd yn bendant yn y Gymraeg. Fe'i ceir yn holl ganu R. Williams Parry, rhwng 1936 a 1942. A bardd "modern" sy'n gymaint meistr â Gwenallt yw Waldo Williams. Nid adwaen i Mr Williams ac ni wn i mi ei weld erioed. Gofynnaf ei faddeuant yn awr am ddyfynnu cân gyfan o'i waith ef a godaf o *Y Wawr* (golygydd: Y Parch. Eirian Davies) 1948:

> Wedi'r canrifoedd mudan clymaf eu clod.
> Un yw craidd cred â gwych adnabod
> Eneidiau yn un â'r rhuddin yng ngwreiddyn Bod.

Maent yn un â'r goleuni. Maent uwch fy mhen
Lle'r ymgasgl, trwy'r ehangder, hedd. Pan noso'r wybren
Mae pob un yn rhwyll i'm llygad yn y llen.

John Roberts, Trawsfynydd. Offeiriad oedd ef i'r tlawd,
Yn y pla trwm yn rhannu bara'r unrhawd,
Gan wybod ddyfod gallu'r gwyll i ddryllio'i gnawd.

John Owen y Saer, a guddiodd lawer gwas,
Diflin ei law dros yr hen gymdeithas,
Rhag datod y pleth, rhag tynnu distiau'r plas.

Rhisiart Gwyn. Gwenodd am y peth yn eu hwyneb hwy:
"Mae gennyf chwe cheiniog tuag at eich dirwy",
Yn achos ei Feistr ni phrisiodd ef ei hoedl yn fwy.

Y rhedegwyr ysgafn, na allwn eu cyfrif oll,
Yn ymgasglu'n fintai uwchlaw difancoll,
Diau nad oes a chwâl y rhai a dalodd yr un doll.

Y talu tawel, terfynol. Rhoi byd am fyd,
Rhoi'r artaith eithaf am arweiniad yr Ysbryd,
Rhoi blodeuyn am wreiddyn a rhoi gronyn i'w grud.

Y diberfeddu wedi'r glwyd artaith, a chyn
Yr ochenaid lle rhodded ysgol i'w henaid esgyn
I helaeth drannoeth Golgotha eu Harglwydd gwyn.

Mawr ac ardderchog fyddai y rhain yn eich chwedl,
Gymry, pe baech chwi'n genedl.

Dywedaf yn awr wrth y beirdd ifainc Cymraeg: Yr ydych yn dyfynnu
enwau Season, yn gofidio nad yn Gymraeg y sgrifenasai Dylan Thomas ei
gerddi (a fyddai'n ddiystyr heb y traddodiad Seisnig). Atebaf innau, pe clywai
Ezra Pound ddarllen y gerdd hon gan Waldo Williams, y gwybyddai ef yn unig
wrth ei rhuthmau hi fod yma fardd campus cyfoes ar waith; atebaf y buasai W.
B. Yeats yn ei gyfnod olaf yn gwrogi i awdur y gerdd hon pes deallasai. Y
felltith andwyol ar feirniadaeth lenyddol Gymraeg o hyd yw'r atalnwyd
israddoldeb sy'n gymysg â phlwyfoldeb llenorion cenedl sy'n druenus
ddwyieithog. Gwenwyn llên, dwy iaith.

Os mynnwch chwi ddeall "barddoniaeth fodern", rhowch heibio sôn am
vers libre — mae'r ffasiwn yn wir eisoes wedi dechrau troi yn ei erbyn — a
rhowch heibio sôn mor gaddugol niwlog am sumbolaeth. Ymrowch i astudio

rhuthmau, aceniad llinellau cerdd Waldo Williams; yna astudiwch ei chystrawen hi a'i geirfa hi, y modd y symudir o eirfa ddiriaethol i eirfa haniaethol, o eirfa siarad i eirfa myfyrdod. Chwiliwch beth sy'n arbennig ynddi. Deliwch ar bethau pendant. Darllenwch hi'n uchel yn fynych fynych, nes bod yr ambell odl fewnol a phroest a'r aml naid yn y meddwl yn eu datguddio'u hunain i chwi. Pan ddeloch i adnabod, yn hyderus, yn ddiogel, beth sy'n dda, sy'n fawr, yn y canu Cymraeg heddiw, yna gellwch siarad yn sicr am farddoniaeth fodern. Canys y da cyfoes, y mawr cyfoes, y creadigol fyw cyfoes, sy'n farddoniaeth fodern — nid efelychiadau eildwym o seigiau Seisnig. O'r tu mewn i draddodiad cadarn y blagura newyddwch. Mae'n drychineb, mae'n gwneud drwg pendant ac amlwg i dwf beirdd ifainc Cymraeg, nad oes gennym ni gasgliad o holl ganu R. Williams Parry a chasgliad o holl gerddi Waldo Williams. Mewn gwlad a chanddi hunan-barch byddai Gwasg ei Phrifysgol yn gofalu am y pethau hyn. Oni wyddom oll mai swydd a llawenydd goruchaf, ie perlewyg hyfryd, beirniadaeth lenyddol ydyw darganfod, adnabod, datguddio, amlygu mawredd a cheinder yn y presennol a'r gorffennol, ac felly symbylu eu twf yn y dyfodol hefyd. Er mwyn hynny rhaid inni ymwreiddio yn ein llenyddiaeth ein hunain gyntaf a phennaf. Y ffaith sylfaenol am Waldo Williams yw mai o Daliesin ac o Aneirin y mae o'n hanfod. Dyna'r unig sylfaen i foderniaeth fyw Gymraeg. Da y cofiaf fy nhad yn dweud wrthyf unwaith yng nghyfnod fy ffolineb cynnar: " 'Ddaw dim byd ohonoch chi, S., nes y dowch chi'n ôl lle mae'ch gwreiddiau." Gwers i lenor.

Y Faner, 20 Rhagfyr 1950

Ateb Mr J. M. Edwards

Dyma fynd ati i ymaflyd codwm â Mr Edwards. Bydd y dadlau'n giaidd a ffyrnig ac nid arbedir gwaed. Caiff y darllenydd gyfri'r pwyntiau a enillo'r ddau godymydd, afael ar afael. Dechreuaf felly drwy ymddiheuro. Ar gychwyn fy meirniadaeth ar y drafodaeth radio ar farddoniaeth fodern dywedais na chlywais erioed gymaint o "wynt" o'r set radio. 'R oedd y gair yn ddi-chwaeth ac yn ddianghenraid. Tynnaf ef yn ôl a gofynnaf faddeuant amdano.

Yn ail, gofynnaf i Mr Edwards beidio â thynnu erthygl yn y Y *Genhinen* newydd i mewn i'r ddadl hon. Nid fy safbwynt i a geir yn honno. Yr wyf wedi dweud droeon yn y colofnau hyn fy mod i'n gwylio gwaith y beirdd ifainc diweddar gyda diddordeb ac edmygedd, a mynegais fwy nag unwaith fy hyder y daw ffrwyth gwerthfawr o'u harbrofion, a hynny cyn hir. Hyd yn oed yn yr erthygl a gynhyrfodd ysgrif Mr Edwards 'S.L. a Barddoniaeth Fodern' mi ddywedais:

> Y mae "barddoniaeth fodern" yn beth sydd, ac y sydd yn ddidwyll. Fe'i ceir hefyd yn bendant yn y Gymraeg.

Ni fwriadwn awgrymu chwaith mai R. W. Parry a Gwenallt a Waldo Williams yw'r unig feirdd modern. Fy amcan i oedd dangos y gellid cymryd enghreifftiau Cymraeg o "farddoniaeth fodern" a'u trafod a'u dadansoddi yn y darllediad. Byddai blodeuglwm dethol, gofalus o farddoniaeth Gymraeg o A. Llywelyn-Williams hyd at Rhydwen Williams yn gyfrol ddiddorol.

Dof at drafodaeth Mr Edwards ar gerdd Waldo Williams. Mae'n anodd imi'n awr beidio â chymryd mantais annheg ar gamgymeriadau fy ngwrthwynebydd. Mi ganiatâf mai'r cysodydd, nid Mr Edwards, sy'n gyfrifol am alw Gerard Manley Hopkins yn Gerald Manley Hopkins; ond nid y cysodydd, 'does bosibl, sy'n gyfrifol am briodoli i Hopkins (bardd o'r bedwaredd ganrif ar bymtheg) gerdd enwog Henry Vaughan, bardd o Gymro o'r ail ganrif ar bymtheg. Wel, nid af innau i wneud môr a mynydd o "lithriad pin ysgrifennu" Mr Edwards. Fe ŵyr ef gystal â neb mai Vaughan piau "They are all gone into the world of light". Dangosodd disgyblion Freud inni mor hawdd yw llithro fel yna wrth ysgrifennu; nid yw'n profi dim ond bod Hopkins hefyd, yn ogystal â Vaughan, ym meddwl Mr Edwards ar y pryd. Na, ysywaeth, nid wyf yn hawlio fy mod wedi rhoi fy ngelyn ar ei gefn.

Ond, ond, dyfynna Mr Edwards dair llinell o gân Waldo Williams a dywed:

A chaniatáu bod yn bosibl gwneud rhyw ystyr o'r llinell gyntaf, beth ar wyneb y ddaear a ddigwyddodd yn yr ail?

Hynny yw, ni fedr Mr Edwards ddeall yr ail o gwbl, ac o fraidd y geill ef ddeall y gyntaf. Dyma'r tair llinell:

Y diberfeddu wedi'r glwyd artaith, a chyn
Yr ochenaid lle rhodded ysgol i'w henaid esgyn
I helaeth drannoeth Golgotha eu Harglwydd gwyn.

Y mae'r tair llinell yna mor blaen a seml â brawddeg mewn llyfr hanes ar farwolaeth merthyron. Disgrifiant ddiberfeddu'r merthyron ar ôl eu llusgo i Tyburn ar glwyd, ac ar ôl eu harteithio; yna dyry'r merthyron ochenaid olaf, rhoi anadliad olaf a marw, ac (yn ôl y syniad cyffredin) try'r ffun olaf yn ysgol i'r enaid esgyn arni i'r nefoedd, sef "helaeth drannoeth Golgotha eu Harglwydd". Ni welaf i beth sy'n anodd i'w ddeall yma, yn enwedig gan un sy'n honni ei fod wedi dysgu cymaint gan T. S. Eliot a Dylan Thomas.

Mae gwaeth na hynny: ni ddeallodd Mr Edwards gerdd Waldo Williams o gwbl oll; eto ni rwystrodd hynny iddo roi barn arni. Fe ddywed mai "hen thema perchentyaeth" sydd ynddi, ac mai oblegid hynny — sef rheswm amherthnasol i werth barddonol — yr hoffaf i hi. Ah, gyfaill, trueni na ddarfu i chwi ymroi i geisio deall y gerdd. Petaech wedi ei deall hi, y fath godwm y gallasech fod wedi ei roi i mi! Collasoch gyfle i'm bwrw ar fy nghefn am byth. Canys cân o fawl i'r merthyron Catholig Cymreig yw cerdd Waldo Williams. Dyna pam yr hoffais i hi, wrth gwrs; oblegid, wrth gwrs, ni fedraf i weld dim ond mawredd mewn unrhyw fardd o babydd, neu fardd sy'n canu fel pabydd. Dyna, wrth gwrs, baham y seiniais i glodydd Gwenallt gyntaf oll. Ond y gwir yw na fedraf i ddim rhwystro i feirdd Protestannaidd yr Eglwys yng Nghymru ganu fel pabyddion; dyna'r ffasiwn, tyst o gyfansoddiadau'r Eisteddfod. Bod yn babydd, a sgrifennu pros pabydd, yw'r pechod. Trueni na ddeallodd Mr Edwards, sy'n deall Dylan Thomas, gerdd fach seml Waldo Williams.

Fe geir nifer o bwyntiau llai pwysig yn ateb Mr Edwards i'm sylwadau i ar y sgwrs radio y bydd yn rhaid imi fynd heibio iddynt. Awn yn syth yn awr at galon y ddadl rhyngom. Hen ddadl yw hi gennyf i. Bu Aneirin Talfan yn fy ngheryddu yn yr un modd yn union yn ei lyfr *Y Tir Diffaith*. Dal yr ydwyf fod y darlledwyr ar "farddoniaeth fodern" yn pwyso ormod ar batrymau Saesneg, a beirdd diweddar Saesneg. Etyb Mr Edwards, yn gyntaf, fod rhan o'i sgript ef wedi ei thorri ymaith, ac yn y rhan honno pwysleisiai ef y dylai bardd "ymsefydlogi'n gadarn yn llenyddiaeth gorffennol ei genedl ei hun" — yr union beth y dadleuwn i drosto. Ateb da; ni chlywais i'r rhan honno o'r sgript. Etyb ef yn ail, fy mod i fy hun yn dyfynnu enwau Saesneg neu Americaneg, Pound a Yeats, yn fy meirniadaeth. Ateb da eto: yr wyf wedi eu darllen hwy a'u cyfoeswyr; mae gennyf ddosbarth mewn barddoniaeth gyfoes Saesneg ar hyn o bryd yn yr academi Gatholig fechan yn Aberystwyth; rhaid i babydd fyw. Yn drydydd, deil Mr Edwards fy mod i wedi dangos y dylanwadau Saesneg helaeth a fu ar lenyddiaeth Gymraeg o ddydd Ellis Wynne hyd at Islwyn, ac wedi dangos gwerth y gwaith a gynhyrchwyd dan y dylanwadau hynny. A gwir y dywed.

Ond yn awr, os mai hytrach yn fregeddus yr ysgrifennais hyd yma, rhaid imi geisio o ddifrif bellach roi fy safbwynt yn glir. Nid dadlau gyda Mr Edwards a fynnaf mwyach, ond mynegi argyhoeddiad personol.

Hyd at Islwyn — ac efallai hyd at John Morris-Jones — yr oedd y bywyd llenyddol Cymreig yn ddigon cryf i dderbyn dylanwadau Saesneg a'u trawsnewid hwynt yn faeth ac yn gyfoeth i farddoniaeth wahanol, annibynnol, Gymraeg. Nid oes gennyf ofod nac amser i egluro hyn yn llawn. Byddai angen am ysgrif faith neu lyfr i wneud hynny. Ond erbyn heddiw, gyda'n hysgolion uwchradd hollol Saesneg ni a'n prifysgol hollol Saesneg, y mae diwylliant Cymraeg yr holl gymdeithas Gymreig wedi gwanhau'n enbyd. Gyda hynny, mae diwylliant Cymraeg y beirdd Cymraeg wedi ei dlodi'n echrydus. Y beirdd Saesneg diweddar, a beirniadaeth lenyddol Saesneg ar y beirdd Saesneg diweddar, yw bara beunyddiol llawer iawn o fydryddion Cymraeg ifainc. Os amheuwch hynny, edrychwch dros ohebiaethau 'Colofn Farddol' *Y Faner* am y tair blynedd ddiwethaf. Beth yw'r canlyniad? Mai barddoniaeth Saesneg yn yr iaith Gymraeg yw delfryd y beirdd hyn. At hynny yr amcanant. Dyna ystyr "barddoniaeth fodern" iddynt.

Yn awr, dealler yn bendant: ni ddywedaf fod hyn yn wir am bob bardd Cymraeg ifanc. Nid sgrifennu condemniad ar holl ganu'r genhedlaeth ifanc yr wyf. Ond dywedaf fod y peth yn duedd mewn llawer, ac mai dyna duedd y sgwrs radio (oddieithr y darn nas darlledwyd) ar "farddoniaeth fodern". Mentraf fy marn hefyd fod barddoniaeth Saesneg yn well ar y cyfan yn Saesneg nag yn Gymraeg. Ni cheir gwŷr fel Syr Idris Bell a Mr Wood i ddysgu'r iaith Gymraeg ac i astudio'i llenyddiaeth hi er mwyn darllen barddoniaeth Saesneg. Na'r Cymry llengar eu hunain chwaith; canys pwy a yf o'r merddwr ac yntau'n medru gostwng ei gwpan i'r ffynnon groyw? Dyna'r hyn a olygwn i wrth sôn am *provincialisme,* sef y cyflwr anhapus o ddilyn ac efelychu ffasiynau Saesneg heb fod ein barddoniaeth ni'n codi o'n bywyd cenedlaethol ni'n hunain nac o gymundeb bywiol â'n traddodiad llenyddol ein hunain. Yn fy ysgrif ar Ungaretti mi geisiais ddangos sut y dechreuodd y bardd alltud hwnnw ym Mharis, yn gyfaill agos i Apollinaire, a sgrifennu ar y cychwyn yn yr un dull ag Apollinaire, ond sut y tyfodd ef wedyn yn ei wlad ei hun i ddatblygu mesur a llinell glasurol Petrarca a Leopardi, ac mai felly y daeth yntau'n fardd Eidalaidd mawr.

Y ffaith amdani yw bod sefyllfa'r bardd Cymraeg heddiw yn anos ond odid nag erioed o'r blaen. Y mae tlodi'r diwylliant Cymraeg yn ei gymdeithas yn dlodi ysbrydol iddo yntau; erbyn heddiw fe glywir yn eglur oddi wrth ddylanwad trychinebus colegau ein prifysgol ar holl fywyd ysbrydol Cymru. Ymddengys i mi fod yn rhaid i ni'r beirdd a'r llenorion — os caniateir imi fy nghynnwys fy hun gyda hwynt — fabwysiadau polisi ar gyfer ein bywyd. Mae'r rhan fwyaf bellach o feirdd a llenorion ein gwlad yn fechgyn a merched a raddiodd yn y brifysgol. O'r gorau, dysgasom o leiaf sut i astudio. Ein tasg gyntaf ni, yng ngeiriau Mr J. M. Edwards, yw "ymsefydlogi'n gadarn yn llenyddiaeth ein cenedl ein hunain". Nid dysgu geirfa ac idiomau a olygaf, na dysgu rheolau cerdd dafod, er bod hynny'n briodol ddigon cyn mynd i feirniadu awdlau a chynghanedd. Ond treiddio i holl fywyd a meddwl llawer o'r clasuron Cymraeg a rhagor nag un cyfnod.

Yn ail, cadw at ein Lladin, ac at ein Groeg os medrwn hi. Nid eu bwrw hwynt heibio fel rhan o stwff diflas arholiadau academig. Ac os medrwn ni un neu ragor o ieithoedd modern Ewrop, yna darllenwn yn helaeth ac yn eang yn y rheini. Os gwnawn ni hynny, ni bydd newyddiaduraeth lenyddol Saesneg gyfoes wedyn ond rhan o'n bywyd ni ac o'n meddwl ni; bydd gennym y clasuron a llenyddiaethau eraill i roi ffrâm eang i'r cwbl, a daw ein llenyddiaeth Gymraeg ni felly'n rhan o amrywiaeth cyfoeth Ewrop. Byddwn yn rhydd o ormes *provincialisme*. Yn drydydd, peidiwn â darllen "llenyddiaeth" yn unig. Darllenwn hanes yn helaeth, darllenwn athroniaeth a llyfrau gwyddonol, darllenwn ddiwinyddiaeth, gan gofio gynifer o athrylithoedd pennaf y byd a fu'n ddiwinyddion yn anad dim. Ac edrychwn yn fynych ar ffotograffau o gampweithiau pensaernïaeth a champweithiau brws paent a chŷn — un o freintiau'n hoes ni yw bod llyfrau lu o'r cyfryw ffotograffau i'w cael bellach. Yn oes Dafydd Nanmor yr oedd muriau pob eglwys blwyf yng Nghymru yn cynnig ffigurau a dyfaliadau i fardd.

Yn awr, nid myfi piau'r awgrymiadau hyn o bolisi i fardd. Nid wyf ond yn cymryd esiampl a gwersi Goethe i feirdd yr Almaen yn ei oes ef. Ymddengys i mi mai Goethe yw'r patrwm priodol i ni yng Nghymru, hynny yw i lenorion creadigol yng Nghymru, yn argyfwng diwylliant ein dydd.

Ni honnaf chwaith mai dyma'r unig ffordd i fardd. Ond dadl ynghylch diwylliant y bardd Cymraeg yw'r ddadl hon, a chynnig yr wyf i esiampl a pholisi Goethe fel moddion gwaredigaeth, fel disgyblaeth waredigol, i'r bardd o Gymru yn amgylchiadau gormesol addysg yng Nghymru heddiw. Cyfaddefaf mai rhoi braslun o'm delfryd i fy hun a wnaf: dyma'r agwedd a bwysigrwydd Goethe a ddysgodd Oliver Elton imi pan oeddwn efrydydd yn Lerpwl. Mewn gwlad fechan iawn y treuliodd Goethe y rhan fwyaf o'i fywyd. Nid llawer y teithiodd ef. Bu ganddo holl drafferthion swydd brysur drwy gydol ei yrfa. Gadawodd waith enfawr ar ei ôl ac ef yw patrwm yr Ewropead llawn. Ef bennaf a ryddhaodd lenyddiaeth yr Almaen oddi wrth ormes y Ffrangeg a rhoi iddi annibyniaeth gyfoethog. Ac nid oedd ganddo draddodiad llenyddol a safai eiliad wrth y traddodiad Cymraeg. Heddiw, a'i Ewrop ef mor ansicr ei thynged gall ei esiampl fod yn ysbrydiaeth ac yn waredigaeth o newydd.

Y Faner, 17 Ionawr 1951

202

Morte d'Arthur a'r *Passing of Arthur*

Tennyson a'i 'Idylls of the King' a benderfynodd destunau Eisteddfod Genedlaethol Bangor 1902. Am Tennyson y mae John Morris Jones yn sôn ym mharagraff cyntaf ei feirniadaeth ar yr awdl, ac Elfed yr un modd yn ei baragraff cyntaf yntau ar y pryddestau. Cyfieithu 'The Passing of Arthur' y mae testun y gadair, 'Ymadawiad Arthur'. Gwyddys yn dda ddigon am ddyled helaeth awdl T. Gwynn Jones i Tennyson, ond i'r 'Morte d'Arthur' yn hytrach nag i'r 'Passing' y mae'r awdl gadeiriol yn ddyledus. Y mae'r cwbl o'r 'Morte d'Arthur' wedi ei gynnwys yn gyfan yn y 'Passing' diweddarach, ond bod pennod go hir wedi ei rhoi o'i blaen a darn newydd gweddol ei faint wedi ei chwanegu'n ddiweddarach. Da y dewisodd Gwynn Jones gynllun cynnil y 'Morte' yn batrwm i'w awdl yntau.

Bu'n gweithio'n drwyadl o leiaf deirgwaith ar 'Ymadawiad Arthur'. Yn gyntaf yn 1901-2, cyn ei hanfon hi i'r gystadleuaeth ac wedyn — gyda help John Morris Jones — cyn ei chyhoeddi. Fe wyddai'r bardd a'r beirniad fod cyfnod newydd yn agor ar farddoniaeth a bod gofyn am ofal arbennig wrth argraffu. Eilwaith wedyn ar gyfer *Ymadawiad Arthur a Chaniadau Eraill* yn 1910. A'r drydedd waith ar gyfer *Caniadau* 1925. Mi fûm i gynt yn olrhain y cyfnewidiadau a wnaed yn 1910 ac yn 1925 ac yn darlithio arnynt i ddosbarthiadau, a diau fod Mr Beynon Davies ac eraill o'r arbenigwyr ar waith T. Gwynn Jones wedi gwneud yn debyg. Mae hi'n astudiaeth fuddiol i bob efrydydd llên ac yn hyfryd fuddiol i fardd.

Ond rhaid dweud hyn: y mae 'Ymadawiad Arthur' yn gerdd sy mewn dosbarth o farddoniaeth uwch o lawer na'r ddwy gerdd Saesneg, na 'Morte d'Arthur' na'r 'Passing of Arthur'. Y mae hynny'n bur od o ystyried lwyred dyled y bardd Cymraeg i Tennyson. Sylwer fod y ddyled yn dra helaeth, yng nghynllun a threfn y stori, yn y disgrifiadau o'r ardal a'r llyn, o'r cleddyf ac o daflu'r cleddyf, o'r bad a'r rhianedd, yn yr ymddiddan rhwng Bedwyr a'r teyrn ac yn y ffarwelio. O hen ganu Cymraeg y daw brân Gwynn Jones, a dyna'r unig ddyfais o bwys yn ei stori nas cafodd gan Tennyson. Bu gwaith golygyddol Gwynn Jones hefyd yn gywrain — y mae hynny'n rhan fawr ac yn rhan hanfodol farddonol ym mhob canu o beth hyd — fe'i gwelir yn y dull y newidiodd ef ddyfeisiau Tennyson. A rhoi un enghraifft yn unig, un o lawer, rhan o bregeth foesol ffarwel Arthur yw'r moliant i Ynys Afallon yn y Saesneg, ac y mae'n ddigri. Llais o "gant gloyw yr awyr ar awel yr hwyr" yw'r penillion enwog Cymraeg a'u neges yn frud i genedl.

O flaen 'Morte d'Arthur' y mae gan Tennyson ddarn o ragymadrodd ar lun ymddiddan rhwng hen gyfeillion coleg. Gwaith un ohonynt yw'r darn epig hwn. Y mae ef yn ei ddarllen i'r cwmni ac ar y diwedd, yn nhôn gŵr ifanc anhyfonheddig, fe ddywed:

> Perhaps some modern touches here and there
> Redeemed it from the charge of nothingness.

Dyna daro'r hoelen ar ei phen; *Much ado about Nothing* yw'r cyhuddiad teg yn erbyn 'Morte d'Arthur'. Y mae yn ei gerdd linellau disgrifiadol ddegau sy'n swynol. Y mae ynddi baragraffau sy megis paentiadau gan y Brodyr Cyn-Raffaelaidd. Ond wedyn? Beth yw Arthur? Beth yw Bedivere? Dau hen gymrawd yn cerdded lawntiau eu coleg gynt ac yn cofio'u ffrindiau a fu:

> Such a sleep
> They sleep — the men I loved. I think that we
> Shall never more, at any future time,
> Delight our souls with talk of knightly deeds,
> Walking about the gardens and the halls
> Of Camelot, as in the days that were.

Llacrwydd, diffyg tyndra, barddoni diog. Pan ddaw hi'n fater o daflu'r cleddyf i'r llyn, mae'r ddau hen gyfaill yn ffraeo. Myn Bedivere ei osod yn amgueddfa Ashmole:

> What record, or what relic of my lord
> Should be to aftertime, but empty breath
> And rumours of a doubt? But were this kept,
> Stored in some treasure-house of mighty kings,
> Some one might show it at a joust of arms,
> Saying, "King Arthur's sword, Excalibur. . . ."

Deil Arthur mai ysfa lleidr sy'n ei gorddi:

> Thou wouldst betray me for the precious hilt:
> Either from lust of gold, or like a girl
> Valuing the giddy pleasure of the eyes.

Wedi heddychu a dyfod munud ffarwelio, myn Bedivere ymfudo gydag Arthur rhag colli'r olaf o'r hen gwmni:

For now I see the true old times are dead . . .
But now the whole Round Table is dissolved . . .
And I, the last, go forth companionless,
And the days darken round me, and the years,
Among new men, strange faces, other minds.

Mae'r cwbl hyn o derfyn i frwydr enbyd yn rhyfeddol ddigri erbyn heddiw, ond fe ddyry i Arthur gyfle i draddodi ei bregeth angladdol, pregeth y bu llawer pulpud Cymraeg yn elwa arni unwaith, ond y peth digrifaf ddiberthynas yn holl waith Tennyson. Praw yw hi nad oedd Arthur yn golygu dim iddo, ac felly bu raid iddo droi at foesoli sentimental dduwiol i geisio cael rhyw sylwedd i'w epig. Go brin fod unrhyw nonsens a gafodd unwaith gymaint o'i ddyfynnu gydag amenau â'r cwpled:

And God fulfils himself in many ways
Lest one good custom should corrupt the world.

Fe droes Gwynn Jones hynny yn rhywbeth sydd o leiaf yn wir:

Pob newid, bid fel y bo,
Cyn hir, e dreiddir drwyddo.
Â o gof ein gwaith i gyd,
A'r gwir anghofir hefyd.

Fersiwn 1902 yw'r ail gwpled yma; mae'n well gen i ef na fersiwn 1925 sy'n rhoi "moes", sef *custom* Tennyson, yn lle "gwaith".

Yng Nghymru fe fu Arthur erioed yn rhan sylfaenol o draddodiad y genedl ac o draddodiad cenedlaetholdeb. Yn 1902 yr oedd Gwynn Jones yn newyddiadurwr deuddeg ar hugain oed yng Nghaernarfon, yn hen ddisgybl i Emrys ap Iwan, wedi gweithio yn swyddfa Gee. Nid oedd ond dwy flynedd er pan gladdwyd Tom Ellis. Yr oedd cenedlaetholdeb Cymreig yn rhan o broffes Rhyddfrydiaeth boliticaidd, ac yr oedd Lloyd George ac O. M. Edwards a Huw Owen a Llywelyn Williams, bob un yn ei faes, yn arwain baner Cymru Fydd. Yr oedd Gwynn Jones yn astudio *Llyfr Coch Hergest* yn argraffiadau John Rhys a Gwenogvryn Evans. Gwyddai'r hanes a roesai Gerallt Gymro am ddarganfod bedd Arthur yn Ynys Afallon neu Glastonbury, a'r gwerth propaganda i ladd gobeithion Cymru a roesai Harri'r Ail ar y datguddio. Ni allai awdl T. Gwynn Jones ar destun Ymadawiad Arthur fod yn ddim llai na symbol o holl obaith a holl gynnwrf cenedlaetholdeb Cymru o'r pryd yr aeth Tom Ellis i senedd Westminster yn 1886.

O'r cychwyn felly epulion deffroad cenedlaethol Cymru yw 'Ymadawiad Arthur' Gwynn Jones. Hynny sy'n rhoi i'r gerdd ymchwydd arwrol.

Amddiffynnydd ei genedl yw Arthur. Lladmerydd ofn a gobaith a hawliau'r genedl yw Bedwyr. Y mae'r ffrae rhyngddynt ynghylch y cleddyf Caledfwlch yn aruthrol dyngedfennol. I Bedwyr fe olyga ei daflu beryglu einioes y genedl a cholli'r unig arf amddiffyn. Fe ŵyr Arthur mai mentro'r golled arswydus, taflu'r cleddyf i'r llyn, yw amod ei ddychwelyd ef yn awr angen ei bobl a'i gleddyf eto yn ei law:

> A chân fy nghloch, *yn fy nghledd*
> *Gafaelaf*, dygaf eilwaith
> Glod yn ôl i'n gwlad a'n hiaith.

Ond ni ŵyr Arthur hynny i sicrwydd — ac felly ni all addo hynny i Fedwyr — hyd nes taflu'r cledd a'i ddal gan y llaw gudd. Rhaid mentro gyntaf, act wallgo ffydd sy bob amser yn ddall. Wedyn fe ŵyr y daw'r bad i'w gyrchu. Y mae yma ddrama ysbrydol fawr, debyg i Kierkegaard. Dyry hynny i'w awdl angerdd a dwyster a mawredd thema na wybu Tennyson erioed ddim amdanynt.

Ond cymaint oedd bri Tennyson a'i afael ar y bardd Cymraeg ifanc fel nad yw motif 'Morte d'Arthur' heb adael ei ôl ar awdl 1902. Ebr Arthur pan ddychwel Bedwyr ato gyntaf:

> Celaist, awyddaist ei werth,
> Galedfwlch, lafn goludferth.

A chadwyd hynny yn 1910 yn anhapus ddigon. Ond yn 1925 fe daflwyd y cwpled allan a rhoi'n brydferth yn ei le:

> A dorri'n awr, di, er neb,
> Lendid yr hen ffyddlondeb.

A'r unig ôl o gymhelliad Tennyson sy'n aros yn 1925 yw'r toddaid a ddywed am ofid Bedwyr am fod:

> Ei deyrn yn dodi arno feddwl brad
> *A chas ddymuniad na cheisiodd mono.*

Wrth iddo olygu 'Ymadawiad Arthur' a gweithio arni ar gyfer *Caniadau* 1925, edrychodd Gwynn Jones eto ar 'The Passing of Arthur'. Daeth hen gyfaredd Tennyson drosto o newydd. Wedi'r cwbl, yr oedd ef wedi dysgu un peth gan Tennyson na allai ef fyth mo'i ddad-ddysgu, sef mai disgrifio golygfeydd daear a gweithiau dyn, disgrifio'n fanwl ac yn odidog oludog yw rhan fawr, onid y rhan bwysicaf oll iddo ef, o swydd a gorchwyl bardd. Nid oedd ef wedi defnyddio dim o ddiwedd y 'Passing of Arthur', sef y rhan a chwanegwyd at y 'Morte', yn awdl 'Ymadawiad Arthur'. Fe wnâi'r tro'n burion gan hynny ar gyfer ail ran 'Anatiomaros'. Cerdd am ymadawiad oedd hon hefyd, megis 'Madog' a 'Tir na n-Óg', amrywiadau ar thema awdl Fangor. Nid oes fawr ddim o stori yn 'Anatiomaros', disgrifio o'r dechrau i'r diwedd. Yn y rhan gyntaf mae'r disgrifio mewn rhai paragraffau yn feichus a thruenus sentimental. Ni thybiaf y gall neb heddiw ddarllen y darn a ganlyn heb golli amynedd ac wfftio:

> A dawnsiodd y meibion a'r glân rianedd
> Yn llwyn y derw yn llawen dyrrau;
> Gwynned eu cnawd â'r gaen od cyn nodi
> Ei gwynder iraidd gan oed yr oriau:
> Ceinaf o lun, a'u gwallt cyn felyned —
> Dalm Mai liwdeg, — â'r banadl ym mlodau;
> A glas liw eigion yn eu glwys lygaid,
> Neu lesni nef, liw nos ym Mehefin,
> A sêr y nef wedi ysu'r nifwl
> Sy'n troi a gweu am lesni tragywydd
> Maes dilafar y didymestl ofod.

Y mae llawer gormod o freuddwydio fel yna am oes aur bell afreal yn holl ganu Gwynn Jones. Y mae ef yn wahanol iawn, nid yn fwy real yn yr ystyr o ddisgrifio peth sydd, ond yn real drwy greu symbol a eill gynhyrfu enaid, yn ail ran 'Anatiomaros'. Yma daw Tennyson eto i'w helpu, a rhoi iddo symbol o ogoniant bywyd dynol llawn, ond y mae Gwynn Jones yn ei glymu wrth fywyd o wylio dros wehelyth Arthur ac felly'n ei godi i fawredd. Y mae'r Marw hwn yn fuddugol fel Arthur:

> Daeth rhyw fad, a dieithraf ydoedd:
> Ei gafn oedd aruthr, o gyfan dderwen
> Ar ddelw aderyn urddol a dorrwyd —
> Y gannaid alarch, y gennad olaf,
> A'i nawf yn un hoen â'r edn frenhinol . . .

Mae'r cwbl yn tarddu o'r 'Passing of Arthur' a'r modd y gwelsai Bedivere ymadawiad ei frenin:

> The barge with oar and sail
> Moved from the brink, like some full-breasted swan
> That, fluting a wild carol ere her death,
> Ruffles her pure cold plume, and takes the flood
> With swarthy webs . . .

A gwaeddodd Bedivere:

He passes to be king among the dead

yn union megis Plant y Cedyrn:

Ar hynt y meirw, Anatiomaros.

Nid rhaid imi ymhelaethu na dilyn yr holl fenthyciadau o un i un; gall y neb a
fynno, eu holrhain. Mae'r cwbl o ddisgrifiad Gwynn Jones o araf ddiflaniad y
bad yn ymgyfoethogi wrth iddo ysbeilio Tennyson, a hynny'n gariadus
feistraidd.

Yn fy marn i 'Ymadawiad Arthur' yw campwaith pennaf Gwynn Jones.
Mae hi hefyd yn awdl sy'n goleuo darn o hanes Cymru a'r Gymraeg. Y mae
angerdd a gobaith mudiad hanesiol pwysig yn ei cherdded. Nid oes dim yn
union yr un fath yn un o'r cerddi eraill. Er gwyched ymchwydd miwsig a geirfa
ddigrifiadol ysblennydd 'Madog', nid yw'r meddwl yno mor onest â'r meddwl
a greodd yr awdl. Atodiad buddugoliaethus i'r awdl yw 'Anatiomaros'. A
thrwy lwc nid oes un mynach yn ymgroesi yn y naill na'r llall. Y mae mynaich
Gwynn Jones, fel mynaich Gwenallt, yn gelwydd i gyd. Rhyfedd mai
Tennyson sy'n porthi pethau mwyaf y bardd Cymraeg.

Y Traethodydd, Ionawr 1971

Swyddogaeth Celfyddyd

Diffiniodd Simwnt Fychan swyddogaeth celfyddyd barddoniaeth fel hyn: "Ni wnaed cerdd ond er melyster i'r glust ac o'r glust i'r galon." Gellir gosod wrth ymyl y diffiniad hwn bedair llinell o soned enwog gan Michelangiolo:

> Non ha l'ottimo artista alcun concetto
> Ch'un marmo in sè non circonscriva
> Col suo soverchio, e solo a quello arriva
> La man che obbedisce all' intelletto.

Dyna ddau osodiad gan ddau athro cerdd o'r un cyfnod, un yn fardd, a'r llall yn fardd ac yn gerflunydd ac yn baentiwr, sy'n ymddangos i mi yn cwblhau ei gilydd ac yn dweud yr hyn sy'n hanfodol am swyddogaeth celfyddyd. Yr un ystyr, mi dybiaf, sydd i'r "galon" ym mrawddeg Simwnt ag y sydd i'r *intelletto* yn llinell Michelangiolo. Gan mai i gynhadledd o athronwyr yr ysgrifennaf yn awr, ac er nad wyf i'n gartrefol yn iaith dechnegol athronwyr, mi fentraf ar ddiffiniad y gobeithiaf ei fod yn trosglwyddo i'r iaith honno feddwl y ddau osodiad a ddyfynnwyd: Swyddogaeth celfyddyd yw gosod ar beth gwneud argraff ddisglair y deall a sythwelir drwy synnwyr.

Pan ddefnyddiodd Michaelangiolo y gair *artista* y mae'n ddiogel mai'r un un oedd ei ystyr ganddo ef ag ystyr *cerddor* yng Nghymraeg Simwnt Fychan, sef gweithiwr a luniai rywbeth. Y mae gennym dystiolaeth gyfoes a chyfiaith i hynny, canys dywaid Leonardo da Vinci am y cerflunydd:—

> Nid yw cerfluniaeth yn wyddor, eithr yn art beiriannol sy'n peri chwys a blinder corff i'r gweithiwr ... Prawf o hynny yw bod y cerflunydd yn defnyddio nerth ei freichiau wrth weithio, gan daro a llunio'r marmor neu ryw graig arall y mae'r ffigur sydd i'w ddatguddio megis wedi ei garcharu ynddi. Llafur peiriannol yw hyn a'i ceidw ef yn chwys drosto, a'i cuddia hefyd dan lwch a baw oni byddo megis gwas pobydd yn drwch o flawd.

Dyrchafu paentio i ddosbarth uwchlaw cyrraedd gweithiwr cyffredin a sarhau gwaith y cerflunydd mewn maen oblegid bod olion gwaith dynion cyffredin arno, hynny oedd amcan Leonardo; ac ymhen canrif arall ar ei ôl ef dechreuodd yr enw *artista* ac *artist* yn ieithoedd gwledydd mwyaf blaengar Ewrop fagu ystyr ar wahân, ac yr ydym ninnau yng Nghymru wedi ceisio cyfleu'r ystyr newydd drwy sôn am "gelfyddydau cain" ar wahân i "grefftau."

Tuedd sy'n gyffredin heddiw ac yn gwbl gyfiawn, mi gredaf, yw barnu bod y gwahaniaethu hwn yn un o gyfeiliornadau ein Ewrop ni. Ar dir rheswm ac athroniaeth ni ellir maentumio'r gwahaniaeth. O safbwynt gwareiddiad ac o safbwynt yr artist ei hun bu ei ganlyniadau yn echrys.

Rhaid cyfeirio at un o'r canlyniadau oblegid ei fod yn brif achos diddordeb athronwyr yn "swyddogaeth celfyddyd".

Yng nghyfnodau'r Dadeni Dysg y cyfododd yr ysgariad hwn yn Ewrop rhwng yr artist a'r crefftwr. Yr oedd yn rhan o'r chwalu a dymchwelyd a fu ar holl undod hieratig cymdeithas yn y cyfnodau cynt. Ond fel yr ymffurfiodd y bywyd modern yn Ewrop ac ymsefydlu a dangos ei natur, nid oedd i'r "celfyddydau cain", fel y gelwid hwynt, le ynddo oddieithr fel addurn ar foeth y bendefigaeth; ac yn ddiwethaf oll fe ddarfu hynny. Y mae'r holl hanes yn rhy ddyrys a chymhleth ei ddatblygiad imi geisio rhoi hyd yn oed amlinelliad ohono. Ond yn sicr un o'r effeithiau oddi wrth hynny oedd codi'r broblem o le'r artist mewn cymdeithas a datblygu'r ddamcaniaeth fawr a phwysig yn y cyfnod rhamantaidd mai gŵr a chanddo weledigaeth neilltuol oedd yr artist, un anfonedig, proffwyd. Pen draw y ddamcaniaeth hon oedd honni anffaeledigrwydd yr artist, megis y gwneir ar ran y bardd gan y pwysicaf o ddehonglwyr Cymraeg y gredo ramantaidd mor ddiweddar hyd yn oed â 1923. Dyma'r darn yn rhagymadrodd *Ynys yr Hud*:—

Yr wyf yn sicr mai'r bardd, yr artist, sydd yn iawn, oherwydd od yw'n fardd ac od yw'n proffwydo yn ôl ei olau a'i ysbrydoliaeth, y mae'n tynnu ei wybodaeth (neu ei deimlad) o fyd tragwyddol sicr a diysgog, y byd y tu hwnt i'r llen y rhoddwyd iddo'r ddawn i fyned iddo weithiau.

Yn ddiamau, y seicolegwyr piau'r gair diwethaf ar y ddamcaniaeth ramant-aidd a'i honiadau rhyfedd. Adwaith ydoedd yn erbyn cyfnod a chymdeithas nad oedd ganddynt angen am yr artist.

Diddorol yw gosod yn ymyl y dyfyniad olaf hwn ddarn o ymddiddan gan Mr Eric Gill, y cerflunydd Seisnig, a ymddangosodd yn y *Manchester Guardian* ddydd Sadwrn, Medi 23, 1933. Dywedodd Mr Gill:

Os eirch rhyw noddwr gennych fwrdd o goed mahogani gyda phedair coes a chorneli wedi eu troi'n grwn a digon o le i ddeg o bobl eistedd wrtho, dyna i chwi broblem bendant i'ch celfyddyd. Os eirch ef fwrdd, heb ddweud rhagor, ni wyddoch chwi ar y ddaear beth a fyn na pheth i gychwyn arno. Gorau gan yr artist po fanylaf y byddo gorchymyn ei noddwr. Gwraidd yr holl drwbl oedd gormes artistig y canrifoedd diwethaf a chanlyniad y Dadeni Dysg. Ffynnai syniad bod yr artist yn weledydd neu broffwyd ac na ddylid gorchymyn dim yn bendant ganddo nac ymyrraeth yn ei gynlluniau. Ffwlbri yw'r syniad. Cam â'r artist yw bwrw mai proffwyd ydyw ac na ddylid ond derbyn yn oddefol yr hyn a ddyry ef. Rhoddid fel yna ar yr artist orchwyl a hawl nad oeddynt yn briodol iddo.

Efallai nad anfuddiol yw cofio y geill barddoniaeth fawr yn gystal â cherfluniau meistraidd fod yn gynnyrch gostyngeiddrwydd tebyg i ostyngeiddrwydd Mr Gill. Wedi'r cwbl, y bardd mwyaf a welodd gwareiddiad Ewrop yw Fyrsil, ac ar archiad manwl a phendant y cyfansoddodd ef ei ddau gampwaith.

Ond gwaeth na'r drwg a wnaeth yr ysgariad yn y Dadeni Dysg i'r bardd a'r paentiwr a'r cerflunydd yw'r drwg a wnaeth yn y pen draw i gymdeithas ac i'r dyn cyffredin. Trwy wneud yr artist yn ddyn eithriadol, gwahanol i'r cyffredin mud, fe fagwyd y syniad yn gwbl naturiol nad oedd y dyn cyffredin yn artist. Pan wnaethpwyd yr artist yn fwy na dyn, fe wnaethpwyd y dyn cyffredin wrth ei grefft a'i lafur yn llai na dyn. Yr un cyfnod ag a welodd droi'r artist yn broffwyd a welodd hefyd droi'r crefftwyr cyffredin yn "ddwylo" ac yn "broletariat". I'r un cyfnod ac i'r un llif o feddwl y perthyn Rhamantiaeth a'r Chwyldro Diwydiannol. Y mae'n awgrymiadol *nad* beirdd proffwydol y Mudiad Rhamantaidd a brotestiodd gyntaf yn erbyn datblygiad y ffatrïoedd yn Lloegr a diflaniad y crefftwyr.

Prif bwynt y papur hwn, fel y dengys y diffiniad yn y paragraff cyntaf, yw haeru mai celfyddyd yw gorchwyl normal y dyn normal, cyffredin. Creadur neu anifail deallol yw dyn; a'r hyn sy'n peri bod ei waith ef yn urddasol, yn ddynol, yn deilwng o'i natur, yw ei fod ef yn rhoi arno argraff deall. Yng ngeiriau Buonarroti, mae ganddo'r llaw sy'n ufuddhau i'r deall.

Cymdeithas ddynol, normal, cymdeithas o grefftwyr, o artistiaid ydyw. Oblegid mai darlun o gymdeithas felly a geir ynddo y mae *Cwm Eithin* Mr Hugh Evans yn llyfr mor bwysig. Ceir gan awdur Saesneg, George Sturt, sydd yntau'n un o'r meistri, ddisgrifio cymdeithas gyffelyb:

Country labourers are connoisseurs of local handiwork; they know from the inside the meaning and attractiveness of simple outdoor crafts: in the texture of materials — timber, stone, lime, brick-earth, thatching-straw, — there is something that goes familiarly home to their senses; and so there is in the shape of tools such as they themselves have handled. (*Lucy Bettersworth*).

Disgrifiodd yr Athro Gwynn Jones yr unrhyw fath o gymdeithas:

Yr oedd medr a balchter crefft yn y peth. Lle byddai un a gydnabyddid yn grefftwr medrusach na'r cyffredin, cerddai dynion filltiroedd i weled ei waith ... Pan fyddai cae tirglas i'w droi, byddai raid bod pob cwys cyn unioned â'r saeth, heb un tolc na thoriad ynddi ... Byddai raid i'r gwys orwedd ar ei hochr yn gymwys, fel y gwelid y rhigol rhwng ei brig a brig y nesaf ati o dalar i dalar, yn un llinell gwbl union ... A phan fyddai'r cae wedi ei orffen, byddai golwg ardderchog arno, gwaith cystal crefftwr ag a gerfiodd ddelw, a baentiodd lun, a wnaeth gerdd neu ddarn o beroriaeth erioed. Llyfnid y cwbl cyn bo hir, a gwnaethai âr lai cywrain y tro lawn cystal, efallai. Ond pa waeth am hynny? Crefftwr oedd yr arddwr, a'i fryd ef oedd bodloni nwyd y crefftwr am berffeithrwydd, pe llyfnid yr âr drannoeth. ('Ysbryd Crefft', yn y *Tyddynnwr*, i. td. 189).

P'le bynnag y ffynnodd cymdeithas sefydlog, draddodiadol, unedig, ceir tystiolaeth debyg. Y gymdeithas ddynol, normal, cymdeithas o gelfyddydwyr ydyw, a chelfyddyd yw gorchwyl traddodiadol dyn mewn cymdeithas wareiddiedig. Rhaid i'r gymdeithas honno, yn ddiau, fod yn organig. Rhaid iddi fod i raddau go helaeth yn ddibynnol arni ei hun. Rhaid i'w thraddodiadau fod yn gyndyn. Mewn cymdeithasau a gadwodd y nodweddion hynny y ffynnodd erioed y crefftau amrywiol ynghyd â'r traddodiadau celfyddydol mawr sy'n disgleirio mewn hanes.

Rhan celfyddyd felly yw troi llafur dynion yn llawenydd ac yn ymgyflwyniad. Nodwedd yr artist ym mhob gradd yw bod ffynhonnell ei lawenydd yn ei waith. Dywedodd George Sturt am grefftwr gwledig a adnabu ef:

Dyn ydyw sy'n ymlawenhau yn ei fywyd gyda sêl ddiddarfod o fore dan hwyr. Y mae'n amheus a gaiff naw o bob deg o ddynion "diwylliedig" modern ddim tebyg i'r adfywiad cyson a ddwg ei oriau gwaith i'r gŵr hwn.

Cymharer â'r gosodiad hwn ddelfryd arweinwyr addysg Seisnig heddiw — *education for leisure* — ac fe ddeëllir i ba affwys erchyll y cwympodd ein gwareiddiad.

Creadigaeth cymdeithas yw celfyddyd. Ni all — er gwaethaf Croce — fod yn weithgarwch preifat. A phan geir cymdeithas — megis y cafwyd yn helaeth yn Ewrop dan gyfalafiaeth ddiwydiannol y bedwaredd ganrif ar bymtheg — sy'n sarhau gwasanaeth gwaith, sy'n caniatáu cynhyrchu, nid er mwyn cymdeithas, eithr er mwyn elw, ac yn troi'r artistiaid bychain traddodiadol yn "ddwylo" mewn pyllau a ffatrïoedd, yna, o angenrheidrwydd, fe gwyd yr

212

artistiaid o athrylith ac ymddeol oddi wrth gymdeithas. Ond gan mor gymdeithasol yw celfyddyd yn ei hanfod, fe dry'r rheini i greu eu cymdeithas eu hunain — Fontainebleau, Montmartre, Montparnasse, Ynysoedd y Deau, Bloomsbury, Greenwich Village. Peth diweddar yn hanes Ewrop, peth a fuasai'n anhygoel yng Ngroeg, yn Rhufain, ym Myzantium, yn Ewrop yn yr Oesoedd Canol a hyd yn oed yn Ewrop yng nghyfnodau'r Dadeni yw'r *artists' settlement.* Dywaid Lionello Venturi:

> Pan ddarllenwn atgofion y paentwyr yn Ffrainc yng nghyfnod Manet a'r paentwyr yn Fflorens yng nghwmni Fattori, trewir ni gan un penderfyniad diysgog: yr arswyd oedd ganddynt rhag llwyddo'n fasnachol . . . Yr oedd rhywbeth mewn gwirionedd wedi marw, a hynny oedd chwaeth, yr elfen gymdeithasol mewn celfyddyd, gorchwyl celfyddyd ym mywyd cymdeithas. (*Il Gusto Dei Primitivi*, td. 308.)

Ni all celfyddyd farw tra parhao dynion. Ond y mae sefyllfa'r "celfyddydau cain" yn Ewrop heddiw yn gwbl annaturiol. Y mae'r artistiaid yn byw ac yn gweithio mewn cymdeithas ar wahân i weddill eu cyd-ddynion. Edrych eu cyd-ddynion arnynt gydag ofn, amheuaeth, anneall, casineb, eiddigedd, a rhyw arswyd rhag bod ganddynt wedi'r cwbl ddirgelwch gwerth ei amgyffred. Gwir yw hynny. Dirgelwch yr artist heddiw yw ei fod — yn wahanol i'w gyd-ddynion yn gyffredin, ond ar draul fawr a thrwy aberth drud — yn cadw ei ddynoliaeth. Myn wneud gwaith dyn mewn byd a gâr waith peiriannau. Myn fod yn normal mewn byd sy'n llai na normal. O leiaf, oni ddêl y dyddiau gwell, ceidw yr artist safonau bywyd iach. *Partem aliquam et societatem donare digneris cum eis.*

Nodiad: Darllenwyd yr ysgrif hon i Gynhadledd Athronyddol Urdd Graddedigion Cymru yn Harlech, Medi 27, 1933.

Y Traethodydd, Ebrill 1934

W. B. Yeats

Trwy farwolaeth Mr William Butler Yeats collodd Ewrop un o'i beirdd mwyaf oll, bardd a saif gyda Robert Williams Parry a Thomas Gwynn Jones a Paul Valéry ac un neu ddau arall nad oes amheuaeth na bydd corff eu gwaith fyw yn hir ar eu hôl. Gwyddel oedd Yeats, ac ef oedd pennaf sylfaenydd y mudiad llenyddol pwysicaf a fu yn Iwerddon wedi peidio o'r iaith Wyddeleg â bod yn iaith gyffredinol Iwerddon. Yr oedd o gychwyn ei yrfa yn genedlaetholwr Gwyddelig diamwys a phybyr, yn ddilynydd i'r Ffeniaid gwleidyddol, ac i O'Leary ac wedyn Parnell. Yr oedd yn genedlaetholwr gwleidyddol yn gystal ag yn genedlaetholwr llenyddol. Edrychai'n bendant ar lenyddiaeth fel cyfrwng i roddi'n ôl i Iwerddon ei henaid. Yn ei ddydd ef Saesneg oedd bellach iaith gyffredin y werin bobl yn Iwerddon. Ond yr oedd y Saesneg honno yn iaith bur wahanol i Saesneg Lloegr. Magasai Saesneg yn Iwerddon ei thafodiaith ei hun, ei phriod-ddulliau, ei chaneuon gwerin a'i diarhebion a'i thraddodiadau gwledig. Penderfynodd Yeats gymryd Saesneg ei gydwladwyr, y tyddynwyr Gwyddelig, a'i throi yn offeryn barddoniaeth a rhyddiaith a fyddai'n llwyr wahanol i draddodiad llenyddol Lloegr.

"Teflwch allan o'ch caneuon bob dim sy'n llenyddol, bob dim sy'n atsain o ganu beirdd Lloegr," dyna ei gyngor ef i'w gydweithwyr, "ac ewch at iaith ein pobl ni, at eu straeon ac at eu caneuon gwerin ac at eu dywediadau gwlad. Felly fe wnewch eich barddoniaeth yn wir genedlaethol ac yn wir Wyddelig." Felly hefyd pan gyfarfu ef â llenor ifanc Gwyddelig ym Mharis oedd yn ymddiddori yn llenyddiaeth gosmopolitan Saesneg a Ffrangeg, perswadiodd ef i ymadael â'r cwbl a mynd i fyw i ganol ynyswyr Aran yn Iwerddon ac ymdrwytho yn eu bywyd a'u hiaith a'u straeon. Gwnaeth y Gwyddel ifanc hynny, ac felly y cafwyd dramâu enwog John Millington Synge.

Mewn drama hefyd y gweithiodd Yeats ei hun lawer iawn. Ef oedd prif sylfaenydd Theatr yr Abaty yn Nulyn, theatr a fu'n ganolfan i holl fudiad y llenorion Anglo-Gwyddelig, ac a bery felly i raddau helaeth hyd at heddiw. Yeats, yn bennaf o bawb a fu yno'n gweithio, a ddysgodd i'r cwmni sut i roi i lwyfan y theatr nid yn unig naws ac awyrgylch gwahanol i ddim a geid yn y theatr Saesneg, eithr hefyd i roddi i lafar y llwyfan ruthmau a miwsig tafodiaith y tyddynwyr Gwyddelig, ac i roddi i'r cynhyrchu a'r trefnu symlrwydd urddasol a barodd i feirniaid gymharu'r actio i ddramâu clasurol Groeg. Sgrifennodd ef ei hun nifer o ddramâu enwog i'r theatr; cofir yn arbennig ei *Countess Cathleen*, a champwaith un act pennaf ei yrfa, *Cathleen ni Houlihan*, drama a ddatguddiodd ysbryd anorchfygol cenedlaetholdeb Iwerddon. Cafodd yn gyd-weithwyr yn y theatr nifer o ddramäwyr megis Lady Gregory a Synge a Phadrig Colum, ac y mae iddynt olynwyr nid annheilwng ohonynt yn aros heddiw, megis Lennox Robinson, y cyfieithwyd un o'i ddramâu i Gymraeg.

Ond nid dramäydd oedd Yeats ei hun yn bennaf. Telynegol yw llawer o'i waith gorau. Mi gofiaf yn dda pan oeddwn i'n efrydydd yn y coleg ddarganfod ei gyfrol ef, *Y Gwynt Ymysg y Brwyn*, a gyhoeddasid yn 1906. Yr oedd ynddi fiwsig a dwyster a synwyrusrwydd i synnu pawb nad oedd yn gyfarwydd â miwsig canu gwerin Iwerddon, ac fe erys llu o'r telynegion hynny yn rhan o dreftadaeth ei wlad.

Ond er hynny nid pethau cynnar Yeats yw ei gampweithiau. Arwydd sicr o'i fawredd yw ei fod wedi tyfu a newid drwy ei oes. Gwahanol iawn yw arddull ei farddoniaeth ddiweddaraf, yn gryfach, yn foelach, yn fwy ymenyddol, yn ddiaddurn, ond yn gyfoethach ac yn ddyfnach a chywreiniach ei miwsig. Cyfansoddodd rai o'i bethau gorau yn ei henaint, peth nad yw'n wir ond am ychydig iawn o feirdd mwyaf ŷr oesoedd, megis Victor Hugo a Phantycelyn. Ac y mae iddo le sicr hefyd mewn beirniadaeth lenyddol. Yr oedd yn ysgolhaig trylwyr a chanddo gyda'i ysgolheictod chwaeth a chlust beirniad o fardd, — yn hynny o ddawn ni wn i ond am Robert Williams Parry sy'n gwbl debyg iddo. Saif ei feirniadaeth fel beirniadaeth R. W. Parry yn llwyr ar ei phen ei hun, yn amlygu personoliaeth annibynnol a diwylliant mawrgyfoethog mewn arddull sy'n sibrwd ei chyfrinach yn unig i glust a all glywed y Gwynt ymysg y Brwyn. Collodd Iwerddon un o'r mwyaf o'i meibion, a da gennym ninnau yng Nghymru gael mynegi ein parch iddo.

Y Faner, 18 Chwefror 1939

Henry James

Digwyddais godi ar y stondin lyfrau yn y stesion chwarterolyn Saesneg i'w ddarllen yn y trên, ac ynddo cefais erthygl gan feirniad llenyddol ifanc o Americanwr ar y sefyllfa lenyddol bresennol yn yr Unol Daleithiau. Yn ddiweddar hefyd bûm yn darllen eto rai o nofelau Henry James. Pan oeddwn i'n efrydydd ifanc yn Lerpwl yn union cyn rhyfel 1914-18 Henry James oedd y nofelydd pwysig i ni oll; ef oedd y safon yn y nofel. Pan ddeuthum i Gymru wedi'r rhyfel hwnnw cefais mai Thomas Hardy oedd y nofelydd Saesneg mawr ym marn fy nghyfoedion, a dyna un o'r gwahaniaethau diddorol y pryd hynny rhwng syniadau efrydwyr yn Lloegr ac efrydwyr yng Nghymru. Nid cynnig beirniadaeth lenyddol ar waith Henry James a fynnwn i yn awr, eithr dechrau gyda'i waith ef a dyfynnu wedyn o'r erthygl feirniadol a ddarllenais yn y trên i awgrymu'n frysiog rai pethau.a eill fod yn ddiddorol oblegid y golau a geir ar agwedd pobl yr Unol Daleithiau tuag at Ewrop.

Cafodd Henry James ran fawr o'i addysg yn Ewrop. Yna, yn 1875, wedi dechrau ar ei yrfa fel llenor, fe ddaeth i Ewrop i aros. Bu'n byw yn yr Eidal, ym Mharis, yn Llundain, ac ymsefydlu wedyn yn Rye; a chymerth ddinasyddiaeth Seisnig ychydig cyn ei farw yn 1916. Etifeddodd gyfoeth a chafodd fyw yn y cylchoedd mwyaf diwylliedig yn y prifddinasoedd enwocaf yn Ewrop yn y cyfnod aur a fu i'r gymdeithas bendefigaidd Ewropeaidd rhwng coroni ymerawdwr yr Almaen yn Versailles a dymchwelyd yr ymerodraeth Ellmynig yn y rhyfel byd cyntaf. Ei nofelau ef yw'r darlun gorau a feddwn o'r cyfnod aur hwnnw.

Y mae arwyr a phrif fenywod nofelau James yn Americanwyr cysurus eu byd fel ef ei hun, ac fe ddônt oll yn eu tro i Ewrop. Nid i Loegr, nid i Ffrainc nac i'r Eidal nac i'r Swistir. I Ewrop y deuant, megis i un wlad. Mae'r peth yn eich taro. Os glaniant yn Lerpwl ac aros am ddeuddydd neu dri yng Nghaer — eu profiad cyntaf o Ewrop yw Caer iddynt, "these first walks in Europe". Ac yna mor rhwydd yw teithio iddynt. Bydd yr un cwmni yn bwrw chwe mis yn Rhufain ac yn cyfarfod â'i gilydd wedyn ym mynyddoedd y Swistir. Neu fe'u gwelir yn bwrw tymor yn Llundain yn y tai Sioraidd a'r sgwarau, ac wedyn yn cydginiawa tua'r Pasg ym Mhalasau marmor Fenis a gondolâu'r camlesi yn cymryd lle rhodfeydd parciau Belgravia. O Gaer y mae'r symud yn rhwydd i Baris a'r pentrefi bychain ar lannau Seine. Ni chofiaf fod sôn am *visa* yn un o'r nofelau ac nid ffin yw cyffin ganddynt. Un wlad yw Ewrop iddynt oll. Heddiw fe welwn wleidyddion ac economyddion yr Unol Daleithiau yn gwasgu fwyfwy am dorri i lawr ffiniau economaidd a gwleidyddol gwladwriaethau Ewrop, a digon hwyrfrydig yw llywodraeth Loegr o leiaf i fodloni i hynny. Nid drwg fyddai cofio fod prif ddehonglydd Ewrop i'r Americanwyr wedi ei dangos hi iddynt yn ddi-ffin, yn undod cymdeithasol a hanesyddol, yn wlad glasurol, a bod y syniad yn rhan o'u hetifeddiaeth ysbrydol hwy.

Ni honnaf fod yn awdurdod o gwbl oll ar fyd nofelau Henry James; derbynier a ddywedaf amdanynt gyda phob gwyliadwriaeth. Y mae cyfle i draethawd hyfryd a llawn goleuni ar gymhariaeth rhwng byd Henry James a byd Marcel Proust. Disgrifia Proust ran o fyd James, ond ei ddisgrifio o'r tu mewn, nid fel darganfyddwr. Ac ar rai o gyfrinion y traddodiad y mae Proust yn ddiogelach tywysydd. Mae'n siŵr, er enghraifft, na roesai M. Swann ddim *omelette aux tomates* i Madame de Vionnet gyda photelaid o win Chablis, canys fe drôi'r tomato y Chablis yn finegr ar drawiad. Arhosodd rhai pethau yn Ewrop yn dywyll hyd y diwedd i Henry James. Gŵr dyfod oedd ef. Dwy wlad oedd Ewrop a'r Unol Daleithiau iddo.

Eithr dwy wlad yn yr un rhan o'r byd, dwy wlad o'r unrhyw wareiddiad. Ac yn nofelau James ymddengys i mi eu bod eisoes wedi eu priodi, a'r naill yn angenrheidiol i gyfanrwydd y llall. Ceidw'r Taleithiau un peth sy'n anhepgor i Ewrop, yn hanfodol i'w bywyd a'i pharhad hi, ond bod gafael Ewrop arno'n llacach a llai sicr. Yr Americanwyr yn ei storïau ef yw ceidwaid safonau moesol y gymdeithas. Hwy piau diogelu anrhydedd a phurdeb a geirwiredd. Hwy yw'r colomennod, y syml, yr anghyfrwys, y diamwys. Dônt i Ewrop, rai i'w twyllo, rai i'w llygru, eraill i arwain baner barn ac anrhydedd ac i roi dedfryd ar ffuantrwydd ac ar y bonedd anfonheddig. Ac fe gydnebydd brodorion Ewrop eu hawl; cydnabyddant fod eu safonau, eu cyfraniad, yn anhepgor i iechyd a pharhad y gymdeithas gyfan.

Ni cheir gan Henry James yn ei nofelau awgrym o grefydd oruwchnaturiol fwy nag yn nofelau Jane Austen. Ond fe geir moesoldeb a safonau tebyg. Problem foesol yw craidd pob un o'i brif weithiau hefyd. Yn hynny o beth y mae ef yn y traddodiad Americanaidd ac yn aer i Hawthorne. Rhoes Puritaniaeth Boston a Harvard eu marc yn ddwfn arno. Dwg ei golomennod a'i eryrod ef hwythau eu diniweidrwydd a'u llymder i neuaddau a phlasau a gerddi a sgwarau prifddinasoedd cymdeithasol Ewrop, i blith adar digon brith yn fynych; a chydnebydd rhagrith Ewrop ddyfod elfennau achubol i brofi'r rhith a mesur y sylwedd.

Beth sy gan Ewrop felly? Beth yw ei chyfraniad hi? Pam y mae cymeriadau Henry James, megis yntau ei hunan, yn ffoi i Ewrop megis am awyr i'w anadlu, awyr y gellir byw ynddo? Bûm yn chwilio am air i gyfleu'r peth yn ei gyflawnder. Ni chofiaf fod gan James unrhyw un gair yn ei Saesneg toreithiog ef a gynhwysai'r cwbl. Ond mi dybiaf fod y gair Cymraeg "mwynder" yn aw-grymu naws y peth. Holl gelfyddyd y canrifoedd, y dinasoedd hen, y strydoedd brenhinol, creiriau hanes, afonydd a chamlesydd a choed a pherllannau a gwin-llannoedd wedi eu trin gan ddynion er cyn cof a'u dofi i fod yn rhan o ddodrefn cymdeithas, atseiniau chwyldroadau a therfysgoedd mewn neuaddau a stafelloedd, traddodiadau breninesau'r oesoedd, treftadaeth meistri cerf-luniaeth a miwsig a barddoniaeth, campweithiau penseiri yn eglwysi ac yn orielau a maenorau, ac yn goron i'r cwbl, cymdeithas hamddenol, bende-figaidd, wedi ymgynefino â'r holl gyfoeth dynol a dyneiddiol hwn erioed ac wedi magu moesau priodol i'r fath etifeddiaeth, dull o fyw yn y cyfryw amgylchfyd heb straen, yn hawdd, yn araf, yn ddiymgais, yn llednais — dyna fwynder Ewrop.

Magwyd Henry James yn Nhaleithiau Abraham Lincoln. Bu ond y dim iddo'n llanc ymuno yn y Rhyfel Cartrefol. Wedi'r rhyfel hwnnw a'i chwerwder gwelodd ef yr Americanwyr yn ymdaflu i'r ymgiprys am gyfoeth materol, i gyf-nod caled, amrwd, datblygiad diwydiannaeth y taleithiau gogleddol. Nid oedd addysg yn wan. Gellid cael cystal addysg ffurfiol ym Massachusetts ag yn y Swistir neu Rydychen. Ond ni fedrai addysg ffugio na chyfoeth brynu awyr-gylch y gallai artist anadlu ynddo. Ni fedrai'r Unol Daleithiau roi magwraeth i nofelydd gwareiddiad. Ni fedrai roi cefndir dynol iddo. Aeth Henry James i Ewrop megis yr aethai Horas i Roeg. Yn Ewrop, tra nad oedd y moesoldeb garw Americanaidd namyn un elfen yn y mwynder cymhleth sawrus — megis mymryn o finegr yn y salad olewaidd coeth — yr oedd yn iachus flasus a rhoddai hoywder a brath yn y saig. Ond ni ellir gwneud salad o finegr a halen yn unig, a dyna oedd bywyd yr Unol Daleithiau, ar wahân i Ewrop, i Henry James.

Aeth buchedd Henry James, ac nid ei waith yn unig, yn glasur, yn batrwm o yrfa'r artist llenyddol Americanaidd. Daeth Ezra Pound a T. S. Eliot ar ei ôl ef i Ewrop. Un dull digon teg o ystyried gwaith cynnar Mr Eliot yw ei dderbyn fel atodiad i waith James. Cymerth y bardd yr un testun â'r nofelydd, y mwyn-der Ewropeaidd, ond fe'i cymerodd ef ar ôl James, yn ystod rhyfel 1914-18 ac yn y blynyddoedd wedyn. Yn ei farddoniaeth ef y mae salad Ewrop wedi egru. Edrychodd ef ar gyfandir mwynderau Henry James, a hyd yn oed cyn ymddrylliad Wall Street yn 1929, cyn dyfod Hitler i awdurdod yn yr Almaen, fe welodd ef mai Tir Diffaith oedd y cwbl. Yr oedd cyfnod yr hyder a'r mwyn-hau ar ben. Tonnen yn crynu oedd clawr Ewrop oll. Cafwyd rhybuddion lawer o freuder safonau'r gymdeithas yn nofelau cyfnod olaf James. Yng nghanu cyfnod cyntaf Mr Eliot y mae'r safonau wedi eu colli a chrechwen yw sain nodweddiadol y gymdeithas. Felly y mae byd Henry James yn darfod: "This is the way the world ends," y byd y rhoesai artistiaid yr Unol Daleithiau eu gobaith ynddo.

Dyma'r fan yr ymgysyllta fy myfyrdodau i ar waith James ac Eliot â'r ysgrif ar sefyllfa bresennol llenyddiaeth yn yr Unol Daleithiau. Dengys y beirniad ifanc, Mr John Aldridge, fod holl brif lenorion America yn y cyfnod 1920-1930 wedi dilyn y patrwm, er nad yw ef yn enwi na James nac Eliot. Cyhoeddodd Harold Stearns lyfr yn 1921, *Civilisation in the United States*, llyfr lle y datganodd deg ar hugain o lenorion ifainc gorau'r Taleithiau fod yn amhosibl dilyn gyrfa'r artist yn Philistia'r Amerig. Ac fe aethant hwythau i Ewrop, yn arbennig i Baris. Ym Mharis yr ysgrifennodd Fitzgerald a Dos Passos a Hemingway a Cummings eu nofelau ac yno y bu Gertrude Stein yn famaeth iddynt a James Joyce yn batrwm o'r "Alltud" o artist. Eithr ar ffyn-iant masnachol yr Amerig yr oeddynt yn byw, a phan dorrodd banciau Wall Street ar derfyn y deng mlynedd, daeth cyfnod yr artist alltud i ben.

Ni fedraf i roi barn ar gynnyrch yr ysgol hon, oblegid, ysywaeth, ni ddar-llenais waith neb un ohonynt. Ond nid awgryma Mr Aldridge mai Ewrop Henry James na hyd yn oed Ewrop Mr Eliot oedd mater eu hastudiaethau. Dywed Mr Aldridge mai protest ffyrnig yn erbyn safonau moesoldeb yr Unol Daleithiau oedd eu prif symbyliad. Ymddengys i mi fod ffaith arall arwydd-ocaol. Yn y deng mlynedd nesaf 1929-1939, y mae symudiad y llenorion yn cymryd cyfeiriad gwahanol. Aeth Bernanos o Ffrainc i Brasil; aeth llenorion Iddewig Awstria a'r Almaen i Brasil neu'r Unol Daleithiau. Aeth W. H. Auden a Heard ac Isherwood ac Aldous Huxley o Lundain i Galiffornia. Cyfnod y ffoi oddi wrth Ewrop.

Dangos y gwahaniaeth rhwng y genhedlaeth bresennol o lenorion ifainc yn yr Unol Daleithiau a'r genhedlaeth a ddechreuodd ysgrifennu yn union wedi'r rhyfel byd cyntaf yw amcan pennaf ysgrif Mr Aldridge. Ac y mae ganddo syl-wadau craff. Noda ef gyntaf y gwahaniaeth rhwng y ddau ryfel yn eu canlyn-iadau, o leiaf i'r Americaniaid. Math o *Cook's tour* drwy baradwys Henry James oedd y rhyfel cyntaf i'r sawdiwr ifanc o lenor o'r Taleithiau. Ychydig wythnosau'n unig o frwydro a gawsai; gweld Paris a Llundain a'r Eidal oedd y profiad mawr. Ac yn awr buddugoliaeth yr oedd Paris yn ymddangos gystal â'r breuddwydion gorau amdani. Ond i'r llenor ifanc o Americanwr a laniodd yn Ffrainc yn 1945 a mynd drwy Normandi i'r Almaen yr oedd rhamant Ewrop wedi darfod a gwên wedi diflannu oddi ar bob wyneb. Nid oedd ond llymdra a syrffed a gwlad anrheithiedig a dinasoedd yn garneddi. Na, nid apeliai byrddau Montparnasse at y genhedlaeth hon. Ac ym Mharis ei hunan yr oedd llenorion ac artistiaid Ffrainc yn taflu cyhuddiadau o frad at ei gilydd a chwerwedd a chelwydd y dechneg feirniadol gomwnyddol wedi chwalu'r hen ysbryd o undod y grefft, y *métier*.

Yna fe ddywed Mr Aldridge beth newyddach a dyfnach. Yr oedd yr hen achos i alltudiaeth fodlon yr artist o'r Unol Daleithiau wedi ei golli hefyd. Protest yn erbyn culni safonau moes a safonau moesol yr Amerig biwritanaidd oedd alltudiaeth yr artist. Y mae hynny wedi darfod. Y mae safonau cyffredinol cymdeithas dosbarth canol yr Unol Daleithiau wedi mynd: "Now there is no fixed standard to rebel against. Morals have become, in our time, strictly a private affair." Nid oes gan yr artist na noddfa i ffoi iddi na dim i ffoi oddi wrtho. Y mae Ewrop ac America Henry James wedi diflannu a phatrwm y bywyd clasurol wedi ei ddistrywio. Nid oes dim yn aros i'r llenor Americanaidd ond sefyll yn ei wlad ei hun: "Y mae cyfnod yr alltud ar ben. Y mae'r llenorion ifainc, er gwell er gwaeth, gartref; gartref y byddant mwy."

Dyna ddweud yn nhermau'r llenor yr hyn y mae Cynllun Marshall yn ei ddweud mewn termau economaidd am Ewrop a'r Amerig. Ac nid oes eto lawn chwarter canrif er pan fu farw Henry James. Collwyd holl seiliau ei gelfyddyd ef, nofelydd olaf gwareiddiad.

Y Faner, 9 Chwefror 1949

Pierre Corneille

Mae hi'n wyliau. Cymerwn ninnau wyliau. Bwriadaf sôn am fardd o ddramäydd Ffrangeg ac am un o'i gampweithiau. Hyd yn oed yn Lloegr fe ddysgwyd gwerthfawrogi Racine o'r diwedd, ac yn Rhydychen eleni cyhoeddwyd argraffiad newydd o *Polyeucte* gan Pierre Corneille: *Corneille, Polyeucte,* Edited by R. A. Sayce, Lecturer in French in the University of Oxford; Basil Blackwell, Oxford, 1949. Gwnaeth y golygydd ei waith yn dda, heb wneud dim gorchestol. Ni wnaeth gyfiawnder â'r llyfr godidocaf a ysgrifennwyd ar Corneille hyd yn hyn, sef llyfr Octave Nadal: *Le sentiment de l'amour dans l'oeuvre de Pierre Corneille,* 1948. Ceir yn hwnnw astudiaeth oludog ar *Polyeucte,* ond nid yw Mr Sayce yn derbyn dehongliad M. Nadal. Ar derfyn ei ragymadrodd fe gais ddangos fod y ddrama hon yn ddigon byw heddiw, ond ni chyfeiria at astudiaeth Peguy o Corneille nac at ddylanwad Corneille ar waith Paul Claudel.

Ganwyd Pierre Corneille yn Rouen yn 1606. Dechreuodd sgrifennu dramâu yn 1629. Sgrifennodd gyfres bwysig o gomedïau barddonol hyd at 1636. Y flwyddyn honno actiwyd ei *Le Cid* ym Mharis. Yn 1640 cafwyd ei ddwy ddrama fawr ar fywyd Rhufain. Yna yn 1643 cafwyd trasiedi *Polyeucte,* y merthyr Cristnogol. Fe ŵyr pob bachgen ysgol sy'n cyrraedd y chweched dosbarth yn y Ffrangeg am y gwaith clasurol hwn, un o gampweithiau pennaf llenyddiaeth grefyddol. Dweud ei stori wrth y Cymry eraill i ddiddanu'r gwyliau Nadolig a fynnaf innau.

Canol y drydedd ganrif o oed Crist dan yr ymherodr Decius. Digwydd y cwbl o'r ddrama ym mhalas Felix, y llywodraethwr, ym mhrifddinas Armenia. Cyhoeddwyd ymgyrch fawr i ddifa plaid y Cristnogion drwy'r ymerodraeth. Egyr y ddrama ag ymddiddan taer rhwng dau o foneddigion Armenia. Y mae Nearque yn Gristion. Argyhoeddwyd Polyeucte o wirionedd y ffydd. Ef yw pen holl fonedd y dalaith ac etifedd hen frenhinoedd Armenia. Byr amser cynt daethai Felix, y llywodraethwr Rhufeinig newydd, i'r dalaith. Gwelodd Polyeucte ei ferch ef, Pauline; ymserchodd yn fawr ynddi, a bu'n dda gan y llywodraethwr ei rhoi hi mewn priodas i brif bendefig y dalaith ac ŵyr i frenhinoedd. Priodwyd hwy bythefnos cyn agor y ddrama. Y maent megis rhai ar eu mis mêl.

Myn Nearque y Cristion atgoffa ei gyfaill nad digon argyhoeddiad o wirionedd y ffydd Gristnogol; rhaid ei harddel hi a rhaid wrth sacrament Bedydd er mwyn ei eni ef o newydd yn blentyn Duw. Nid yw Polyeucte yn anfodlon ddim ond ni chydnebydd fod brys. Ni wna heddiw mo'r tro. Cafodd ei wraig, Pauline Rufeinig, freuddwyd erchyll neithiwr, breuddwyd a argóelai ddrygau trychinebus y dwthwn hwn, ac erfyniodd hi arno i warchod gartref am y diwrnod. Ni fedrai yntau wrthod dim i Pauline. Fe ddôi i'w fedyddio cyn hir.

Etyb Nearque nad yw yfory'n sicr ac os gwrthodir gras a goleuni heddiw y geill y rhodd ballu a'r golau ddiffodd. Nid yw hynny'n mennu ond pan eglura Nearque mai cynllun gelyn dyn, y Diafol, yw gau freuddwyd Pauline er mwyn lluddias ei dröedigaeth, a phan apelia ef ymhellach at haelfrydigrwydd Polyeucte, gan ddangos mai heddiw, ac enw Crist dan gabl a'r Cristnogion dan fygwth tranc ar erlid, y mae'n hardd ac yn nobl arddel Duw, ildia Polyeucte. Daw Pauline i mewn atynt, a dywed ei phriod wrthi ei fod yn mynd allan am awr. Erfynia hithau arno, ond ffy ef heb ddatguddio iddi ei fwriad. Felly, byth-efnos wedi eu priodas, y mae ganddo gyfrinach nas mynega iddi ac fe'i gedy er taered ei chrefu arno.

Try Pauline at ei mamaeth, Stratonice, a dweud ei hofn ac adrodd ei breuddwyd. Yn Rhufain, cyn dyfod i Armenia, cyfarfu â marchog ifanc, Sévère. Yr oedd hi'n ferch i bendefig a seneddwr. Yr oedd yntau'n dlawd a chanddo bob rhinwedd. Enynnwyd serch rhyngddynt yn fflam, ond ni chaniatâi ei thad na'i syniad hithau o'i dyletswydd tuag at ei theulu a'i chymdeithas iddi briodi'n is na'i stad. Aeth ef i'r fyddin ac i'r rhyfel. Achubodd fywyd yr ymherodr Decius a'i wrhydri personol ef a enillodd y frwydr yn erbyn y Persiaid. Ond gadawyd ei gorff ar faes y frwydr a chododd yr ymherodr ei hun gofgolofn iddo. Priododd Pauline yn ôl ewyllys ei thad yn ebrwydd wedi dyfod i Armenia. Y noson ddiwethaf un breuddwydiodd fod Sévère yn fyw, yn ffefryn yr ymherodr, a'i ddyfod i Armenia, a gwelodd hi'r Cristnogion gwaedlyd yn bwrw Polyeucte yn gelain wrth draed ei hen gariad. Onid iawn iddi bryderu am ei phriod ac ofni plaid y Cristnogion a flodeuai yn Armenia, ac onid iawn iddi ufuddhau i rybudd y duwiau mewn breuddwyd a cheisio amddiffyn ei phriod?

Ar y gair daw ei thad atynt yn gynhyrfus. Clywsai fod y gŵr a wrthodasai ef yn ddaw iddo yn Rhufain, y Sévère hwn, yn fyw ac ar fin dyfod yno i brif-ddinas Armenia ar neges oddi wrth yr ymherodr i offrymu i'r duwiau aberth sumbolig o ddiolch am y fuddugoliaeth ym Mhersia. Felly y mae ef yn fyw ac ef yw'r ail ŵr yn yr holl ymerodraeth. Diau ei fod yn dyfod hefyd i ofyn eto am law Pauline mewn priodas. Ofna Felix ei gynddaredd a'i ddial pan glywo fod Pauline yn briod. Gwleidydd a'i holl feddwl ar ei yrfa yw Felix; nid oes ganddo obaith am ymwared oddieithr Pauline: rhaid iddi hi dderbyn Sévère a thorri'r newydd iddo a defnyddio ei dylanwad arno i leddfu ei ddig ac ennill ei nawdd. Ufuddha Pauline.

Yn yr ail act cyferfydd Pauline â Sévère. Ni ddychwelodd Polyeucte o'i fedydd eto. Arwriaeth a mawrfrydigrwydd yw anian ac awyr Pauline. Rhaid mynd i mewn i fyd Corneille ac i fyd syniadau'r ail ganrif ar bymtheg i ddeall bywyd moesol ei brif gymeriadau ef; cynrychiolant hwy safonau uchaf arwriaeth, delfryd o fywyd gogoneddus yn allanol ac yn fewnol, rheswm yn goleuo'r ewyllys ac yn teyrnasu ar y chwantau a'r nwydau oll. Y mae Pauline yn briod a chan hynny rhaid iddi garu ei gŵr, dyna'i gorchwyl hi fel gwraig a dyna'i dyletswydd hi. Rhaid iddi gan hynny beidio â charu Sévère er gwybod mai tuag ato ef y rhed ei serchiadau naturiol oll. Ond dofi natur yw gogoniant y wraig arwrol. Gan mai arwriaeth a mawredd moesol o'r un safon sy'n rheoli bywyd Sévère, apelia hi'n syth at hynny. Y mae'r ymddiddan cyntaf hwn rhyngddynt yn angerddol a didostur. Caiff hi addewid ganddo i ymadael ag Armenia ar ôl y seremoni o aberth i'w duwiau yn y deml ac addewid i beidio â gweld ei gilydd fyth mwy. Ni ddaw hi hyd yn oed i'r deml i'w weld yn aberthu. A dyna ganu'n iach a hithau piau'r gair olaf:

Ffarwel, anhapus garwr a rhy berffaith.

Dychwel Polyeucte gyda hynny o'i fedydd, yn ddyn newydd. Clyw yn ddifraw am ymweliad Sévère, heb ofn, heb genfigen ddim. Ar unwaith daw'r alwad iddo ymuno gyda bonedd y dalaith yn y seremoni o addoliad yn y deml Rufeinig. Bellach, ni fyn Pauline ei atal ac fe â hi allan. Ond cais Nearque ei rwystro. Nid cyfreithlon i Gristion ymuno mewn addoliad i ddelw o dduw paganaidd. Daw dadl eilwaith rhyngddynt. Myn Polyeucte, a gras santeiddiol y sagrafen yn ei enaid, fynd i'r deml a thorri'r ddelw a chyhoeddi'r gwir Dduw a'r ffydd Gristnogol. Yn yr argyfwng presennol dyna ei alwad ef. Gwêl Nearque mai ganddo ef y mae'r weledigaeth ac fe ânt ynghyd.

Act y digwyddiadau chwyldroadol yw'r drydedd act. Nid ar y llwyfan y digwyddant, ond yn y deml ac yn y carchar ac ar y stryd, ac fe ddygir adroddiadau amdanynt i'r llwyfan. Dyna un o reolau'r ddrama glasurol. Bydd y beirniaid Seisnig naill ai'n condemnio'r modd neu'n ceisio'i esgusodi fel y gwna Mr Sayce yn ei ragymadrodd presennol. Nonsens yw hynny; rhaid derbyn confensiwn mewn theatr megis ar gae rygbi, a barnu'r chwarae yn ôl y confensiwn: peth moesol a seicolegol yw'r ddrama Ffrangeg glasurol.

Pan egyr yr act gwelir Pauline ar ei phen ei hun yn y palas yn anniddig, yn disgwyl yn bryderus am newyddion o'r deml:

'Sawl ofn di-lun, 'sawl cwmwl dyrys sy
Yn rhithio i'm llygaid eu dychmygion du;
Dangnefedd pêr, na feiddiaf ddisgwyl mwy,
Mor hir yw d'olau'n dod i'w chwalu hwy.

Ni chaiff Pauline brofi "tangnefedd pêr" cyn terfyn y ddrama oll ac wedi colli ohoni bob dim bydol. Daw Stratonice ati i adrodd yr hyn a ddigwyddodd yn y deml, a'r fel y gwnaeth Polyeucte a Nearque derfysg yno, gan weiddi yn erbyn aberthu i eilunod, gan gyhoeddi un Duw y ffydd Gristnogol, ac o'r diwedd gan ruthro ar yr allor a dymchwelyd yr eilun a gyrru'r bobl ar chwâl o'r gwasanaeth. Dyry bob enw drwg a fedd hi ar Polyeucte a droes yn fradwr ac yn Gristion, a disgwylia hi i Pauline ymwadu ag ef. Etyb Pauline mai'n awr yn hytrach y gelwir arni i'w garu gywiraf a cheisio'i amddiffyn. Yna daw ei thad atynt yn gynddeiriog lidiog a dweud fel y taflodd ef y ddau Gristion i'r carchar, fod Nearque i'w ddienyddio rhag blaen a Polyeucte yn bresennol i weld ei farw, ac y gweinyddir yr un gosb arno yntau onid edifarhao ar ôl gweld tynged y cyfaill a'i hudodd i rwydau'r Cristnogion. Yn olaf daw Albin, dirprwy Felix, atynt ac adrodd sut y dienyddiwyd Nearque, a'r modd cableddus y bu ef farw, gan ddirmygu'r duwiau ac ymogoneddu yn ei angau. Ni fennodd ei farwolaeth ar Polyeucte oddieithr i'w gadarnhau yn ei wrthnysigrwydd anhyblyg. Eiriol Pauline ar ei thad am faddau iddo, ond etyb Felix fod yn rhaid iddo ddioddef y gosb fel Nearque oni lwydda Pauline i'w droi oddi wrth ei wallgofrwydd.

Trwy gydol yr act hon fe drafodir act y Cristnogion gan y paganiaid diffydd a dyna ran fawr o eironi dramatig yr act. Yn agwedd Stratonice dangosir inni ragfarn anwybodus y bobl gyffredin. Yn agwedd Pauline gwelwn fawrfrydigrwydd naturiol yr *anima naturaliter Christiana* yn ymarfogi i wynebu ing eithaf ei bywyd. Yn agwedd Felix datguddir y gwleidydd sy'n barod i aberthu pob dim i'w yrfa swyddogol ac y sydd eisoes yn rhagweld y gallai ef wedi marw Polyeucte roddi ei ferch yn briod i Sévère, rhaglaw yr holl ymerodraeth Rufeinig.

A thrwy gydol y drydedd act nid ymddengys Polyeucte o gwbl ar y llwyfan. Felly, pan ymddengys yn y bedwaredd act, y mae'r amser y bu'n absennol o'r llwyfan yn ddramatig ddigonol i egluro'r cyfnewid o'r carwr a'r gŵr priod i'r sant.

Dan ofal milwyr y dygir Polyeucte ar y llwyfan yn y bedwaredd act, a'i weithred gyntaf yw danfon i gyrchu ato Sévère. Cofier nad yw'r ddau hyn ddim wedi cyfarfod â'i gilydd ar y llwyfan hyd yn hyn. Ceir ganddo ymson delynegol sy'n datguddio fel yr ymddatododd ef eisoes yn llwyr oddi wrth bethau'r byd hwn: "ac nid ystyriaf Pauline yn awr ond megis rhwystr i'm penllâd." Ac ar hyn daw Pauline ato a cheir y frwydr fawr ddramatig rhwng santeiddrwydd a chariad gwraig oni yrrir Polyeucte oddi wrth annibyniaeth ei safbwynt yn ei ymson delynegol i syrthio ar ei liniau a gweddïo am i Dduw roi goleuni'r ffydd i'r wraig hon sy'n rhy arddderchog ei henaid i fod fyth yn golledig.

Daw Sévère atynt ar arch Polyeucte a dyry'r sant ei wraig briod i Sévère a'u

224

gadael i wynebu ei gilydd. Dyma'r ail olygfa ffarwel rhwng Pauline a Sévère. Ac yntau ar ddisgwyl ei wyn o'r diwedd try hi arno fel teigres a rhoi gwybod iddo y byddai un gair o serch tuag ati yn awr yn troi ei holl deimladau tuag ato yn fflamau casineb: "Y mae fy Mholyeucte ar fin ei dranc; achubwch ef . . . dyna farc o fawrfrydigrwydd sy'n briodol i chwi. Os nad ydych y math o ddyn y tybiais i eich bod, yna er mwyn eich parchu eto, dymunaf beidio â gwybod hynny."

Felly gyrrir Sévère at Felix i ymbil ar ran Polyeucte. Ond myn Felix, y gwleidydd profiadol, nad yw hynny ond cast i beri iddo ef droseddu yn erbyn yr ymherodr. Denfyn am Polyeucte, daw Pauline atynt, a cheir yr erfyniadau olaf arno i ddychwelyd at seremonïau'r ymerodraeth. Ond ar ei thad yr erfyn Pauline, nid ar ei gŵr, gan wybod nas troir ef mwy. Daw'r dewis olaf: "Cristion wyf i," ac arweinir ef i'w ddienyddiad. Dywed yntau ffarwél wrth Pauline, eithr gwrthyd hi ffarwelio: "Dilynaf di i b'le bynnag yr elych" — "Peidiwch â'm dilyn i, heb adael eich gau ffydd." Ond ei ddilyn a wna hi, i'r dienyddiad, ac wrth i waed y merthyr dasgu arni, caiff hithau fedydd ffydd a dychwel i'r llwyfan i gyhoeddi ei thröedigaeth. Daw gyda hynny olau'r ffydd hefyd i'w thad. Gadewir Sévère yn unig ac yn syn i geisio yn ei fawrfrydigrwydd gael gan Decius dynnu'n ôl yr erlid ar y Cristnogion.

O bryd i'w gilydd yr wyf finnau wedi byw flynyddoedd gyda dramâu Corneille ac wedi ceisio trosglwyddo fwy nag unwaith broblem Gornelaidd i amgylchiadau neu gefndir Cymreig. Problem yn null Corneille, sef gwrthdrawiad rhwng serch a ffyddlondeb teuluaidd, y ceisiais i ei gosod yn fy nrama gyntaf, *Gwaed yr Uchelwyr*, ac fe geir sefyllfa debyg eto yn *Amlyn ac Amig*; Soffocles, Corneille a Racine, hwy fu fy meistri i yn y ddrama, er mor eiddil fy ychydig weithiau prentis. Diau mai dyna'r pam y mae fy nramâu i mor henffasiwn. Ni cheisiaf yn awr drafod nodweddion Corneille fel dramäydd na rhoi hyd yn oed gipdrem ar gyfanswm mawr ei waith. Ond cyn troi eto at *Polyeucte* galwaf sylw at ddau rinwedd arbennig ar ei gymeriadau ef, dau beth sydd hefyd gyda llaw yn ei osod yn gwbl gyferbyn â Racine. Yn gyntaf, y mae gan ei brif gymeriadau ef oll, yn feibion ac yn ferched, mewn comedi megis mewn trasiedi, ymennydd campus. "Rheswm" sy'n teyrnasu yn eu buchedd, a golyga "rheswm", bryd hynny, weledigaeth ddeallol glir o ddyletswydd ac o'r hyn sy'n iawn, ie, hyd yn oed yn yr argyfyngau caletaf. Golyga ychwaneg, golyga allu meistraidd mewn mab a merch i edrych i mewn i'w calonnau eu hunain a'u dadansoddi a'u barnu a'u hwynebu, a golyga mewn dialog rym a medrusrwydd dialectig sy'n ddramatig ar lefel arwrol uchel lle y mae'r awyr yn finiog ac yn Alpaidd lân.

Yn ail, nid oes yn syniad Corneille am serch arwrol ddim lle i dynerwch na meddalwch teimlad. Egni ac angerdd a hunanartaith, byw er mwyn mawredd, er mwyn *la gloire*, gan aberthu'r hunan a phob dedwyddwch ar allor arwriaeth, dyna nodweddion serch ei greadigaethau pennaf. Peth a ewyllysir, nid peth a oddefir, yw trasiedi i Corneille. Haearn yn hogi haearn yw ei olyg-feydd serch mawrion, a'r gwreichion yn tasgu yn y dialog. Nid oes gan gariad drugaredd.

Prawf o fywiogrwydd y ddrama *Polyeucte* yw'r swm sylweddol o leny-ddiaeth a ysgrifennwyd arni a'r ffaith nad yw'r beirniaid na'r ysgolheigion ddim hyd heddiw yn cytuno yn eu deongliadau. Dywedais mai astudiaeth M. Nadal yw'r cyfraniad godidocaf y gwn i amdano i'n dealltwriaeth ni o holl fyd Corneille. Mae ganddo ef hefyd benodau cyfoethog ar Bolyeucte a Pauline. Ond mi anturiaf yn awr roi dehongliad sy dipyn yn wahanol a dangos sut y tyfodd y ddrama wrth i Gorneille weithio arni.

Darllenodd ef hanes y merthyr yn y *Vitae Sanctorum* a Surius a Mosander, megis y dywed wrthym. Gwelodd yn y fuchedd ddeunydd drama: y Cristion newydd-droi yn malurio'r delwau; ei chwegrwn, llywodraethwr y dalaith, yn ceisio'i adennill, yn gyntaf drwy fygwth cosb, yn y diwedd drwy anfon ato ei ferch, priod Polyuecte, i ymbil ag ef; methu'r cwbl, a merthyrdod. Hawdd gweld hynny oll yn ymffurfio i ddull a ffformwla drama Gornelaidd. Astudiaeth ddramatig o'r ffurf uchaf ar arwriaeth, sef arwriaeth y sant. Cawsai Corneille ei addysg yn ysgol Cymdeithas yr Iesu yn Rouen, ac fe wyddai'n dda am ysbryd arwrol, ewyllysiol, *Ymarferion* sylfaenydd y Gymdeithas. Dywed Corneille wrthym pa ychwanegiadau a wnaeth ef ei hun i ddigwyddiadau ac allanolion y stori. Hawdd gweld mai'r chwanegiad pwysig fu creu cymeriad Pauline a chreu ei gorffennol a chreu Sévère. Corneille hefyd a roes briodas Polyeucte o fewn pythefnos i'w fedydd a'i ferthyrdod.

Yn awr y mae gosod y briodas o fewn pythefnos i'r bedydd a'r merthyrdod yn awgrymu mai'r syniad dramatig cyntaf oedd yr ymgiprys ym meddwl Polyeucte rhwng serch naturiol a serch nefol: a byddai hynny'n union Gornelaidd. Yn wir, dyna a geir yn rhan gyntaf act gyntaf y ddrama. Eithr ni ddatblyga Corneille mo'r thema honno. Ar ôl ei fedydd, o'r ail act ymlaen, un serch sy gan Polyeucte, ac fe ymddengys fod pob ymdrech fewnol ar ben iddo ef. Nid gwir hynny chwaith; fe gawn weld mai un o bethau mawr y ddrama ydyw gosod ymdrech annisgwyl yng nghanol tawelwch buddugoliaethus y sant sy wedi ymddihatru, fel y cred ef, oddi wrth bob dim bydol, gan gynnwys ei wraig briod newydd ei hun. Cawn weled hefyd mai hyhi ei hun, drwy arwr-iaeth ei serch naturiol, priodasol, sy'n cyffroi'r ymgiprys newydd hwn yn enaid y sant. Trown gan hynny at Pauline. Canys Pauline piau'r ddrama. Hi a ddat-blygodd, y tu hwnt i fwriad cyntaf Corneille, yn ganolbwynt ei waith ef, yn wrthrych ei fyfyrdod creadigol, sy'n darganfod ac yn creu ac yn tyfu wrth iddo lunio'i benillion. Dyna'r fel y mae cymeriad mawr yn tyfu i ddramäydd. Y mae'n dechrau drwy fod yn angenrheidiol i'r brif thema a'r olygfa derfynol. Cafodd Corneille hynny gan y stori wreiddiol. Ei dasg ef oedd gweithio'n ôl, darganfod, drwy resymeg greadigol, fywyd Pauline.

Pan ddaw Pauline gyntaf i'r llwyfan dangosir hi'n wraig newydd briodi, yn rhoi ei holl feddwl ar ei phriod ac yn mynnu ganddo yntau yr un diffuant-rwydd a chariad. Pwnc o ewyllys, o ewyllys da, yw cariad priodasol. Ar un-waith fe ddengys ei phriod fod ganddo gyfrinach i'w chuddio rhagddi, cyfrin-ach sy'n bwysicach nag anrhydedd ac einioes — ac fe'i gedy gan wrthod ei hapêl. Ar ben popeth, y breuddwyd dychrynllyd a gafodd hi cyn deffro, fe egyr hyn megis hollt yn y tir y saif Pauline arno. Cyn iddi feistroli'r profiad daw ei thad ati a dweud fod ei hen garwr yn Rhufain yn fyw, a'i fod yn dyfod atynt yn awr. Dyna'r gorffennol, y gorffennol a oedd wedi ei gladdu, yn codi o'r hollt ac o'r bedd i wynebu Pauline. Eithr nid un o ferched theatr yr ugeinfed ganrif nac un o ferched Ibsen mo Pauline. Geilw ar ei rheswm, ar ei hunanddisgyblaeth, ar ei gorchwyl fel aelod o uchel bendefigaeth yr ymerodraeth, i'w harneisio i'r cyfarfod.

Mae hi'n llwyr ddigymrodedd. Mor hawdd fuasai gofidio a dangos mai'r newydd cyffredinol am farwolaeth Sévère a fu achos ei phriodi hithau. Nid felly, ebr hi; hyd yn oed petasai ef yn fyw ac yn ei fri presennol, fe fuasai hi wedi plygu i ewyllys ei thad, yn ôl moesau ei gradd a'i chyfnod, a phriodi'r gŵr a'i bodlonasai ef.

Etyb Sévère gyntaf yn chwerw mai hawdd fuasai hynny iddi hi, ond nid ysgafn nac oriog ei serch ef.

Myn Pauline fod yn gwbl ffyddlon, yn ffyddlon i'w gŵr priod, yn ffyddlon iddi ei hun, yn ffyddlon i'w gorffennol ei hun. Ni fyn hi wadu dim oll o'r cwbl ohoni ei hunan. Tyr allan gan hynny gan gyhoeddi ei holl serch naturiol cynnar tuag at Sévère, a chyffesa, proffesa, ei fod ef yn awr yn ei ogoniant yn fwy haeddiannol nag erioed o'i holl edmygedd a'i holl gariad hi. Nid oedd ei theimladau naturiol hi tuag ato wedi newid. Ond os oedd hi'n haeddu ei gariad diobaith ef, oblegid ei bod hi'n gorchfygu ei theimladau naturiol er mwyn dodi ei bryd a'i chariad ar y gŵr priod yr oedd ganddo hawl arnynt — yn union oblegid hynny yr arhosai hi'n deilwng o gariad arwr fel Sévère. Buasai ysgogi eiliad oddi wrth hynny yn dymchwel y darlun delfrydol ohoni a feddai Sévère ei hunan, ac wrth fod yn ffyddlon, gorff a meddwl yn gyfan, i'w phriod, yr oedd hi ffyddlonaf iddo yntau, Sévère, ac i'w gorffennol hwy ynghyd yn Rhufain. Penderfynasai tynged nad oedd dedwyddwch i fod iddynt: rhaid iddo ef fyw a dibenion ei fyw wedi eu chwalu; rhaid iddi hithau ymroi â'i holl egni i garu ei phriod. Ar hynny y canant yn iach.

Yna try'r hollt yn ddaeargryn. Ymwadodd Polyeucte â phob anrhydedd a throes yn fradwr a Christion. Yr oedd yn rhydd, yn anrhydeddus yn awr, i Pauline ymwrthod ag ef a throi eto at Sévère.

I Polyeucte yn ei garchar yn y bedwaredd act Pauline yn awr yw'r perygl olaf. Ymbaratoa ef i'w rhoi hi i Sévère a gweddïa am nerth yn ei herbyn ac am fedru llwyr ymddatod oddi wrthi. A daw Pauline ato.

Ar ddechrau eu hymddiddan fe gais hi ddadlau ag ef, ymresymu ag ef. Ar y tir hwn y mae Polyeucte yn gadarn ddiogel. Yna'n sydyn newidia Pauline ei thir a throi oddi wrth y "chwi a chwithau" pendefigaidd at y "ti a thithau" priodasol a chyfrin. Dengys iddo fod ei chariad hi tuag ato yn ddi-sigl yng nghanol y berw a'r casineb cyffredinol ac apelia at holl rwymau ac addunedau eu priodas. Onid oedd hi wedi ei rhoi ei hunan yn gyfan gwbl iddo:

> Ac wele fi ar ôl fy rhoi yn ysgymun.

Siglir a newidir y sant. Gwêl ef yn sydyn werth anfeidrol yr enaid yma, a syrth ar ei liniau i weddïo am i Dduw roi golau'r Ffydd iddi. O hyn i'r diwedd, nid ei gadael hi a fyn ef, ond ei hennill hithau i'w ddilyn:

> Nid digon ennill nef, rhaid imi d'ennill dithau.

Y mae Polyeucte yn ei charu hi'n awr o newydd, ar lefel newydd, â chariad newydd. Gwêl hithau hynny a gwêl fod rhyngddynt bellach rwymau gwedd-newidiol, syfrdanol.

Daw Sévère ati ar arch Polyeucte. Try hithau arno i'w ddryllio. Y mae ei datganiad olaf wrth ei hen garwr yn fellt a tharanau uwch ei ben. Nid ffarwelio ag ef a wna hi, ond gosod arno'r dasg a'r holl gyfrifoldeb am achub bywyd ei chariad, ei hunig gariad, "fy Mholyeucte". Byddai un gair, un awgrym o serch ar ran Sévère yn ddigon i droi ei pharch tuag ato yn ffieidd-dra a chas. Y mae'r ewyllys i garu hyd at yr eithaf yr enaid a roddwyd iddi i'w garu yn ei thynnu hi'n awr drwy funudau olaf y ddrama i gredu ac i garu Ffynnon pob cariad. Ni ŵyr hi hynny eto. Ni ŵyr hi ddim yn awr ond fod ei holl natur, y cwbl ohoni, yn ymroi, yn ymarllwys, er mwyn y carcharor ystyfnig. Y mae bod wedi ei gwahanu oddi wrth Polyeucte yn ormod iddi.

Diau fod yn rhaid gweld yr act olaf ar lwyfan y Comédie Francaise ym Mharis i brofi ei holl rym. Dygir y carcharor gerbron y llywodraethwr i ddewis yn derfynol ddienyddiad neu wadu ei ffydd. Daw Pauline yno hefyd; llys barn y teulu sydd ar y llwyfan, a'r milwyr yn sefyll tu cefn. Eithr Pauline yn awr yw'r un unig, amddifad. Y mae gan ei phriod Dduw a Nearque yn gefn iddo; y mae gan ei thad awdurdod yr ymerodraeth. Gwrthodir hithau gan y ddau. Trwy gydol yr olygfa ni cheir gair o dynerwch, ac er hynny golygfa garu sydd yma. Ebr ei thad: "Ymbiliwch ar eich priod." A'r gŵr priod: "Ewch i fyw at Sévère," a chria hithau:

> Deigr, o leiaf lladd fi heb fy maeddu yn y baw.

Etyb yntau:

Nid adwaen i mohonoch oni fyddoch Gristion.

Ond ni all hyd yn oed eithaf ewyllys cariad orfodi gras. Glynu wrth y priod sy'n ei gwrthod yw'r unig beth a fedr Pauline mwy, glynu wrtho drwy nos ei hing. Rhoir i Polyeucte y cyfle olaf:

Felix: Addola'r duwiau neu ymwâd â'th einioes.
Polyeucte: Cristion wyf i,
Felix: Ai e? O galon galed! Filwyr, cymerwch ef fel y gorchmynnais.
Pauline: I b'le y cymerwch ef?
Felix: I'w dranc.
Polyeucte: I ogoniant. Annwyl Pauline, ffarwél. A chofiwch fi.
Pauline: Dilynaf di hyd fyth.

A daw Pauline yn ôl o'r dienyddiad yn gweld, yn gwybod, yn credu, wedi ei bedyddio yng ngwaed ei phriod. Cyflawnwyd ei phriodas yng Nghymundeb y Saint. Y mae Polyeucte wedi ennill ei Bauline.

Y Faner, 28 Rhagfyr 1949 a 4 Ionawr 1950

Giuseppe Ungaretti

Erys yr Eidal o hyd yn wlad gyfoethog o feirdd. Dywed y cyfarwydd fod pedwar bardd yn fyw ac yn gweithio ar hyn o bryd a ystyrir gan eu cyfoeswyr yn feistri. Umberto Saba, yr Iddew o Trieste, yw'r hynaf o'r pedwar. Cyhoeddwyd casgliad cyflawn o'i weithiau barddonol ef yn ddiweddar a gobeithiaf gael sôn amdanynt mewn erthygl arall rywdro. Y ddau ieuengaf — ond eu bod hwythau'n ganol oed erbyn hyn — yw Eugenio Montale a Salvatore Quasimodo, beirdd anodd ac ysgolheigaidd a chynnil ill dau. Yn yr Eidal y mae priodas draddodiadol yn rhwymo ynghyd farddoniaeth ac ysgolheictod, neu o leiaf farddoniaeth a dysg. Ysgolhaig amryddawn hefyd yw'r bardd y ceisiaf ddweud amdano'n awr, Giuseppe Ungaretti. Bu'n athro ym mhrifysgolion Rhufain a St. Paolo ym Mrasil. Bu'n fardd yn y Ffrangeg. Cyfieithodd Shakespeare a Mallarmé a Gongora, bardd Sbaeneg o gyfnod y Dadeni Dysg, i'r Eidaleg. Ni welais i ei gyfieithiadau ef, a gyhoeddwyd yn ddwy gyfrol. Y llynedd fe gyhoeddwyd hefyd bedair cyfrol unffurf o'i holl farddoniaeth ef. Am Ungaretti y bardd y bwriadaf innau sôn ychydig, ac yn arwynebol ddigon.

Ni ddarllenais ond y dim lleiaf amdano. Eithr ei deitl ef ei hun i'w farddoniaeth ydyw 'Bywyd un gŵr', a dywed yn ei ragair i'w gyfrol gyntaf (*L'Allegria*):

> Dyddlyfr yw'r hen lyfr hwn. Nid oes gan yr awdur ond un uchelgais, a thybia ef na fu gan hyd yn oed y beirdd mawr ond un uchelgais, sef gadael ar ôl hunangofiant hardd.

Geiriau twyllodrus hefyd. Ychydig bach iawn o ddweud hanes sydd yn ei waith, ac ychydig hyd yn oed o ddweud profiad yn uniongyrchol. Rhaid casglu ei hanes oddi wrth awgrymiadau a chyfeiriadau sydd ar wasgar yn ei delynegion. Ond mi geisiaf ddweud amdano gyntaf, a sôn am ei nodweddion fel bardd wrth fynd ymlaen.

Tyddynwyr o ardal Lucca, rhwng Fflorens a Phisa, oedd ei rieni. Bu raid iddynt hwythau, fel cynifer o'r Eidalwyr, ymfudo i chwilio am fywoliaeth. Aethant i'r Aifft a setlo mewn busnes yn Alesandria. Yno y ganed ac y codwyd y bardd a'i frawd. I ni yng Nghymru, pobl estron sy'n cadw caffé neu dafarn datws yn y cymoedd diwydiannol neu'r trefi glannau môr, yw'r Eidalwyr. Y maent yma yn ein plith, ond ychydig a wyddom amdanynt. Bydd mab neu ferch yn y teulu, tua'r pump ar hugain oed, yn mynd yn ôl i'r hen ffarm neu'r hen ardal yn yr Eidal am fis neu ddau, ac yn dychwelyd yn briod. Mae gan bob teulu ei gysylltiadau â'r tylwyth yn yr hen wlad, â'r hen dyddyn a'r hen fro. Breuddwydio am gael mynd adref, mynd yn ôl, y bydd yr hen bobl alltud oll. Nid pobl wedi colli eu gwreiddiau mohonynt, ond pobl sy'n byw bywyd dirgel o ffyddlondeb, genhedlaeth ar ôl cenhedlaeth, er eu bod mewn gwlad dramor.

Fe'u gwelwch hwynt yn gynnar bob bore ar stryd y dre. Ble y buont? Yn yr offeren fore. Byddant yn y caffe neu'r dafarn bysgod ffrïo hyd at un ar ddeg y nos. Ond wedi cau'r caffe neu'r siop, cyn noswylio, bydd y teulu'n gryno ar eu gliniau o flaen darlun o'r grog, yn adrodd llaswyr Mair gyda'i gilydd a'r penteulu'n arwain. Y mae hen arferion a hen draddodiadau'r ffermdy yn Sisilia neu Venetia neu Umbria yn parhau uwchben y siop dybaco neu'r caffe neu'r dafarn saim yng Nghwm Rhondda neu Aberafon neu Lanelli neu Aberystwyth. Ac felly yn Unol Daleithiau'r Amerig ac yn yr Affrig. Y mae rhywbeth o Georgicon Fyrsil ar ddisberod yn strydoedd ein trefi diwydiannol modern — "O ubi campi Spercheusque!"

Felly hefyd, dan haul yr Aifft, y magwyd Giuseppe Ungaretti. Ganesid ef yn Alesandria, Chwefror 10, 1888. Ei atgof cyntaf ef yw'r lamp fechan fach yn olau bob amser o flaen delw'r Madonna yn ei ystafell wely y nos. Cofia am ei fam, ar ôl swper, ac ar ôl y gwasanaeth teuluol, yn adrodd hen straeon am y bywyd yn Lucca gynt; rhuthm cerddi Paul Claudel a glywir yn y darn hwn:

A casa mia, in Egitto, dopo cena, recitato il rosario . . .

Yn un o'i gerddi dyry'r bardd ddarlun o'i fam:

Ar ei gliniau,
megis cerflun o flaen y Tragwyddol . . .
Yn dyrchafu ei hen freichiau crynedig
A dweud: fy Nuw, dyma fi.

Gadawodd hindda a golygfeydd yr Aifft ffigurau hefyd yn ei gof:

Dyma afon Nil
A welodd fy ngeni a'm magu
Yn ei gwastadeddau eang.

Cofia'r awyr denau eglur, ac am danbeidrwydd yr haul yn cofleidio'r ddinas, y gwymon gwyn ar y traeth, y nosweithiau sychion, y lloergan diderfyn a byddar. Cofia'n arbennig udo'r cŵn yn strydoedd gweigion y ddinas yn y nos:

Pan ddeffrown, yn blentyn,
Yn sydyn, tawelwn o glywed
Udo yn y stryd wag
Gan gŵn ar grwydr. 'R oeddynt hwy i mi,
Yn fwy na fflam fechan Ein Harglwyddes
A losgai bob amser yn y stafell honno,
Yn gwmnîaeth gyfriniol.

A phan aeth ef o Alesandria rhoes fynegiant i'r ymwybod o rwygiad sy'n etifeddiaeth barhaus i bob un ohonom a fagwyd mewn dinas estron:

Arall yw fy ngwaed ac ni chlywn dy golli,
Ond yn unigedd y llong
Dwysach nag arfer y dychwelai'r dychymyg
Trist mai tydi, O estrones,
Yw fy ninas enedigol i.

I Baris yr aeth ef, i'r brifysgol yno. Cyfarfu yno â'r peintiwr Eidalaidd, Giorgio de Chirico. Dywedwyd droeon fod tebygrwydd rhwng y golygfeydd a grea de Chirico ar gynfas a'r golygfeydd a grea Ungaretti yn rhai o'i gerddi. *l.'*ae gennyf ffotograff o un o ddarluniau de Chirico o'm blaen yn awr: stryd hir a'r haul yn taro ar gyfres o byrth clawstyraidd a mur hir, mud uwch eu pennau ar un ochr, a'r ochr arall i'r stryd megis carchar yn y cysgod a phantecnicon ar y gornel. Rhwng muriau'r stryd gorwedd yr heol yn yr haul, a chysgod gŵr ar ei thraws yn y pen uchaf a genethig yn rhedeg ar ôl cylchyn yn y pen isaf; y mae hi megis ar goll mewn dinas o gysgodion bygythiol a haul dall.

Cyfaill arall a gafodd Ungaretti ym Mharis ydoedd Guillaume Apollinaire, y bardd a gyhoeddodd ei gerddi cynnar, *Alcools*, yn 1913. Fe sonnir am ddylanwad Mallarmé a Valéry ar waith Ungaretti; a gwir iddo drosi cryn dipyn o'u gwaith i'r Eidaleg yn ddiweddarach. Ond dylanwad ac esiampl Apollinaire sydd amlycaf o ddigon yn ei gerddi cynnar. Nid Ffrancwr mo Apollinaire ychwaith — ceir disgrifiad gwerthfawr o'i waith ef yn llyfr Saesneg C. M. Bowra, *The Creative Experiment* — a denodd ef Ungaretti i farddoni gydag ef yn y Ffrangeg ac yn ei ddull ef. Yn wir, bardd Ffrangeg a fu Ungaretti hyd at y rhyfel yn 1914. Bu'n byw gyda'r beirdd a'r artistiaid ifainc a geisiai ddarganfod ffynhonnau newydd i farddoniaeth yn y blynyddoedd cyn y rhyfel byd cyntaf, pan oedd Paris yn ganolfan celfyddyd a llên i Ewrop a'r Amerig. Collodd Ungaretti Ffydd ei fam; celfyddyd a barddoniaeth oedd ei ffon yn awr.

Daeth rhyfel 1914 ac fe aeth Giuseppe Ungaretti i'r Eidal ac i'r fyddin a darganfod gwlad ei dadau:

Dyma afon Serchio
Y bu'n rhwym wrthi
Ddwy fil o flynyddoedd
O'm hynafiaid gwledig i
A'm tad a'm mam.

Yn Lucca, prifddinas eu hen dalaith, darganfu hefyd mor nodweddiadol ffyddlon i'r teip oedd ei rieni ef ei hun:

Y tu mewn i'r muriau hyn nid oes ond pobl ar daith.
Nid oes ond sôn am ymadael.
Eisteddais yn yr heulwen ar hiniog y gwesty
Gyda gwŷr a ddywedodd wrthyf am Galiffornia
Megis am eu ffarm eu hunain.
Fe'm gwelais fy hun gyda dychryn ym mhriodoleddau'r
    bobl hyn.
Yn awr fe'i clywaf yn rhedeg yn dwym yn fy
    ngwythiennau, gwaed fy meirwon gynt.
Cymerais innau gaib yn fy llaw.
Yng nghwysi poethion y pridd, chwerthinllyd yw
    f'adnabod fy hun.
Yn iach mwyach bob hiraeth a dyheu.
Gwn am a fu ac a fydd gymaint ag y geill dyn ei wybod.
Gwn fy nhynged yn awr, canys gwn fy nechreuad . . .
Nid oes yn f'aros yn awr ond dysgu marw.

Yn 1932, sgrifennodd gerdd dan y teitl '1914-15' sy'n dweud sut y llefarodd yr Eidal o'r diwedd wrth ei mab alltud, sut y gwelodd ef eira gyntaf ar fynyddoedd ei hynafiaid, yr olwg a gafodd ef ar y meysydd gwinwydd, ar yr olewydd a'r gypreswydden a'r bythynnod ar lethrau'r bryniau. Moliant i'r Eidal yw'r gerdd honno; ysgrifennwyd hi yng nghyfnod Mussolini ac efallai fod rhyw awgrym ynddi o wladgarwch gwneud. Ond yn 1916, wedi mynd yn filwr, y sgrifennodd Ungaretti ei gyfarchiad cyntaf i'r 'Eidal':

Bardd wyf i
Cri fy mhobl
Craidd breuddwydion

Myfi yw ffrwyth
Impiadau a chroesiadau di-rif
Wedi addfedu dan wydr

233

Ond fe borthwyd dy bobl di
O'r unrhyw bridd
Ag y'm porthwyd innau
O Eidal

Ac yn y lifrai hwn
Yn filwr i ti
Ymdawelaf
Megis petai'n grud
I'm tad

Darganfod neu ddatgladdu fel yna ei wreiddiau ei hunan fu rhan bwysig o'i brofiad ef yn y rhyfel byd cyntaf. Rhoddaf un enghraifft arall o blith y telynegion a sgrifennodd ef yn y ffosydd yn 1916:

O'r tai hyn
Nid erys yn awr
Onid ambell
Ddernyn o fur
O gynifer
Yr ymglywaf i â hwynt
Nid erys yn awr
Hyd yn oed ddim

Eithr yn y galon
Nid oes un groes yn eisiau

Y wlad a ddiffeithiwyd
Yw fy nghalon i

Camwri, wrth gwrs, yw cyfieithu telynegion. Dywed Ungaretti wrthym am ei gerddi fod pob gair yn gynnyrch llafur drud:

Pan gaffwyd
Yn fy nistawrwydd hwn
Air

Cloddiwyd ef yn fy mywyd
Megis mewn affwys

Y mae ei gerddi rhyfel, 1914-1919, yn dwyn llawer o nodau Apollinaire a'i ysgol, llinellau byrion, weithiau un gair, weithiau ddau, heb unrhyw atalnodi, heb fawr o gystrawen. Dyddlyfr bardd, ebr ef; yn fynych ymddengys ei gân yn hyt-

234

rach yn debyg i dudalen mewn llyfr nodiadau bardd, megis y nodiad hwn am funud ar derfyn noson o Fai:

> Gesyd y ffurfafen
> Ar y meindyrau
> Arlantau o oleuni

Dro arall bydd ei dymer meddwl ef ei hunan yn ddeunydd myfyrdod:

> Megis y garreg hon
> yn Llan Fihangel
> Yr un mor oer
> Yr un mor galed
> Yr un mor sych
> Yr un mor anhydyn
> Yr un mor llwyr
> ddideimlad
>
> Megis y garreg hon
> yw fy wylo innau
> ynghudd
>
> Fe brofir
> marwolaeth
> wrth fyw

Weithiau eraill ni cheir ond awgrym megis yn rhai o'r hen englynion Cymraeg a ganwyd am Lywarch Hen; rhaid i'r gwrandawr neu'r darllenydd aros dros yr awgrym i dreiddio i'w arwyddocâd. 'Milwyr' yw teitl y pedair llinell yma:

> Safant megis
> yn yr hydref
> Ar y coed
> y dail

Dal barddoniaeth yn llygad y ffynnon, yn ei phurdeb byrlymog ifanc, yn fflach y funud gyntaf o ganfod neu deimlo, dyna un rhan o fwriad Ungaretti yn y pethau cynnar yma. Gyda hynny ceisiai roi naddiad ifori, pwys pethau a bery, i benillion sy fel gloynnod byw o ysgafn. O Baris y daethai'r delfrydau hyn a lledu oddi yno dros Ewrop.

Soniais am gyfeillgarwch Ungaretti â'r peintiwr Eidalaidd, Giorgio de Chirico. Disgrifiais un o gynfasau de Chirico, darlun hunllefol y cyhoeddwyd ffotograff ohono yng nghylchgrawn od Wyndham Lewis, *The Enemy*; ym-

235

ddangosodd hwnnw yn 1926, yr oedd ynddo ysgrifau gan T. S. Eliot a
Wyndham Lewis, a nifer o ddarluniau gan Wyndham Lewis, ac ysgrif ar gel-
fyddyd de Chirico. Yr "ugeiniau" oedd cyfnod cyfathrach de Chirico ag André
Breton, ac felly y daeth Ungaretti hefyd i gadw cwmni Breton ac eraill o'r tra-
realwyr cynnar. Ni thybiaf fod yn rhaid imi drafod syniadau Breton a'i ysgol er
mwyn egluro cerddi Ungaretti rhwng 1925 a 1928. Ni fabwysiadodd
Ungaretti egwyddorion Breton. Fel de Chirico ar gynfas fe lunia Ungaretti
mewn cerddi byrion olygfeydd a ffigurau sy megis pethau a welir mewn
hunllef neu freuddwyd tywyll. Dyma enghraifft a sgrifennwyd yn 1925:

> A'i lygaid yn dân wele flaidd hiraethus
> Yn croesi'r distawrwydd moel.

> Ni ddargenfydd ond cysgodion y ffurfafen ar yr iâ,

> Lluniant rithiau seirff a fioledau brau.

Ymddengys honna i mi'n drawiadol debyg i'r darlun gan de Chirico a ddis-
grifiais yn yr erthygl flaenorol. Ond dyma'n awr gerdd o gyffelyb naws ac
ysbrydiaeth, eithr sy'n fwy cymhleth ei golygfa ac yn fwy crefftus ei gwneuth-
uriad; 'Yr Ynys' yw ei theitl hi, ac fe ddwg ar gof i mi rai o ynysoedd
Baudelaire:

> Ar draeth a oedd yn fythol rhwng dau olau
> Dan gysgod llwyni hynafol glaniodd yntau,
> A cherddodd rhagddo
> Onis trawyd gan sŵn adenydd
> A ollyngwyd gan rillianllyd
> Chwyrnellu dyfroedd crasboeth,
> A drychiolaeth (llewygodd
> A dadebrodd) a welodd;
> Ac ar ail lam fe welodd
> Mai meinwen ydoedd, a gysgai
> Ar ei thraed gan gofleidio pren llwyfen.
> Ac yntau hefyd ar wedd fflam bur
> Ar ddidro, daeth at ddôl ac ynddi
> Dwysâi'r cysgod yn llygaid
> Y gwyryfon megis
> Cyfnos wrth fonau'r olewydd.
> Dihidlodd y canghennau
> Gawod ddu o bicellau.
> Yma'r oedd defaid yn hepian
> Dan y tes cyson,

Porai eraill
Y brethyn elor disglair;
Gwydr oedd dwylo'r bugail
A lathrwyd gan boethgryd nychlyd.

Perygl parod y math hwn o ganu yw bod yn od, yn ddyrys drawiadol am dro, ac yn y pen draw yn gwbl ddibwys. Ymddengys i mi nad gwir mo hynny am y cerddi hyn gan Ungaretti. Gobeithiaf fod rhywbeth o rin dieithr, cyffrous y gwreiddiol yn treiddio drwy fy nghyfieithiadau. Fe gewch beth o'r un naws weithiau mewn darnau o hen chwedlau megis 'Iarlles y Ffynnon' a 'Pheredur'. Y mae rhai o rigymau a sonedau T. H. Parry-Williams, er enghraifft 'Llyn y Gadair', yn troi yn yr un byd o hunllef arwyddocaol. Mae'r byd a ddisgrifir yn y cerddi hyn rhwng 1925 a 1928 yn unicach, yn wacach, yn fwy diystyr na byd ei gerddi rhyfel 1914-1919. Ar ôl 'Yr Ynys' fe geir 'Hymn i Farwolaeth':

Angau, fy chwaer anghofus,
Unwedd â breuddwyd y'm gwneir
Gan dy gusan di.

Profiad yw hwn na all barhau'n hir i gynhyrchu barddoniaeth fawr. Rhaid i'r bardd dewi a mynd i Abisinia, neu dewi a marw, neu ynteu ailddechrau a newid. Yn 1927 sgrifennodd Ungaretti 'Atsain':

Troednoeth y dringi'r Sahara lloergan,
Wawrddydd, f'anwylyd llawen, a llenwi'r
Bydysawd alltud ag atsain, gan adael
Yng nghnawd y diwrnodiau,
Fel hoywal barhaol, archoll sy gudd.

Ond cyn dilyn meddwl y bardd yn y blynyddoedd nesaf mae'n llawn bryd sylwi ar y newid a fu eisoes ar ei arddull. Anaml yn ei ail gyfrol y ceir ganddo linellau byrion, un gair neu ddeuair, fel yn ei gerddi rhyfel. Dacw'r atalnodau gramadegol oll wedi dychwelyd i'w benillion hefyd, a phriflythrennau ar gychwyn pob llinell. Nid cyfnewidiadau arwynebol a dibwys mo'r rhain. Ystyriwch fater atalnodi: fe argreffir (ac fe sgrifennir) barddoniaeth yn llinellau; gan hynny, y mae trefniant y tudalen ei hunan eisoes yn atalnodiant. Os na bydd dim atalnodi ond hynny, yna fe ddeëllwch fod pob llinell yn frawddeg, a bydd eich meddwl yn pederfynu'n rhwydd ai coma neu bwynt neu wahannod arall a fyddai'n briodol i gyfleu eich deall o'r gerdd yn llawn petai angen arwyddion i'w dehongli. Hynny yw, y mae cerdd heb atalnodau yn gerdd sy'n honni o leiaf ddweud ei neges yn gyflawn hebddynt, — ac os felly, y mae hi'n gerdd wedi ei hatalnodi'n ddigonol. Golyga hynny'n ymarferol fod y frawddeg a'r llinell yn ogyhyd, a bod cystrawen y gerdd yn seml ac elfennol. Gellid gadael englynion Llyfr Coch Hergest oll heb atalnodau.

I'r beirdd a ddaethai dan ddylanwad Mallarmé ac a fynnai "farddoniaeth bur", yr oedd bwrw allan atalnodau'n gam cyson â'u delfryd. Golygai hynny droi pob llinell yn ddatganiad, yn welediad neu'n ochenaid neu'n ymglywed, yn ddigonol ynddi ei hun; neu ynteu gysylltu llinellau ynghyd yn bennill mor dryloyw fel y byddai pob llinell unigol yn gymal barddonol boddhaol. Golygai'n arbennig fwrw allan gymhlethdod deallol. Barddoniaeth bur (yn ôl y dehongliad hwn) yw barddoniaeth sy'n symud o'r synhwyro i'r mynegiant heb ei llygru gan y meddwl haniaethol. Rhoi naid o'r profi i'r dweud megis petaent un. Yn awr os edrychwch ar y cyfieithiad uchod o 'Ynys' Ungaretti, fe welwch fod y gerdd wedi ei hatalnodi drwyddi — ie, a'r arswyd annwyl y mae ganddi frawddeg mewn cromfachau. A oes un dim yn dwyn ôl bawd y meddwl haniaethol, y deall sy'n rhoi trefn ar y synhwyrau, yn amlycach na chromfachau? Y pennill paragraffaidd Petrarcaidd yw'r uned yn awr; creadigaeth y deall yw pennill Petrarca. O 1924 ymlaen rhoes Ungaretti ei fryd fwyfwy ar ddilyn Petrarca a Leopardi, ac ail-greu pennill traddodiadol yr awdlau mawr Eidaleg; a hynny heb golli uniongyrchedd arddull ei ganu cynnar.

Golygai hynny nid y pennill yn unig, ond y llinell fawr un sillaf ar ddeg hefyd, llinell y traddodiad. Er mai *vers libre* yw llinell Ungaretti o hyd, daw'r *endecasillabo* — y llinell un sillaf ar ddeg (neu un ar ddeg technegol) — yn fwyfwy i hynodi ei waith diweddaraf. Ac os caniatewch imi un dyfyniad o'r Eidaleg wreiddiol, mi dybiaf fod y llinellau hyn, oblegid dyfnder eu myfyrdod ac yng ngrym a chyfoeth eu miwsig, yn deilwng yn wir o etifedd Leopardi:

> Non seppe
> Ch'è la stessa illusione mondo e mente,
> Che nel mistero delle proprie onde
> Ogni terrena voce fa naufragio.
> (Ni wyddai mai'r unrhyw ledrith ydyw'r byd a'r bryd,
> ac yn nirgelwch ei donnau ei hun daw pob llais daearol
> i longddrylliad).

Yn 1928 y mae'r trydydd cyfnod ym marddoniaeth Ungaretti yn agor. Y flwyddyn honno yr wynebodd ef ei ddiddymdra a throi ei fyfyrdod ar Dduw ei fam; pennod o weddïau ac ymsonau byrion crefyddol yw pennod yr 'Hymnau'. Cyflwr dyn a'i gyflwr ef ei hunan yw man cychwyn yr ymson:

> Enbyd yw pwys bywyd arno
> Megis pwys aden y wenynen farw acw
> I'r morgrugyn sy'n ei dwyn ymaith.

Tybed fod dyn yn annheilwng hyd yn oed o obaith.
Arglwydd, gwêl ein gwendid ni.
Yr hyn a fynnem yw sicrwydd.
Blinais ar udo heb lais.

A oes neb a etyb?

Ai breuddwyd yn unig a fyddi dithau, Dduw?

A'r rheini sy'n gweddïo arnat, Dduw,
Ai enw yn unig wyt ti iddynt?

Fe'm heliaist i oddi wrth fyw.
A heli di fi hefyd oddi wrth farw?

Dail sychion,
Enaid a deflir yma ac acw.

I'th ystyried di, O Dragwyddol,
Nid oes gan ddyn ond cableddau.

Erys un peth yn sicr:

Angau, air dileferydd,
Tywod a daenwyd megis gwely
O waed,
Clywaf di'n canu megis criciedyn
Yn rhosyn crin fy myfyrdod.

Y Boen yw teitl pedwaredd gyfrol Ungaretti, sy'n cynnwys ei gerddi o 1937
i 1946. Ar gychwyn y cyfnod hwnnw yr aeth ef i Brasil ac yno bu farw ei unig
blentyn. Collodd hefyd ei unig frawd. Dychwelodd i'r Eidal yn 1942 a bu yn
Rhufain tra meddiannwyd y brifddinas gan yr Almaenwyr. Canu ei drallod a
wna'r bardd yn y gyfrol hon, ei drallod personol gyntaf ac yna drallod ei wlad
a'i bobl. Rhaid imi gyfaddef fod y cerddi sy'n datgan ei alar a'i hiraeth am ei
blentyn mor ddwys ac mor debyg i igian wylo gŵr fel mai anodd yw eu hystyr-
ied yn feirniadol na'u gwerthfawrogi fel barddoniaeth. Fe fedr yr Eidalwyr roi
mewn barddoniaeth enwau anwes, mama, dada, baba, na feiddiai neb ohonom
ni yn Gymraeg, a chyda hwynt fe geir brawddegau sy'n bradychu myfyrdod y
bardd ym mhenodau cryfaf Dante.

Egyr y gyfrol ar ddwy gerdd o alar am frawd y bardd. Yng ngherddi'r holl
flynyddoedd trist hyn ni chenfydd y darllenydd mwyach olion ffasiynau bardd-
onol o gwbl. Yr enwau mawr Eidalaidd, Dante, Petrarca, Leopardi, Manzoni

239

hefyd, a ddaw i'r cof; canu clasurol, mawr, sydd yma yn nhraddodiad yr Eidal, yn rhoi llais i chwerwder diderfyn holl genedlaethau'r ddynoliaeth. Rhodia'r bardd rhwng muriau'r Colosewm, gwêl ddynion yn mynd heibio iddynt:

> A'r syndod, a hwy'n gysgodion, pe llefarent.

Ac yna fe dry i mewn i eglwys Sant Clement. Yno y mae darlun Masaccio o'r Croeshoeliad, ac fe sylla'r bardd, yn nyfnder ei anobaith a'i drallod, arno, wedi colli ohono bob dim yn ei deulu ac yn ei wlad a roddai werth ar fywyd. Cyfieithaf yn awr yn foel ac nid oes gennyf amser i gaboli fel y dymunwn:

> Gwelaf yn awr yn y nos drist a dysgaf,
> Gwn fod Uffern yn agor ar y ddaear
> I'r graddau y bo dyn
> Yn ei ynfydrwydd yn ymwahanu
> Oddi wrth burdeb dy Basiwn Di . . .
> A'r holl swm o boen
> A wasgar dyn ar ei daith ar y ddaear
> Yw'r clwyf yn dy galon Di.
> Dy galon di yw eisteddle dioddefaint
> Y cariad nad yw'n ofer.
> Crist, curiad calon myfyrdod,
> Seren a gnawdiwyd yn y niwloedd dynol,
> Frawd sy'n dy roddi dy hun
> Yn dragwyddol i'th ladd er mwyn ail-greu
> Dynion yn ddynol, y Santaidd, Santaidd, sy'n dioddef,
> Feistr a brawd a Duw sy'n gwybod ein gwendid,
> Santaidd, Santaidd, sy'n dioddef
> Er mwyn rhyddhau y meirwon oddi wrth farw
> A'n cynnal ni sy'n fyw, yn anffodus fyw,
> Mwyach nid ing unigrwydd fydd fy ing innau,
> Canys wele, galwaf Di, Santaidd,
> Santaidd, Santaidd, sy'n dioddef.

Dyna fel y mae bardd mawr cyfoes yn dehongli pasiwn a phoen ein cyfnod ni ac felly'n ailddarganfod ystyr i fywyd: "Oblegid fel y mae dioddefiadau Crist yn amlhau ynom ni," y mae ein diddanwch ni'n amlhau drwy roddi ystyr i'n poen, "mwyach nid ing yr unig fydd fy ing innau":

> D'un pianto solo non piango più.

Fel yna y dychwelodd Ungaretti at Ffydd ei fam. Ymddengys i mi fod ei holl drafael ysbrydol fel yr amlygir yn ei farddoniaeth a'i bererindod o Alesandria drwy Baris a Lucca a Brasil i Sant Clement yn Rhufain, yn un o'r deongliadau mwyaf didwyll a dwfn ddeallol o basiwn yr ugeinfed ganrif.

Y Faner, 2 a 16 Awst 1950

P. M. Jones

Erthygl dda yn y *North Wales Chronicle,* y cyntaf o Chwefror, 1968, gan Mr J. H. Watkins, prif ddarlithydd yn adran y Ffrangeg yng Ngholeg y Brifysgol ym Mangor, yw'r unig deyrnged o bwys a gwerth i'r diweddar Percy Mansell Jones a welais i yn y cyfnodolion yng Nghymru ar ôl ei farwolaeth ef y pedwerydd ar hugain o fis Ionawr. Bu farw yn ei hen gartref yng Nghaerfyrddin. Yr oeddwn innau ar y pryd ar fusnes yn Rhydychen a Llundain, ond aeth rhai a fuasai'n gyfoedion ag ef yng ngholeg Caerdydd i'r angladd, yr Athro Emeritus Richardson, ysgolhaig clasurol a swyn diwylliant Dulyn yn ei foes a'i lais, a'r Athro Heywood Thomas newydd ymddeol o gadair y Ffrangeg yng Nghaerdydd, a Miss Gwen Whale o adran Hanes y coleg, ac enwi'n unig gyfeillion cynnes iawn iddo yng Nghaerdydd. Dywedwyd yn dda amdano gan Mr Watkins yn y capel.

Yr oedd P. M. Jones yn un o fawrion byd y prifysgolion yn holl wledydd Prydain ac yn Ffrainc. Gadawodd ei argraff ar fywyd cymdeithasol colegau Caerdydd a Bangor. Buasai'n efrydydd yn Aberystwyth. Clywais ef yn sôn yn fynych a chyda hoffter am Edward Anwyl a Barbier, a bu'n ffyddlon ar hyd ei oes i'w hen gyd-efrydwyr yno, yn eu plith Thomas Quaile a Mrs Herbert Jones. Ond yng ngholeg Balliol yn Rhydychen y daeth y deffro mawr iddo. Derbyniwyd ef yn aelod o'r cwmni mwyaf dethol o efrydwyr a oedd yno ar y pryd, cwmni yr oedd Aldous Huxley a Thomas Earp a'u cymheiriaid yn ymlonni ynddo, gan adrodd eu barddoniaeth Saesneg i'w gilydd a thrafod pethau diweddar yn llenyddiaeth Paris a Llundain. Bu marc moddion a geirfa a chaboliad ymddiddan y cwmni hwnw ar sgwrs P.M. weddill ei fywyd ac ar arddull ei ryddiaith Saesneg.

Ni fedraf adrodd ei achau. Brodor o dref Caerfyrddin oedd ei dad a chanddo fusnes peintio a phapuro a'i dygai i wybod am holl dai a phlasau'r wlad o amgylch a thai parchus y dref. Byddai ganddo glecs difyr ac athrodus am amryw ohonynt a chofiai P.M. y cwbl. Ceir ganddo yn ei ddarlith *French before Sunrise* sôn am gymeriad ei dad. O sir Derby yng nghanol Lloegr, o deulu o ffermwyr cysurus eu byd y daethai ei fam. Treuliodd P.M. yn blentyn lawer o'i wyliau yn y wlad yn Derbyshire a chlywed yno hanesion am ei daid a'i nain, megis yr hanes amdanynt yn disgwyl bob mis am y rhifyn diweddaraf o'r cylchgrawn yr ymddangosai nofel newydd Charles Dickens ynddo, a'i ddarllen

242

ar eu traed ynghyd â phob un yn dal tudalen, gan na chytunent o gwbl i'r naill achub y blaen ar y llall. Neu eto'r stori am yr hen ŵr ei daid a arferai fynd a'i wn dan ei gesail i'r tŷ bach ym mhen draw'r ardd ac eistedd ar y sedd yno a saethu at yr adar a ehedai hebio i'r drws agored. Un tro, heb iddo wybod, gadawsid y llidiart rhwng y cae a'r ardd heb ei fachu a rhedodd ei hoff ferlen i'r ardd a derbyn yr ergyd yn ei phen. Ymhen y rhawg cafodd ei ferched yr hen ŵr yn eistedd yn ddidrywsus ar y pridd gwlyb yn wylo a phen y ferlen farw ar ei liniau noeth. Hoffai P.M. adrodd y straeon hyn am fywyd gwledig canolbarth Lloegr yn y ganrif o'r blaen. Yr oedd ganddo hawl ar arfbais y teulu a rhoddai hynny bleser a difyrrwch iddo yn ei flynyddoedd cynnar. Peth diweddarach yn ei hanes oedd diddordeb yn helyntion Cymru. Nid tref a fagai hynny oedd Caerfyrddin yn ei lencyndod ef.

Buasai'n wanllyd ac yn wael ei iechyd er yn blentyn. Pan ddeuthum i i'w adnabod gyntaf, tua 1923, yr oedd *régime* dyn afiach eisoes yn rheol ganddo. Yn y coluddion yr oedd y drwg. Anaml y byddai'n rhydd oddi wrth anesmwythyd a phoen. Daeth gorwedd ar y gwely bob prynhawn yn rhaid ac yn foeth. Yr oedd ganddo rai o nodweddion isel ysbryd hupocondria. Pan oedd y colitis yn gafael ni fedrai ef fwyta prydau bwyd cyffredin gwragedd lletyau Caerdydd neu Fangor, ac nid syn mo hynny. Cyn hir fe â'i hi'n rhyfel agored rhyngddo a'r wraig druan pa le bynnag y byddai. Ef ei hun a adroddai wrthym ni hanesion am y brwydrau anhygoel ddigri a thruenus hyn. Gorffennodd rhagor nag un ohonynt ac yntau allan ar balmant y stryd a'i glud oll o'i gwmpas ac yntau'n chwilio am wely. Yr oedd ganddo ddawn i'w weld ei hun a'i fanwl ddisgrifio'i hun yn gymeriad mewn ffars megis gan Moliére.

Byddai dianc o burdanau tai lojin yn codi ei galon fel llam ehedydd i'r glesni. Dal trên, waeth befo i ble, a dyna'r coluddion yn sydyn yn llithro i'w swydd fel gêr modur da. Roedd hi'n haul ar fryn, a bwyd a llyn yn nectar Olumpaidd bêr. Mae gennyf gofnodion byr am ambell ginio. Er enghraifft y nos Sul cyn y Nadolig (20/12/1931) yr oedd P.M. yn aros gyda ni yn Abertawe. Buasai Margaret yn brysur drwy'r prynhawn tra oedd ein gwestai ar ei wely. Daeth yntau i lawr yn llawn afiaith i swper. Bwytawyd cyw iâr rhost a oedd yn rhodd dymhorol oddi wrth Mrs Moses Griffith, wedyn halogan (yn ôl Bodfan; selri ddwedwn i) wedi araf ferwi mewn gwlych; caws Stilton ar ei hôl. Potel o win Pomerol 1917 gyda'r caws ac wedyn eirin gwlanog o Ddeau'r Affrig a hanner potel o Chateau Yquem 1923 gyda'r eirin. Coffi a'r cognac i gloi a P.M yn ei hwyliau gorau yn dweud hen hanesion am ei deithiau gyda Verhaeren a'i ymweliad ag André Gide. Y mae'r bennod, 'Talks with French Poets in 1913-14' yn ei lyfr, *The Background to Modern French Poetry*, yn cyfleu naws ymddiddan P. M. Jones gystal â dim, y cyfuniad o sylwgarwch craff a threiddgarwch meddwl a chofio rhyfedd, ond ei fod ef yn fwy rhydd a llai parchus yn ei sgwrs, ac o'r herwydd yn ddifyrrach fyth.

Bu ganddo yntau enw am ei farddoniaeth Saesneg yng ngholeg Balliol, ond ni wn iddo gyhoeddi dim. Yn fachgen ei arglwydd ef oedd Wordsworth; "an old Wordsworthian" oedd ei air amdano'i hunan hyd yn oed yn ei hen ddyddiau. Un enghraifft o'i fedr ef ar gerdd sy gennyf i. Buasai ef a J. M. Thorburn a minnau yn crwydro yn Ffrainc yn ystod haf 1927. Yr oedd Thorburn yn brif ddarlithydd mewn athroniaeth yng Nghaerdydd, ond yn od ddychrynllyd yr oedd ef hefyd yn sêr-ddewin. Gofynnodd ef i mi am funud ac am fan fy ngeni er mwyn paratoi horosgop imi a rhagolwg ar weddill fy mywyd. Aeth wythnosau heibio heb air oddi wrtho. Pan ddeliais ef dywedodd wrthyf fod fy rhagolygon yn y tridegau mor druenus fel nad oedd ganddo galon i'w dangos imi ac fe'u llosgodd. Daeth P.M. atom wedi'r calan, yn ddi-hwyl ar y cychwyn, ond aeth adref i Gaerfyrddin ymhen tridiau yn dalog ddigon a gadael potel moddion hanner llawn ar ei ôl. Anfonais ato i ofyn a gawn i anfon y botel ato a daeth ateb wedi ei ddyddio:

> Stick to the bottle! Would that it were brimmed
> With some old noble vintage from the plain
> Of Beauce, hillsides of Burgundy, or low Touraine!
> So, quaffing, would your gaze be gently limned
> With images of Chartres, Paris, Tours,
> Jones the benighted, Thorburn the be-whimmed,
> Radiant Jurancon, ripe Chateau Latour.

P.M. 11-1-'28

Mewn nofel yn unig y gellid dweud dim tebyg i hanes P.M. a merched. Does gen i ddim hawl i adrodd cyfrinachau. Yr oedd ei straeon amdanynt yn anhygoel ac yn anhygoel ddigri ac yn ddi-rif. Fe hoffai ef ferched a hoffi eu cwmni yn fwy na chwmni gwŷr. Dyna nodwedd arbennig Ffrengig ynddo. Ni fynnai er dim briodi. Fe olygasai hynny chwyldroi trefn ei ddyddiau a diorseddu'r coluddion yr oedd ganddynt briod hawl ar ei ofal. Ond yr oedd merched yn colli eu calonnau i P.M. ribidirês, Cymraesau, Ffrancesau, Saesnesau, merched y Swistir, efrydwyr, darlithwyr, gwragedd priod. Mi wn i am bedair a ymbiliodd arno i'w priodi fwy na dwywaith. Yr oedd pob un ohonynt nid yn unig yn dlws i ryfeddu, ond yn *distinguée* mewn unrhyw salon. Gwrthododd un law tywysog o'r Eidal a chynnig arglwyddi o ddwy wlad arall tra oedd eto obaith iddi ennill calon y darlithydd coluddgar hwn. Nid wyf yn tybio ei fod ef yn philandro fwy na'r rhelyw ohonom. Yr oedd ganddo gwrteisi a gweniaith a moes brydferth a dawn i ymddiddan ac i wrando ac awydd naturiol i helpu pob un a oedd mewn trwbwl yn ei garu; rhoddai ei amser — oddieithr y prynhawn — yn helaeth iddynt. Yr oedd hynny'n gymwynas. Nid oedd arno arlliw o'r gwrywgydiwr na dim annormal yn rhywiol. Ond y mae oes o afiechyd yn gwneud dyn yn anorfod hunanol, a bu rhaid i'r hen lanc ystyfnig hwn droi ei anghysur yn foeth i'w amddiffyn yn erbyn gwarchae'r gelynesau cariadus ac yn erbyn cerddi hudolus y seirenau. Fe adroddai hanes ei sgarmesoedd gyda direidi cynnil a galawnt a blas a phrofiad *connaisseur*. Yr oedd yn mwynhau ei benbleth ei hunan.

O ran hynny yr oedd ei gyfeillion ymhlith y gwŷr mor arbennig ag ymhlith merched. Edrycher ar enwau'r rhai a sgrifennodd yn y gyfrol ysblennydd, *Studies in Modern French Literature Presented to P. Mansell Jones,* a gyhoeddodd Gwasg Prifysgol Manceinion yn 1961. Golygwyd y gwaith gan dri athro cadeiriog o fri ac y mae rhagymadrodd yr Athro Garnet Rees yn deyrnged a erys. Diau mai yn ei gadair ym Manceinion ym mhum mlynedd olaf ei yrfa brifysgol, 1951-56, y cyrhaeddodd P.M. Jones uchafbwynt ei fri a'i awdurdod. Bu ennill yr Athro Eugéne Vinaver yn gyfaill mynwesol yn un o brofiadau mawr cyfnod ei aeddfedrwydd. Y mae ei gyfieithiad Saesneg o lyfr Vinaver ar Racine, cyfieithiad sy bron yn gymaint camp o ddehongli ag ydyw'r gwreiddiol yn gamp o gyfrwyster deall, yn dystiolaeth i'r cyd-ddeall a oedd rhyngddynt a'u cydymdeimlad.

Ceir hefyd gan Garnet Rees lyfryddiaeth weddol gyflawn hyd at 1960. Gyda'r bardd Emile Verhaeren y cychwynnodd P. M. Jones ei efrydiau a chyhoeddodd ei thesis sylweddol arno yn 1926. Bu'n ffyddlon iddo ar hyd ei oes; cyhoeddodd lyfr llai a mwy dethol a mwy beirniadol arno yn 1957, a rhoes iddo le pwysig yn ei *Oxford Book of French Verse* yr un flwyddyn. Ni fedrais i gyfrannu erioed yn ei edmygedd a'i hoffter o Verhaeren. Rhyw fath o *Victor Hugo manqué* a welwn i ynddo. Ond yr oedd P.M. wedi cyd-deithio ag ef ac wedi ennill ei gyfeillgarwch ac fe sgrifennodd yn frwdfrydig gofiadwy amdano yn y *Welsh Outlook* mor gynnar â 1914. Barddoniaeth oedd ei gariad cyntaf drwy ei oes. Yr oedd yn anodd ganddo ddarllen nofelau; yr unig nofelydd y cofiaf i iddo'i frolio a'i fendithio'n ddi-daw oedd Marcel Proust. Bu llawer hir ymgom rhyngom am André Gide, ond yn y bôn nid nofelydd mo Gide. Gwaith na pheidiai P.M. â'i ganmol a'i fawrhau a'i gyfrif yn un o gampweithiau pennaf llenyddiaeth oedd cyfrolau mawrion Sainte-Beuve ar *Port-Royal.* Yn wir mi dybiaf fod peth o effaith hynny ar rai o'i astudiaethau ef ei hunan. O'i holl lyfrau yr un a hoffaf i fwyaf a mynd ato amlaf — ond gyda'r *Baudelaire,* 1952, — yw *French Introspectives,* 1937 (Cambridge University Press). Yn y llyfr elegant hwnnw clywaf acenion ymddiddan P.M. ei hunan ac yntau'n diorchest ddatguddio hir oriau o ddarllen a myfyrio trylwyr a'r gynneddf arno a eilw J. H. Watkins yn gampus odiaeth "his generous fund of incomparable sensibility". Yr oedd ei ysgolheictod yn ddiamheuol, ond fe fynnai fod ei sgrifennu yn annogmatig ac, yn nhraddodiad Balliol, heb ormod pwyslais.

Fe saif ei *Oxford Book of French Verse* yn gofgolofn iddo. Sail i hwnnw yw ei holl astudiaethau unigol a gasglwyd i'r llyfrau ar farddoniaeth fodern Ffrainc. Y mae 'Baudelaire's Poem "Le Cygne", an essay in commentary' a geir yn *The Assault on French Literature,* 1962 yn enghraifft benigamp o'r unig fath o feirniadaeth lenyddol ar farddoniaeth sy'n dwysáu deall a mwynhad. Ond ceir yn rhan gyntaf y llyfr olaf hwn nifer o draethodau sy'n trafod cwrs a chyflwr dosbarthiadau prifysgolion ym Mhrydain ac yn Ewrop ar ôl yr ail ryfel byd. Hyn oedd prif fater myfyrdod P. M. Jones yn ei flynyddoedd olaf, ac y mae ei ddadansoddiad o'r broblem a'i gyfraniad tuag at ddatrys y broblem yn hawlio sylw heddiw fwyfwy. Ychydig iawn o ysgolheigion a beirniaid llenyddol sy'n tyfu'n glasuron llên. Ni welais i neb o'r *Anglo-Welsh* yn enwi P. M. Jones yn un ohonynt hwy. Ni thybiaf iddo yntau feddwl amdano'i hunan ei fod yn un ohonynt. Ond ni byddai'n syn gennyf glywed cyn hir fod rhyw efrydydd newydd raddio, ac un mwy treiddgar na'i gilydd yn un o adrannau'r Ffrangeg ym Mhrifysgol Cymru, yn cynnig astudiaeth o waith a meddwl P. M. Jones yn bwnc thesis am radd uwch.

Taliesin, Gorffennaf 1968

Am Efengyl Marc

Medd Eduard Schweizer yn ei esboniad ar Efengyl Marc:

> Y mae'r hyn a wnaeth Marc yn gamp ddiwinyddol enfawr; fe greodd
> ffurf lenyddol newydd, — yr Efengyl.

A thebyg yw barn Hans Küng yn y cyfieithiad Saesneg o'i waith, *On Being A Christian*:

> Marc oedd y cyntaf i sgrifennu Efengyl. Yr oedd yn gamp o
> wreiddioldeb digymar. Er mai barbaraidd a diaddysg oedd fe greodd
> ffurf lenyddol newydd, math o lên na bu mo'i debyg o gwbl o'i flaen ef.

Bid sicr y mae dweud am gymeriadau hanes ac y mae defnyddiau hanes i'w cael
yn llyfr Marc, ond dengys Küng a llawer ysgolhaig arall nad llyfr hanes
mohono na chofiant o fath yn y byd. Nid oedd gan Farc ofal hanesydd am drefn
digwyddiadau nac am gywirdeb wrth drafod daearyddiaeth y teithiau y dywed
ef amdanynt. Deil Nineham yn ei esboniad yntau:

> Nid yw'r dehongliad cofiannol o'r stori am gyffes Pedr yng Nghesarea
> Philipi na'r cytundeb cyffredin ymhlith esbonwyr i rannu'r Efengyl yn
> ddwy ran ond enghraifft arall o duedd y darllenydd modern i briodoli i'r
> awdur fwriad i sgrifennu cofiant ac i droi ei Efengyl yn hanes bywyd yr
> Iesu.

Ac fe ychwanega Schweizer:

> Y mae llyfr Marc yn debycach i gyfrol o bregethau nag i gofiant.

Deil rhai o'r esbonwyr mai dyna'n union ydoedd gwaith Marc, dull o gy-
hoeddi'r Newydd Da mewn cyfnod o orthrwm a'r pregethau i'w darllen yn
rhannau o bryd i'w gilydd ar Suliau a gwyliau.

Ond y mae hynny'n diystyru profiad o bwys. Darllener llyfr Marc drwyddo
— ac fe ellir hynny'n araf-deg mewn llai na dwy awr — y peth sy'n gafael y tu

hwnt i amau yw grym unoliaeth y gwaith. "Ffurf lenyddol newydd"? Od oes ystyr o gwbl i hynny nid cyfres o bregethau mohono. Mae'n wir ei fod yn newydd. Nid oes yn yr Hen Destament mo'i gymar, na llyfr Ionah na dim o lyfrau'r Brenhinoedd. Dangosodd C. H. Dodd mewn dau o'i efrydiau safonol fod Marc gyda'r holl Gristnogion cynnar wedi ei drwytho yng ngherddi proffwydi'r Hebreaid. Er hynny, creu gwaith rhyddiaith cynhyrfus newydd a dihafal a wnaeth Marc. Y mae'n cychwyn — *in medias res auditorem rapere* — "Dechrau Efengyl Iesu Grist, Fab Duw". Dyna'i thema ef, dyna'i holl fater, dweud am ymwneud Mab Duw â dynion, ac y mae'n gorffen (xvi: 8) gyda gwragedd wedi eu syfrdanu i fudandod arswyd sy megis curiad calon yn peidio gan ddychryn echrys y digwydd sy'n cloi a phrofi ei thesis.

Deil Schweizer nad oes wybod pwy oedd awdur Efengyl Marc: "Ni all ef fod y Marc a enwir yn Actau xii: 12; xiii: 5, 13; Philemon 24 na Colosiaid iv: 10; na Timotheus iv: 11." Ond y mae Swete ac esbonwyr eraill ar ei ôl ef yn derbyn mai'r Marc hwnnw, a fuasai unwaith yn gydymaith i'r apostol Paul ac a'i gadawodd ond a dderbyniwyd yn ôl i'w gyfeillgarwch a mynd ato i Rufain, ac a fu wedyn yn un o'r triawd pwysig odiaeth, Pedr a Silfanus a Marc (1 Pedr v: 12, 14), mai ef, yn ôl y traddodiad ac yn ôl pob tebyg, yw awdur yr Efengyl.

Fe gytuna'r mwyafrif o'r ysgolheigion fod Marc wedi cwblhau ei waith cyn cychwyn yn y flwyddyn 66 y rhyfel rhwng yr Iddewon a Rhufain a ddinistriodd Gaersalem yn 70 A.D. Cytunant gan mwyaf hefyd fod gan yr apostol Pedr ran fawr a phwysig yn symbylu a helpu Marc gydag atgofion a phrofiadau, hyd at fod traddodiad mai Efengyl Pedr yw Efengyl Marc. Cytunant hefyd fod yr awdurdodau Rhufeinig hyd at y flwyddyn 62 yn ystyried mai sect Iddewig oedd y Cristnogion a chanddynt gyda'r Iddewon eraill felly freintiau crefyddol eithriadol dan yr ymerodraeth. Ond yn 62 yng Nghaersalem fe laddodd yr Iddewon Iago "brawd yr Arglwydd," arweinydd Cristnogion Iwdea. Dyna gyhoeddi i'r byd y rhwyg rhwng Iddewiaeth a Christnogaeth. Yr un flwyddyn fe ysgarodd yr ymherodr Nero ei wraig Octafia a phriodi Poppaea. Buasai hi ers tro yn ffafriol i'r Iddewon a deil haneswyr mai hi i blesio'r Iddewon a berswadiodd Nero i ddienyddio'r enwocaf o Gristnogion Rhufain, y carcharor Paul. Diau mai ei ferthyrdod ef a fu achos dychwelyd o Bedr i Rufain i gysuro a chefnogi'r Cristnogion. Felly y daeth Silfanus (Silas Llyfr yr Actau) a Marc a'r Apostol i gydweithio'n glos yn y ddinas. Fe sgrifennwyd Epistol cyntaf Pedr yn y flwyddyn 63, a'r un cyfnod fe ddechreuodd Marc ar ei Efengyl. Buasai ef a Silfanus yn cydweithio cyn hynny yn rhan o deulu Paul ac yn hen gyfeillion. Y mae nodau erledigaeth yn amlwg ar y ddau waith. Ceir gan E. G. Selwyn yn ei esboniad ar yr Epistol baragraff arbennig ar gytundeb diwinyddol Epistol Pedr ac Efengyl Marc. Galwyd yr Efengyl lawer tro ac o ddyddiau bore yn Efengyl y Merthyr, ac os llythyr at ferthyron neu rai'n aros merthyrdod yw rhannau dwys o Epistol Pedr (ii:

21-25), Efengyl i ferthyron ac i rai'n dioddef erchyllterau eithafol, fel y cawn weld, yw Efengyl Marc.

Mis Gorffennaf 64 bu'r tân mawr yn Rhufain a llosgi rhan helaeth o'r ddinas. Rhoddwyd y bai am gychwyn y tân ar y Cristnogion. Y mae'r hanes am y cosbi a'r dial arnynt yn eithriadol yn hanes Ewrop hyd at ddatguddio gwersyll-garcharau'r Nazïaid yn 1945. Ymhlith y cannoedd a laddwyd yr oedd yr apostol Pedr. Gorffennodd Marc ei Efengyl mewn dwyster a dagrau ac fe aeth y llyfr allan i'r eglwys yn Rhufain cyn diwedd y flwyddyn 65, a'r rhyfel yng Ngalilea ar fin cychwyn.

Eilun pobl gyffredin Rhufain, y *plebs*, yn y cyfnod yr oedd Paul a Silfanus a Marc a Phedr yn gweithio yno, oedd yr ymherodr ifanc Nero. Yn fachgen bu ei addysg dan ofal y llenor, dramäydd, athronydd a bardd, Seneca. Dewiswyd Groegiaid enwog yn athrawon iddo, Berylus, Anicetus, Alexander yr Aristoteliad a Chaeremon, arweinydd Stoig o Alexandria. Yr oedd gan y llanc feddwl bywiog a doniau a diddordeb arbennig mewn peintio a barddoniaeth a drama a miwsig a rasio cerbydau rhyfel gyda gweddoedd deng march. Wedi dyfod yn ymherodr fe gasglodd o'i gwmpas feirdd a cherddorion gorau ei gyfnod, a'i gyfaill pennaf yn ei ddiddanion a'i gyngherddau a'i loddestau oedd y *connaisseur* a'r nofelydd Petronius Arbiter, *elegantiae arbiter*, y mae gan Tacitus bennod ryfedd rymus amdano ac am ei farw. Yr iaith Roeg a fuasai'n iaith addysg uchelwyr Rhufain er dyddiau Augustus. Er hynny edrychai'r pendefigion gyda dirmyg ar chwaraeon a chystadlaethau'r Groegiaid ac ar eu hactorion a'u cerddorion. Groegwyr oedd yr holl actorion a chrefftwyr theatr yn Rhufain. Mynnodd Nero fod yn un ohonynt, er dychryn a ffieidd-dra'r holl hen deuluoedd. Mynnodd gystadlu â hwynt ar eu tir hwy eu hunáin. Yr oedd ef yn artist o ddifri a'i ddylanwad ef a brysurodd droi Rhufain yn *urbs Graeca*, yn ddinas Roegaidd, gyda dramâu Groeg neu gerddi sylfaenedig arnynt yn rhan gyson o bleser a difyrrwch y *plebs*. Yn ei theatr preifat ei hun, ac wedyn yn theatrau cyhoeddus Napoli a Groeg, fe welwyd ymherodr y byd yn ei hoff rannau dramatig, Orestes, Heracles, Thuestes, ond y rhan hoffaf ganddo ohonynt oll oedd Oedipws ddall yn Ngholonos. O ganlyniad yr oedd themâu a chymeriadau trasiedïau Groeg yn destunau siarad y ddinas. Ni ellid byw yn Rhufain yn y deng mlynedd 54-64 heb glywed llawer iawn o sôn am gampau llwyfan yr ymherodr a llawer iawn o drafod ar storïau Aischulos a Sophocles ac ar eu dramâu.

Unig ddramäydd Lladin pwysig y cyfnod oedd hen athro Nero a'i brif weinidog wedyn, Seneca ei hunan. Yr oedd ef wedi ei drwytho yng ngweithiau'r trasiedïwyr Groeg, a'u cymeriadau hwy a'u helyntion oedd defnyddiau ei ddramâu yntau. Bu ei ddylanwad ar dwf drama yn Ewrop yn gynt ac yn fwy nag eiddo'r Groegiaid, ond y mae naws ac ysbryd dwfn grefyddol y tri Groegwr mawr yn llwyr wahanol i retoreg Seneca.

Yr oedd y Cristnogion yn Rhufain yn gorff lluosog, "torf enfawr" yn ôl Tacitus, yn "Roegiaid a barbariaid" yn ôl yr apostol Paul. Mis Chwefror, 59, yr anfonodd ef ei epistol atynt. Yr oeddynt o bob dosbarth o gymdeithas, caethion, cyn-gaethion wedi prynu eu rhyddid, dinasyddion, crefftwyr, masnachwyr, teuluoedd busnes a hyd yn oed bendefigion rai a rhai o deulu Cesar. Craffer ar y rhes o enwau tra diddorol ym mhennod olaf Epistol Paul ac ar nodiadau C. H. Dodd yn ei Esboniad arnynt. Rhai'n cyfranogi'n drwyadl yn y diwylliant Helenaidd oedd yr Iddewon yn eu plith. Groeg oedd eu hiaith hwythau megis mai Groeg oedd iaith y synagog. O'r triawd arweinwyr, Pedr a Silfanus a Marc, yr oedd Silfanus yn apostol, yn hen gydymaith a chyd-awdur â Phaul, yn ddinesydd Rhufeinig fel yntau, yn ŵr o addysg a diwylliant Groeg-Ladin gorau ei ddydd. Yr wyf yn pwyso ar bennod bwysig E. G. Selwyn arno yn y rhagymadrodd i'w esboniad ef ar Epistol Cyntaf Pedr. Dengys ef fod Silfanus yn gymaint o fardd ag ydoedd o ddiwinydd, a bod profion sicr o ddylanwad dwfn y trasiedïau Groeg ar eirfa ac arddull yr Epistol: "Y mae'n hynod fod geiriadur Groeg-Saesneg Liddell a Scott yn egluro'r Epistol yma yn hytrach na geirlyfr y Testament Groeg gan Moulton a Milligan. Nid i'r Roeg lafar boblogaidd y mae ef yn perthyn, ond i Roeg Aischulos a'r clasuron." A dyna'r carn i'r farn mai Silfanus a sgrifennodd yr Epistol ar arch Pedr yn neges olaf yr apostol i'w braidd yn Asia.

'Roedd y tri yn hen adnabod ei gilydd ond bu'r gyfathrach rhyngddynt yn awr yn Rhufain fel undod teulu. Y mae cytundeb diwinyddiaeth Epistol Pedr ac Efengyl Marc wedi cael sylw a phwyslais gan nifer o ysgolheigion. Nid oedd Marc yn ysgolhaig. Semitig ac anghlasurol onid barbaraidd, medd y beirniaid, yw ei Roeg. Ond yr oedd ynddo elfen artist, er heb addysg Helenaidd. Ni allai fod yn Rhufain y dyddiau hynny nac yng nghwmni beunyddiol Silfanus ac eraill heb holi a dysgu am hoff gymeriad dramatig yr ymherodr Nero, sef Oedipws ddall yng Ngholonos. Rhaid fod darlun gwreiddiol Sophocles ohono yn ei ddrama fawr wedi peri i Farc fyfyrio ar ddisgrifiad y proffwyd Hebreaidd o was yr Arglwydd:

> Efe a gymerth ein gwendidau ac a ddug ein doluriau; eto nyni a'i cyfrifasom ef wedi ei faeddu, ei daro gan Dduw a'i gystuddio.

Dywed Werner Jaeger am Oedipws yn y gyfrol gyntaf o'i *Paideia*, un o lyfrau mawr y ganrif hon:

> O'r cychwyn yr oedd y brenin trasiedïol, a oedd i ddwyn pwysau holl boen y byd, yn ffigur symbolaidd. Cynrychiolai yn ei berson ei hun ddioddefaint y ddynoliaeth. Y mae ei ing yn ei ddyrchafu'n ffigur sanctaidd. Mae'r côr yn ymglywed â'i arswyd, ond, fwy o lawer, â'i fawredd anghyffwrdd.

Yng ngeiriau Oedipws ei hun yn y ddrama yr oedd ef yn berson "cysegredig ac yn ofni Duw". Y mae pwyntiau eraill o gyffelybiaeth i hanes yr Arglwydd Iesu y gallasai Silfanus eu dangos i Farc. Bydd yn fuddiol rhestru rhai ohonynt:

1. Brenin wedi ei daflu allan o'i wlad yw ef, yn ddall a thlawd ac yn ei garpiau. Nid oes ganddo le i roi ei ben i lawr.

2. Nid oes yn y ddrama hon sôn am ei enedigaeth na'r proffwydoliaethau amdano nac am ei anfon yn faban allan o'i wlad.

3. Teithiwr yw ef dan arweiniad y Nefoedd, fel y gŵyr ef yn sicr, ac yn teithio tuag at ei angau a'i fedd.

4. Bydd ef yn fendith oesol i'r wlad a'i derbynio ac yn dramgwydd a melltith i'r wlad, ei briod wlad, a'i gwrthodo.

5. Y mae ei ddau fab wedi ei wadu a'i fradychu, wedi ei daflu allan o'i wlad. Nid oes ganddo ond ei ddwy ferch i'w borthi ac i weini arno i'r diwedd.

6. Y mae ffurfafen y nefoedd yn cyhoeddi awr ei farw â mellt a tharanau ac yn y diwedd yn galw arno wrth ei enw.

7. Mae man ei fedd yn gysegredig ond anhysbys.

Dyna rai pwyntiau yn y ddrama farddonol glasurol yr oedd Silfanus wedi ei myfyrio ac wedi dysgu digon ohoni ar ei gof i'w geirfa hi fynd yn rhan o'i eirfa yntau. Ac nid stori drychineb mohoni; nid dyna ystyr trasiedi i Sophocles, eithr stori sy'n cynnwys neu'n arwyddocáu bod addewid o ystyr i ddioddefaint y byd er na ellir ei ddeall. Y mae hanes Oedipws yng Ngholonos yn gorffen gyda dychryn mawr ond yn gorffen hefyd yn nefol mewn hedd. Byddai dwys dduw-ioldeb Silfanus a'i ddeall o farddoniaeth fawr yn debyg o ddangos hynny i Farc.

Yr oedd y dyddiau'n bryderus. Rhaid bod Silfanus wedi darllen yr Epistol i Bedr ac wedi cynnwys ei gyffyrddiadau terfynol ef yn gynnar yn 64. Ac yna, Gorffennaf 19, dyma'r tân difaol a gadael hanner poblogaeth y ddinas yn ddigartref. Mis Awst rhoddwyd y bai am ei gychwyn yn fwriadol ar y Cristnogion. Ceir gan Tacitus bennod arswydus y dywed ef ynddi gondemnio'r Cristnogion "nid yn gymaint am drosedd llosgi eiddo ag am eu casineb tuag at yr hil ddynol". Bu'r miloedd, medd ef, dan arteithiau erchyll greulon a chroeshoelio oedd y trugarocaf ohonynt. Cytunir yn gyffredin mai un o'r rhai a ddienyddiwyd oedd yr apostol Pedr.

Paham y cyhuddwyd y Cristnogion o gasáu eu cyd-ddynion? Bu llawer ateb ar hyd y canrifoedd. Y tebycaf i'r gwir yw eu bod hwy'n disgwyl ar fyrder ddiwedd y byd a dychwelyd o Grist yn ei ogoniant i gyflawni gobaith ei etholedigion ac i gollfarnu'r gweddill. Yr oedd hynny'n ddiau yn rhan o'u daliadau a rhaid tybio iddynt gydnabod hynny a chydnabod fod yr erlid arnynt a llosgi'r brifddinas, calon yr ymerodraeth, yn arwyddion fod y terfyn gerllaw a'r farn fawr ar ddyfod. Dyna'r ofergoel farwol a ddirmygai Tacitus a dyna'r cefndir i Efengyl Marc. Yn angerdd ac ing a dychryn a therfysg a'r cuddio rhag y cŵn a'r plismyn a'r arteithiau yn y parciau nos a dydd a'r disgwyl a'r gobaith am yr ymwared ar gymylau gogoniant, yn ail hanner y flwyddyn 64 a hanner cyntaf 65 ysgrifennodd Marc a threfnodd ei drasiedi ryddiaith i'r gweddill Cristnogion yn Rhufain. Y mae dylanwad Silfanus yn drwm ar ei waith, a thrwy Silfanus, yn ail-law, fawredd Sophocles. Gwelodd fod ei Feseia ef ac Oedipws Sophocles yn eu duwioldeb dwys a'u hymwybod â phoen y ddynoliaeth yn agos i'w gilydd a bod cynllun a pheth o dechneg trasiedi glasurol yn ymaddasu'n burion i draddodiad rhyddiaith yr Hebreaid. Sgrifennodd yntau yn ei Roeg Semitig i roi i'r darpar ferthyron o'i gwmpas ei weledigaeth ef gydag atgofion Pedr o'r Merthyr a fwriadodd ei ferthyrdod, a rhoi inni felly yr hyn a alwodd yr ysgolheigion yn "ffurf lenyddol newydd, camp o wreiddioldeb digymar." Yn Gymraeg byddai galw Efengyl Marc yn bryddest ryddiaith yn ei disgrifio'n deg.

I'r eglwys Rufeinig hon, wedi ei rhwygo a'i gwasgaru megis diadell o ddefaid gan fleiddiaid, a hanner ei deiliaid hi nid hwyrach yn weision caeth heb na chyfraith na hawl ddynol o fath yn y byd i'w hamddiffyn, yr ysgrifennodd Marc ei gampwaith annisgwyl, a rhoi'n deitl iddo "Dyma Efengyl Iesu Grist, Fab Duw". Felly y cyhoeddwyd ei brif thema ef ar unwaith. Gellir rhannu ei bryddest brôs yn dair rhan (yn hytrach na'r ddwy ran arferol gan yr esbonwyr) ac fe ddaw cyhoeddi'r teitl hwn yn ddramatig sydyn ar gychwyn y rhan gyntaf a'r ail, ac yna yn derfynol ac yn broffwydol cyn darfod y drydedd ran.

Y mae ganddo ail thema a hon sy'n rhoi mawredd chwyldroadol i'r stori ac a fu'n siom ac yn dorcalon i lawer Iddew a fagwyd ar obaith Israel. I eglwys Rufain hefyd yn 65 yr oedd hon yn neges syfrdanol, sef mai'r Iesu hwn oedd yn wir y Crist a addawyd i Israel, ef oedd y Gwaredwr, ef ei hun oedd y Newydd Da; ond nid ffordd y concwerwr gwyrthiol disgwyliedig oedd ei dynged ef, eithr ffordd Gethsemane a'r Golgotha rhwng lladron.

Rhaid dal mewn cof un pwynt arall wrth ddarllen yr Efengyl. Gwyddai Marc y byddai copi neu gopïau o'i femrwn yn sicr o syrthio i ddwylo swyddogion Tigellinus yn Rhufain. Bu yntau mor ofalus â Phedr a Phaul. Ni fynnai chwanegu at beryglon ei gynulleidfa. Mae'n hawdd darllen y gwaith heddiw heb ganfod mai stori boliticaidd yw hi. Ond i bob Iddew yn Rhufain a wrandawai ar ddarllen y llith yr oedd drama boliticaidd stori Marc yn ferw fyw. Buasai gan dalaith Galilea hen draddodiad o genedlaetholdeb Iddewig a phedair blynedd cyn geni Iesu fe gododd gwrthryfel tanbaid yn erbyn Rhufain; fe'i trechwyd ac fe groeshoeliwyd dwy fil o'r Phariseaid a'u dilynwyr. Deng mlynedd wedyn bu cais arall i ennill annibyniaeth. Ni pheidiasai chwaith o gwbl yr atgof am arwriaeth y Macabeaid, ac er holl ofal Marc bu'n rhaid iddo yntau gofnodi cwestiwn bradwrus yr Herodianiaid "Ai cyfreithlon rhoi teyrnged i Cesar?" Eisoes yn 65 yr oedd cynnwrf yng Ngalilea, a'r flwyddyn wedyn cychwynnwyd y rhyfel terfynol a oedd i orffen yn 70 gyda dinistr Caersalem.

Egyr Marc ei Efengyl gan ddyfynnu addewidion y proffwydi a'u cysylltu â bedydd Ioan. Dyna ddatgan mai Eglwys Crist oedd yr Israel newydd ac etifedd y proffwydoliaethau. Yr oedd hynny'n rhan hanfodol o gredo'r Cristnogion. Daw Iesu i'w fedyddio ac wrth iddo esgyn o'r dwfr fe glyw lef o'r nef. "Ti yw fy mab," ac ar unwaith wedyn bu yn y diffeithwch yn ei demtio gan Satan. Y mae efengylau Mathew a Luc yn manylu ar stori'r temtiadau, pob un yn cychwyn gyda'r her "Os Mab Duw wyt ti . . .", gan ddangos mai brwydr seicolegol rhwng ffydd yn natguddiad y bedydd ac ofn ac amheuaeth sydd yma. Nid dyna ddiddordeb Marc o gwbl. Iddo ef y weledigaeth yn y bedydd a'r llais a glywodd Iesu yw'r cerugma, dyna'r Efengyl, dyna'r alwad. Ac ar unwaith wedyn, "wedi traddodi Ioan," y mae cenhadaeth Iesu yng Ngalilea yn agor. Fe restiwyd Ioan tua'r haf yn 32 O.C.; fe groeshoeliwyd yr Arglwydd cyn Pasg 33. Felly y mae Marc yn crynhoi holl fywyd a gwaith yr Arglwydd i ychydig fisoedd, llai lawer na blwyddyn. Dyma, mi gredaf, ran bwysig o'i ddyled ef i drasiedi Sophocles. Nid cofnodi hanes yn drefnus yw ei amcan, nid disgrifio'n ofalus deithiau pregethu ac iacháu yr Arglwydd. Y mae'r esbonwyr hynny, megis Schweizer, sy'n bwrw mai prawf na wyddai Marc mo ddaear-yddiaeth Palesteina yw neidiadau ei baragraffau ef o ardal i ardal, yn ei gam-farnu. Nid anwybodaeth sydd yma, ond difaterwch oherwydd ei angen ef am unoliaeth a chywasgiad dramatig. Dangos agweddau ar genhadaeth a phersonoliaeth Iesu yw bwriad Marc yn adran Galilea o'i stori. Mae ei arwr yn cyhoeddi ei Efengyl, "Cyflawnwyd yr amser, agosaodd teyrnas Dduw," mae'n dewis ac yn galw ei ddisgyblion — ac y mae cymharu adroddiad Marc â'r stori sy megis nofel gan Luc yn egluro ar drawiad y gwahaniaeth rhwng Marc a'i ddilynwyr, — yna mae'n mynd i'r synagog ac yn dechrau ei bregethu a'i iacháu. Y boreau, "yn blygeiniol iawn," droeon eraill "drwy'r nos," y mae'n dianc i'r mynydd i weddïo. Yn ebrwydd wele'r tyrfaoedd yn ei ddilyn i wrando ar ei ddamhegion ac i ddwyn eu cleifion ato i'w hiacháu. Ni all fynd i dŷ i fwyta gan y cyrchu ar ei ôl. Daw ei berthnasau gan boeni amdano, "mae wedi gwallgofi". Mae'r ysbrydion aflan yn galw arno, "Iesu Fab Duw Goruchaf" ond gan mai gorffwyll ydynt nid yw eu gweiddi'n golygu dim i'r disgyblion na'r dyrfa. Mae'r arweinwyr sifil a chrefyddol yn fwyfwy gelyniaethus, a rhai wedi dyfod o Gaersalem i geisio atal y dylifo ar ei ôl a rhoi taw arno yntau. Daw stori bwydo'r pum mil â phum torth a dau bysgodyn, ffoi i weddïo, a'r rhodio liw nos ar y môr i oddiwes llong ei ddisgyblion. Yna daw'r argyfwng, yr act gyntaf yn cyrraedd ei hargyfwng, ger Cesarea Philipi, ac yntau'n ddigon petrus yn gofyn i'w ddisgyblion, "ond chwi, pwy meddwch chwi ydwyf i?" A Phedr, y Galilead ei acen a'r Galilead gwlatgar dwym o galon yn ateb yn herfeiddiol, "Ti yw y Crist".

Y funud honno yn Efengyl Marc y mae agendor alaethus yn agor rhwng Iesu a'i ddisgyblion. Teitl politicaidd oedd Y Crist, *Messias* yr Hebraeg. Ef yn ôl y traddodiad oedd yr arweinydd a addawyd i adennill annibyniaeth Israel a byddai ganddo ddawn goruwchnaturiol i drechu ei elynion ac ailsefydlu brenhiniaeth Dafydd. Y Crist fyddai'r gorchfygwr terfynol a fyddai'n sefydlu teyrnas Duw Israel yng Nghaersalem. Felly y deallasant hwy neges Iesu, "Agosaodd teyrnas Dduw," galwad i ryfel, ac yn awr:

> Dechreuodd Iesu eu dysgu hwynt fod yn rhaid i Fab y Dyn ddioddef llawer a'i wrthod . . . a'i ladd, ac wedi tridiau atgyfodi, a difloesgni y llefarai'r ymadrodd.

Nid rhyfedd i Bedr ei geryddu. Oni dderbyniodd ef y teitl? Ac ar unwaith, ar unwaith, mynd ati i ddinistrio holl ystyr y teitl, holl draddodiad y Rabiniaid, sarnu ar obeithion canrifoedd, dymchwel yr addewidion, troi'r holl syniad Iddewig am y Crist yn gelwydd. Ac nid oedd y sôn am "atgyfodi" ond gwallgofrwydd.

Mae'n wiw sylwi nad oes yn Efengyl Marc ddim sôn am Iesu'n codi neb o farw yn fyw. Dywed Iesu'n bendant fod perthnasau Iairus yn camgymryd, nid oedd y ferch wedi marw, cysgu — hynny yw, mewn llewyg — yr oedd. Pan aeth ef ati, yn union yr un method neu dechneg wrth ei hadfer hi a fu ganddo ag a fuasai ganddo wrth iacháu chwegr Pedr ac wedyn gyda'r plentyn epileptig y barnai pawb ei fod yntau wedi marw (ix: 27). Y mae terfyn Efengyl Marc yn ennill grym ac ofnadwyaeth digymar am ei fod yn trafod digwyddiad na fu ond unwaith yn hanes y byd. Yr oedd gan Farc afael sicr bardd ar galon gwirionedd.

> Dos yn fy ôl i, Satan. Rhwystr wyt ti i mi.

Y mae'r gwrthdrawiad yn giaidd ddramatig. Nid munud o anghydfod rhwng athro a disgybl mohono, ond gwrthdaro eschatolegol, dwy olwg sy'n groes i'w gilydd ar ddiwedd y byd. Felly y mae act gyntaf trasiedi Marc yn cau.

Y gweddnewidiad ar y mynydd (ix: 2-9) yw cychwyn yr ail. Megis mai llef o'r nef yn y bedydd a agorodd y gyntaf, felly eto "Hwn yw fy Mab" yn awr. Neges i Iesu ei hunan oedd y datganiad cyntaf, neges i Bedr ac Iago ac Ioan yw hon. Yn Efengyl Luc y ceir eglurhad ar y gweddnewidiad. Mynd i weddïo a ddaru'r Iesu gan fod y daith dyngedfennol yn awr o'i flaen, a chymryd y tri blaenor gydag ef. Y maent hwythau'n nodweddiadol iawn yn syrthio i gysgu ac yntau mewn gwewyr "am ei ymadawiad ef a oedd ar fedr ei gyflawni yng Nghaersalem". Fe welir fel y mae'r gweddïo ar y mynydd yma a'r gweddïo ar fynydd yr Olewydd yn cyfateb i'w gilydd, yn ddwy ran o'r un weddi. Pan ddeffroes y tri gwelsant ef yn gweddïo eithr hyd yn oed ei ddillad yn gannaid odiaeth ac yntau fel y byddai pan ddeuai drachefn yng ngogoniant ei Dad (viii: 38). Dyna'r ateb i gerydd Pedr, dyna'r cais angerddol i lenwi'r bwlch rhyngddynt. Ar y ffordd i lawr o'r mynydd y mae'n ail-ddweud yr hyn sydd o'i flaen gan ddisgwyl y deallant yn awr, a rhybuddia hwynt na soniant am y weledigaeth onid wedi i Fab y Dyn gyfodi o feirw. "A daliasant ar y gair ac ymholi yn eu plith eu hunain. 'Beth yw'r cyfodi o feirw yma?'" Chwarae teg iddynt. Gallai ef egluro'i ddamhegion iddynt, gallai eu danfon allan i bregethu ei efengyl. Ond ef ei hun, ni fedrant ei ddeall. Ac *Ef* oedd yr Efengyl. Y mae ail ran y ddrama, y daith i Gaersalem, yn dyfnhau'r hollt rhyngddynt fwyfwy. O leiaf, parhânt i'w ddilyn. Y mae arfer yn rhyw fath o rinwedd.

Nid y disgyblion yn unig sy'n ei ddilyn ef ond torfeydd Galilea a gwragedd lawer, gan gynnwys ychydig wragedd sy'n gweini arno ac yn ei dendio (xv: 40, 41). Mae'r si ar led mai i'r ddinas sanctaidd a'r deml y mae ef yn cyrchu ac mae'r daith yn dechrau cymryd gwedd a ffurf martsio byddin: "Yr oeddynt ar y ffordd yn myned i fyny i Gaersalem; ac yr oedd yr Iesu'n eu rhagflaenu, ac arswyd oedd arnynt, ac ar y rhai a ddilynai yr oedd ofn" (x: 32). Y mae eironi dychrynllyd, hafal i'r eironi yn *Oedipws Deyrn* Sophocles yn y ddegfed bennod hon. Mae Iesu ar y daith yn cymryd y deuddeg eto ato ac yn dweud wrthynt y pethau oedd ar ddigwydd iddo, y gwatwar, y ffrewyllu, y poeri a'r lladd, ac "ymhen tridiau fe atgyfyd". Ac ar unwaith y mae dau o'r tri phrif ddisgybl, y brodyr Iago ac Ioan, yn eu hawydd awchus i ddisodli Pedr, yn mynd ato, "Athro, dymunwn iti wneuthur inni yr hyn a ofynnom ... Dyro inni gael eistedd un ar dy ddeheulaw ac un ar dy aswy yn dy ogoniant". Hynny yw, ar dy orsedd yng Nghaersalem wedi iti gyrraedd yno a chyhoeddi annibyniaeth Israel a thaflu Pilat a'i Rufeiniaid allan o Balesteina. Ond y mae Iesu'n cymryd mai sôn y maent am ei ailddyfod yng ngogoniant y Tad ar ddiwedd y byd a dywed wrthynt, "eistedd ar fy neheulaw neu ar fy aswy, nid yw eiddof i ei roi". Y mae dyfnder y camddeall yn tyfu'n hunllef ac wele'r orymdaith yn cyrraedd Iericho.

Bydd gan Luc hanes diddorol am yr ymweliad â Iericho ond gyda'i lymder barddonol sicr ni cheir gan Farc ond yr un digwyddiad tyngedfennol sy'n gwthio'r ddrama tua'i gwrthdro. Mae torf y dref yn gwylio'r orymdaith yn mynd drwy'r strydoedd culion a chyda hwynt wrth y porth allan y mae'r cardotyn tywyll Bartimeus. Mae yntau'n holi beth yw'r cynnwrf. "Iesu o Nasareth sy'n mynd heibio," ac ar unwaith dyma ef yn gweiddi, "Fab Dafydd, trugarha wrthyf!" Ni ellir ei ddistewi nes bod Iesu'n galw arno ac yn rhoi ei olwg yn ôl iddo ac yntau'n ymuno yn yr orymdaith frwdfrydig. Mab Dafydd oedd teitl y Crist, y gorchfygwr disgwyliedig ar ei ffordd i'w etifeddiaeth a'i orsedd. Wele Iesu'n arddel y teitl yn gyhoeddus yn brawf o ffydd, ac yn adfer y llygaid tywyll. I'r dyrfa ar y daith yr oedd hynny'n arwydd fod y Crist, Fab Dafydd yn mynd i'w frenhiniaeth a'i holl nerth goruwchnaturiol, gwyrthiol ganddo a'r briffordd i'r orsedd o'i flaen, a hwythau, medd Luc (xix: II) "yn tybied bod teyrnas Dduw i ymddangos yn y man". A'r eironi dirdynnol yn Efengyl Marc yw mai dyma wyrth olaf Iesu, fod Caersalem o'i flaen, ac yntau'n mynd fel oen i'r lladdfa, a Bartimeus gyda'i lygaid da yng nghanol y dorf a fydd ymhen ychydig ddyddiau yn edrych arno ac yn gweiddi "Croeshoelia ef".

O hyn ymlaen mae camddeall ei ddisgyblion a'i ddilynwyr yn tyfu fwyfwy. Y mae ef yn porthi eu brwdfrydedd hwy ac yn marchogaeth ar ebol i'r ddinas ac i'r deml, a'r dorf fawr yn taenu eu dillad a manwydd ar y ffordd o'i flaen gan lefain yn ddiofn orfoleddus, "Bendigedig yw'r deyrnas sy'n dyfod, teyrnas ein tad Dafydd". Y mae beiddgarwch eironi Marc yn ddychryn. Yn unig yn nhywyllwch y nosweithiau swrth ar ôl y gyflafan yn Rhufain a'r llosgoffrymu Neronaidd, ac aroglau cnawd rhost Cristnogion eto ar y gwynt, y gellid sgrifennu fel yma.

Ond y mae'r chwyldro'n oedi. Ychydig ddyddiau a bydd y Pasg. Mae miloedd o Galilea a'r gwledydd oddi amgylch yn dylifo i Gaersalem i ddathlu rhyddhau'r Israeliaid o gaethiwed yr Aifft. Ai er mwyn hynny y mae yntau'n oedi? Eisoes mae Pilat a'i gatrawd wedi cyrraedd, rhag bod unrhyw derfysg yn y strydoedd. Y mae un gwrthryfelwr, Barabbas, eisoes yn y ddalfa yn aros ei dymp. Ond wele'r Iesu yn mynychu'r deml, yn pregethu i'r bobl sy'n parhau'n awchus i'w ddilyn a'i ddisgwyl, yn traethu ei ddamhegion brathog, yn dadlau gyda swyddogion y deml, yr Herodianiaid a'r Sadwceaid a'r Phariseaid. Mae Marc yn rhoi pennod gyfan yn y fan yma am yr Iesu'n rhagddweud wrth ei ddisgyblion am y drygau sydd ar ddyfod, pennod sy'n peri i rai esbonwyr ddyddio ei Efengyl ar ôl y flwyddyn 70. Yr ydym o fewn deuddydd i'r Pasg, trobwynt y ddrama, y *peripeteia*, sy'n derfyn i'r ail ran ac yn arwain yn syth i'r drychineb anorfod yn dawel, annisgwyl. Canys wele Iesu yn ciniawa yn nhŷ Simon y gwahanglwyfus, "a daeth gwraig a chanddi flwch o ennaint nard pur drudfawr, a thorri'r blwch a'i dywallt ar ei ben ef". Dywed Marc i'r disgyblion a'r gwesteion chwyrnu arni am ei hafradlonedd. Nid yw hynny ond cais i daflu llwch i lygaid swyddogion Nero, megis sôn Epistol Pedr am Fabilon. Fe ddeallent bob un yn dda iawn ystyr gweithred y wraig. Eneinio Brenin Iwdea yr oedd hi megis y llanc gynt a aeth i Ramoth-Gilead a dweud wrth Iehu: "Mae i mi air â thi . . . ac ef a gyfododd ac a aeth i mewn i'r tŷ, ac yntau a dywalltodd yr olew ar ei ben ef a dywedodd wrtho, Fel hyn y dywed Arlgwydd Dduw

Israel: Myfi a'th eneiniais di yn frenin ar bobl yr Arglwydd, sef ar Israel." Bu dadlau a chynnwrf drwy'r tŷ a rhai'n gofyn beth a ddywedai'r eneiniedig, a godai ef yn awr fel Iehu ac ateb yr alwad? Onid i hynny y daethant hwy i Gaersalem i'w arddel ef? Mae hithau'r Iddewes frwdfrydig, un, ond odid, o'r Selotiaid a deithiasai yn yr orymdaith o Galilea, yn sefyll â'i blwch yn ei llaw yn disgwyl ac yn gweddïo am yr ateb. Ac y mae'r ateb eironig yn ei syfrdanu hi a phawb: "A allodd hon hi a'i gwnaeth . . . Hi achubodd y blaen i eneinio fy nghorff erbyn y claddedigaeth . . ." A'r canlyniad? Ar unwaith fe aeth Iwdas Iscariot, un o'r deuddeg, allan ac "at yr archoffeiriaid i'w fradychu ef iddynt".

O hyn i'r terfyn, act olaf drama ryddiaith Marc, mae'r cwbl yn digwydd gyda sicrwydd anorfod trasiedi Roegaidd. Bu ei ddull wrth adrodd hanes o'r cychwyn cyntaf yn gynnil. Wrth ddweud am y Swper a'r Dioddefaint a'r bedd y mae'n chwyrn foel. Deil rhai esbonwyr fod ganddo lawysgrif, rhan o'r *Verba Christi*, a roddasai'r holl stori yn fyr ac mai. dyfynnu o honno y mae. Ond trwy'r tair pennod olaf hyn y mae prif bwyntiau a phwyslais Marc yn treiddio yn eglur a chyson. Y mae undod ei drasiedi o'r dechrau i'r diwedd yn ei gwneud yn un o gampweithiau dwys llenyddiaeth. Fe ŵyr ei ddisgyblion bellach fod eu gobeithion oll ar chwâl, ond ni fedrant adael yr Athro ar unwaith, "Pa le y mynni i ni fynd i baratoi i ti i fwyta'r Pasg?" Ar gychwyn y swper — i sirioli'r gwmnïaeth — dywed ef wrthynt, "Un ohonoch chwi a'm bradycha i, un sy'n bwyta gyda mi". Fe ŵyr pob un ohonynt fod rhywbeth tebyg i frad yn corddi yn eu meddyliau oll a gofynnant, bob un yn ei dro yn betrus euog, "ai myfi?" Wedi'r swper rhyfedd, swper na ddeallant na dim a wnaeth ef ynddo na dim a ddywedodd ef nes dyfod goleuni llawer diweddarach, ânt allan a dywed yntau wrthynt eto, "Trawaf y bugail a'r defaid a wasgerir," cynnig teg iddynt i'w adael a dianc yn awr. Y mae un yn dal ar y siawns, ond y mae gan y lleill eto'n aros fymryn o anrhydedd, a dywed Pedr ar eu rhan hwynt oll, "Pe gorfyddi imi farw gyda thi, ni'th wadaf byth". Gwenodd yntau: yr oedd wedi rhagweld y cwbl, yr unigrwydd dynol eithaf, pob unigrwydd ond un.

"A deuant i le o'r enw Gethsemane ac eb ef wrth y disgyblion, 'Eisteddwch yma tra fwyf yn gweddïo,' ac — yn ei wendid a'i eisiau — fe gymerth Bedr ac Iago ac Ioan — teulu'r Gweddnewidiad — a dechreuodd arswydo ac ymgythryblu ac medd ef wrthynt, 'arhoswch yma a gwyliwch'." Dyna'i gais olaf ef am iota o gydymdeimlad. Ond y mae'r tri, wedi deuddydd o siom a sioc a'r swper torcalonnus ac arswydus, yn swrth a hurt. Unwaith eto ni fedrant ond cysgu, hyd yn oed pan ddychwel ef a'u cael felly deirgwaith. Y mae ei unigrwydd ef yn awr yn affwys du. Felly pan welant hwy'r swyddogion arfog a'r restio a'r rhwymo "gadawsant ef a ffoesant oll". Nid yw'r gwadu wedyn gan Bedr ond yr ysgariad a ragwelasai. Yn nwylo ei elynion — a'i awdurdod mawr, awdurdod y mae cymaint o bwyslais arno yng nghyfnod Galilea, wedi

257

diflannu, — y bydd ef mwy hyd y bedd.

Y mae paragraffau Marc sy'n disgrifio'r prawf am gabledd yn y llys Iddewig a'r prawf am deyrnfradwriaeth yn y llys Rhufeinig, yr arteithio a'r croeshoelio a'r gwawd, yn anodd hyd heddiw eu darllen. Cedwir y dirgelwch duaf oll hyd y diwedd, yr unigrwydd nad oedd ef ei hun ddim wedi ei ragweld. Y mae'r gwahaniaeth rhwng y weddi yn yr ardd, *Abba Dad*, a'r weddi o'r groes, *Eloi, Eloi, lama sabachthani*, yn ein dwyn i synhwyro profiad y tu hwnt i ddeall. Pan ddarllenwn yng Nghredo'r Apostolion, "Disgynnodd i Uffern" peidiwn â barnu'n rhy ebrwydd fod y geiriau'n ddiystyr heddiw. Y mae iddynt ystyr, dyna'r dychryn. Yna rhoes Iesu waedd enfawr, y corff a'r enaid yn un gwayw, a threngodd. Ac wele'r drydedd ran o Efengyl Marc yn ymgysylltu, megis hen awdlau Cymraeg, â'r cychwyn eithr nid o'r nef y daw'r cyhoeddi yn awr ond o'r ddaear, gan un o'r hil ddynol, nid gan Iddew ond gan is-swyddog Rhufeinig, sy'n edrych arno ac yn rhoi'r ateb i'r nef, "Yn wir Mab Duw oedd y dyn hwn!" Dyna'r holl Efengyl.

Wedyn daw'r gwireddu. Mae Efengyl Marc yn gorffen gyda'r wythfed adnod o'r unfed bennod ar bymtheg. Nid bod darn wedi ei golli. Fel yna y darllenodd Mathew a Luc yr Efengyl. Daw'r merched at y bedd, Mair o Fagdala a Mair mam Iago a Salome, Antigone ac Ismene'r Crist — buasent hwy gyda gwragedd eraill o Galilea yn gwylio'r croeshoeliad o bell. Mae'r bedd yn agored a gŵr ifanc yn eistedd yno ac yn dweud wrthynt, "Ewch, dywedwch wrth ei ddisgyblion ac wrth Bedr, 'Y mae ef yn mynd o'ch blaen i Galilea; yno y gwelwch ef . . .'." Ffoes y gwragedd, ffoi am eu bywyd, "ac ni ddywedasant ddim wrth neb; canys ofnent". Terfyn Sophocleaidd yn wir. Iddynt hwy daeargryn mewn bedd oedd Mab Duw.*

* Defnyddiais gyfieithiad Gwasg Prifysgol Cymru, 1921, wrth ddyfynnu oddieithr mewn dwy adnod, sef i: 1 a xv: 39.

Y Traethodydd, Ionawr 1978

Trosi *Faust* i'r Gymraeg

Faust, Gan J. W. von Goethe. Troswyd i'r Gymraeg, gan T. Gwynn Jones,
M.A. (Caerdydd, 2/6 net).

Beth yw dyletswydd adolygydd yn wyneb gwaith o fath hwn? Un o gamp-
weithiau gwareiddiad Ewrop yw *Faust*, prif waith bardd a dysgawdr a beirniad
nad oes ond ychydig iawn, megis Dante a Shakespeare, y gellir eu henwi gydag
ef. Mi gredaf mai'r peth gorau imi yw ceisio, os gallaf, helpu'r darllenydd a
fynno ddeall a charu'r llyfr, ac yna, yn ddigon gwylaidd, sylwi ar rai o
nodweddion y cyfieithiad.

Fe aned Goethe yn 1749, ac fe gyhoeddwyd y rhan gyntaf o *Faust* (sef y
gwaith hwn a droes Mr Gwynn Jones i'r Gymraeg) yn y flwyddyn 1808. Ond
fe ddechreuodd Goethe ei sgrifennu yn 1774, yr un amser ag y cyfansoddwyd
Werther, ac o hynny hyd 1808 bu o bryd i bryd yn myfyrio dros y gân (canys
cân yw hi yn gystal â drama), yn ychwanegu ati, a'i newid a'i pherffeithio;
pedair blynedd ar ddeg ar hugain. Y mae'r gân felly yn gynhaeaf bywyd, yn
gronfa profiad holl ieuenctid y bardd, a'i ganol oes. A'r fath oes! Ni ellir fyth
garu'r gwaith fel y dylid heb ddarllen hanes bywyd Goethe. Yr wyf yn codi yn
awr o ddarllen ei hanes yng nghofiant Saesneg G. H. Lewes; ac wedi fy
syfrdanu. Bywyd cyflawn o gyfansoddi mewn barddoniaeth ac iaith rydd: y
mae maint ei sgrifeniadau yn rhyfeddod. At hynny, yr oedd yn wyddonydd a
chanddo le pwysig yn hanes datblygiad gwyddoniaeth — fe ŵyr y cyfarwydd
gymaint y llafur a'r diwydrwydd a olygir gan hynny. Yr oedd hefyd yn
wybodus yn y celfyddydau, yn feirniad y gwrogid iddo (ac y gwrogir iddo fyth)
ym meysydd paentio a cherfio a phensaernïaeth. Nid bychan ychwaith ei
ddysg mewn cerddoriaeth. Yr oedd hefyd yn wleidydd; "yn ymhel â gwleid-
yddiaeth" medd Mr Gwynn Jones, ond nid dyna'r gwir cyfan. Trwy flyny-
ddoedd gorau ei fywyd, o 1776 hyd 1788, yr oedd yn un o brif weinidogion
Tywysog Weimar, ac o 1788 hyd 1815 ni pheidiodd â bod yn gynghorwr y
Tywysog, a bu llawer o waith gwleidyddol ganddo yn barhaus. Yr oedd maint a
chwmpas a dyfnder ei ddiwydrwydd yn anhygoel, ac un ochr yn unig i'w
fywyd oedd hynny. Y mae hanes ei fywyd fel dyn yn rhamant ddihysbydd.

Mae'n debyg mai dyma'r ochr iddo nas deall y Cymro. Rhyw ddwy flynedd o'i oes y mae'r Cymro yn claeargaru, yna'n priodi, a dyna ei ddiwedd. O bydd iddo fwy o hanes na hynny, ni bydd ond budreddi. Ni ŵyr ef ystyr "serch," fel y deëllir hynny ar y cyfandir. Y mae hanes cariadon Goethe yn hollbwysig i'w fywyd; heb Gretchen, Frederika, Lotte, Lili, a'r Frau Von Stein, ni byddai *Faust* y peth yw. Ac y mae nifer ei gariadon, pe na byddai ond hynny, yn arwydd ynni ac arial bywyd diderfyn. Ac nid ynni corff yn unig, canys fe brofodd Goethe fyw yn llawn ac yn grwn, a gwybu angerdd.

Ac y mae olion yr holl brofiadau hyn yn *Faust*. Bu Goethe'n ymhél yn hir â chyfrinion alcemi, a gwelir hynny yn y gân. Gwelir ynddi hefyd brofiad yr athronydd, y gwyddonydd, y diwinydd, yr artist, y carwr; y mae profiad y gwleidydd yn amlycach yn ail ran y ddrama. Meddai Goethe ei hun:— "Fe welir yn Faust gyfnod datblygiad enaid a boenwyd gan bopeth sy'n poeni'r ddynoliaeth, a ysgydwyd gan bob dim sy'n terfysgu dynion, a fu'n ddedwydd ym mhob profiad a fu'n achos dedwyddwch i'w gyd-ddyn". A dyna un achos bod *Faust* yn ennill cariad y darllenydd fwyfwy po amlaf y myfyria drosto ac yn ôl fel yr helaethir ac y dyfnheir ei brofiad yntau. Y mae'n rhaid aros a byw gyda'r llyfr hwn fel y dealler.

Ond gan helaethed yw profiad y llyfr, a chymaint y blynyddoedd y buwyd yn ei gyfansoddi, fe ymddengys *Faust*, pan ddarllener ef gyntaf, yn ddyrys ac yn hytrach yn wasgarog. Ac y mae'r dryswch yn fwy oblegid mai hen chwedl a hen ddrama a ddaethai i lawr o'r Oesau Canol yw chwedl a drama *Faust*. Rhydd Mr Gwynn Jones yn ei ragair beth o hanes y chwedl a hanes chwedlau tebyg iddi a ffynnai mewn llawer gwlad. Yr oedd y chwedl fel y daeth i ddwylo Goethe yn llawn olion credo a bywyd a aethai heibio er ys talm, ond a oedd yn rhan hanfodol o draddodiad *Faust*. Cymerth Goethe, bardd modern yn ystyr lawnaf y gair, afael ar y traddodiadau hynny, bu'n barchus ohonynt a chadwodd eu hanfod, ond llanwodd hwy â phrofiadau a dyheadau a phroblemau ei oes ei hun. Ac felly y mae *Faust* yn gymhleth o bethau hen iawn a phethau diweddar. A dyna sy'n esbonio golygfeydd dyrys megis honno "ym mynyddoedd Harz," ac yng "nghegin Dewines" — hen gostrel a gwin newydd, ffrâm o'r Oesau Canol a syniadau oes gwyddoniaeth.

Onid oes gan hynny ddim unoliaeth yn y gerdd? Ar yr wyneb y mae'n wir nad hawdd gweled dim. Hanes ymchwil Faust sydd yn nechrau'r llyfr a hanes trychineb Margareta yw ei ddiwedd. A pha gysylltiad sydd rhyngddynt? Ceisiwn weld.

Y peth cyntaf yn y gân yw'r 'Prolog yn y Nef', canys ni chyfieithodd Mr Jones mo'r prolog ar y llwyfan. Sylfaenwyd y 'Prolog yn y Nef' ar chwedl Job, a cheir ynddo hanes Duw yn caniatáu i'r Diawl gael ei ffordd yn ddirwystr gyda Faust, yr hen ddoctor a myfyriwr diwyd, fel y profer ac y gwybydder ei ffydd. Yna gwelwn yn yr olygfa nesaf Faust yn ei ystafell liw nos, wedi oes o lafur yn ddiobaith am gael gwybod na phrofi cyfrinach hanfodol bywyd, ac yn troi at ddewiniaeth am oleuni. Geilw ato Ysbryd y Ddaear — deddfau natur sy'n amlygiad o nerth amhersonol y cread — ac wedi ei alw ato arswyda rhagddo a syrth yn ddyfnach i anobaith. Y mae dwyster ei fyfyrdod yn ingol, yn sialens i holl sylfeini bywyd, ac y mae yntau ar fin ei ladd ei hun, pan dyr arno orfoleddus ganu corau angylion a merched yn dathlu atgyfodiad Crist, ac yn ei gymell yntau i ailafael ar fywyd. Y mae'r telynegion hyn fel cawodau gwlith yn syrthio ar grastir anobaith Faust. Ni wn i am ddim tebyg mewn barddoniaeth onid ambell ddrama gan Euripides, lle ceir ganddo yntau yr un fath gelfyddyd — angerdd trychineb yn ei fan dwysaf yn torri yn delynegion a melodi nefolaidd bur. Ond yn aml, nid oes dim cysylltiad hanfodol rhwng corau Euripides a'r ddrama. Y mae'r cysylltiad yn Faust yn hanfodol.

Trannoeth fe â Faust allan ym mysg y dyrfa sy'n mwynhau'r ŵyl, ond fe'i caiff ei hun yn unig yng nghanol y werin, a daw arno ei hen anniddigrwydd. Dychwel i'w lety a chorgi yn ei ganlyn, a'i anfodlonrwydd cyn gryfed ag erioed, a'r ci (Groeg, *kuon,* cynig, symbol o natur y cythraul) yn ei brofi ei hun yn Mephistopheles ac yn cynnig iddo fargen. Y fargen yw bod y Diawl i gael meddiant ar enaid Faust y funud y byddo'r dyn yn cael bodlonrwydd drwy ei wasanaeth:

> Pe dwedwn ar amraniad hynny:
> Aros! Gan fwyned gennyf di!
> Fe ellit tithau fy ngefynnu.

Rhwymedi'r Diawl ar gyfer anfodlonrwydd Faust yw profiad, nid gwybod. A dyna esboniad gweddill y ddrama. Fe'i cymer Mephistopheles ef gyntaf i weld dull y werin o ymddifyrru, gan chwilio am ddiddanwch iddo mewn pethau cyffredin. Yna i dŷ dewines neu i noson lawen dewinesau a chythreuliaid, gan chwilio am fodlonrwydd mewn pethau anghyffredin, — a chyda hynny, defnyddio hefyd y traddodiadau Faustaidd. Ac yna cais ei fodloni â serch — a dyna hanes Margareta, — canys profi ac nid gwybod yw hanfod serch; yn wir y mae anwybod yn sylfaen serch. Greta yw creadigaeth brydferthaf Goethe, ac mewn llenyddiaeth nid oes iddi chwaer ond Desdemona. Ond er mai ei diwedd hi sy'n ennill dagrau a chydymdeimlad cyntaf pob darllenydd, mae'n wiw sylwi mai achos ei dinistr hi yw anfodlonrwydd Faust ei hun. Fe allodd ef ei gadael pan oedd gyfyngaf arni, ac fe'i bradychodd, oblegid nad oedd serch ddim yn ei fodloni ef. A dyna ddiwedd y rhan gyntaf o *Faust.* Nid o'i herwydd ei hun y gofidia Greta ond oherwydd ei chariad: "Henri, arswydaf erot ti". Gwaredwyd Greta; a thry'r Diawl at Faust: "Yma i'm canlyn i". Y peth diawledicaf yn ei yrfa yw iddo fynd.

Ni cheisiais ond dangos unoliaeth y ddrama. Gofynnai ofod ac amser ddigon i drin y cymeriadau a'r golygfeydd, Greta, Mephistopheles, Wagner, Falentin, etc.; a mwy na hynny i ddangos holl deithi meddwl Goethe fel y gwelir hwy yma. Fe sgrifennwyd llyfrau mewn llawer iaith ar y ddrama hon yn unig.

Y peth sy'n ogoneddus i ni yw bod y cyfieithiad Cymraeg hwn yn gampwaith diamheuol; nid wyf yn ofni dywedyd mai dyma'r cyfieithiad gorau a gafodd *Faust* mewn unrhyw iaith. Nid oes dim un yn Saesneg na Ffrangeg nac Eidaleg a saif ei gymharu â hwn. Y mae hwn yn gyfieithiad manwl drwyddo; ond at hynny y mae hefyd yn farddoniaeth drwyddo, a dyna'r gamp fawr. O'm rhan i, mi addefaf na freuddwydiais i erioed y gellid peth fel hyn yn Gymraeg, y fath gyfoeth o iaith at bob amcan, amcan athroniaeth neu ddisgrifiad o natur, neu wyddoniaeth, neu delyneg neu angerdd calon. Y mae odlau'r coralau eu hunain yn wyrth:

> Cilied y duon
> Nennau yn awr!
> Deled cawodau
> Glesni'r glân rodau
> Tirion i lawr!
> Rhwyger ymylau
> Duon gymylau;
> Fflachied lloerennau
> Heuliau wybrennau
> Mwynach eu gwawr.

Meddai'r cyfieithydd: "I ystwythder y Gymraeg a pheroriaeth ei geiriau y mae hynny i'w briodoli". Debyg iawn, ond ysywaeth nid yn nwylo pawb y gwelir rhinweddau'r iaith. Arwydd athrylith anghyffredin iawn yw darganfod galluoedd iaith. Ac nid wyf i'n credu y gallasai'r Gymraeg gymaint ag a wnaeth hi yma ond yn nwylo Mephistopheles a T. Gwynn Jones.

Y Faner, 30 Awst 1923

Dramâu J. O. Francis

The Perfect Husband. ('A Welsh farce in one act.')
Birds of a Feather. ('A Welsh wayside comedy in one act.')
John Jones. ('An episode in the History of Welsh Letters.')
  ('Welsh Outlook' Press. 6d. each.)
Y Potsiar. (Cyfieithiad i'r Gymraeg gan Mary Hughes)
The Beaten Track. ('A Welsh Play in four acts.') (Samuel French, Publishers,
London)

Mi gofiaf imi fynd i Lundain ryw dair blynedd yn ôl i ddarlithio ar 'Genedlaetholdeb'. Daeth Mr J. O. Francis i wrando arnaf, ac wedyn fe'm dug i gydag ef a Mr Cemlyn Jones i Glwb y Rhyddfrydwyr i sôn am y ddarlith a holi ac ateb a siarad am Gymru. Yr oedd Mr Francis yn ymddangos megis petai'n cytuno â'm syniadau i. Holai a chodai bynciau, a gwrandawai yn y dull cwrtais, bywiog, llawn diddordeb hwnnw sy'n nodweddiadol ohono. Bore trannoeth yr oeddym i gyfarfod eto i ginio. Wedi cyfarch gwell, y peth cyntaf a ddywedodd Mr Francis oedd: "O, yr ydwyf wedi meddwl dros ein hymddiddan neithiwr, ac nid wyf yn cytuno â chi. Yr wyf yn gweld yr ochr arall yn awr." Mi gredaf fod y stori seml hon yn dangos y peth sy'n ddyfnaf yng nghymeriad Mr Francis, y peth a'i gwnaeth yn ddramäydd, a'r peth sy'n egluro llawer o'i ddawn a rhywfaint o'i wendid.

Un sy'n gweld y ddwy ochr ym mhob dadl yw Mr Francis, ac yn cydymdeimlo â'r ddwy blaid. Fe werthfawroga fy nadl i a'm hachos a'm credo. Fe'u deall hwynt ac fe'u hoffa. Ond byddai eu mynwesu yn gwneud cam â rhywbeth arall, rhywbeth nas deallaf i, nas gwelaf, ond y gwêl ac y deall ac y gwerthfawroga Mr Francis, sef yr wrthddadl, yr ateb i'm syniad i. Y mae gan hwnnw hefyd ei hawl ar ddynion, ei hawl ar werthfawrogiad; ac un sy'n ddiflin effro i hawliau pob plaid mewn dadl yw Mr Francis, un sy'n ei chlywed yn alwad ar ei anrhydedd ef fel dyn fod yn deg ac yn groesawgar i bob barn a rhagfarn. Ac am hynny y mae ef yn ddramäydd. Canys y mae drama yn llwyfan i'r ddwy blaid, yn mynegi'r ddwy farn yn gyfan a heb ddewis rhyngddynt, a'r awdur ei hun y tu ôl i'r cwbl, yn deall ac yn maddau popeth, fel rhyw dduw digyffro a diduedd.

263

Dramäydd syniadau a phleidiau a mudiadau yw Mr Francis felly; un yn gwylio bywyd Cymru a'i helyntion, yn craffu ar ei chwyldroadau a'i brwydrau hi, ac yn mynnu eu deall hwynt oll, a'u troi oll yn olygfa, yn ddiddordeb. Ac eang iawn a chraff yw ei welediad. Nis dellir ef gan un rhagfarn o'i eiddo'i hun. Nid oes ganddo ef ei hun farn o gwbl, nac unrhyw argyhoeddiad. Dewisodd beidio â dewis — er mwyn gweld yn well a deall yn sicrach. Nid yw'n cymryd rhan ym mywyd Cymru, a hynny am y myn ef gymryd y cwbl o fywyd Cymru yn destun diddordeb iddo. Cymryd rhan yw'r un peth nas gwna Mr Francis fyth. Yn hynny y mae ef yn artist cywir. Ac oblegid na fyn ef gymryd rhan, fe wêl ac fe ddeall fywyd Cymru yn well na'r mwyafrif sy'n byw yn y wlad. Pe darllenai Mr Hopcyn Morris ddramâu Mr Francis nid esboniai ef fywyd gwleidyddol Cymru mor gul a rhannol ag y gwnaeth yn ei bamffled diweddar; ond dyna enghraifft o'r gwahaniaeth rhwng gwelediad artist a gwelediad dyn o ddewis ac argyhoeddiad a phlaid. Yn sicr yr allwedd Saesneg orau i fywyd Cymru yn y ganrif hon yw tair prif ddrama Mr Francis, sef *Change, Cross Currents*, a *The Beaten Track*, ac y mae'n arwyddlon iawn mai efrydiaeth o ystyr cenedlaetholdeb a thraddodiad yw'r ddrama olaf hon. Dywed hynny lawer am gwrs pethau yng Nghymru. Dyn cymharol ifanc yw Mr Francis, ac er hynny y mae ei ddrama gyntaf enwog, *Change*, yn disgrifio rhan o orffennol Cymru bellach, peth sy'n perthyn i hanes ein gwlad ac nid i'w bywyd heddiw.

Effeithiodd y newid hwn ym mywyd Cymru ar gelfyddyd Mr Francis. Dug fethod ac ysbryd newydd i'w ddramâu diweddaraf, y rhai hyn sy dan fy llaw yn awr. Dywedais mai un na fyn ddewis rhwng syniadau a delfrydau ydyw, ond gan ei fod yn tynnu deunydd ei ddramâu oddi wrth fywyd ymarferol Cymru, y mae'r dewis a gyflawnwyd yng Nghymru yn gadael ei ôl ar Mr Francis hefyd, yn newid ansawdd ei waith. Hynny sy'n ddiddorol yn *The Beaten Track*. Yn y ddrama hon ceir olion yn wir o'r hen arddull, arddull *Change* a'r *Gwyntoedd Croesion*, lle y dangosir dwy egwyddor yn gwrthdaro yn erbyn ei gilydd, syniadau'r hen yn erbyn syniadau'r ifanc, neu genedlaetholdeb yn erbyn sosialaeth. Yn *The Beaten Track* y ddwy egwyddor yw traddodiad ac anturiaeth. Ond — a hyn sy'n bwysig — nid hynny yw gwir ddiddordeb y ddrama hon. Y peth diddorol yn hon yw ymgais Mr Francis i ddeall 'un' o'r ddwy egwyddor, sef yr un sy'n cyffroi bywyd Cymru heddiw, egwyddor traddodiad a gwareiddiad. Dywed Mr Francis bethau dyfnion a threiddiol amdani. Dengys mai benywaidd ydyw, gwleidyddiaeth y fenyw, y fam, y crëwr cartref ac aelwyd a gwareiddiad. Y peth a rydd nerth i genedlaetholdeb, megis yr awgryma gwraidd y gair ei hun, yw mai egni rhyw sy'n ei gymell, a hynny'n uniongyrchol iawn:

Sian: O Fyfanwy, cedwch ef yma. Y mae ef mor bwysig. Gwrandewch, gellwch eu clywed!
Mrs Rees: Clywed beth?

Sian: Lleisiau'r meirw — a lleisiau plant bach yn dyheu am eu geni . . .
Edrych arnaf, Fyfanwy . . . A oes arnat ti ei eisieu fo?
Myfanwy (yn gwbl onest): Oes.

Dyna ddiddordeb y *Beaten Track.* Y mae'n ddyfnach a dwysach nag un o ddramâu cynharach Mr Francis, a hynny oblegid gorfod iddo am unwaith adael ei amhleidioldeb a'i ddiddordeb mewn dadleuon haniaethol, ac ymroi i ddeall rhywbeth nad yw'n ddelfryd nac yn idea, eithr yn egni dynol a rhywiol, yn beth nwydus, byw.

Y dadeni llenyddol yng Nghymru a ysbrydolodd y ddrama fer, *John Jones.* Yma eto, yn ei ddull deheuig, ysgafn, dehonglodd Mr Francis elfen hanfodol yn y cynnwrf a'r deffroad diweddar. Diau bod yma hefyd feirniadaeth, canys yn y darn byr hwn rhoddir inni gyfarfod â'r artist, yr ysgolhaig a'r uchelwr Cymraeg, y tri hyn. A thrwy fod y tri gyda'i gilydd, perffaith yw asbri a chwrteisi ac athrylith eu cwmni. Ai dyna a fyn Mr Francis ei ddangos: bod gennym bellach yr artist a'r ysgolhaig yng Nghymru, ond na bydd ein moes ddim yn gwbl gain, na thywelltir mo'r gwin i'r cwpan gyda'r gwarineb mwynaf (maddeued Mr G. J. Williams imi am hoffi un o eiriau Iolo Morganwg), na choronir mo'n diwylliant ni, hyd oni chaffom yr uchelwr eto i lywyddu arnom. Yr wyf i'n credu hynny, eithr bid hynny wir neu beidio, gellid dal mai hon yw'r brydferthaf o ddramâu byrion Mr Francis, oni bai fod un arall ar y bwrdd o'm blaen, sef *Birds of a Feather.*

Dicky Bach Dwl yw creadigaeth fwyaf dynol Mr Francis. O syniadau a delfrydau y crëwyd ei gymeriadau eraill, ond gwnaethpwyd Dicky o gig a gwaed. Nid yn gwbl felly ychwaith, canys yn *Y Potsier* (dyma gyfieithiad campus Miss Mary Hughes yn awr wedi ei gyhoeddi) yr oedd peth dadlau a phleidio hyd yn oed ym mhen Dicky. Chwarae teg iddo, anodd dianc rhag hynny pan fo dyn yng nghwmni blaenor. Ond yn *Birds of a Feather* cafodd Dicky gwmni wrth ei fodd, sef esgob a thincer, pobl na wyddant ddim am ddadleuon a phroblemau bywyd dyrus Cymru. Yn wir wrth orffen yr adolygiad hwn, ni allaf beidio â bod yn anesmwyth fy meddwl. Fel y bu greulon fy nhynged, rhaid yw imi fyw yn y byd a ddisgrifir yn nramâu meithion Mr Francis, yng nghanol y *Gwyntoedd Croesion* a'r dadleuon. Ond wedi darllen yr holl ddramâu gyda'i gilydd — panorama Mr Francis o fywyd fy ngwlad — nid oes ond dau gwmni y gwir garwn i fyw gyda hwy, cwmni'r uchelwr a John Jones yng nghastell Carreg Goch, a chwmni Dicky a'r tincer a'r esgob ar lan yr afon ar noson loergan. Tybed nad dyna ddewis Mr Francis yntau? Canys dyna ei ddau gampwaith.

Y Faner, 10 Ionawr 1928

Y Wisg Sidan

Y Wisg Sidan, gan Elena Pugh Morgan, Y Clwb Llyfrau Cymraeg, 5/-.

Oedais yn rhy hir cyn adolygu'r llyfr hwn a chlywais lawer o siarad a dadlau yn ei gylch cyn mynd ati i fynegi fy marn. Y mae safon y Clwb Llyfrau Cymraeg yn uchel. Clywais un beirniad da yn honni nad yw'r nofel hon yn deilwng o'r safon, a dywedai'n gadarn mai cydradd yw hi â gwaith Ethel M. Dell yn Saesneg. Ni ddigwyddodd imi erioed ddarllen dim o waith y Saesnes honno ac amheuaf yn fawr a ddarllenodd y beirniad Cymraeg hwn yr ymddiddanwn ag ef ddim o'i gwaith ychwaith. Ond cymryd ei henw a wnâi ef fel sumbol o'r nofel boblogaidd anllenyddol nad yw beirniadaeth lenyddol yn ymhél â hi. Cwynai ef oherwydd diffygion iaith Mrs Elena Pugh Morgan ac oherwydd annaturioldeb llawer o gymeriadau a llawer o stori *Y Wisg Sidan*. Daliai ef nad yw'r nofel yn perthyn i fyd llenyddiaeth gywir. Er bod y beirniad hwn yn un o'r rheiny y mae gennyf fwyaf o barch i'w chwaeth a'i farn, rhaid imi ddweud fy mod yn anghytuno ag ef y tro hwn, ac felly rhaid imi geisio dangos paham y credaf i fod y nofel yn haeddu ei beirniadu wrth safonau llenyddiaeth, a pham yr ystyriaf hi yn nofel addawol ac yn waith llenyddol o bwys.

Rhaid cyfaddef ar unwaith fod Cymraeg Mrs Morgan yn aml iawn yn ddifrifol o wallus. Gwna gamgymeriadau elfennol mewn cystrawen, a hynny'n fynych. Anafa'r briod-ddull Gymraeg nes merwino clust dyn weithiau. At hynny ychwaneger esgeulustra anghyffredin wrth gywiro proflenni. Nid beiau dibwys mo'r rhain. Heddiw y mae gennym hawl i ofyn i'r neb a gyhoedda lyfr Cymraeg feistroli'r grefft o ysgrifennu'n gywir. Y mae'n rhan anhepgor o ddisgyblaeth y llenor. Nid gwaith hir nac anodd fyddai i Mrs Morgan gyrraedd y safon gyffredin o gywirdeb, ac mi obeithiaf ei bod hi'n llenor digon balch o'i galwedigaeth i ymroi i'r gwaith.

Ond nid dyna'r cwbl sydd i'w ddweud am ei Chymraeg hi. Mae un peth bach ar ôl, chwedl Idwal Jones, a'r peth gorau oll. Hynny yw, bod ganddi reddf artist mewn iaith. Mae yn y llyfr hwn baragraffau godidog, disgrifiadau a champ arnynt, darnau meithion ac ynddynt angerdd bywyd a bywiogrwydd angerdd. Nid oes dim sy'n fwy ymenyddol na hyn, dim sy mor an-ethel-m-delaidd mewn ysgrifennu. Darllenwch y disgrifiad o'r ffair yn y bedwaredd bennod a'r bumed, darllenwch dudalennau 75 a 76 sy'n disgrifio'r ffordd gerllaw'r môr:

Llwybr cul rhwng gwrych y cae a dibyn y môr ydoedd, gyda thwmpathau o eithin yma ac acw, a'r melyn ar eu brig heb ddim ond niwlen denau, denau, rhyngddo ac ymagor i'w ogoniant. Treuliasai'r llwybr yn edefyn main iawn yn y mannau hynny lle'r oedd y môr wedi gweithio megis hafn iddo'i hun yn y graig, ac yn curo fel petai'n benderfynol o wneuthur mwy o hafn. Canys nid oedd llain nac o aur nac o graig rhwng Mali ac ef yma, dim ond y dibyn serth, a'r eithin, a'r llwyni mafon. Arhosodd ennyd uwch ben un o'r hafnau, yn ei wylio'n berwi ac yn trochioni islaw iddi, a daeth arswyd ei rym arni, a'i gyrru i ddringo dros y clawdd i'r cae, a cherdded am y gwrych â'r dibyn . . .

Chwarae teg, os fel yna yr ysgrifenna'r ethel-m-delwyr, os gwelant mor fanwl a chyfleu eu dwyster mor gyfewin, rhaid i ninnau fynd atynt am wersi.

Tuedd y nofelydd poblogaidd, anllenyddol, yw ceisio ennyn diddordeb yn ei gymeriadau drwy'r helyntion sy'n digwydd i'w rhan. Bydd yr helyntion hynny hefyd yn amherthnasol i dreigl y brif stori. Y mae'r bai hwnnw ar y nofel hon: Cybydd caled yw Seimon ym mhenodau cyntaf y llyfr a'r darlun ohono'n ddigon byw. Ond codir o'i gwmpas ryw ddirgelwch dibwrpas, ac anghyson â'r portread cyntaf ohono, sy'n torri ar unoliaeth ysbrydol y nofel. Yn fy marn i y mae Saro hefyd yn ormod o angel gwarcheidiol yn y nofel i fod yn gig a gwaed credadwy a naturiol, heblaw ei bod hi megis ailbobiad ar Nansi'r Nant yn *Gwen Tomos* Daniel Owen. Camp anodd dros ben yw rhoi bywyd mewn cymeriadau eilradd mewn nofel, a chymeriadau pren yw Lili a Hilda yn y llyfr hwn. Llwyddodd Mrs Morgan yn well gyda Huw, yr hwsmon cas, ac Ann, gwraig gyntaf Plas-yr-Allt. Ymddengys i mi ei bod hi'n deall cymeriadau gerwin yn ddigon gwell na phobl feddal a chnawdol.

Ond Mali yw prif gymeriad y nofel, ac yn y pen draw oblegid fy mod i'n barnu'r portread o Fali yn bortread creadigol, yn gamp o weld a deall, y barnaf i fod Mrs Morgan yn nofelydd o'r iawn ryw. Ni chais hi amddiffyn Mali, nid ysgrifenna'n goeg-dyner amdani, na'i dangos yn dlos nac yn ddeallus nac yn ddeniadol. Un arall o gymeriadau geirw Mrs Morgan yw Mali, gwreiddyn o dir sych, heb na phryd na thegwch iddi. Y mae'n anfedrus, yn anllythrennog, ac yn araf i ddysgu ymhob dim. Yr unig ddwywaith y cymerth y Meistr Ifanc hi i'w freichiau, fe wnaeth hynny am nad oedd neb arall gerllaw ac yntau mor ddiyfory â march. Nid yw·Mali'n ddim ganddo o gwbl oll, ac er hynny, er gwybod ohoni hynny, oblegid iddi ei rhoi ei hun iddo felly, y mae hi'n byw ei bywyd o ffyddlondeb i'r hwn a'i cymerth yn ei gwyryfdod crinsych, yn fflam o'i mewn ac yn dynged arni. Astudiaeth mewn diweirdeb yw Mali, *anima naturaliter castissima*. Y mae pedair tudalen o'r llyfr, sef tudalennau 116-119, mi gredaf i, yn deilwng o feistri mwyaf y dychymyg Cristnogol mewn llenyddiaeth. Wele Mali wedi ei throi o'i lle yn y plas a hithau o fewn dim amser i'w thymp. Rhed Deio ar ei hôl — Deio yw un o greadigaethau eilradd llwyddiannus Mrs Morgan — ac fe gynnig ef ei phriodi hi. Y mae'r demtasiwn yn fawr, ac fe gyfeddyf Mali hynny yn blaen, ac er hynny fe'i gwrthyd:

"Pam hynny, yn enw'r mawredd, — os wyt yn dweud y gwir y caret wneud?"

Nid atebodd Mali am funud neu ddau. Yna,

"Ni wn i ddim," meddai, a gwridodd trosti, ond daliodd ymlaen yn wrol i geisio'i hegluro'i hun, er maint a gostiai hynny iddi hi a oedd mor brin ei geiriau, "os nad — os nad — teimlo na feddaf mo'r hawl i briodi neb arall, wedi i hyn ddigwydd — efo un."

A dyna, yn yr olygfa fawr hon, y datguddiad terfynol o natur a thynged Mali.

Cymeriad arall a hoffaf i yn y nofel yw'r Wisg Sidan ei hun. Anodd yw creu sumbol o fywyd mewn stori. Gwnaeth Mrs Morgan hynny, yn debycach lawer i Ibsen nag i Ethel M. Dell. Saro ei hun a wnïodd y Wisg Sidan. Gwisgodd Saro hi a chollodd ddafn o win coch arni, ac yn y wisg honno y rhoes hi ei hunan i'w chariad. Y Wisg Sidan yw'r ddolen rhwng Saro a Mali, yn clymu tynged y ddwy yn ei gilydd. Yn y Wisg Sidan y cyferfydd Mali â'i chariad hithau, ac yn y Wisg Sidan yr ymrydd hi iddo yntau. Y mae'n cario'r Wisg Sidan gyda hi weddill ei hoes megis y mae hi'n dwyn ei diweirdeb a'i ffyddlondeb i'w meistr, yn faich ac yn gerpyn dirmygus a chysegredig. Ac yna yn y terfyn, pan ddaw'r alwad, a phawb arall wedi troi cefn ar yr hen ŵr, ac yntau'n awr heb neb i'w achub rhag y wyrcws, yn ddiwerth gan bawb, yn faich diffrwyth, daw Mali a'r Wisg Sidan ynghyd i'r adwy. Y mae hanes llosgi'r Wisg Sidan i gynnau tân i gynhesu'r hen ŵr, yn funud fawr yng nghlo'r llyfr; ac ardderchocaf oll yw'r geiriau a ddywed yntau wrth edrych ar y wisg yn llosgi:

"Sidan lliw'r gwin," eb ef, a'i wyneb yn goleuo,
"Gan bwy y gwelais i ffrog fel yna? Gan Lili mae'n siŵr."

Dyna aberth Mali wedi ei chwblhau.

Y Faner, 3 Ionawr 1940

Hanes Llenyddiaeth Gymraeg

Hanes Llenyddiaeth Gymraeg hyd 1900. Gan Thomas Parry, Darlithydd yn y Gymraeg, Coleg y Gogledd, Bangor, Caerdydd, Gwasg Prifysgol Cymru, 1944. Pris 10/6.

"Nid hwn mo'r llyfr terfynol," medd yr awdur, "oherwydd daw aml ffaith i'r golwg eto." Ond ni ellir sôn am lyfr terfynol ar hanes unrhyw lenyddiaeth fawr, nid yn unig oblegid bod ffeithiau newydd yn ymddangos, eithr oblegid mai gweledigaeth a safbwynt sy'n cyfrif am werth llyfrau o'r fath. Pa safbwynt a gymerir yn y gyfrol hon? Dywed Mr Parry: "Nid amcanwyd ond disgrifio, heb olrhain dim o'r dylanwadau a fu ar na bardd na chyfnod"; ond wedyn ychwanegir: "ymdrechwyd i ddangos cynnyrch y canrifoedd fel mynegiant o brofiad artistig un genedl, yn hytrach na phrofiadau nifer o ddynion unigol".

A ddylid cymryd y datganiad hwn o ddifrif? Mae'n anodd gennyf wybod. Nid oes gan Mr Parry fawr o ddiddordeb mewn athroniaeth. Er enghraifft, mi gredaf i fod athroniaeth a phrif ddull meddwl cyfnod o hanes yn effeithio'n ddwfn ar ysbryd ac ar ddull barddoniaeth y cyfnod, ac oblegid hynny rhoddais yn fy *Maslun* bwys mawr ar bennod Einion Offeiriad ar 'Pa ffurf y moler pob peth'. Ond gwrthododd Mr Parry dderbyn hynny ac fe ailgyhoedda ei ddedfryd yn y llyfr presennol:

> Y mae llawer iawn o waith Einion yn ymwneud â'r sut y dylai pob gradd o ddyn, a hyd yn oed preswylwyr y nefolion leoedd, gael eu moli mewn barddoniaeth — enghraifft arall o'r pethau a roid i'r beirdd i'w dysgu heb eu bod yn ddim help ymarferol iddynt; gwyddent sut i foli er amser Taliesin.

I mi ymddengys y duedd wrth-athronyddol hon yn rhwystr i dreiddio i'r adnabyddiaeth o ysbryd llenyddiaeth Gymraeg. Ond y mae'n peri imi betruso hefyd rhag dweud fod Mr Parry yn dal mewn difrif fod y fath beth yn bod â "phrofiad artistig cenedl," ac mai "profiad artistig" a fynegir mewn llenyddiaeth.

Wrth gwrs, nid oes y fath beth arbennig â "phrofiad artistig". Ond os gwir fod Mr Parry yn tybio'i fod, ai hynny sy'n cyfrif am ei ddiffyg gwerthfawrogiad ef o lenyddiaeth grefyddol? Mae'r peth yn eglur ddigon drwy'r gyfrol hon, ac anffodus yw'r rhagfarn wrth drafod llenyddiaeth sy mor grefyddol ei deunydd â llenyddiaeth Gymraeg. Pair hynny mai arwynebol yw ei ymdriniaeth ef â Beirdd yr Uchelwyr ac â rhyddiaith fawr yr ail ganrif ar bymtheg, a bod ei baragraffau ar Bantycelyn ac Ann Griffiths yn siomedig ac annigonol. Bodlona ar ddyfynnu dywediad am Ann Griffiths sy'n anghywir:

Un o brif ryfeddodau Cymru yw cael Ann Griffiths, ynghanol yr holl ddiwinydda a fygodd wres cyntaf y Diwygiad, yn rhoddi'r holl bwys, nid ar yr Iawn ond ar yr Ymgnawdoliad.

Sut y gellir dweud hynny a'r un pryd ddyfynnu:

Gwregys euraidd o ffyddlondeb,
Wrth ei odre clychau'n llawn,
O sŵn maddeuant i bechadur
Ar gyfri yr anfeidrol iawn,

neu beidio â gweld mai bardd y Cyfryngod yw Ann Griffiths:

Rhoi awdwr bywyd i farwolaeth,
A chladdu'r atgyfodiad mawr,
Dwyn i mewn dragwyddol heddwch
Rhwng nef y nef a daear lawr?

Yn llenyddiaeth fodern yr iaith Gymraeg, sef o 1600 i 1900, y tri chlasur a fyddai'n glasuron o'r radd uchaf mewn unrhyw lenyddiaeth yn Ewrop yw Ellis Wynne a Phantycelyn ac Ann Griffiths. Ar gwtyn ei bennod ar y ddeunawfed ganrif y dyry Mr Parry baragraff byr i Ellis Wynne. Ond ffrwyth aeddfetaf mudiad a meddwl yr ail ganrif ar bymtheg yw Ellis Wynne.

Mewn adolygiad ar lyfr fel hwn rhaid dethol, pan ddeuer at fanylion, ychydig bwyntiau i'w trafod. Bodlonaf ar dri ac ar nodi'n unig y cyntaf ohonynt.

1. Dyry'r bennod ar dri chan mlynedd 'Barddoniaeth yr Uchelwyr' argraff nad oedd newid na thwf o un math yn y canu, a phrin y gwneir tegwch â meistri mawr, rhai ohonynt yn haeddu eu gosod ochr yn ochr â Dafydd ap Gwilym.

2. Un o benodau rhagorol y llyfr yw'r bennod ar ddyneiddwyr yr unfed ganrif ar bymtheg. Yn eu cwmni hwy y mae Mr Parry wrth ei fodd. Dymunaf awgrymu iddo ailystyried un pwynt. Dywedir ar dudalen 163:

Un o effeithiau'r Dadeni ym mhob gwlad oedd tynnu sylw dynion at adnoddau llenyddol y wlad ei hun a'u cyfoethogi. Gwelir hyn yn amlwg iawn yng Nghymru. Amcanai'r dyneiddwyr ddwyn i olwg y byd yr hyn a fuasai'n hir ynghudd, sef celfyddyd fydryddol y beirdd Cymraeg.

Mae'r frawddeg olaf yn lled gywir, ond nid oedd hynny o gwbl yn nodweddiadol o'r dyneiddwyr "ym mhob gwlad". Yn groes i hynny, ymwrthod â mesurau a dulliau a chrefft yr oesoedd canol mewn prydyddiaeth a wnâi dyneiddwyr Ffrainc a Lloegr, a dechrau o newydd gan ymroi i efelychu patrymau Lladin a Groeg ac Eidaleg. Yr oedd osgo'r dyneiddwyr Cymraeg at gerdd dafod yn eithriadol. Paham? Rhoddais yr ateb yn y *Llenor* (1934, tud. 254) a dyma fo: oblegid eu bod yn cydnabod arbenigrwydd ar gerdd dafod Gymraeg, sef ei bod yn gelfyddyd ddysgedig; yr oedd *trivium* y prifysgolion yn sylfaen addysg y penceirddiaid, ac fe gydnabyddai'r dyneiddwyr hynny. Nid oes neb ohonom eto wedi gwneud astudiaeth ddigon trwyadl, dadansoddiad trwyadl, o agwedd y dyneiddwyr Cymraeg at gelfyddyd y penceirddiaid. Nid unllais mohonynt; dangosodd Mr G. J. Williams hynny (*Gramadeg Cymraeg gan Gruffydd Robert*, tud. cxxvi). Beient ddiffyg dysg y beirdd yn hallt weithiau; cydnabyddent brydiau eraill fod ganddynt ddysg a chelfyddyd, ond eu bod yn eu cuddio; eto droeon fe daerent fod eu cywreinrwydd yn mynd i golli ac yn gwaethygu a'u cerdd yn dirywio'n gyflym. Fy mhwynt i'n awr yw bod cerdd dafod a gwaith y penceirddiaid yn dwyn *prestige* dysg a chelfyddyd ymysg y dyneiddwyr Cymraeg, a bod hynny'n eithriadol yn Ewrop. Y mae ymwneud Midleton a Siôn Dafydd Rhys a Gruffydd Robert â cherdd dafod yn dangos hynny. Ac wele John Davies, "yr un Plato ardderchawg," yn cymryd Cymraeg y penceirddiaid yn sylfaen ei Ramadeg ac yn batrwm iaith. A ydys eto wedi deall mor arbennig ac mor arwyddocaol oedd hynny? Nid ydym ond yn dechrau ar astudio hanes meddwl y Dadeni Dysg yng Nghymru. Y mae'r gwaith oll o'n blaen ni; a hebddo ni cheir hanes ein llenyddiaeth.

3. Wrth ddilyn Mr Parry i faes y bedwaredd ganrif ar bymtheg nid oes angen mwyach imi ddadlau dros fwy o le i Lewis Edwards. Mae gennym bellach ysgrifau Dr Islwyn Davies a Mr Gwenallt Jones yn *Y Traethodydd*. Ond carwn ddadlau achos bardd na fedraf yn fy myw ddeall paham na wêl y beirniaid ei rinwedd, sef Talhaiarn. Dyfynna Mr Parry bennill o gerdd gan Alafon yn 1874, a deil ef fod "y meddwl beirniadol, y mynegiant clir a'r fydryddiaeth lân dipyn yn anghyffredin". Nid yw'r pennill a ddyfynnir ond efelychiad o arddull a mesur *Tal ar ben Bodran* Talhaiarn a gyhoeddwyd yn 1855 ac 1862. Cerdd (yn gymysg â rhyddiaith) o ugain canto yw *Tal ar ben Bodran*, ac yr wyf i wedi dal ers dros ddeng mlynedd mai dyma un o weithiau barddonol pwysicaf y bedwaredd ganrif ar bymtheg, ei bod yn gerdd fawr, yn rhagflaenu yn ei syniadau gyfieithiad John Morris-Jones o Omar, yn fynegiant

cyntaf i agnostigiaeth mewn Cymraeg, ac yn rymus ryfeddol yn ei Byroniaeth ac yn ei mynegiant a'i mydryddiaeth. Bid sicr, y mae hi'n anwastad, ond ar ei gorau dyry inni ddisgrifio na cheir mo'i hafal gan y ganrif oll; disgybl Byron sydd wrthi:

> A dacw afon Elwy ar ei hynt
> Yn llifo'n araf drwy y gwyrddion ddolydd,
> Lle bûm i ganwaith yn ymdrochi gynt
> Pan oeddwn fachgen glân a llon a dedwydd,
> Yn rhedeg yn noethlymun yn y gwynt
> Ar draws y gro a'r ddôl yn chwim garlamydd
> Mal ebol gwyllt, yn llawn o nwyf a hoen,
> A'r haul ac awel haf yn sychu'm croen.

Ac y mae'r feirniadaeth ar fywyd yn aml, yn enwedig yn y cantoau olaf, yn syfrdanu dyn pan gofier am ei chyfnod yng Nghymru:

> Er hyn i gyd mae'r Dragwm yn ei le,
> "Gwell byw mewn baw na marw mewn anrhydedd";
> Ni waeth pa sut, mewn gwlad a llan a thre',
> Tylodi, angen, gofid, gwarth, anhunedd;
> Mae rhywbeth wedi'r cwbwl dan y ne'
> Yn gwneud i ddyn osgoi ac ofni'i ddiwedd:
> Mae'n edrych gyda dychryn yn ei bryd
> Ar gryman gwancus angau'n medi'r byd.

Daliaf mai Talhaiarn oedd yr unig fardd yn ei gyfnod a chanddo ymwybod â thrasiedi bywyd dyn, a hynny'n angerddol. Gwnaeth Dr Gwynn Jones waith tra gwerthfawr wrth ddatguddio Talhaiarn inni yn yr oes hon, ond nid yw beirniadaeth eto wedi amgyffred pwysigrwydd y bardd. Parheir i sôn am ei fân ganeuon a'i osod ef gyda Mynyddog islaw Ceiriog. Dyna, ysywaeth, a wnaeth Mr Parry.

Troer at ragoriaethau'r gwaith.

1. Ei drylwyredd a'i gywirdeb. Y mae'r llyfryddiaeth ar derfyn y gyfrol a thrwy gydol nifer o'r penodau yn werthfawr. Crynhowyd swm mawr o wybodaeth yn y llyfr a'i osod ger bron y darllenydd yn drefnus ac yn goeth. Ni sylwais i ond ar un llithriad ar gof, sef priodoli'r *Elucidarium* i Hu Sant. Trueni hefyd fod Mr Parry wedi derbyn fersiwn Dr Gwynn Jones o gwpled Tudur Aled:

> Gorau yw dal y gair du
> A niweidiol, na'i wadu.

272

Mae'n ddiogel mai fersiwn *Gwyneddon* 3 sy'n iawn:

> Gorau yw dal y gair du
> Annewidiol na'i wadu;
> Atal saeth nid dilys yn'
> A êl unwaith o linyn.

Galwaf sylw at hyn er mwyn yr ail argraffiad.

2. Canmoler hefyd degwch rhadlon Mr Parry tuag at ei holl ragflaenwyr. Fe â braidd allan o'i ffordd i roi clod a chydnabod dyled. Hael iawn yw ei deyrnged i Dr Ifor Williams a'r holl athrawon eraill yn y Brifysgol, ac i bawb ohonom a fu'n gweithio ar unrhyw ran o'r maes eang. Anghytuna Mr Parry droeon â mi, a dengys hynny; ond amheuthun yw cael gwrthnebydd sy mor deg a digenfigen. Y mae ysbryd y llyfr yn rhoi urddas ar efrydiau Cymraeg.

3. Rhinweddau anhepgor ar feirniadaeth lenyddol yw sgrifennu da a dyfynnu cain. Sgrifennwr rhagorol yw Mr Parry a'i iaith yn gadarn gyfoethog a'i briod-ddull yn ddi-fefl. Gellir ysgolhaig heb ei fod yn llenor. Mewn beirniadaeth lenyddol rhaid wrth yr ysgolhaig sy'n llenor. Profodd Mr Parry ei hawl yn *Baledi'r Ddeunawfed Ganrif*, un o gampweithiau beirniadaeth Gymraeg. Y mae camp gyffelyb ar arddull ei lyfr newydd.

Gwych hefyd yw'r dyfyniadau, yn arbennig o'r beirdd sy hoffaf gan y beirniad. Soniaf eto am y bennod ar Ddafydd ap Gwilym. A barnu wrth y darganfod a ddatguddir drwy ddyfynnu, Mr Parry yw pennaf lladmerydd yr hen ganu rhydd Cymraeg, — y canu hyd at Lewis Morris. Mae'n deall y canu'n well na neb a sgrifennodd o'i flaen ef. Yn y llyfr hwn a'r *Baledi* y ceir y feirniadaeth ddeallus gyntaf ar Huw Morrus, beirniadaeth sy'n ehangu'n deall ninnau. Mantais i Mr Parry yw ei ddiddordeb mewn cerdd dant a'i glust fain.

4. Saif y bennod ar Ddafydd ap Gwilym ar ei phen ei hun yn y llyfr. Yma y mae'r dyfynnu a'r eglurhau yn gydradd olau. Ni chlodforwyd Dafydd ap Gwilym erioed yn loywach. Gwerthfawrogiad yw'r bennod oll — "nid amcanwyd ond disgrifio," ond gwnaed hynny'n rhiniol gabol a chywrain. Mae'n hysbys mai Mr Parry sy'n paratoi inni'r argraffiad llawn o weithiau Dafydd ap Gwilym. Prawf yw'r bennod hon fod Dafydd wedi cael ei briod olygydd.

Yr Efrydydd, Haf 1946

Nofelau a Storïau

Yr wythnos hon mi fûm yn darllen *Stryd y Glep* Kate Roberts a'r *Bryniau Pell* gan Jane Ann Jones a llyfr F. R. Leavis ar y nofel Saesneg *The Great Tradition*. Llyfr Leavis yw'r peth pwysicaf sydd wedi ei sgrifennu ar y nofel Saesneg o gwbl. Cais beirniadol yw'r gwaith i ddarganfod priffordd traddodiad y nofel yn yr iaith Saesneg, i ddarganfod y nofelwyr pwysicaf, sef y nofelwyr sy wedi defnyddio'r nofel i gyflwyno'r gwelediad pwysicaf ar fywyd. Yn ôl Leavis y nofelwyr mawr Saesneg yw Jane Austen — George Eliot — Henry James — Joseph Conrad a D. H. Lawrence; dyna'r traddodiad mawr. Y mae pennod Leavis ar George Eliot yn un o'r darnau godidocaf o feirniadaeth ar y nofel ac ar arddull nofelydd mawr a ddarllenais i o gwbl. Ers ugain mlynedd a rhagor y mae F. R. Leavis wedi bod yn athro tra dylanwadol mewn beirniadaeth lenyddol yn Lloegr ac wedi meithrin ysgol newydd o feirniaid ifainc rhagorol. Cafodd hefyd lawer o helbulon, oblegid y mae ganddo ddawn i dramgwyddo ac i farnu beirniaid ac awduron eraill yn hallt a ffroenuchel; y mae hynny'n anos ei ddioddef oblegid bod Leavis ar unwaith yn sicr hyderus o'i anffaeledigrwydd ei hunan ac fel rheol yn iawn. Y mae'r llyfr presennol yn nodweddiadol o'i ddull. Un llyfr gan Dickens a gaiff glod ganddo fel nofel ddifrifol; dibwys ganddo Thackeray; teifl ef Meredith a Hardy i'r cŵn; nid erys na James Joyce na Virginia Woolf. Angerdd moesol yw rhinwedd pennaf nofelydd mawr yn ôl Leavis ac y mae ef yn briodol ddirmygus o'r beirniaid Saesneg na welant yr elfen honno yng nghampwaith Jane Austen *Emma*. Cymer bleser maleisus wrth dynnu'r Arglwydd David Cecil — hoff feirniad llenyddol Rhydychen — yn gareiau. Na, nid oes ganddo fawr o 'dact'. Ond fe dâl ei ddarllen; ef yw'r beirniad llenyddol pwysicaf sy'n sgrifennu yn Lloegr, ac ef sydd fwyaf o ddifrif. Yn Unol Daleithiau'r Amerig y ceir ei gydradd yn yr iaith Saesneg, ac yno'n unig.

Gwasg Gee sy'n cyhoeddi'r ddwy stori Gymraeg a ddarllenais i. Ni ofynnwyd imi eu hadolygu yn y nodiadau hyn; dal ar y cyfle i gymryd hoe oddi wrth gwrs y byd politicaidd yr wyf am dro. Byddai'n chwerthinllyd sôn am draddodiad y nofel Gymraeg. Y mae Daniel Owen yn rhy agos atom, a'r cychwyn cyntaf. Gobeithio, gyda llaw, y bydd adargraffu gwaith Daniel Owen fel y dylid adargraffu clasur; hynny yw, adargraffu ei holl waith yn union fel yr ysgrifennodd ef bob llyfr, gan newid yr orgraff yn unig, heb ddim arall. Peth

274

anhapus i'r eithaf yw na ellir dibynnu ar destun yr argraffiad presennol o *Enoc Huws* a bod yr un peth yn wir am yr adargraffiadau eraill diweddar o waith Daniel Owen; gadawyd allan bethau anhepgor i'w ddeall ef. Ni fedraf amgyffred sut y gellid trin clasur fel yna.

Ar ysbeidiau, wrth gwrs, y bu Daniel Owen yn nofelydd o ddifrif. Droeon eraill, difyrrwr poblogaidd yw ef. Mawr yw'r galw am nofelau Cymraeg er mwyn denu pobl ifainc i ddarllen Cymraeg ac felly achub yr iaith rhag difancoll. Ac yn siŵr i chwi y mae lle i nofelau a storïau o'r fath. Ond y mae lle hefyd, gobeithio, i'r nofel sy'n gais i ddehongli bywyd ac i drosglwyddo gweledigaeth o fywyd, neu feirniadaeth ar fywyd. Yn y Gymraeg merched yw olynwyr Daniel Owen yn y peth hwn. Nid stori ramantus oedd *Y Wisg Sidan* ond nofel o ddifrif a'r wisg sidan yn ffigur sumbolig drwy'r stori oll, sumbol sy'n dangos ei lawn ystyr yn yr olygfa olaf. Bu'r *Wisg Sidan* yn llyfr poblogaidd, eithr ychydig o sylw a roes y beirniaid llenyddol iddo. Mae'n anffodus nad oes gennym ni ysgol feirniadol fel ysgol *Scrutiny*, neu fel ysgolion Napoli a Milan; gall beirniadaeth gyson a thrwyadl fod yn ysbrydiaeth i lenorion creadigol.

Rhy fer yw nofel Jane Ann Jones. Dywed hi hanes teulu a'i dwf, a'i chwaliad yn y rhyfel, ac effaith yr helyntion ar y fam a'r ferch a'u cymdeithas, a'r cwbl o fewn terfynau cant ac wyth o dudalennau. Y canlyniad yw bod crynhoi yn null cofiant yn fynych ymddangos yn arddull ei stori:

> Buan yr aeth dyddiau plentyndod heibio; ddoe yr oedd Nan yn tywallt ei holl serch ar ei doli a heddiw yr oedd ôl powdr pinc ar ei hwyneb crwn . . .
>
> . . . Yn awr dyma ddyddiau'r 'Girl Guides' a'r 'Band of Hope' ar ben yn hanes Nan . . .
>
> . . . I Alun a Nan yr oedd Station House hyll Llan Morfa yn wir gartref. Yma yr oedd rhyddid iddynt i ymddwyn ac i lefaru fel y mynnent . . .
>
> . . . Aeth misoedd yn flwyddyn heb i Nan dderbyn yr un gair oddi wrth Lyn. Ar y cychwyn, ysgrifennai hi'n gyson ato, ond dechreuodd ddigalonni pan aeth y Nadolig cyntaf heibio heb iddi glywed oddi wrtho . . .

Brawddegau cyntaf penodau yw tair o'r pedair uchod — arwydd o anfedrusrwydd crefftol. Ond wele'n awr baragraff byr sy'n dangos Lyn a Nan inni ar eu mis mêl:

Yr oeddynt mewn byd bach o'u heiddo eu hunain ac nid oedd yr ymwelwyr eraill ond megis rhan o addurniadau'r dref. Bu amryw yn eu gwylio, yn hen ac yn ifanc o'r seti. Yr oedd yn amlwg iddynt oll fod y ddeuddyn hyn yn caru ei gilydd. "A ddeil y fflam?" gofynnai'r hen. Sniffiodd y canol oed. Nid Nan a welai'r genethod ifainc ond hwy eu hunain ym mraich rhyw fachgen llon, golygus. Fe wnâi Lyn y tro, o ran hynny.

Dyna saith o frawddegau byrion sy'n dweud llawer. Y mae'r frawddeg gyntaf yn rhagorol gynnil a chynhwysfawr. Yn yr ail y mae'r safbwynt wedi ei drosglwyddo i'r bobl a oedd yn "rhan o addurniadau'r dref". Yn awr, dowch inni adael allan y drydedd frawddeg ac ailsgrifennu'r darn hebddi:

Bu amryw yn eu gwylio, yn hen ac yn ifanc o'r seti. "A ddeil y fflam?" gofynnai'r hen . . .

Fy syniad i yw bod y gwelliant yn fawr; dyna ar unwaith arddull creadigol. Y mae'r frawddeg a daflwyd allan yn gyflawn yn ein hymateb ni sy'n darllen i gwestiwn yr hen. Ac y mae'r effaith yn ymestyn yn ôl at y frawddeg gyntaf am y "byd bach o'u heiddo eu hunain" ac yn goleuo'r byd hwnnw a'i gyfoethogi. Hynny yw, arddull adrodd hanes, nid arddull creu presennol, a geir yn rhy fynych gan Jane Ann Jones.

Y mae ganddi baragraffau da hefyd. Dyma ddisgrifiad o Nan a'i mam weddw, Kate Morris, yn mynd i Eisteddfod y Rhos a'r ferch cyn hir i fynd at ei gŵr i Awstralia:

"Ys gwni," ystyriodd Kate Morris, "a fuasai gen' i ddigon o blwc i adael fy mam a mynd filoedd o filltiroedd ar ôl fy ngŵr?" Am foment, meddyliodd Kate Morris am ei mam ac am John Morris a gwyddai mai dilyn John a wnaethai i ben draw'r byd . . . Bu farw ei mam ymhen amser ac er y byddai Jini, ei chwaer, a hithau yn sôn amdani'n aml, yr oeddynt ers blynyddoedd bellach wedi dysgu byw hebddi. A dyna sut y dylai fod, y mae'n debyg, meddyliai Kate Morris. Ond wrth feddwl y byddai Nan ymhen amser yn synio felly amdani hi daeth rhyw dristwch drosti. Dyma hwy, er eu bod yn cydgerdded i lawr un o strydoedd y Rhos i faes yr eisteddfod ymysg cannoedd ar gannoedd o bobl, yn hollol ar eu pennau eu hunain. Rhywfodd, er bod Lyn, yn ôl pob tebyg, ar dir y rhai byw, synhwyrai Kate Morris ei bod hi'n cael mwy o gwmni John Morris, er bod ei gorff mewn bedd, nag a gâi Nan wrth feddwl am Lyn.

Wrth gwrs y mae gwendidau yn y paragraff, ystrydebau megis "dysgu byw hebddi", "daeth rhyw dristwch drosti", "ar dir y rhai byw". Ond y mae'r ddwy frawddeg derfynol yn gyfoethog dda. Rhagorol hefyd yw brawddeg olaf y nofel:

Unwaith eto yn ei hanes, darganfu Kate Morris mai mater o fynd ymlaen ydyw bywyd, doed a ddelo.

Dawn i fod yn gywir, i ddweud yn syml am fywyd pob dydd pobl gyffredin a deall ei ddwyster, dyna a roddwyd i Jane Ann Jones. Y mae hi'n gweld "cwrs y byd" ym mywyd gwragedd priod a genethod hiraethus, mud. Mae ganddi dawelwch aeddfed, doeth.

Merch orweiddiog yn nes i drigain nag i hanner cant oed, sy'n sgrifennu yn ei dyddiadur, yw'r prif gymeriad yn stori Kate Roberts. Mae ganddi frawd a chwaer dros eu hanner cant. Mae'r brawd yn dechrau caru yn yr oed hwnnw ac, yn y diwedd, yn ymrwymo i briodi. Mae'r ddwy chwaer yn ddibynnol arno. Mae'r un sy'n cadw'r dyddiadur yn ei gwely ers tair blynedd. Bydd cwmni o bobl y capel yn casglu o gwmpas ei gwely i drafod hanesion yr ardal. Cronigla hithau eu sgyrsiau a'r helyntion. Bob yn dipyn, ei helynt hi ei hun a'i brawd a'i chwaer yw prif fater siarad yr ardal. Mae ganddynt gyfaill o ŵr gweddw a fu megis ail frawd iddynt erioed, ond fe gedwir tŷ iddo gan hen ferch arall sy'n dal ei gafael ynddo ac yn eiddigus ddialgar. Cynllunia'r ferch glaf yn ei dyddiadur i'w gael ef i'r tŷ i letya yn lle ei brawd. Anturia hyd yn oed ddychmygu amdano yn priodi ei chwaer garedig. Dywed hynny wrth ei dyddiadur. "Lle i fod yn blaen yw dyddiadur." "Lle i ddweud y gwir yw dyddiadur." Ac yn y diwedd oll fe ddargenfydd yr hen ferch mai moddion i'w thwyllo'i hunan fu ei dyddiadur iddi, cyfrwng i ddweud anwiredd wrthi ei hun, a chyfrwng iddi hi, hen ferch sy'n glaf ac yn agos i drigain oed, gynllunio i ennill cariad o ŵr gweddw iddi ei hunan. Ac y mae'r darganfyddiad yn sigo'i holl fywyd hi, yn agor pydew o boen o'i mewn, ac yn dangos iddi ei "phechod", a'i gyrru i geisio ei gyffesu. Stori am dröedigaeth enaid sydd yma.

Fe welwch fod y stori ei hun yn rhyfedd o feiddgar. Hanes carwriaeth pobl dros eu hanner cant; mae'r peth yn destun crechwen. Fe'i trowyd yn gampwaith o dreiddiolwch. Mae'r arddull yn dawel a chynnil ac ymataliol; mor syml ydyw fel y bo'n deg eich rhybuddio fod yn rhaid darllen yn astud i flasu'r cyfrwystra a deall y datblygiad. Hawdd iawn i'r darllenydd diofal fethu. Hawdd iddo ddarllen yn esgeulus a meddwl nad oes fawr o ddim yn y tudalennau cynnar, a bod Kate Roberts yn dibynnu ar ei harddull a'i gwybodaeth o'i thafodiaith i gyfiawnhau'r sgrifennu digyswllt. Yn wir, prin ein bod ni'n haeddu llyfr mor aeddfed dreiddiol â hwn. Yn Ffrangeg y dylesid fod wedi ei sgrifennu. Llyfr i bobl mewn oed yw ef ac i ddarllenwyr profiadol, clasur bychan o gyfrwystra seicolegol ac o foeseg.

Ni cheisiaf yn awr drafod lle'r llyfr hwn yng ngwaith Kate Roberts. Y mae'n beth gwahanol i ddim a wnaeth hi gynt. Dyma un dyfyniad i ddangos paham y mae un darllenydd o leiaf eisoes wedi darllen y stori deirgwaith:

Nid yw neb o'm cwmpas yn cyfrif dim imi y dyddiau hyn . . . Synnaf rŵan at y mwynhad a gawn o'u cwmni ar nos Suliau . . . Ni wyddant hwy ddim am yr holl ryfela sy'n mynd ymlaen yn fy enaid i, ac ni fedraf innau ddweud wrthynt hwythau. Maent cyn belled oddi wrthyf â phe baent yn yr Aifft. Meddyliais, wedi cael Dan yma i aros, y byddwn yn hapus iawn, ond nid yw ei bresenoldeb yn y tŷ yn rhoi dim cysur imi. Creadur digymdeithas yw dyn yn y bôn, ni fedr ddweud ei holl feddyliau wrth y nesaf ato, nac wrth yr un a gâr fwyaf . . . Dyna pam yr wyf yn ysgrifennu yn y dyddlyfr hwn, rhyw awydd siarad â mi fy hun. Ond ni fedraf ddweud y cwbl yn hwn, ddim mwy nag wrthyf i fy hun, am na fedraf fod yn hollol onest â mi fy hun . . . A oes rhywun yn ein gweld megis ag yr ydym ar wahân i Dduw?

Hanes darganfod gan hynny yw'r stori, darganfod dyfnderoedd tywyll yr hunan, darganfod pechod, ac unigrwydd, darganfod cymdogion a darganfod Duw, a hynny drwy gaddug yr hunan a'i unigrwydd.

Y Faner, 28 Mai 1949

John Glyn Davies

Hanes Bywyd John Glyn Davies (1870-1953), gan Hettie Glyn Davies.
Gwasg y Brython; 9s. 6c.

Ni ellir galw'r llyfr hwn yn gofiant nac yn wir yn "hanes bywyd". Braslun o yrfa Glyn Davies a geir a darlun hoffus ohono gan ei weddw ac atodiad swynol gan un o'i gyfeillion mawr, Mr J. O. Williams, Bethesda.

Yr wyf i'n cofio mam Glyn Davies yn dda. Ym mlynyddoedd ei gweddwdod a'i henaint yn Lerpwl byddai hi'n dyfod i'n tŷ ni i de ryw ddwywaith y flwyddyn neu deirgwaith. Yr oedd hi'n weddol dal, yn ei du bob amser, yn ledi go fawr ac awra ei gorffennol o'i chwmpas, ac erbyn hynny yn wraig addfwyn fonheddig. Nid felly y buasai erioed. Pan dorrodd busnes ei phriod fe glwyfwyd ei balchter a'i hurddas hi gymaint fel na siaradodd hi air wrtho am flwyddyn neu ragor.

Yr oedd John Davies, ei gŵr hi, yn gymeriad llawer mwy diddorol a hoywach ddengwaith na merch John Jones, Talsarn. Yng nghyfnod eu llwyddiant yr oedden-nhw'n perthyn i uchel *bourgeoisie* Princes Road a masnachwyr Lerpwl. Y mae defnydd nofelau yn y bywyd Cymreig hwnnw yn 20 mlynedd olaf y ganrif o'r blaen. Ceir cipdrem arno yng ngherdd Elinor Rhys yn *Cerddi Edern.*

Bourgeois yn gwrthryfela yn erbyn y *bourgeoisie* Gymreig hon oedd Glyn Davies. Dysgodd dafodiaith Llŷn yn fachgen ym misoedd ei wyliau haf, ac yr oedd ei ddywediadau cwrs a'i iaith sathredig, lawn barddoniaeth y pridd, yn boen i glustiau ei fam, ond yn ddifyrrwch i'w dad. Cerddi gwrthryfel yn eu dull eu hunain yw *Cerddi Edern* a *Cherddi Huw Puw.* Nid ydynt yn nhraddodiad Talsarn fel y deallai Mrs Gwen Davies hwnnw:

> Eneidiau annwyl, esmwyth oedd eich byd,
> meirch a cherbydau'n sgleinio yn yr heulwen,
> heb brinder cyfoeth, pawb a'i gartref clyd,
> a balchter byd oedd rhyngoch a'r ddaearen.
> Eneidiau hoff yn dawel gyda Duw,
> gadawsoch ar eich holau Fflat Huw Puw.

Mi dybiaf i y bydd *Cerddi Huw Puw* a *Cherddi Portinllaen* byw. Da y dywed Mrs Hettie Davies fod ei gŵr yn wir gerddor ac yr oedd hynny o leiaf yn rhan o dreftadaeth teulu Talsarn. Y mae gwerth parhaol hefyd yn amryw o *Gerddi Edern* ac mewn cyfieithiadau ganddo.

Byr iawn a ffyrnig ffraellyd fu fy nghyfathrach bersonol i â Glyn Davies. Dywedaf hynny gan fod yn rhaid imi roi barn ar honiadau Mrs Davies am ei ysgolheictod ef.

Gwell cydnabod fy rhagfarn. Yn ddiau yr oedd ganddo athrylith, un sydyn, fflachiog. Mi gredaf mai ef oedd y cyntaf i ddangos dyled Dafydd ap Gwilym i'r traddodiad dyfalu, *riddle poetry* yr Oesoedd Canol; gwnaeth hefyd gyfraniadau i astudiaeth o darddiad rhai o'r mesurau rhyddion Cymreig sy'n bwysig.

Ni wn i am ddim arall o'i waith cyhoeddedig ef a saif, onid efallai ambell ddarn o'i draethawd ar *The Welsh Bard and the Poetry of External Nature*. Mae'n amlwg, a chlod mawr i athro yw dweud hynny, ei fod yn arweinydd ysbrydoledig i'w hoff efrydwyr. Ysywaeth, yr oedd ganddo athrylith i gasáu hefyd, ac yr oedd hynny'n gwyro'i farn ar bynciau ysgolheigaidd weithiau'n gwbl anobeithiol.

Y mae Mrs Davies yn ailgyhoeddi ei draethiad ef ar hanes ei yrfa yn Aberystwyth. Buasai'r llyfr yn well hebddo. O'i ddarllen yn ofalus nid yw'r stori yn glod i Glyn Davies nac i neb arall. Ni ddysgais i erioed baham yr oedd mor ffiaidd o gas ganddo John Morris-Jones. Yr oedd peidio â chydymffurfio ag *Orgraff yr Iaith Gymraeg* yn rhan fawr o grefydd Glyn Davies, a hynny er dyddiau Marchant Williams. Un felly oedd ef, yn ddigri yn ei gasinebau tanllyd.

Ond — ond go fawr — yr oedd ganddo athrylith hefyd i ennill a swyno a chadw cyfeillion, a'r rheini yn ddynion nobl. Y mae sôn amdanynt yn y gyfrol fechan hon. Yr oedd ef yn annwyl ganddynt ac fe glywid yn fynych fynych am ddiddanwch rhyfeddol ei gwmni a'i straeon atgofus a'i ganu ar y piano.

Yr oedd Oliver Elton, fy athro i yn Lerpwl, yn ysgolhaig oer, cysact, Rhydychennaidd ar y naw; ond Elton a ddywedodd wrthyf i: "In spite of everything, you know, he is, he really is, a genius; and there are not so many".

Western Mail, 21 Awst 1965

'Gyfaill Hoff'

Gyfaill Hoff . . . Detholiad o Lythyrau Eluned Morgan, gyda Rhagymadrodd a Nodiadau W.R.P. George, Gwasg Gomer, 1972. £1.75.

Casgliad helaeth o lythyrau Eluned Morgan rhwng 1888 a 1916, gyda phum llythyr o'r cyfnod wedyn, yw cynnwys y llyfr hwn.

Ceir gan y golygydd ragymadrodd anhepgor a golau, a nodiadau eglurhaol gwerthfawr ar y diwedd. Mae camp ar ei waith.

Llythyrau at ei dad, y diweddar William George, yw'r rhan fwyaf o lawer o'r llythyrau. Dywed Mr George sut y cafodd ef hwy yn atig Garthcelyn fis Mawrth 1970, pedair blynedd wedi marw ei dad. Wedyn mae'n gofyn: "Be ddaeth o'i lythyrau ef ati hi, tybed? Does dim ond llythyrau Nantlais ar gael ymysg ei phapurau". Yn agos iawn at derfyn y llythyrau, Rhagfyr 6, 1909, sgrifennodd hi at William George o Gaerdydd:

> Rwyf am fynd dros eich llythurau i gyd ryw ddiwrnod yn hamdden y Paith — gwaith hyfryd iawn fydd 'rwyn rhagweld eisoes . . . Eithr gobeithio eich bod wedi gofalu fod yna nodyn yn rhywle yn mysg eich papurau yn gorchymyn llosgi llythurau Eluned heb eu darllen . . . arswydus fuasai meddwl am lygad oer y byd yn syllu ar lawer brawddeg ysgrifenwyd a gwaed calon megis.

Ond hi a losgodd ei lythyrau ef, a dyma'i llythyrau hi wedi eu cyflwyno i "lygad oer y byd".

Llosgi dipyn fwy nag unwaith y bu fy llygaid i wrth eu darllen. Bu Mr W. R. P. George yn dra dewr yn eu cyhoeddi. Hanes poenus a thorcalonnus sydd ynddynt. Ni ddarllenais i ddim mor anobeithiol drist mewn na nofel na drama Gymraeg. Hanes caru sydd yma, caru'n ofer, caru'n cael ei siomi a'i dwyllo. Y mae yn y llythyrau hyn rai digwyddiadau sy mor ddirdynnol â dim a geir yn stori *Madame Bovary* gan Flaubert.

Ebr y golygydd yn ei ragymadrodd: "Mae ei llythyrau yn dyddio ei mordeithiau, a thrwyddynt, fe ymddengys i mi, y mae hi yn ysgrifennu ei hunangofiant". Fe ddaeth hi i Gymru gyntaf yn 1885 i fod yn ddisgybl yn ysgol Dr Williams yn Nolgellau, a dywed Mr George:

Arhosodd yn yr ysgol hon am dair blynedd, a thybiaf iddi dreulio ei gwyliau yng nghartrefi Michael D. Jones, Owen M. Edwards, Tom Ellis a'i chwaer, a oedd yn gyd-ddisgybl gydag Eluned. Roedd Tyn-y-bryn, cartref D. R. Daniel, yn fferm am y ffin â Chynlas.

Yr oedd hi'n ferch i arweinydd a sylfaenydd y Wladfa ac arweinwyr cenedlaethol Cymru a'i derbyniodd hi i'w cartrefi yn bymtheg oed. Roedd hi wedi ei magu i beidio â bod arni ofn ac i ddatgan ei meddwl. Dengys darn o lythyr sut un oedd hi yn ysgol Dr Williams:

> Yr oeddwn newydd fy nghosbi y diwrnod cynt am siarad iaith fy mam wrth y bwrdd cinio — gorchmynwyd imi sefyll allan tra yr oedd 80 o blant yn gorphen eu cinio ac yn syllu arnaf, ond nid oedd yr athrawes yn adnabod ei deryn o'r Paith — "Pob Cymraes yn yr ystafell yma nad oes arni gywilidd arddel ei gwlad na'i iaith, a ddeuwch chwi gyda mi i'r Classroom?" Cododd pob Cymraes yn yr holl ysgol ac aethant allan gan adael rhyw 30 o Saeson gyda'r Athrawesau. Bu yn helynt difrifol yno am wythnos . . .

Y mae'r unrhyw ddewrder a'r un gwlatgarwch a chenedlaetholdeb diwyro yn rhan o'i chymeriad drwy gydol y llythyrau hyn; y mae ei dirmyg hi tuag at D. R. Daniel fel chwip, ac ar derfyn ei llythyrau at William George un peth yn unig a ddeisyf hi ganddo, sef peidio â dilyn ei frawd i senedd Loegr.

"Rhwng 1896 a 1898, pan oedd Eluned Morgan drosodd yn y wlad hon am yr eildro", medd y golygydd, y cyfarfu hi â William George a David Lloyd George ym Mhorthmadog. Dychwelodd i Batagonia fis Ebrill 1898 ac ar wahoddiad William George fe gychwynnwyd y llythyrau rhyngddynt. Yr oedd hi'n wyth ar hugain oed, ond yn iau lawer ei hysbryd:

> A wythoch chwi beth yw bod yn rhy *ddedwydd* i gysgu? 'Chysgais i 'run winc drwy'r nos, ond fum i 'rioed mor ddedwydd. Yr oeddwn yn gwylio'n ddyfal am doriad y wawr, er mwyn cael y pleser anrhaethol o weld fy hen ffrynd anwyl yn codi o'i wâl yn nghwr y dwyrain draw, ac fe ddaeth hefyd yn ei wisg euraidd gan godi megis o eigion Y Werydd a disgleirdeb yr ewyn gwyn ar ei wyneb . . . Ar ol i mi gael fy moreufwyd y peth cyntaf wnes oedd mynd am wib iawn ar gefn fy ngheffyl bychan chwim, teimlwn fy mod yn fy elfen naturiol; ceisio gan rûg y mynydd dyfu mewn hothouse oedd mynd ag Eluned i Chancery Lane . . . (t. 46).

Tachwedd y flwyddyn honno mae hi'n sgrifennu: "Nid oeddwn wedi meiddio rhestru William George ym mysg fy nghyfeillion cyn gadael Cymru, ond mae ar ben y rhestr erbyn heddyw, a minnau bron yn methu sylweddoli fod y fath fraint wedi disgyn i'm rhan". Yr haf hwn yn y Wladfa, Tachwedd-Ionawr 1898-9, cyn y dilyw mawr, mae hi'n hapusach nag y bydd hi fyth eto yn ei bywyd. Canys wele hi ar gychwyn *Dringo'r Andes* a'r un pryd yn ei chael ei hun mewn cariad:

Yr oeddwn wedi bod i fyny'r dyffryn mewn rhyw gwrdd llenyddol, tua wyth milltir oddi cartref, ac yn dod i lawr ar fy ngheffyl ar noson *lawn lloer, dyna* pryd y ces i hwyl ar ganu eich emyn, dim ond y Prairie mawr distaw om cwmpas a'r mil myrdd ser yn gwenu ac yn gwylio, digon prin y canodd *neb* hi erioed yn union fel y canodd Eluned hi y noson hono. Byddaf yn cychwyn i'r Andes ym mhen rhyw bythefnos, gwmni o ddeg o honom — meddyliwch am danom ar ol taith y dydd yn noswylio ac wedi codi'r babell a chyneu'r tan, yn eistedd o'i gylch i ganu'r emyn bychan ddaeth tros wyth mil o filltiroedd o for i ddweyd ei genadwri dlos; mae yna gapel bychan Cymreig ar lethrau'r Andes draw, bydd cof am William George fan hono cyn daw Eluned yn ol i Ddyffryn yr hen Gamwy. (t. 48).

Bu'r ddwy flynedd nesaf yn anodd iddi, dilyw ar ddilyw yn dinistrio'i "chartref urddasol a choeth" ynghyd â llyfrgell ei thad, y cyfan yn garnedd ym mhen ychydig oriau. Tachwedd 1899 dywed hi sut yr aeth hi ar ei cheffyl gyda'r wawr i edrych y tŷ a'r tonnau'n ymosod arno: "Yr oedd y ceffyl truan yn crynu gan ofn, ac yn gweryru o falchter pan welodd fi'n dod, — dyna ride oedd hono, ride am fywyd i'r mynyddoedd". Ar ben hynny yr oedd Cymry'r Wladfa yn fellt a tharanau iddi hefyd:

Aberthodd fy nhad ei fywyd dros y Wladfa, dechreuais inau wneud yr un peth — ond credaf os Duw ai myn mai gwell i mi ffoi mewn pryd cyn chwerwi om hysbryd a chyn cilio o'r heulwen i gyd o'm bywyd. (t. 75).

Gwaeth yw ei hunigedd: "Cofiwch nad oes genyf fi yr un cyd-aill yn y Wladfa o'r creigiau i'r môr, dim un cyfaill i gael sgwrs feddyliol ag ef o un pen blwyddyn i'r llall". Y mae hyd yn oed ei hymdrechion dros y Wladfa i gael ysgol, i gael llyfrau, yn peri ei chasáu. O'r herwydd y mae llythyrau Gwilym Garthcelyn yn falm i'w chalon: "Pwy a'ch dysgodd i gydymdeimlo mor dyner ac mor ddwys, fy nghyfaill? . . . Un o wleddoedd fy mywyd unig yw cael eistedd i lawr yn fy nghell fechan o goed ac i ysgrifenu rhai o ddyfnion meddyliau fy nghalon at fy nghyfaill o'r Garthcelyn . . . A gaf i fyth sgwrs gyda chwi ar aelwyd Garth Celyn tybed? Gwn y gallwn sgwrsio gyda chwi am oriau". Ac ar ddyfod i Gymru i ennill ei byw ac i gyfarfod â'i chariad y mae ei bryd hi fwyfwy hyd at 1902. Aeth ati i ddysgu Sbaeneg er mwyn medru cynnal dosbarthiadau yng Nghaerdydd. Ond trwy'r llythyrau nid oes un gair am lenyddiaeth Sbaen. Iaith pabyddion a gormeswyr barbaraidd yw'r Sbaeneg iddi hi.

O'r diwedd, Mehefin 23, 1902, wele hi yn Llundain, a'r mis wedyn yn aros yng nghartref O. M. Edwards yn Llanuwchllyn. Yn sydyn y mae llythyrau meithion a thyner Gwilym Garthcelyn wedi troi'n *postcards*. Teirgwaith neu bedair y mae hithau'n eu dwrdio. Ond rhaid iddi basio yn y trên drwy Gricieth "tua chanol dydd Sadwrn" ar ei ffordd i Gaernarfon a "byddaf yn falch iawn o deimlo cydiad eich llaw yn Ngorsaf Criccieth". Mae cariad wrth gwrs yn ddall, ond anamlach y bu cariad dallach na chariad Eluned Morgan. Ni ddaeth i'w meddwl hi ei fod ef bellach yn ffoi rhagddi mewn ofn a dychryn. Deuddydd wedyn sgrifenna hi ato eto:

> Mae ffawd yn rhy gryf yn ein herbyn, a 'does dim i'w wneud ond dioddef y siomedigaeth chwerw hon eto, yn nghanol siomedigaethau yr wyf wedi byw er's blynyddoedd, ond mae ambell un yn chwerwach na'i gilydd, ac mae meddwl na chaf eich gweled am fisoedd lawer eto yn loes iawn.
>
> Buaswn wedi dyfod i'r Bermo i'ch cyfarfod gyda phleser anrhaethol ond nid oeddych yn eglur iawn yn eich llythur . . .

Medi 9-13, 1902, bu eisteddfod enwog Bangor, ond yng Nghaerdydd yn llyfrgell y ddinas, yn ennill cyflog rhy fach i'w chynnal yr oedd Eluned. Bu William George yno ar ei ffordd i Ffrainc:

> Nid wyf yn teimlo yn reit siwr fy mod wedi eich gweled mewn gwirionedd, daethoch ar fy ngwarthaf mor sydyn, ac *aethoch* mor sydyn a hynny, fel y byddaf bron credu mai breuddwyd oedd y cyfan; 'rwyf wedi breuddwydio cymaint am eich cyfarfod fel na fyddai ryfedd yn y byd . . .

Er hynny byw mewn gobaith yr oedd hi o hyd, ac yn ei hyder dall yn bygwth yn union yr hyn a ofnai ef fwyaf:

> 'Rwyn teimlo yn aml na fuasai waeth i mi fod yr ochor arall i'r Werydd ddim o ran yr hyn wyf wedi weld ohonoch er pan yn Ngwalia Wen. Ond rhoswch chi nes delo'r haf, byddaf yn glanio yn Ngarth Celyn rhyw brydnawn ar fy ffordd i Lanuwchllyn, yn hollol ddirybudd a diseremoni, a gwae'r perchenog os na fydd yno i roi croesaw Cymraeg i Eluned ar ei hymweliad cyntaf ai Blasty.

Gweithiai hi'n galed, yn y llyfrgell y dydd, a'r hwyrddydd yn cynnal dosbarthiadau Sbaeneg neu'n darlithio i gymdeithasau Cymraeg y cymoedd. Nid oedd Caerdydd wrth ei bodd na Chymry Caerdydd na chiniawau'r Cymrodorion.

Aros dros y Sul gyda Watcyn Wyn ac ymweld â Ben Bowen glaf oedd ei dihangfa. Daethai newydd o Batagonia fod yn rhaid i'w chwaer symud i Ddeau'r Affrig ac felly fod yn rhaid iddi hithau ddychwelyd i'r Wladfa i ofalu am ei thad a'i mam. Dwysaodd hynny ei phruddglwyf: "Af yn ôl i fyw yn fil mwy unig hyd yn oed nag yn Nghaerdydd — canys nid oes i mi yn y Wladfa na châr na chyfaill", ac erfyniai ar William George am gysur a chyngor. Pan ddaeth, daeth iddi hi hefyd funud byr o weld yn glir:

> Wyddoch chi, fe roddodd eich cyngor loes ddwys i mi rywsut, gwyddwn mai dyna fuasech yn ddweyd, ac eto, rhyfedd yr hen ddynoliaeth onide! Gwn na fyddwch yn llawenhau yn ymadawiad Eluned, ond rhyw deimlad felly fynai lithro im calon wrth ddarllen eich cyngor . . .

Ond mynnodd dagu'r amheuaeth. Onid oedd hi'n byw er mwyn ei gyfarfod ef yn Llanelli yn yr Eisteddfod? Yn wir, onid i hynny y daeth hi i Gymru?

> Os na ddowch i'r Steddfod, credaf fi yr un gair dd'wedwch mwy. Eich geiriau olaf yn Ngorsaf Caerdydd wrth ganu'n iach oedd "Hyd yr Eisteddfod", ac mae eich gair wedi bod fel deddf i mi erioed . . . Na siomwch fi, fy nghyfaill hoff.

Ei siomi hi a fu. Chwiliodd Mr W. R. P. George hanes ei dad wythnos Eisteddfod Llanelli a dywed wrthym y stori yn eofn blaen:

> Mae'n debyg y tybiai W.G. fod hon yn groesffordd, ac y byddai'r cyfeillgarwch rhyngddo ef ac Eluned yn datblygu ar lefel llawer mwy personol yn ystod Eisteddfod Llanelli; gwyddai hefyd y byddai ei frawd Dafydd a'i wraig yn yr Eisteddfod, ac yn naturiol, fe ddeuai'r gyfathrach rhwng Eluned a'm tad yn yr Eisteddfod allan i'r agored, yn llythrennol i wyneb haul a llygad goleuni yr Orsedd ei hun. Fe fyddai hon yn sefyllfa ddyrys iddo onid oedd a'i fryd ar briodi Eluned . . . Yn ôl pob golwg yr oedd hi am i'r gyfathrach rhyngddynt ddod i'r amlwg yn ystod Awst 1903, ond fe benderfynodd W.G. yn erbyn mynd i'r Eisteddfod . . . Yr hyn a wnaeth oedd mynd gyda dau o'i gyfeillion agosaf . . . am fordaith o Lerpwl i Oban, ac oddi yno i Iona. Fe ddychwelodd o'i wyliau yn yr Alban erbyn nos Sadwrn, Awst 15, 1903.

Gwelodd hithau'n blaen iddi gael ei thwyllo. Sgrifennodd ato o Gaerdydd, Awst 20, a'i thôn yn gwbl newydd, yn ymylu ar ddirmyg amlwg: "Cefais lawer ffit a chwerthin iachus wrth ddarllen eich llythyr diweddaf; mae'n amlwg fy mod wedi eich dychryn yn arw". Merch wedi ei brifo i'r byw, wedi cael poeri ar ei balchder, poeri er ei chariad.

Bwlch o ddwy flynedd. O Awst 1903 hyd Awst 1905 nid ysgrifennodd hi ato. Dychwelodd i'r Wladfa yn 1904 i ofalu am ei thad hyd at ei farw. Yr oedd hi'n ôl yng Nghaerdydd Awst 1905 a dyma ailgychwyn y llythyrau, ond yn gynnil ofalus. Yn y llythyr byr cyntaf mae hi'n pwysleisio, fel un yn ceisio amddiffyn ei balchder, nad yng Nghricieth ond "ar lan y Gamwy mae'm cartref a'm gwaith i fod". Y tro hwn daeth ef i Gaerdydd a'i gweld hi ddwywaith. Bu hir y siarad. Beth a ddywedodd ef wrthi? Mae'r ddau lythyr a sgrifennodd hi ato Medi 1, 1905 ac wedyn "Nos Lun, Caerdydd" yn drobwynt yn ei hanes hi. Yn y cyntaf sgrifenna hi'n ddigon pwyllog gan adolygu'r gyfathrach a fuasai rhyngddynt. Ond y mae'r ail lythyr "Nos Lun" sy'n dilyn yn gynhyrfus eofn. Mi garwn ei godi'n gyfan yn enghraifft o nerth emosiynol ei rhyddiaith hi, ac oblegid ei bod hi'n dweud ei chalon ynddo ac yn datguddio mawredd ei chymeriad a dyfnder ei loes. Ni ddyfynnaf ond y terfyn:

> Yr oeddwn wedi meddwl ysgrifenu llythyr maith heno — ond mae wedi cymeryd i mi oriau dyrys i ysgrifenu yr ychydig linellau hyn — derbyniwch hwy yn ddidwyll a phur canys ni ysgrifenais ddim erioed gostiodd gymaint i mi. Ond wedi ei orphen, ydwyf, mewn tangnefedd, Eluned.

Mae'r llythyr hwn yn dweud wrtho mor bendant ag y gellid yn 1905 nad cariad Platonig oedd ei chariad hi, ond gan mai dyna'r gorau y gallai ef ei gynnig "derbyniaf yr her" ond gan ychwanegu "mae'n amhosibl i neb·sy'n dwys ystyried fod yn ddedwydd". Tebyg ei fod ef wedi dweud wrthi yn "y sgwrs fythgofiadwy" yng Nghaerdydd mai ei chwaer ef, a oedd yn briod, oedd yn rheoli yng Ngarthcelyn, a thra byddai hi yno nid oedd priodi i fod iddo ef.

Mae'r arwyddion yn llu yn ei llythyrau hi mai hi'n unig oedd mewn cariad a'i bod hi bellach yn gwybod hynny. Yn fuan ar ôl y cyfarfod "byth-gofiadwy" yng Nghaerdydd fe aeth ef ar wyliau i'r Eidal heb roi gwybod iddi nac anfon ati: "Gwawriodd arnaf megis fflach mor ddibwys oedd fy mywyd bach yn y diwedd, mor hawdd oedd im cyfaill goreu anghofio?" Er na fedrai hi dagu ei chariad, ni fedrai hi chwaith bob amser fygu pwl o ddirmyg a dorrai allan er ei gwaethaf: "Mae perygl i greadur cartrefol yn nylanwad plentyn y paith cofiwch, a chofiwch mai hwiangerdd y Morforynion a'm suodd i gysgu gyntaf erioed". Er hynny oll fe fynnai hi ei gwthio'i hun arno a mynd am noson i aros yng Ngarthcelyn. Ymweliad trychinebus wrth gwrs: "Nid yr un cyfaill oedd yng Nghriccieth ac a fu yn Nghaerdydd; gadawodd y siomiant rhyw loes ryfedd yn fy nghalon; a thyna pam yr oeddwn mor awyddus i gael un sgwrs arall, cyn dweyd farwel am byth — mae'n fwy na thebyg". Mae hi'n edliw iddo mor wahanol oedd ei phrofiad yng nghartref Dan Roberts ac Evan Roberts y "diwygiwr" yng Nghasllwchwr:

286

Fum i erioed ar Aelwyd lle'r oedd pob calon wedi ei sancteiddio o'r blaen, lle'r oedd llawenydd yn byrlymu, fel y gwelsoch ambell ffynnon fach yn nghesail mynydd — fel pe byddai raid iddi gael rhyw ollyngdod, neu chwalu'r creigiau celyd gan rym y bywyd oedd ynddi.

Mae'n haws ganddi bellach, ddydd Llun y Pasg, 1906, fynd adre i'r Paith a "dweyd ffarwel a hiraeth yn llenwi'r llygaid a dagrau. Duw fyddo gyda thi hyd y diwedd, Fyth yr eiddot".

Ac eto nid dyna'r diwedd. Yn ôl yn y Wladfa "rhaid i mi wneud rhywbeth i ladd yr unigrwydd a'r hiraeth sy'n ysu'm calon ar brydiau". Yr oedd bod mor bell oddi wrtho yn ei gwneud yn haws iddi gyfaddef ei chariad: "Yr oedd rhyw allu rhyfedd ar waith pan ysgrifenais fy llythyr diweddaf atoch; yr oeddwn megis yn cael fy ngorfodi i dywallt fy holl feddyliau yn un tryblith ger bron, a bu yn ollyngdod ac yn esmwythyd mawr i mi gael gwneud". Enaid aflonydd oedd hi a llenor anaddfed. Nid oedd ganddi ddawn i droi ei phrofiad yn greadigaeth. Dyna un rheswm efallai pam na fedrai hi ollwng William George yn rhydd. Unwaith eto fe fynnai hi ei gyfarfod megis y gobeithiasai gynt yn y man cyfarfod delfrydol, yn Eisteddfod Genedlaethol Llangollen yn 1908. Ac o Gaiman wele hi'n trefnu i fod yno "a chwithau i ofalu bod pythefnos o wyliau ar eich rhaglen, fel y caffom gyd-fwynhau mewn gwirionedd am unwaith, heblaw cyd-lythyru".

Mae hi'n ddeunaw ar hugain oed. Er hynny wele hi'n mynd i'r Eisteddfod yn yr un ysbryd a'r un disgwyl ag yr aeth hi.bum mlynedd cynt i Eisteddfod Llanelli. Y mae yntau bum mlynedd yn hŷn na hi. Eisoes y mae dealltwriaeth rhyngddo ef a Miss Anita Williams, Abergwaun. Y mae ei chwaer ef, meistres Garthcelyn, "mewn gwaeledd hir a phoenus". Y mae yntau'n ddarpar ar gyfer y dyfodol. Gyda sicrwydd a rheidrwydd trasiedi y mae Eisteddfod Llangollen yn ailadrodd trueni Eisteddfod Llanelli. Gwelodd hi ef yno, ond fe ddiflannodd ef yn hollol sydyn; ac ni bu cyfarfod.

Dywed Mr W. R. P. George (t. 28) mai yn Rhagfyr 1909 y "gwyddai hi i sicrwydd" nad oedd priodi i fod rhyngddynt. Rhaid imi feiddio anghytuno. Ni fedraf ddeall ei llythyr hi ato, Medi 17, 1908, heb fwrw ei bod hi wedi clywed yn Eisteddfod Llangollen fod William George wedi ei ddyweddïo. Mae'n llythyr gweddol fyr, yn llythyr nobl, yn ei geryddu, yn ei atgoffa am ei siomiant hi gynt yn Llanelli a'r hir ddistawrwydd wedyn, ond yn awr yn addfedrwydd ei dyddiau mae hi'n maddau iddo ac yn diolch iddo am ei gyfeillgarwch drwy'r blynyddoedd. Ni chodaf ond dwy frawddeg:

> Digiais a distewais am amser maith unwaith, pan oeddwn ieuangc a brwd; erbyn hyn, mae bywyd yn llawer rhy fyr a rhy frau i ddigio, a minnau wedi bod ormod yn swn yr afon i ddim chwerwder gael lle yn fy nghalon — ond mae wedi dyblu'm gallu i deimlo, ac mae'm calon yn ysig

am henaid yn drist heno oblegid fod y cyfaill goreu oedd genyf ar y ddaear wedi colli ei ymddiriedaeth ynof . . .

Bu eich cyfeillgarwch yn noddfa glyd i mi mewn llawer drycin, a phe na chawn air oddi wrthych fyth mwy, ac nas gwelwn eich gwyneb ar hyn o ddaear, byddai'm bywyd yn well ac yn burach yn herwydd eich dylanwad arno.

Mawrfrydigrwydd enaid llawn haelioni, *anima naturaliter Christiana*. Fe briododd ef yn 1910. Sgrifennodd hi ato ddwywaith ar ôl ei briodas, unwaith o'r Wladfa wedi clywed am hynny i "obeithio o eigion calon na pherswadir chwi gan undyn byw i fynd yn aelod Seneddol", a'r tro olaf o Gaerdydd yn 1912 megis at gydnabod achlysurol. Dychwelodd i'r Wladfa. Llosgodd ei lythyrau ef. Treuliodd ugain mlynedd olaf ei bywyd yn y Wladfa a marw yno ganol yr haf, Rhagfyr 29, 1938.

Taliesin, Rhagfyr 1972

Y Deffroad Mawr

Hanes Methodistiaeth Galfinaidd Cymru. Cyfrol I, Y Deffroad Mawr.
Golygydd Gomer M. Roberts, Caernarfon, Llyfrfa'r M.C. tt. 476. £2.25

Isel yw pris y llyfr hwn wrth brisiau llyfrau o'r un dosbarth mewn ieithoedd
eraill. Er hynny mae'n amlwg fod y pwyllgor sy'n gyfrifol am ei gyhoeddi yn
ei ystyried yn llyfr gwir bwysig. Mae hynny'n iawn, ac oherwydd hynny ni
ellir peidio â chwyno ar unwaith fod y cywiro proflenni drwy'r holl gyfrol yn
ddifrifol esgeulus. Gall y darllenydd gywiro llawer o'r llithriadau wrth iddo
ddarllen, ond y mae nifer go lew sy'n drysu ystyr brawddeg, ac y mae wedyn
dri neu bedwar sy'n codi dychryn, megis pan ddywedir claddu Daniel
Rowland yn 1740 ar dudalen 130 neu pan geir "cyhoeddiad" yn lle
"cyhuddiad", t. 310.

Gellir cwyno hefyd am safon Cymraeg yr ysgolheigion sy'n cyfrannu. Pan
fo dyn yn sgrifennu "Nid yw'n anniddorol *i* sylwi" neu un arall yn dweud
"Caniatáu iddo *i* ymweld"; fe wyddoch mai yn Saesneg y meddyliwyd, ac y
mae sôn am "dalu ymweliad" ac am "anghydfod gwahanol *na*"; ac fe geir
ddwywaith yr anghenfil o air "enthiwsiastiaeth" nad yw na Saesneg na
Chymraeg na Groeg nac un pysgotyn arall.

Cwyn arall yn erbyn y gyfrol yw'r teitl. Y mae'r teitl *Hanes* yn addo o leiaf
un safbwynt cyson, pennod yn ateg i bennod, stori'n datblygu. Nid hynny a
geir. Cymerwn yn enghraifft y ddwy bennod gyntaf gan ddau sy'n
awdurdodau, bob un yn ei faes. O ddarllen a ddywedir yma am yr Hen
Ymneilltuwyr ac wedyn am yr Eglwys Sefydledig, anodd i'r darllenydd gredu
mai am ddau sefydliad yn yr un wlad yn cyd-fyw yr un pryd y mae'r sôn. Prin
fod awgrym o gysylltiad â'i gilydd. Y teitl priodol i'r llyfr fyddai *Astudiaethau
yn Hanes y Deffroad Mawr*, astudiaethau rhagorol werthfawr bob un, megis
pan roir inni gefndir daear Daniel Rowland a thrafodaeth cytbwys gall a
gwybodus ar yrfa Howel Harris.

Pan ddaw'r hanesydd i roi inni'r *Hanes*, bydd ganddo ar sail yr astud-
iaethau hyn y testun mwyaf cyffrous ac epig y gellid ei ddymuno, sef stori
aileni cenedl. Nid aileni yn yr ystyr ddiwinyddol er cymaint y sôn am hynny
yma, eithr aileni, ailgychwyn hanes cenedl a gwlad ac iaith. Nid cychwyn
enwad crefyddol oedd cychwyn Methodistiaeth yng Nghymru — nid oes sôn
am enwad newydd yn y gyfrol gyntaf hon — ond mynd yn ôl at Lywelyn Fawr

ac Owain Glyndŵr ac ailsefydlu Cymru yn undod, yn wlad ar wahân. Nid dyna fwriad na Griffith Jones na Howel Harris na Daniel Rowland na Thomas Charles na John Elias. Nage, ond "trwy ddirgel ffyrdd". Mae hanes Methodistiaeth Galfinaidd Cymru o'r herwydd yn rhan o hanes politicaidd Cymru mewn modd hollol arbennig. Gwynfor Evans a Dafydd Wigley yw pennaf a phwysicaf etifeddion Griffith Jones a Howel Harris heddiw. Mi geisiaf egluro yn fyr ac yn sobr gategorig.

Crefydd boblogaidd werinol, crefydd pawb, yn gymysg o weddi a dogma a defodau ac ofergoelion lu, crefydd y cyffredin di-ddysg, y tlodion anllythrennog, yr uchelwyr o bob gradd, oedd crefydd Cymru'r Oesoedd Canol, y grefydd a alwyd wedyn a hyd heddiw yn babyddiaeth. Lladin oedd iaith ei gweddi gyhoeddus a'i gwasanaeth hi, ond fe wyddai pawb gystal â'r offeiriaid ystyr yr hyn a wneid, a'r hen arfer oedd i leygwyr gymuno unwaith y flwyddyn ar adeg y Pasg, ac eto trwy lwc cyn marw,

Ychydig sydd o sôn am bregethu yn y llannau Cymreig. A'r ychydig y ceir tystiolaeth amdano, nid yn yr eglwysi y bu ond mewn pardynau a ffeiriau a gwyliau mabsant yn yr awyr agored, a hynny gan ryw siawns frawd bregethwr neu aelod crwydrol o urdd arall. Yr oedd pregethu yn yr awyr agored yn gyffredin drwy holl wledydd Cred yn yr Oesoedd Canol.

Daeth y grefydd newydd Seisnig a Saesneg i feddiannu'r llannau Cymreig trwy orchymyn brenin Lloegr a'i lywodraeth. Daeth y gwasanaeth Protestannaidd Saesneg i'r pulpud a'r gangell, a'r iaith Saesneg mwyach oedd iaith cyfraith a threth a phregeth ac addoliad a phob bonedd. Rhan fawr ac ysblennydd o'r Dadeni Dysg oedd y grefydd Brotestannaidd Saesneg, mudiad dysgedig, clasurol, aristocrataidd, a'i bwyslais ar lyfr, ar reswm, ar wybodaeth o hanes ac o'r Tadau Eglwysig Groeg a Lladin. Y mae Mr Walter T. Morgan yn y gyfrol hon yn dyfynnu'r enwog Mark Pattison:

> Anglicanism has always been the religion of the educated classes exclusively. It has never at any time been national and popular, because it implies more historical information and a wider political horizon than can be possessed by the peasant and the artisan.

Yn yr eglwys wladol hon nid oedd na lle i'r Cymry anllythrennog na lle i'w hiaith, ac erbyn y ddeunawfed ganrif fe gredai'r tlodion mai'r cyfoethogion yn landlordiaid ac yn ffermwyr cefnog oedd piau'r eglwysi plwy. Eithriad oedd i'r tyddynnwr neu'r gwas ffarm groesi'r hiniog. Ac y mae Mr Morgan yn ein hatgoffa ni am ddatganiad John Wesley yn 1739 fod y Cymry mor anwybodus am yr Efengyl "as any Greek or Cherokee Indians".

Yn y gyfrol hon byddai'n ffitiach darllen pennod Dr Tudur Jones ar ôl pennod Mr Morgan, gan mai trafod lleiafrif o Ymneilltuwyr y mae'r Prifathro, ffermwyr a chrefftwyr a oedd wedi hel ceiniog go lew ac wedi dyfod ymhen amser drwy orthymder ac erlid i ddiogelwch, pobl ddarllengar ddeallus ac amryw o'u harweinwyr yn wŷr o ddysg. Dengys Dr Jones fod diwinyddiaeth yn rhan hanfodol o'u duwioldeb a rhoddent bwys ar addysg, yn enwedig ar gyfer y pulpud. Os oedd eu dadleuon yn chwerw yr oeddynt hefyd o ddifri. Nid oedd i'r anllythrennog ran dda yn eu cyrddau hwy.

Dyna'r werin Gymreig felly erbyn 1730, yn dlodion, anllythrennog, budron a barbaraidd, — buasai safon moes ac arferion Cymru yn is lawer iawn na safonau Deau a Chanolbarth Lloegr ers canrifoedd, — ac yn gwbl ddigrefydd. Er hynny yr oedd amryw arferion a llwon a dywediadau o'r cyfnod pabyddol yn aros yn weddillion crefydd yn eu plith. Yr oeddynt yn bobl angofiedig, esgymun, ar wahân, eu hiaith yn arwydd o'u hanwareiddiad, a llawysgrifau ei llenyddiaeth hi yn troi'n llwch yn seleri'r plasau Seisnig. Ac eto yr oedd mil o flynyddoedd o addoli'r Arglwydd Iesu Grist yn eu ffurfiant, yn eu gwaed, yn eu cromosomau. Nid oes un o'r pobloedd Celtaidd a fedrodd fyw yn hir heb blygu glin a phlygu pen iddo. Yr oedd y bobl hyn, tlodion anwar Cymru, a fuasai unwaith yn magu tywysogion, yn aros yn awr, yn aros fel Ethiopiaid mewn sychder, yn marw o newyn am eu Ceidwad. Nid oeddynt hwy wedi symud allan o'r Oesoedd Canol; ni fedrent. Ni fedrent ond disgwyl heb wybod eu bod yn disgwyl am eu pregethwr, am eu Ffransis a'u Dominic, i'w harwain yn ôl, os nad i'r llannau, yna i'r seiadau a'r sasiynau a'r gorfoledd hirgoll.

Ac fe ddaeth. Fe ddaeth eu Ffransis yn Griffith Jones; fe ddaeth eu Dominic yn Howel Harris. Fe ddaeth unwaith eto'r pregethu i'r cannoedd a'r miloedd yn yr awyr agored:

When Mr Jones is invited to preach anywhere, it is to be admired what a numerous congregation he has . . . five or six hundred auditors, nay sometimes a thousand . . .

The reason he sometimes preaches outside the walls of the Churches was that the hearers . . . sometimes amount to some three or four thousand people.

Pennod dda ddeallus yw pennod Miss Clement ar Griffith Jones, ond nad yw hi ddim yn honni digon ar ei ran. Canys ef yw angel y Deffroad; ei bregethu ef a'i ysgolion ef yw'r Deffroad. Yr oedd Daniel Rowland mor ddyledus iddo â Howel Harris. Fe wyddom ryw ychydig amdano. Ni wyddom fawr ddim am gynnwys ei bregethau, er bod Howel Harris a Daniel Rowland a Howel Davies oll yn cydnabod eu dylanwad hwy arnynt. Ef hyd at 1740 oedd, nid seren fore'r diwygiad, ond ei athro, ei arweinydd ysbrydol. Ef a roes addoliad yn ôl i'r tlodion; ef a ddysgodd iddynt eu Beibl, a dysgodd iddynt gadw dyletswydd.

Aelodau o'i ysgolion ef a ddaeth ynghyd yn seiadau Howel Harris. Dyna'r allwedd i hanes Cymru fodern.

Canys y seiat, seiat y tlodion, a ailgreodd genedl Cymru. Fe fagodd y seiadau gymdeithas Gymraeg grefyddol, a magu felly o raid arweinwyr lleol, sefydliadau, sasiwn a chyfarfod misol, ac felly — o raid hefyd — bendefigaeth newydd Gymreig, pendefigaeth y pulpud, y Weinidogaeth. Fe gymerodd ddau ryfel byd yn yr ugeinfed ganrif a'r distryw economaidd a'u canlynodd i chwalu a dinistrio'r bendefigaeth honno.

Os deallwn ni mai creadigaeth tlodion yw'n gwlad ni heddiw, mai creadigaeth y tlodion fu ei phendefigaeth dlawd ac amherffaith hi, — ac ni all cenedl yn y byd ymgynnal heb bendefigaeth o ryw fath, — yna fe ddeallwn fethiant Cymru Gymraeg yn y Deheudir yn y chwyldro diwydiannol. Petai'r chwyldro diwydiannol wedi digwydd cyn y diwygiad Methodistaidd, ni buasai na Chymru heddiw'n bod na'r iaith Gymraeg. Ni fedrodd y Cymry adeiladu ym Merthyr a'r Rhondda ond eu sefydliadau gwledig crefyddol a'r cyrddau mawr a'r eisteddfod. I mi bu'r Llyfrau Gleision ers blynyddoedd yn *vade mecum*, yn allwedd i ddeall hanes modern. Bu'n rhaid i'r Saeson ymhlith y gweithwyr dynnu Keir Hardie i lawr o Glasgow i roi llais i hawliau bydol, hawliau economaidd tlodion Cymru. Ond y mae'n aros un ffaith, sef fod Cymru eto'n bod, eto'n genedl, ac nad yw'r Clawdd Offa Cymreig sef yr iaith Gymraeg ddim eto wedi diflannu. Dyna greadigaeth y Deffroad Methodistaidd; a Griffith Jones yw ei nawdd sant.

Barn, Mai 1974

British Library Cataloguing in Publication Data

Lewis, Saunders
  Meistri a'u crefft. – (Clasuron yr Academi; 2)
  1. Welsh literature – History and criticism
  I. Title
  891.6'6'09   PB2206

ISBN 0-7083-0791-4